FRANCIA

San Sebastián
Bilbao
VASCON-
GADAS
Pamplona
NAVARRA
Burgos
LA VIEJA
Zaragoza
Montserrat
CATALU...
Barcelona
Ebro
Tarragona

44°
42°

LA NUEVA
VALENCIA
NARANJAS
Valencia

ISLAS BALEARES
Palma
40°

La Mancha
MURCIA
Alicante
Murcia
Cartagena

MEDITERRANEO

PLUS ULTRA
RE

38°

ESPAÑA PINTORESCA

AFRICA 36°

Net Price_____ *144*

SEVILLA — EL BAILE

One of the customs that made this show-place of Spain so famous. In a gaily decorated *patio* four dancers execute the steps of the *sevillanas* to the strains of a guitar and the admiration of beautiful bystanders. Note the flower-decked altar in the background.

Heath's Modern Language Series

PRIMER CURSO
DE ESPAÑOL

BY
JOHN M. PITTARO
AND
ALEXANDER GREEN

AUTHORS OF "BEGINNERS' SPANISH," "MODERN SPANISH
GRAMMAR" AND "PROGRESSIVE SPANISH"

D. C. HEATH AND COMPANY
BOSTON   NEW YORK   CHICAGO   LONDON
ATLANTA   SAN FRANCISCO   DALLAS

PRINTED IN THE UNITED STATES OF AMERICA

PREFACE

Aims. — This combined reader and grammar contains a simple and well-graded series of lessons designed to meet the needs of the beginner in his first-year course. Experimentation and testing in the classroom, a careful study of representative syllabuses from all sections of the country, and the researches of the Modern Foreign Language Study have played important parts in shaping the present book. These combined influences have done much to mold the text, which aims to impart a knowledge of reading, understanding, speaking, and writing Spanish. Of these four objectives, special emphasis has been laid on two attainments that can be made really useful, and this constitutes the primary doublefold purpose of *Primer curso de español:* (*a*) to stimulate reading on the part of the pupil so that he may be put into direct contact with a civilization and language different from his own, and (*b*) to furnish the student with a fund of basic grammatical principles. Though the major stress is laid throughout on the reading objective, the authors have not overlooked the fact that in order to read the language intelligently and with enjoyment the student must understand the essential grammatical principles which are indispensable for effective comprehension.

Reading. — In *Primer curso de español* a deliberate attempt has been made to capture the pupil's natural interest by offering him attractive reading material consisting of practical selections, short stories, anecdotes, and legends. Many of the selections contain a wholesome admixture of good-natured humor.

Fifty lessons, simple in style but cumulative in the repetition of words, useful idioms, and grammatical principles, have readings that have been arranged from the outset in connected discourse or conversational form. These readings aim at developing early the ability to read prose of moderate difficulty with enjoyment. The obvious fact that there can be no permanent possession of the fundamentals of the language without preliminary intensive work has been kept steadily in view.

iii

Further opportunity is offered the student to read extensively with the alternate selections which are primarily designed to develop the ability to read for comprehension rather than for translation.

Direct reading, — comprehension of the printed page without recourse to translation, — is a matter of technique dealing with units of thought rather than with single words. In addition to the reading selections that are found in every lesson, there are fifty additional stories which will give the pupil an ample amount of reading experience of the fiction type. This experience will train him for the kind of reading with which he will subsequently come in most frequent contact. Success in direct reading depends mainly on increase in speed, which in turn is conditioned by relatively few vocabulary obstacles and by the opportunities given the student to read extensively at a given level of difficulty before being led to a more difficult step. The high percentage of cognates employed in this book, combined with the *group system of thought content*, is an assurance that the reading matter does not become too rapidly difficult.

Grammar. — (*a*) With reading ability as the chief aim of instruction, a smaller body of grammatical knowledge and a slower progression are necessary than has been the case in the past. The grammar content in this book is carefully *minimized* and is restricted to one major and one corresponding minor principle in each lesson. There is a psychological articulation of grammar rules not only within each lesson but from lesson to lesson in an effort to render the combined grammar content of each large unit a rounded whole. (*b*) In each lesson the grammatical principles are derived *inductively* from the connected Spanish passage and studied *functionally* so as to contribute directly to comprehension. (*c*) Besides the verb tables at the end of the book, there will be found graphic tabulations of grammatical topics at the end of each group of ten lessons. (*d*) From the first lesson, which starts with the verb, the sequence of topics is gradual and psychological instead of being wholly governed by traditional notions of order. In practice this graded scheme has resulted not only in greater ease of reading comprehension but also in a greater degree of *accuracy* and *permanency*.

Vocabulary. — The vocabularies of the various lessons as well as the story selections have been made small for the purpose of promoting effective assimilation. In order to encourage the pupil to do intelligent thinking and to arrive at the meanings of words which are of obvious derivation, every reading selection has a number of words the meanings of which are easily guessed without having recourse to translation. This type of exercise will do much to increase the pupil's vocabulary and train him to meet similar situations in his future reading. In general, words and idioms have been selected in consultation with existing standard word and idiom lists, in accordance with the practical needs of beginners' classes. The entire number of words used in *Primer curso de español* amounts to about 2000. Of these some 500 are active and about 1200 are of a recognitional level. The relationship between the English and Spanish vocabulary is emphasized by the choice of words. The fact that over 1000 words out of the total number are cognates is an indication of the comparative simplicity of the reading material throughout the book.

Drill. — Drill being the most efficient of all types of teaching, it is perhaps the most important part of the learning process. While the grammatical lessons develop a practical vocabulary and idiom background, the fifty parallel readings encourage the growth of a literary storehouse of words in order to prepare the pupil for independent reading of a literary nature. A variety of exercises on words, idioms, and constructions is given for the purpose of reaching the three grades of students, namely the slow, the average, and the rapid-progress groups. The use of the English-Spanish translations has been made optional. The types of exercises which have been found most helpful in the classroom are those which have a challenge and are wholly within the ken of the pupils.

In order to develop the ability to understand what is read, dictation is given its due importance throughout the book. Thus, the pupil is helped materially to develop his powers of comprehension.

Pronunciation. — In a beginner's book the teaching of pronunciation is of paramount importance. The ability to pronounce well will facilitate the understanding of Spanish when it is heard and read. In *Primer curso de español* pronunciation has been treated by very few rules, with the minimum of theory and the maximum of practice. Its approach has been extended throughout the first-year course. Good pronunciation is further promoted by the use of practical rules of phonetics to explain effectively the basic sounds as well as the peculiarly characteristic sounds of the language. They aim not only to teach correct pronunciation, but also such items as stress, pitch, and phrase units.

In *Primer curso de español* simplicity is the keynote, and the constant drills do much to lay a solid foundation for a good workable pronunciation.

Cultural Interest. — The new aim also calls for "socialization of content," for cultural material that will stand the beginner in good stead whether he pursues or stops short of the Elementary Course of two years. *Primer curso de español* meets this requirement (*a*) by providing Spanish reading selections that deal not only with the student's daily environment, so useful for the early study of the language, but in still larger measure with the history and civilization of Spain and Spanish America; (*b*) by including several informative essays, written in English, on Hispanic culture and activities, which may serve as a motivating supplement and at the same time fill gaps that inadvertently may have been omitted; (*c*) by offering outlined suggestions in the nature of Realia and a selected bibliography for the study of the geography, history, life, and customs of Spain and the Spanish-American republics. This outlined material and collateral reading, useful in enriching the cultural content of the course, may be made an integral part of the work by means of oral discussion, written essays, investigation, and similar "projects." It is felt that the material contained in this book will permanently enrich the pupil's background and offer additional avenues of interest throughout his entire life.

Reviews and Tests. — The readings and exercises in this book constantly make use of the principle of cumulative repetition of vocabulary, idioms, verbs, and grammar in general. Reviews and tests have been amply provided for along two lines: (*a*) a test for each lesson, and (*b*) a formal modern-type achievement test at the end of each group of ten lessons. These objective tests will serve not only to diagnose deficiencies but also to locate them for definite remedial purposes.

Further review material is given in the form of graphic tabulations of the grammatical topics covered in the preceding group of ten lessons.

Motivation. — The new aim rightly insists that the teachable book is the interesting book. In *Primer curso de español* the student's interest is aroused from the outset when his attention is first turned to the Spanish-speaking countries and their language. It is continued through the preliminary oral and aural lessons, which yield a sense of satisfaction and achievement. It is sustained throughout the book by a large variety of projects, thought-challenging devices, poems, proverbs, pictorial conversational lessons, anecdotes, and apt humorous illustrations. This variety of material will attract the mentally curious as well as the most listless student.

Lesson Plan. — (*a*) The preliminary and pictorial conversational lessons are designed for oral and aural practice, and should be developed with books closed. If so desired, they may subsequently be read in chorus and individually. They may either be studied all consecutively prior to the first regular lesson or one by one simultaneously with each of the regular lessons. In the former case, these habit-forming conversations will combine well with the cultural preview and discussion. (*b*) Each of the regular lessons, which are uniform in arrangement, may require two or three days. Pronunciation, reading, and the inductive study of grammar will occupy the first day; the remainder of the lesson may be spread over one or two days. As a respite from the grammatical review material, the story readings may be taken at first intensively, and later on in the course, taken up for extensive reading practice. The teacher will be the final judge of relative values in selecting the exercises which will be most effective in meeting the local situation. (*c*) The Reviews may serve as periodic tests for factual acquisitions, and may be taken wholly or partially as need arises. (*d*) The extracurricular projects may be distributed to the bright pupils as part of the assignments. To attain good results it is suggested that the pupils be given ample opportunity to express themselves. This can best be accomplished by the teacher playing the rôle of a conductor in an orchestra, guiding the student to participate in a "socialized" recitation.

The authors desire to express their gratitude to the many teachers in different parts of the country who have favored them with friendly suggestions incorporated in the present volume, to the editorial staff of D. C. Heath and Company for their untiring assistance, and to Mr. A. B. Savrann for the novel and striking drawings which accompany the story selections.

J. M. P. ⸱ A. G.

April, 1938

¿ EN QUÉ PÁGINA ESTÁ ?

ix

III. LA FAMILIA

IV. EL CUERPO HUMANO Y LAS PRENDAS DE VESTIR

VI. DIVISIÓN DEL TIEMPO—ESTACIONES
DEL AÑO—FIESTAS

GRABADOS PRINCIPALES

MAPAS

PRIMER CURSO
DE ESPAÑOL

Joaquín Sorolla

SEVILLA — LA CORRIDA

A typical scene at the bullfight. The *toreros*, clad in colorful raiment, have just marched across the arena, and with lifted hats salute the presiding officer of the *corrida*.

SPANISH PRONUNCIATION

I. INTRODUCTION

Spanish or Castilian is the language of the educated Spaniard. It was originally the language of Castile, one of the fifteen regions into which Spain was divided. This is the official language of the country; with slight changes, it is the pronunciation of the Spanish-speaking countries in the New World.

Spanish is pronounced much more vigorously and energetically than English. The vowels and consonants are uttered much more forcibly, clearly, and distinctly. As to the use of breath, English is a lazy language when compared with Spanish. The organs of speech (lips, cheeks, soft palate, and jaw, except the tongue) are much more tense and active in Spanish than they are in English.

Spanish is almost a phonetic language. This means that nearly every sound is represented by a corresponding letter or group of letters and that nearly every letter or group of letters represents the same sound. In order to develop a correct pronunciation the beginner must learn to associate certain definite sounds with letters. Thus, once the pupil learns a letter and the sound it represents, this association is permanent and does not change as often happens in English.

The vowels in Spanish never have a vowel glide or vanishing sound, as one finds in the English sounds of *a, e,* and *o.*

In short, to pronounce Spanish well, breathe deeply and pronounce each syllable clearly, moving the lips and jaws more and the tongue less than you do in English.

II. THE ALPHABET

The Spanish alphabet has twenty-nine symbols, three more than the English alphabet; these are: **ch, ll,** and **ñ.**[1]

The Spanish names of the letters are:

a (a), **b** (be), **c** (ce), **ch** (che), **d** (de), **e** (e), **f** (efe), **g** (ge), **h** (hache), **i** (i), **j** (jota), **k** (ka), **l** (ele), **ll** (elle), **m** (eme), **n** (ene), **ñ** (eñe), **o** (o), **p** (pe), **q** (cu), **r** (ere), **s** (ese), **t** (te), **u** (u), **v** (ve), **w** (ve doble), **x** (equis), **y** (i griega), **z** (zeta).

---

[1] Until recently **rr** was considered a separate symbol.

3

III. Rules of Stress

The following are the rules of stress in Spanish:

1. Words ending in a consonant, except **n** or **s**, stress the last syllable: **capital, color.**

2. Words ending in **a, e, i, o, u,** or **n** or **s** stress the next to the last syllable: **hermano, contestamos, preguntan.**

3. Words that do not follow the above rules have a written accent mark over the stressed syllable: **detrás, capitán.**

IV. Vowels

All Spanish vowels are pure in that they have no glides. Their degree of sonority or loudness produces strong vowels such as **a, e,** and **o,** and weak vowels **i** and **u.** The vowels are pronounced approximately as follows:

1. **a**   like *a* in *ah:* la, a-ma, al-ma, ca-ma, cam-pa-na.
2. **e**   (*a*) like *e* in *they:* [1] le, me, se, Pe-pe, me-le-na.
         (*b*) like *e* in *met:* el, pa-pel, per-der, pe-rro.
3. **i**   like *i* in *machine:* li-la, fin, li-ma, Fi-li-pi-nas.
4. **o**   (*a*) like *o* in *no:* [1] lo, po-lo, mo-no, po-co, co-mo.
         (*b*) like *o* in *or:* con, pon, col-mo, pon-go, sol.
5. **u**   like *oo* in *moon:* un, una, lu-na, plu-ma, mu-la.

V. Consonants

The consonants are pronounced approximately as follows:

1. **b**   (*a*) like *b* in *boy* (when beginning a word, a breath group,[2] a sentence, or after **m** and **n**): bo-la, bo-ca, ban-co, bom-ba.

         (*b*) [3] a-ca-ba, bo-bo, cu-ba-no, Ha-ba-na, a-ma-ble, be-be.

2. **c**   (*a*) like *c* or *k* in *cake* (before **a, o, u,** or a consonant): ca-ma, bo-ca, cu-na, ban-co, co-co, cu-co, cla-ma.

         (*b*) like *th* in *think* (before **e** or **i**): [4] ci-ma, ce-pa, fá-cil, cin-co, ci-ne, co-ci-na.

[1] Take care not to prolong **e** and **o** into two sounds as in English.

[2] A phonic or breath group is a word or group of words pronounced as a unit between pauses.

[3] In other cases sounded by breathing lightly through the lips which slightly touch each other.

[4] In the south of Spain and in Spanish America this sound of **c** is like **s.**

3. **ch** like *ch* in *church:* e-cha, cho-ca, mu-cha-cho, chi-cha.

4. **d** (*a*) like *d* in *day* (at the beginning of a word, a breath group, a sentence, or after **n** and **l**): de, del, da-ma, fal-da, dan-do, don-de.

   (*b*) like *th* in *than* (when between vowels or at the end of a word): da-do, lo-do, du-da, bon-dad.

5. **f** as in English: fi-no, fu-ma, fa-ma, al-fal-fa, fin.

6. **g** (*a*) like *g* in *go* (before **a**, **o**, **u**, or a consonant): al-go, go-ma, a-gu-do, a-mi-go, do-min-go, ga-to.

   (*b*) like *h* in *hey! hush!* (before **e** or **i**): ge-me-lo, pá-gi-na, i-ma-gen, gen-te, gi-me, gi-ro.

   NOTE: In **gue**, **gui** the **g** is pronounced "hard" and the **u** is silent: guí-a, si-gue, guin-da, gue-rra, gui-so.

7. **h** is silent: hu-mo, hi-lo, he-la-do, hu-ma-no, ha-go.

8. **j** like *h* in *hey! hush!:* ca-ja, je-fe, pa-ja, ji-pi-ja-pa.

9. **k** as in English (only in foreign words): ki-lo, ki-mo-no, ki-ló-me-tro, kan, ki-lo-li-tro.

10. **l** like *l* in *lace:* [1] a-la, li-la, lu-na, ma-lo, fi-nal, la-na.

11. **ll** like *lli* in *million:* [2] ca-lla, po-llo, lle-ga, ca-ba-llo, mi-llón, ha-llo.

12. **m** like *m* in *mat:* ma-la, ma-má, co-mo, a-mi-ga.

13. **n** like *n* in *name:* [1] ne-na, na-da, po-nen, man-dan.

14. **ñ** like *ni* in *onion:* ba-ña, pa-ño, do-ña, ca-ñón.

15. **p** like *p* in *paper:* po-co, pa-pa, pi-pa, pa-pel, Pe-pe.

16. **q** like *k* (found only with silent **u** in **que** and **qui**): que-da, quin-ce, quin-qué, a-quí, má-qui-na.

17. **r** (*a*) trill with the tip of the tongue like *r* in *three:* ce-ro, co-ro, pa-ra, bur-la, dor-mir, hom-bre, me-tro.

   (*b*) initial is strongly trilled: [3] ra-ro, ri-co, ro-pa.

18. **rr** is the same as initial *r:* ca-rro, pe-rro, fe-rro-ca-rril.

19. **s** (*a*) like *s* in *so:* [4] sa-la, ca-sa, cla-se, sal-sa, se-so.

   (*b*) like *s* in *goes* sometimes before voiced consonants: mis-mo, as-no, is-la, des-de, ras-go, es-bel-to.

[1] The tip of the tongue is pushed forward until it touches the upper front teeth and gums.

[2] Popularly sounded as *y* in *yes* in the south of Spain and Spanish America.

[3] Initial **r** is trilled with the tip of the tongue three or four times directly against the upper gums.

[4] But with the front of the tongue higher to produce a softer effect.

20. t   like *t* in *ten:*[1] ta-ta, tin-ta, tan-to, tu-te, pa-ta-ta.
21. v   like **b** in Spanish: vi-vo, va-so, vol-ver, lla-ve, vis-ta, vi-vi-do, in-va-dir, in-ven-to (**nv = mb**).
22. w   as in the foreign word: Wéllington, Wáshington.
23. x   (*a*) Before consonants like *s* in *so:* ex-tra-ño, tex-to, mix-to, ex-pre-so, ex-tre-mo.
         (*b*) Between vowels like *gs* and sometimes *ks:*[2] e-xa-men, la-xo, má-xi-mo, é-xi-to, a-xio-ma.
24. y   like *y* in *year:* ra-yo, jo-ya, po-yo, ye-so, yo, ya.

    NOTE: In **y**, *and,* it is pronounced like **i**.

25. z   like *th* in *thin:*[3] zár-za, ze-da, faz, a-zul, vez, luz.

VI. VOWEL COMBINATIONS (DIPHTHONGS)

The diphthongs are pronounced approximately as follows:

1. ai (ay)   like *i* in *line:* ai-re, hay, cai-go, ay, frai-le.
2. au   like *ou* in *sound:* au-to, au-la, cau-sa, au-tor.
3. ei (ey)   like *ey* in *they:*[4] rei-na, rey, vein-te, ley, seis.
4. eu   pronounce Spanish **e** and short **u** in one syllable: Eu-ro-pa, reu-ma, deu-da, neu-tro.
5. oi (oy)   like *oy* in *boy:* hoy, voy, doy, oi-ga, soy, es-toy.
6. ia (ya)   like *ya* in *yard:* pia-no, in-dia, me-dia, Ju-lia.
7. ie (ye)   like *ye* in *yes:* tie-ne, mie-do, diez, bien.
8. io (yo)   like *yo* in *yore:* es-tu-dio, pa-tio, ju-nio, ju-lio.
9. iu   like *you:* viu-do, ciu-dad, diur-no, triun-fo.
10. ua   like *wa* in *want:* a-gua, cuan-do, len-gua.
11. ue   like *way:* pue-blo, pue-de, lue-go, fue-go.
12. ui   like *we:* rui-na, rui-do, Luis, cui-ta, cui-da-do.
13. uo   like *wo* in *woke:* cuo-ta, an-ti-guo, con-ti-nuo.

    NOTE: The vowels **a, e, o** do not unite to form diphthongs:

14. ao or oa pronounced separately: ca-ca-o, sa-ra-o, pro-a.
15. ae or ea pronounced separately: tra-e, ca-e, ma-es-tro.

[1] The tip of the tongue is pushed forward till it barely touches the lower front teeth and leans heavily on the upper front teeth.

[2] In studied speech **x** is pronounced as *ks* whereas in current speech **x** is pronounced as *gs*.

[3] Pronounced like **s** in the south of Spain and in Spanish America.

[4] Pronounce the **e** of **ey** as *e* in *met.*

16. **eo** or **oe** pronounced separately: ro-de-o, pa-se-o, ro-er.

17. **ee** or **oo** pronounced separately: le-er, le-e, le-en, lo-or.

> NOTE: When one of the vowels bears an accent mark, combina-
> tions like the following are pronounced as two separate vowels:
> pa-ís, dí-a, ba-úl, o-ír, re-ír, le-í-do.

VII. DIVISION OF SYLLABLES

In a Spanish word there are as many syllables as there are
separate vowel sounds. A vowel combination (diphthong) counts
as one vowel sound.

1. A syllable ends in a vowel when vowels and consonants
alternate.

fi-li-pi-na	a-mi-go	pa-sa-do
a-ma-ba	Pa-na-má	pa-lo-ma

2. Two consonants found between vowels are usually separated
except **ch**, **ll**, and **rr** which are treated as single letters.

lec-tu-ras	lec-cio-nes	pe-rro
her-ma-nos	ac-to	po-llo
im-por-tan-te	tin-ta	mu-cha-cho

3. The two consonants are not separated when the second is
l or **r**, except **lr**, **nr**, **sr**, **rl**, **sl**, **tl**. Compare:

no-ble	*with*	bor-la	pa-dre *with*	is-la
re-gla		at-le-ta	li-bro	per-la

4. More than two consonants are so divided that the last consonant goes with the following vowel; an inseparable combination
also goes with the following vowel. But note that **s** is always
separated from a following consonant.

Lon-dres	cons-truc-ción
ex-pli-car	cons-tan-te

VIII. Punctuation

,   la coma *comma*

;   punto y coma *semicolon*

.   punto final *period;* punto y seguido *period, same paragraph;* punto y aparte *period, new paragraph*

:   los dos puntos *colon*

... los puntos suspensivos *leaders*

¿? los signos de interrogación *question marks*

¡! los signos de admiración *exclamation points*

¿   el principio de interrogación *first question mark*

?   el fin de interrogación *final question mark*

¡   el principio de admiración *first exclamation point*

!   el fin de admiración *final exclamation point*

( ) el paréntesis *parenthesis;* abrir (cerrar) el paréntesis *to begin (end) the parenthesis*

« » las comillas *quotation marks*

-     el guión *hyphen*

— la raya *dash*

§   el párrafo *paragraph*

A   la letra mayúscula *capital letter*

a   la letra minúscula *small letter*

.. diéresis *dieresis*

EXPRESIONES PARA LA CLASE

I. ENTRADA Y SALIDA

Buenos días, señor profesor.	*Good morning, teacher.*
Buenas tardes, señora Molina.	*Good afternoon, Mrs. Molina.*
Buenas noches, señorita Villa.	*Good evening, Miss Villa.*
Buenos días, niños.	*Good morning, children.*
¿Cómo está usted? ¿Qué tal?	*How are you? How goes it?*
Muy bien, gracias. ¿Y usted?	*Quite well, thank you. And you?*
Hasta la vista.	*Till we meet again.*
Hasta mañana.	*See you tomorrow.*
Adiós; hasta más tarde.	*Good-by; I'll see you later.*

II. EN LA CLASE

A sus sitios. Siéntense.	*Be seated.*
Tomen ustedes asiento.	*Take your seats.*
¿Sonó el timbre?	*Did the bell ring?*
Voy a pasar lista.	*I am going to call the roll.*
Presente (or servidor, –a).	*Present.*
Ausente.	*Absent.*
¿Cómo se llama usted?	*What is your name?*
Me llamo . . .	*My name is . . .*
Presten ustedes atención.	*Pay attention.*
Levántese usted.	*Stand up.*
Levante (baje) usted la mano.	*Raise (lower) your hand.*
Siéntese usted.	*Sit down.*
Escuchen ustedes bien.	*Listen carefully.*

III. LA LECTURA

¿Cuál es la lección de hoy?	*What is today's lesson?*
La lección de hoy es la lectura de la página . . .	*Today's lesson is the reading on page . . .*
Empieza en la página . . .	*It begins on page . . .*
Gracias, está bien.	*Thank you, all right.*
Abran ustedes los libros por la página . . .	*Open your books on page . . .*
Empiece usted a leer.	*Begin to read.*
Lea usted despacio.	*Read slowly.*
Hable usted más alto.	*Speak louder.*
¿Entiende usted lo que ha leído?	*Do you understand what you have read?*

9

Sí, señor, lo entiendo.	*Yes, sir, I understand it.*
Muy bien, traduzca usted.	*All right, translate.*
Repita usted la frase.	*Repeat the sentence.*
Gracias, basta. ¿ Quién sigue?	*Thanks, that's all. Who is next?*
Servidor (servidora).	*It's my turn.*
Continúe (siga) usted leyendo.	*Continue reading.*
Lea usted la frase siguiente.	*Read the next sentence.*
Pronuncie usted con cuidado.	*Pronounce carefully.*
¿ Qué significa la palabra . . .?	*What does the word . . . mean?*
¿ Cómo se dice . . . en español?	*How does one say . . . in Spanish?*
Se debe decir . . .	*One should say . . .*
Haga usted una pregunta.	*Ask a question.*
Responda usted a la pregunta.	*Answer the question.*
Cierre usted el libro.	*Close your book.*
Preparen para mañana . . .	*Prepare for tomorrow . . .*
La clase ha terminado.	*Class is dismissed.*

IV. LA ESCRITURA

Pase usted a la pizarra.	*Go to the board.*
Coja usted la tiza.	*Take the chalk.*
Escriba usted en la pizarra.	*Write on the board.*
Deletree usted la palabra . . .	*Spell the word . . .*
¿ Qué faltas hay?	*What mistakes are there?*
¿ Cuál es la falta?	*What is the mistake?*
Corrija usted la falta.	*Correct the error.*
Borre usted eso.	*Erase that.*
Vuelva usted a su asiento.	*Return to your seat.*
Saquen ustedes los cuadernos.	*Take out your notebooks.*
Escriban ustedes lo siguiente . . .	*Write the following . . .*
Escriban ustedes con tinta (lápiz).	*Write in ink (pencil).*
No olviden ustedes la puntuación.	*Don't forget the punctuation.*
Subraye usted los verbos.	*Underline the verbs.*
Tache usted esa letra.	*Strike out that letter.*
Hemos terminado.	*That's all; we are through.*
Recoja usted los cuadernos.	*Collect the notebooks.*

V. FÓRMULAS DE CORTESÍA

Haga usted el favor de ⎫ escribir. Tenga usted la bondad de ⎭	*Please write.*
Sírvase hablar más alto.	*Please speak louder.*
Gracias. Muchas gracias.	*Thank you.*
No hay de qué. De nada.	*Don't mention it.*
Dispénseme usted.	*Excuse me.*
Con mucho gusto.	*Gladly; with great pleasure.*

SECCIÓN PRIMERA
LECCIONES PREPARATORIAS
PARTE ORAL

EN LA CLASE

EL PROFESOR	EL ALUMNO
Entrada	

Entrada

Buenos días, señores.

Buenos días, señor
(señorita, señora).

Pasando lista

Señor ——.   Servidor.

Señorita ——.   Servidora.

Señor ——.   Ausente.

Señorita ——.   Ausente.

Salida

Hasta mañana,
   señores (señoritas).

Que Vd. lo pase bien,
   señor profesor.

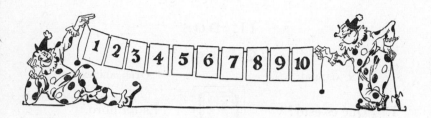

I. UNO

Uno, dos, tres...

1 = uno	6 = seis
2 = dos	7 = siete
3 = tres	8 = ocho
4 = cuatro	9 = nueve
5 = cinco	10 = diez

I.
$1 + 1 = 2$ — uno *y* uno (son) dos
$2 + 1 = 3$ — dos y uno, tres
$3 + 1 = 4$ — tres y uno, cuatro

II.
$10 - 1 = 9$ — diez *menos* uno (son) nueve
$9 - 1 = 8$ — nueve menos uno, ocho
$8 - 1 = 7$ — ocho menos uno, siete

III.
$2 \times 2 = 4$ — dos *por* dos (son) cuatro
$2 \times 3 = 6$ — dos por tres, seis
$2 \times 4 = 8$ — dos por cuatro, ocho

EJERCICIO UNO

A. Cuento: 1, 2, 3, 4, 5, 6, 7, 8, 9, 10.
Cuente usted: 1, 2, 3, 4, 5, 6, 7, 8, 9, 10.
Cuente usted al revés: 10, 9, 8, etc.
Cuente usted de dos en dos: 2, 4, 6, 8, etc.

13

B. 2 + 3 = 5   6 − 2 = 4   2 × 3 = 6
  4 + 2 = 6   6 − 4 = 2   2 × 4 = 8
  7 + 2 = 9   9 − 6 = 3   5 × 2 = 10

II. DOS

¿ Qué es esto?

UN ALUMNO: OTRO ALUMNO:

I. ¿ Qué es esto? [1]   Es *un* libro.

¿ Qué es esto?   Es *un* lápiz.

¿ Qué es esto?   Es *un* cuaderno.

II. ¿ Qué es esto?   Es *una* mesa.

¿ Qué es esto?   Es *una* pluma.

¿ Qué es esto?   Es *una* silla.

[1] In writing, an inverted question mark is used at the beginning of an interrogative sentence.

III. ¿ Es *el* libro ?

Sí, señor, es *el* libro.

¿ Es *el* cuaderno ?

Sí, señor, es *el* cuaderno.

¿ Es *la* pluma ?

No, señorita, es *la* silla.

¿ Es *la* mesa ?

No, señor, no es *la* mesa, es *la* silla.

Hágase lo mismo con: *un* tintero, *un* pupitre, *un* cuadro,

un reloj, *una* puerta, *una* ventana, *una* regla.

IV. Un libro, dos libro*s*, tres libro*s*, cuatro libro*s*, cinco libro*s*
Una mesa, dos mesa*s*, tres mesa*s*, cuatro mesa*s* . . .
Un reloj, dos reloj*es*, tres reloj*es* . . .

V. Cuento: 11 = once   12 = doce   13 = trece
             14 = catorce   15 = quince

EJERCICIO DOS

A. ¿ Es una ——— ?   Sí, señor, es ———.
   ¿ Es un ——— ?   Sí, señor, es ———.
   ¿ Es el ——— ?   No, señor, es ———.
   ¿ Es la ——— ?   No, señor, es ———, no es ———.

B. Dos libros y tres libros son cinco libros.
   3 plumas y 4 ——— son ——— ———.
   2 cuadernos y 7 ——— son ——— ———.
   5 libros y 5 ——— son ——— ———.

C. ¿ Qué números suman: 9, 12, 8, 14, 7, 11, 15, 5, 13 ?

D. Lean ustedes:

1 lápiz	13 relojes	8 pupitres
6 plumas	5 libros	11 alumnos
15 reglas	12 ventanas	14 sillas
9 mesas	10 cuadernos	4 puertas

III. TRES

¿ De qué color es el papel?

UN ALUMNO: OTRO ALUMNO:

I. ¿ De qué color es el papel ?   El papel es blanco. Es papel blanco.

  ¿ De qué color es el lápiz ?   El lápiz es negro. Es un lápiz negro.

  ¿ De qué color es el cuaderno ?   El cuaderno es rojo. Es un cuaderno rojo.

  ¿ De qué color es el libro ?   El libro es verde. Es un libro verde.

    El papel es blanco (negro, rojo, amarillo, pardo, verde, azul).

II. ¿ De qué color es la tiza ?   La tiza es blanca.   Es tiza blanca.

¿ De qué color es la tinta ?   La tinta es negra.   Es tinta negra.

¿ De qué color es la pared ?   La pared es blanca.   Es una pared blanca.

¿ De qué color es la pluma ?   La pluma es verde.   Es una pluma verde.

La pluma es (blanca, negra, roja, amarilla, parda, verde, azul).

III. Cuento: 16 = dieciséis [1]   17 = diecisiete

18 = dieciocho   19 = diecinueve   20 = veinte

EJERCICIO TRES

A. El papel es ——; es ——.

El cuaderno es ——; es ——.

El libro es ——; es ——.

El lápiz es ——; es ——.

La mesa es ——; es ——.

La silla es ——; es ——.

La tinta es ——; es ——.

B. ¿ De qué color es el papel ? ¿ la tinta ? ¿ la pared ? ¿ el lápiz ? ¿ el cuaderno ? ¿ el libro ?

La tiza es ——; no es ——.

El lápiz no es ——; es ——.

El libro es ——; no es ——.

El papel es ——; no es ——.

C. Cuente usted: 1, 2, 3, 4, 5, . . . 20.

Cuenten ustedes al revés: 20, 19, . . . 1.

¿ Qué números suman: 5, 13, 19, 14, 20, 8, 12, 15 ?

Cuente usted de dos en dos: 2, 4, 6, . . . 20.

Cuenten todos juntos de 10 a 20, de 1 a 10.

D.
$$2 + 5 - 4 = 3 \qquad 8 + 6 = 14 \qquad 4 + 6 + 3 = 13$$
$$6 - 3 + 7 = 10 \qquad 13 + 4 = 17 \qquad 2 + 4 + 3 = 9$$
$$2 + 6 + 3 = 11 \qquad 7 + 5 = 12 \qquad 9 + 2 + 7 = 18$$

[1] The following forms may also be used: **diez y seis, diez y siete, diez y ocho,** and **diez y nueve.**

E. ¿ Cuántos son ?

(+ = más)	(− = menos)	(× = por)	(÷ = entre)
7 + 4 = ?	15 − 4 = ?	2 × 3 = ?	18 ÷ 6 = ?
12 + 6 = ?	20 − 8 = ?	2 × 7 = ?	20 ÷ 4 = ?

IV. CUATRO

¿ Qué hora es?

UN ALUMNO: OTRO ALUMNO:

I. Luis, ¿ qué hora es ?  1   Es la una.

Felipe, ¿ qué hora es ?  1.05   Es la una y cinco.

Ana, ¿ qué hora es ?  1.10   Es la una y diez.

Luisa, ¿ qué hora es ?  1.15   Es la una y cuarto.

II. Señor   Elso,   ¿ qué hora es ? 3   Son las tres.

Señora   Silva,   ¿qué hora es ? 4.30   Son las cuatro y media.

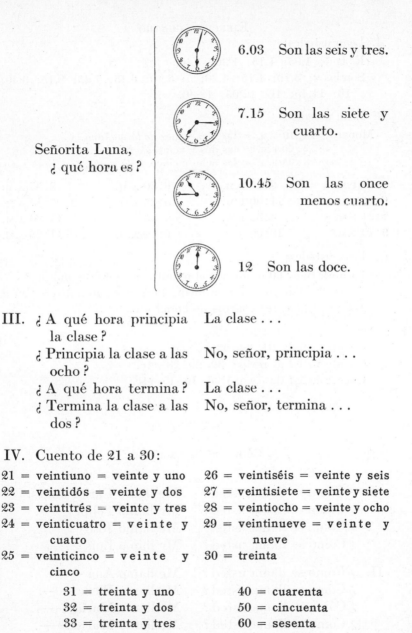

Señorita Luna,
¿ quć hora es ?

6.03   Son las seis y tres.

7.15   Son las siete y cuarto.

10.45   Son las once menos cuarto.

12   Son las doce.

III. ¿ A qué hora principia la clase ?   La clase . . .

¿ Principia la clase a las ocho ?   No, señor, principia . . .

¿ A qué hora termina ?   La clase . . .

¿ Termina la clase a las dos ?   No, señor, termina . . .

IV. Cuento de 21 a 30:

21 = veintiuno = veinte y uno   26 = veintiséis = veinte y seis
22 = veintidós = veinte y dos   27 = veintisiete = veinte y siete
23 = veintitrés = veintc y tres   28 = veintiocho = veinte y ocho
24 = veinticuatro = v e i n t e y cuatro   29 = veintinueve = v e i n t e y nueve
25 = veinticinco = v e i n t e y cinco   30 = treinta

31 = treinta y uno   40 = cuarenta
32 = treinta y dos   50 = cincuenta
33 = treinta y tres   60 = sesenta

Ejercicio cuatro

A. Lean ustedes:

Es la 1; 1.05; 1.15; 1.30; 1.40.

Son las 2; 3.10; 4.15; 4.30; 5; 6.20; 6.45; 7.25; 8.15; 9.40; 10; 11.45; 12; 12.05; 12.30.

B. Lean ustedes:

Modelo: 10 : 10 a.m. = las diez y diez *de la mañana.*
2 : 20 p.m. = las dos y veinte *de la tarde.*
8 : 05 p.m. = las ocho y cinco *de la noche.*

1:15 p.m.	3:25 p.m.	6:30 a.m.	8:35 a.m.
6:45 p.m.	11:00 p.m.	5:20 p.m.	7:15 a.m.
1:24 p.m.	4:35 p.m.	2:43 p.m.	11:30 a.m.
9:40 p.m.	10:00 a.m.	9:12 a.m.	11:23 a.m.

C. Lean ustedes:

La hora tiene 60 minutos; el minuto tiene 60 segundos.

¿ Cuántos minutos hay en media hora y 20 minutos ? ¿ en 2 horas ? ¿ en tres cuartos de hora ? etc.

D. Cuento: 20, 21, 22, . . . 30.
Cuente usted: 31, 32, 33, . . . 50.
Cuente usted al revés: 30, 29, 28, etc.
Cuente usted de 5 en 5: 5, 10, 15, etc.

V. CINCO

¿ Cómo se llama usted ?

Un alumno:	Otro alumno:
I. ¿ Cómo se llama usted ?	Me llamo Carlos Jones.
¿ Cómo se llama usted ?	Me llamo Felipe ——.
¿ Cómo se llama usted ?	Me llamo José ——.
¿ Cómo se llama usted ?	Me llamo Luis ——.
II. ¿ Cómo se llama usted ?	Me llamo Ana ——.
¿ Cómo se llama usted ?	Me llamo Elena ——.
¿ Cómo se llama usted ?	Me llamo María ——.
¿ Cómo se llama usted ?	Me llamo Marta ——.

III. ¿ Quién se llama Luis   *Yo* [1] me llamo ——.
——?

¿ Quién se llama Ana   *Yo* me llamo ——.
——?

¿ Quién se llama Carmen   *Nadie* se llama ——.
López ?

IV. Cuento de 60 a 70:

61 = sesenta y uno   62 = sesenta y dos
63, ... 70 = sesenta y tres, ... setenta.

70 = setenta	90 = noventa	101 = ciento uno
80 = ochenta	100 = ciento	110 = ciento diez
100 = cien [2] libros	100 = cien sillas	102 = ciento dos plumas

EJERCICIO CINCO

A. ¿ Se llama usted ——?   Sí, señor; me llamo ——.
¿ Se llama usted ——?   No, señor; no me llamo ——.
¿ Cómo se llama usted ?   Me llamo ——.
¿ Cómo se llama su amigo ?   Mi amigo se llama ——.
¿ Cómo se llama su amiga ?   Mi amiga se llama ——.

B. Carlos, ¿ qué números suman: 24, 30, 15, 43, 56, 62, 78, 81, 99, 100 ?

Lean ustedes: 7, 13, 28, 36, 45, 59, 64, 72, 81, 97, 100.

Cuenten ustedes de 3 en 3 hasta 33; de 5 en 5 hasta 100; de 10 en 10 hasta 100.

[1] The subject pronoun must be expressed when we wish to be emphatic or clear.

[2] **Ciento** is shortened to **cien** before nouns of either gender.

VI. SEIS

La semana

UN ALUMNO: OTRO ALUMNO:

I. ¿ Qué es el domingo ?

El *domingo* es un día de la semana.

Es el primer [1] día de la semana.

¿ Qué es el lunes ?

El *lunes* es otro día de la semana.

Es el segundo día de la semana.

¿ Qué es el martes ?

El *martes* es otro día de la semana.

Es el tercer [1] día de la semana.

¿ Qué es el miércoles ?

El *miércoles* es otro día de la semana.

Es el cuarto día de la semana.

¿ Qué es el jueves ?

El *jueves* es otro día de la semana.

Es el quinto día de la semana.

---

[1] The adjectives **primero**, *first*, and **tercero**, *third*, drop the final –o before a masculine singular noun.

¿ Qué es el viernes ?

El *viernes* es otro día de la semana.

Es el sexto día de la semana.

¿ Qué es el sábado ?

El *sábado* es otro día de la semana.

Es el séptimo (último) día de la semana.

II. ¿ Es el domingo el *primer* día de la semana ?

Sí, señor, el domingo es el *primer* día de la semana.[1]

¿ Es el lunes el *segundo* día de la semana ?

Sí, señor, el lunes es el *segundo* día de la semana.

¿ Es el martes el *tercer* día de la semana ?

Sí, señor, el martes es el *tercer* día de la semana.

III.
125 = ciento veinticinco
200 = doscientos, –as [2]
300 = trescientos, –as
400 = cuatrocientos, –as
500 = quinientos, –as
600 = seiscientos, –as

700 = setecientos, –as
800 = ochocientos, –as
900 = novecientos, –as
1,000 = mil
2,000 = dos mil
50,000 = cincuenta mil

EJERCICIO SEIS

A. ¿ Es el domingo un día de la semana ?

Sí, señor, el domingo es . . .

¿ Es el domingo un minuto de la hora ?

No, señor, el domingo no es . . .

¿ Qué es el domingo ?

El domingo es . . .

[1] En España y en los países hispanoamericanos se considera el lunes generalmente como el primer día de la semana.

[2] Note that these numerals are plural in form and have two endings.

B. Lean ustedes:

200 días	910 años	2,500 minutos
700 semanas	524 horas	25,772 segundos

C. Lean ustedes:

1. El año tiene 52 semanas. 2. El año tiene 365 o 366 días.
3. El día tiene 24 horas. 4. La hora tiene 60 minutos.
5. El minuto tiene 60 segundos.

D. Cuente usted de 100 en 100 hasta 2,000.

VII. SIETE

El año

UN ALUMNO:

¿ Qué es enero ?
¿ Qué es febrero ?
¿ Qué es marzo ?
¿ Qué es abril ?
¿ Qué es mayo ?
¿ Qué es junio ?
¿ Qué es julio ?
¿ Qué es agosto ?
¿ Qué es septiembre ?
¿ Qué es octubre ?
¿ Qué es noviembre ?

¿ Qué es diciembre ?

OTRO ALUMNO:

Enero es el primer mes del año.
Febrero es el segundo mes del año.
Marzo es el tercer mes del año.
Abril es el cuarto mes del año.
Mayo es el quinto mes del año.
Junio es el sexto mes del año.
Julio es el séptimo mes del año.
Agosto es el octavo mes del año.
Septiembre es el noveno mes del año.
Octubre es el décimo mes del año.
Noviembre es el undécimo mes del año.
Diciembre es el duodécimo (último) mes del año.

EJERCICIO SIETE

A. ¿ Es enero el primer mes del año ?

¿ Es enero el segundo mes del año ?

¿ Qué es enero ?

Sí, señor, enero es el primer mes del año.

No, señor, no es el segundo mes del año.

Es el primer mes del año.

B. Lean ustedes:

El año tiene 12 meses o 52 semanas.
Febrero tiene 28 o 29 días.
El año tiene 365 o 366 días.
Junio tiene 30 días.
En 90 días, ¿ cuántos meses hay ?

C. Aprendan de memoria:

Treinta días tiene noviembre,
con abril, junio y septiembre;
veintiocho tiene uno;
y los demás treinta y uno.

VIII. OCHO

¿ Qué día es hoy ?

El profesor:	Un alumno:
I. ¿ Cuántos días tiene la semana ?	La semana tiene siete días.
¿ Cuáles son los días de la semana ?	Los días de la semana son: *domingo, lunes, martes, miércoles, jueves, viernes,* y *sábado.*
¿ Qué día es hoy ?	Hoy es lunes.
¿ Qué día fué ayer ?	Ayer fué domingo.
¿ Qué día fué anteayer ?	Anteayer fué sábado.
¿ Qué día es mañana ?	Mañana es . . .
II. ¿ Cuál es la fecha de hoy?	Hoy es el primero de enero de mil novecientos treinta y nueve = January 1, 1939.
¿ Cuál es la fecha de mañana ?	Mañana es el dos de mayo de mil novecientos cuarenta = May 2, 1940.
¿ Cuál fué la fecha de ayer?	La fecha de ayer fué . . .

EJERCICIO OCHO

A. ¿ Es hoy . . . ? Sí, señor, hoy es . . .
¿ Es hoy domingo ? No, señor, hoy no es domingo.
¿ Qué día es hoy ? Hoy es . . .
¿ Es mañana . . . ? Sí, señor, mañana es . . .
¿ Es mañana . . . ? No, señor, mañana no es . . .
¿ Qué día es mañana ? Mañana es . . .

B. Si hoy es . . ., ¿ qué día fué Ayer . . .
 ayer ? ¿ anteayer ? Anteayer . . .
 Si hoy es . . ., ¿ qué día es Mañana . . .
 mañana ?

C. Lean ustedes:
1. Hay en un año: 12 meses; 52 semanas; 365 días.
2. El 1 de enero de 1960.
3. El 12 de octubre de 1492.
4. El 4 de julio de 1776.
5. El 2 de mayo de 1808.
6. El 6 de diciembre de 1885.
7. El 11 de noviembre de 1918.

IX. NUEVE

¿ Dónde se habla español ?

UN ALUMNO: OTRO ALUMNO:

I. ¿ Qué idioma se habla en los Estados Unidos ? En los Estados Unidos se habla inglés.

¿ Qué idioma se habla en Méjico ? En Méjico se habla español.

¿ Qué idioma se habla en Puerto Rico ? En Puerto Rico se habla español.

¿ Qué idioma se habla en Centro América ? En Centro América se habla español.

¿Qué idioma se habla en Cuba? (¿Colombia? ¿la Argentina? ¿Chile?) — En Cuba (Colombia, la Argentina, Chile) se habla español.

¿Qué idioma se habla en el Brasil? — En el Brasil se habla portugués.

II. ¿Qué idioma se habla en España? — En España se habla español.

¿Qué idioma se habla en Francia? — En Francia se habla francés.

¿Qué idioma se habla en Inglaterra? — En Inglaterra se habla inglés.

¿Qué idioma se habla en Alemania? — En Alemania se habla alemán.

¿Qué idioma se habla en Portugal? — En Portugal se habla portugués.

¿Qué idioma se habla en Italia? — En Italia se habla italiano.

III.
150,000 = ciento cincuenta mil
275,000 = doscientos setenta y cinco mil
500,000 = quinientos mil
700,000 = setecientos mil
1.000,000 = un millón
25.000,000 = veinticinco millones

EJERCICIO NUEVE

A. ¿Dónde se habla español? — Se habla español en . . .
¿Dónde se habla francés? — Se habla francés en . . .
¿Dónde se habla alemán? — Se habla alemán en . . .
¿Dónde se habla inglés? — Se habla inglés en . . .

B. ¿Qué idiomas se hablan en el Canadá. — En el Canadá se hablan . . .
¿Qué idiomas se hablan en Suiza? — En Suiza se hablan . . .

C. Lean ustedes:

España tiene una población de 28.000,000.
Méjico tiene una población de 16.000,000.
Colombia tiene una población de 8.000,000.
El Brasil tiene una población de 45.000,000.

D. Lean ustedes:

Madrid tiene una población de 1.000,000.
Wáshington tiene una población de 486,000.
La Habana tiene una población de 700,000.
Londres tiene una población de 8.200,000.
Buenos Aires tiene una población de 2.000,000.
París tiene una población de 2.200,000.
La ciudad de Méjico tiene una población de 968,443.
Nueva York tiene una población de . . .
San Francisco tiene una población de . . .
Chicago tiene una población de . . .
. . . tiene una población de . . .

X. DIEZ

¿ Qué tiempo hace ?

UN ALUMNO:

I. ¿ Qué tiempo hace ?

OTRO ALUMNO:

Hace frío.

¿ Qué tiempo hace ?

Hace calor.

¿ Qué tiempo
hace ?

Hace fresco.

¿ Qué tiempo
hace ?

Hace viento.

¿ Qué tiempo
hace ?

Hace sol. Hace
buen tiempo.

¿ Qué tiempo
hace ?

Hace mal tiempo.
Está lloviendo.

II. ¿ Qué tiempo
hace en la
primavera ?

Hace buen tiem-
po.
Hace fresco.
Hace sol.

¿ Qué tiempo hace en el verano ?

Hace calor.

¿ Qué tiempo hace en el otoño ?

{ Hace buen tiempo.
No hace frío.
No hace calor.

¿ Qué tiempo hace en el invierno ?

{ Hace frío.
Hace mal tiempo.

¿ Cuáles son las estaciones del año ?

(Son) la primavera, el verano, el otoño y el invierno.

EJERCICIO DIEZ

A. ¿ Qué tiempo hace hoy ?   Hoy hace . . .
   ¿ Hace mal tiempo hoy ?   No, señor, no . . .
   ¿ Hace buen o mal tiempo ?   Hace . . .
   ¿ Cuándo hace frío ?   Hace frío en . . .
   ¿ Cuándo hace calor ?   Hace calor en . . .

B. Lean ustedes:

En el año hay 365 o 366 días, 52 semanas, 12 meses y 4 estaciones.

Hace calor del 21 de junio hasta el 20 de septiembre.

CONVERSACIÓN I
La sala de clase

1. ¿ Qué representa el grabado ?. — El grabado . . .
2. ¿ En qué página está el grabado ? — Está en la página . . .

I. LA SALA DE CLASE

1. El lápiz. 2. El papel. 3. El tintero. 4. La carta. 5. La pluma.
6. La pizarra. 7. La ventana. 8. El profesor. 9. La silla. 10. Los libros.
11. La mesa. 12. La cesta para papeles. 13. El pupitre. 14. El alumno.
15. El cuaderno. 16. La alumna. 17. El asiento. 18. La tiza. 19. El
puntero. 20. El sobre. 21. El borrador. 22. La regla.

3. ¿ Qué es el número 6, 13, 15, etc. ? — El número 6 es . . .
4. ¿ Cuántas personas hay en el grabado ? — Hay . . .
5. ¿ Quién está cerca de la pizarra ? — El profesor está . . .
6. ¿ Quiénes están sentados ? — Los alumnos . . .
7. ¿ Quién está de pie ? — El alumno . . .
8. ¿ Qué hace el alumno en la pizarra ? — Escribe en . . .
9. ¿ Qué hacen los otros alumnos ? — Los otros alumnos . . .
10. ¿ Qué objetos vemos en el grabado ? — Vemos . . .
11. Felipe, cuente Vd. los objetos. — Uno, dos, . . .
12. ¿ Está usted cerca de la pizarra ? ¿ cerca de la ventana ?
    — Yo estoy . . .

SECCIÓN SEGUNDA
EN LA CLASE

VALENCIA

The "Garden of Spain," situated in the center of the East Coast, is famous not only for its numerous agricultural products, industries, and commerce but also for the impressive processions in which the populace delights. In this painting the artist depicts two peasants, carrying between them an enormous bunch of oranges, heading a festival procession of gaily caparisoned horsemen.

LECCIÓN PRIMERA

A. Primera conjugación: Presente de indicativo
B. Forma interrogativa

I. Ejercicio de pronunciación

a: al-ma   pal-ma   la-na   pa-la
   ma-la   ma-pa   ca-ma   A-na
   fa-ma   ca-pa   da-ma   Pa-na-má

Ana ama a mamá.

II. Lectura

¿Habla usted español?

Yo hablo español. Yo hablo inglés. Yo hablo inglés y español. Yo pregunto: — Felipe, ¿ habla usted español? Felipe contesta: — Sí, señor,[1] yo hablo español. Felipe contesta bien.

Felipe habla español. — Ana y Felipe, ¿ hablan ustedes español? ¿ Qué contestan ustedes? — Nosotros contestamos: — Sí, señor, nosotros hablamos español.

Ana y Felipe hablan español.

Refrán

Quien busca, halla.   *He who seeks finds.*

III. Vocabulario

español Spanish
inglés English
señor sir, Mr.
bien well

¿ qué? what?

contestar to answer
hablar to speak

preguntar to ask

sí yes
y and

---

[1] **señorita** o **señora**, *madam.*

35

IV. Gramática

A. Present Tense of Statement Form — First Conjugation

Verb: **hablar** *to speak*

hablar = infinitive   **habl** = stem

Person	Formation	Example	English
yo	stem + o	**habl** o	*I speak*
usted	stem + a	**habl** a	*you speak*
tú [1]	stem + as	habl as	*you speak*
él [2]	stem + a	**habl** a	*he speaks*
nosotros	stem + amos	**habl** amos	*we speak*
ustedes	stem + an	**habl** an	*you speak*
vosotros	stem + áis	habl áis	*you speak*
ellos	stem + an	**habl** an	*they speak*

Like **hablar**: **preguntar, contestar**, etc.

Note that to conjugate the present of all regular verbs in –ar, we add certain personal endings to the stem. Each person may be expressed by three forms in English; thus, **usted habla** = *you speak, you do speak, you are speaking.*

B. Question Form

¿ **Habla** usted?	*Do you speak?*	*Are you speaking?*
¿ **Hablamos** nosotros?	*Do we speak?*	*Are we speaking?*
¿ **Habla** Ana?	*Does Anna speak?*	*Is Anna speaking?*

Note that to ask a question in Spanish, we place the subject immediately after the verb. *Do* or *does* used in English questions is not expressed in Spanish.

V. Conversación

1. ¿ Qué habla usted?   2. ¿ Habla usted inglés?   3. ¿ Qué pregunta usted?   4. ¿ Qué contesta Felipe?   5. ¿ Qué hablan Alberto y Felipe?   6. ¿ Hablan ustedes inglés?   7. ¿ Hablan ustedes español?   8. ¿ Hablan ustedes inglés y español?   9. ¿ Qué hablan ustedes?   10. ¿ Qué pregunto yo?   11. ¿ Qué contestan ustedes?

[1] In speaking to intimate friends and relatives, **tú** hab**l-***as* (*sing.*) and **vosotros** (*masc.*), **vosotras** (*fem.*) hab**l-***áis* (*pl.*) are used. Both these forms mean *you speak.*

[2] The feminine form of **él** is **ella**, *she;* of **nosotros** is **nosotras**, *we;* of **ellos** is **ellas**, *they.*

VI. Ejercicios

A. Completen (*Complete*):

1. Nosotros habl— español. 2. Ana habl— español. 3. ¿ Qué habl— usted? 4. Ellos pregunt—. 5. ¿ Qué pregunt— ustedes? 6. Nosotros contest— bien. 7. ¿ Qué habl— ustedes? 8. Nosotros habl— inglés y español. 9. ¿ Habl— usted español? 10. Ustedes habl— español. 11. Ellos contest—. 12. ¿ Habl— ellos inglés?

B. Completen (*Complete*):

1. *hablar:* él —— nosotros —— ¿ —— usted?
2. *preguntar:* usted —— ellos —— ¿ —— ella?
3. *contestar:* yo —— ustedes —— ¿ —— él?

C. Formen preguntas (*Form questions*):

1. Nosotros hablamos español. 2. Él habla inglés y español. 3. Ustedes hablan inglés. 4. Felipe y Ana hablan español. 5. Ana contesta bien. 6. Usted habla español. 7. Yo pregunto. 8. Nosotros contestamos bien. 9. Nosotros hablamos bien. 10. Rosa y Ana hablan inglés. 11. Ana habla inglés. 12. Nosotros preguntamos.

D. Test I. *Write the Spanish translation of the verbs in English:*

1. Él —— español (*speaks*). 2. ¿ Qué —— yo (*do . . . ask*)? 3. Usted —— bien (*answer*). 4. Ana y Felipe —— inglés (*speak*). 5. ¿ Qué —— nosotros (*do . . . answer*)? 6. Ellos —— (*ask*). 7. ¿ Qué —— yo (*do . . . answer*)? 8. ¿ —— usted español (*Do . . . speak*)? 9. Nosotros —— (*ask*). 10. Yo —— inglés (*speak*).

E. Dictado:

El profesor dictará el primer párrafo de la Lectura.

F. Oral:

(*a*) 1. They speak. 2. Do they speak? 3. You speak. 4. Do you speak? 5. I am speaking.

(*b*) 1. She asks. 2. Do you ask? 3. What do you ask? 4. We ask. 5. Am I asking?

(*c*) 1. Philip answers. 2. What does he answer? 3. Do you answer? 4. They are answering. 5. We do answer.

G. Traducción al español:[1]

Tema I, página 490.

Cuento I

Alumno y profesor

The teacher forgot one detail.

— Felipe, ¿ está[2] Dios en todas partes[a]?

— Sí, señor profesor.[3]

— ¿ Está Dios en Madrid?

— Sí, señor profesor.

— Dios está en su casa, si su casa está en Madrid, ¿no es verdad[b]?

Dios está en su casa, ¿ no es verdad?

— Sí, señor profesor; es verdad; mi casa está en Madrid.

— Dios está también en el sótano[4] de su casa.

— No, señor profesor.

— Pero, Felipe, si Dios está en todas partes, en Madrid y en su casa, está también en el sótano de su casa. ¿ No es verdad?

— No, señor profesor.

— Bien, si Dios está en todas partes, ¿ por qué no está[5] en el sótano de su casa?

— Porque no está.

— Pero, si Dios está en todas partes, está también en el sótano de su casa. ¿ No es verdad?

— No, señor profesor. En mi casa no hay[c] sótano.

[1] English written translation sections corresponding to each lesson are to be found on pages 490–509.   [2] *is.*   [3] **señor profesor**, *teacher.*   [4] *cellar.*   [5] *is not.*

CONVERSACIÓN [1]

1. ¿ Qué pregunta el profesor ?   2. ¿ Está Dios en Madrid ?
3. ¿ Está Dios en la casa de Felipe ?   4. ¿ Está Dios en el sótano ?
5. ¿ Por qué no está Dios en el sótano ?

VOCABULARIO

allí there
el alumno (boy) pupil
la casa house
de of
Dios *m.* God

en in, on
mi my
pero but
porque because
¿ por qué ? why ?

el **profesor** teacher
si if
su your, his
también also

MODISMOS

(*a*) **en todas partes** everywhere   (*b*) **¿ no es verdad ?** isn't it true ?
(*c*) **hay** there is, there are

LECCIÓN SEGUNDA

A. Género de los nombres.   B. Artículo indefinido

I. EJERCICIO DE PRONUNCIACIÓN

e: [2] le   me-te   le-che   ne-ne
        se   pe-se   fe-cha   pes-ca
        e-se   pe-na   Pe-pe   me-sa

Pepe pone la leche en la mesa.

II. LECTURA

Nosotros estudiamos una lengua

— Carmen, ¿ qué desea usted ?
— Yo deseo un libro y un cuaderno.

[1] It is suggested that the questions be answered in English for the first twenty lessons.   This will give the teacher an opportunity to test the student's knowledge of the reading content.

[2] An open syllable is one that ends in a vowel or diphthong: **ma-má, li-bro.**

A closed syllable is one that ends in a consonant or consonants: **in-glés, pes-car.**

Closed **e** is found in open syllables and in closed syllables which end in **m, n,** or **s.** The closed **e** in Spanish is similar to the sound of *ey* in *they* without the glide sound of *y.*

— ¿ Qué libro desea usted ?

— Yo deseo una gramática.

— ¿ Para qué desea usted una gramática ?

— Yo deseo una gramática para estudiar.

— ¿ Necesita usted una gramática para estudiar una lengua ?

— Sí, señor, una alumna necesita una gramática si ella desea estudiar una lengua.

— Alberto, ¿ desea usted un lápiz y una pluma ?

— Sí, señor, yo necesito un lápiz y una pluma.

— Felipe ¿ desea Vd. estudiar una lengua ?

— Sí, señor, yo deseo estudiar una lengua. Si yo estudio una lengua, necesito una gramática, un cuaderno y un lápiz.

— ¿ Necesita Tomás una gramática también ?

— Sí, señor, él necesita una gramática.

— Para estudiar una lengua, ¿ necesitamos nosotros una gramática ?

— Sí, señor, nosotros necesitamos una gramática.

SERIE

Tomo un libro.	*I take a book.*
Abro el libro.	*I open the book.*
Leo un ejercicio.	*I read an exercise.*

III. VOCABULARIO

una **alumna** (girl) pupil
un **cuaderno** notebook
una **gramática** grammar
un **lápiz** pencil
una **lengua** language
un **libro** book

una **pluma** pen

desear to wish, want
es is
estudiar to study

necesitar to need

o or
para in order to, to
¿ **para qué** ? why? what for ?

IV. Gramática

A. Gender of Nouns

Masculino		Femenino	
un libro	*a book*	*una* pluma	*a pen*
un cuaderno	*a notebook*	*una* gramática	*a grammar*
un padre	*a father*	*una* madre	*a mother*

un padre y *una* madre   *a father and mother*

Note that in Spanish all nouns are either masculine or feminine. There are no neuter nouns. Nouns ending in –o are generally masculine, those ending in –a are generally feminine.

B. The Indefinite Article

Un, *a* or *an*, is used before a masculine noun; **una,** *a* or *an*, is used before a feminine noun. In Spanish the article is repeated before each noun.

V. Conversación

1. ¿ Desea usted un libro? 2. ¿ Qué libro desea usted? 3. ¿ Necesita usted una gramática? 4. ¿ Qué libro necesita Tomás? 5. ¿ Desean ustedes estudiar una lengua? 6. ¿ Qué necesita Alberto? 7. ¿ Estudian ustedes una lengua? 8. ¿ Habla usted inglés o español? 9. ¿ Qué necesitan ustedes para estudiar una lengua?

VI. Ejercicios

A. Completen con **un** o **una** (*Complete with* **un** *or* **una**):

1. Yo necesito —— gramática. 2. Es [1] —— libro. 3. Es —— cuaderno. 4. ¿ Es —— pluma? 5. Usted desea —— lápiz. 6. ¿ Estudia ella —— lengua? 7. ¿ Necesita Tomás —— libro? 8. Es —— —— lápiz. 9. Yo necesito —— cuaderno. 10. Nosotros estudiamos —— lengua. 11. Ellas desean —— libro. 12. Felipe necesita —— pluma. 13. Ellos necesitan —— gramática. 14. Él desea —— lápiz.

B. Completen (*Complete*):

1. Usted desea un ——. 2. ¿ Es una ——? 3. ¿ Necesita Tomás un ——? 4. Yo necesito una ——. 5. Él necesita un ——. 6. ¿ Es

[1] Note that *it*, the subject of a sentence in English, is not expressed in Spanish.

un —— o una ——? 7. Felipe estudia una ——. 8. ¿ Es un —— o un ——? 9. Él habla una ——. 10. Alberto desea un ——. 11. Tomás necesita una ——. 12. Yo deseo un ——.

C. Test II. *Complete with* **un** *or* **una**:[1]

—— libro	—— silla	—— lección	—— gramática
—— lápiz	—— muchacho	—— pluma	—— lengua
—— rosa	—— cuaderno	—— asiento	—— día
—— mesa	—— muchacha	—— alumna	—— semana
—— alumno	—— regla	—— padre	—— madre

D. Oral:

(*a*) It is a book, a pen, a pencil, a grammar, a notebook.

(*b*) 1. I wish to study. 2. We wish to study. 3. They wish to study. 4. Does he wish to study? 5. Philip wishes to study.

(*c*) 1. Are you studying? 2. He does study. 3. He is studying. 4. What do you study? 5. We study.

(*d*) 1. We need a pen and pencil. 2. Do you wish a pen and pencil? 3. They need a pen and pencil.

Cuento II

Aritmética práctica

Here is an original solution for a problem.

Un alumno estudia aritmética en la escuela. Estudia bien y mucho. Estudia toda clase de [a] problemas prácticos. Un día [2] pasa por una calle. En una tienda hay mucha fruta. El alumno entra en [b] la tienda y pregunta:

— Señor, ¿ cuánto valen [3] las peras?

— Seis por cinco centavos — contesta el hombre.

— Pero yo no necesito [4] seis peras.

— ¿ Cuántas peras necesita usted?

— No sé.[5] Es un problema de aritmética.

— ¿ Un problema de aritmética?

---

[1] A few words in this and the following exercises appear in the *Lecciones preparatorias*, and are introduced for drill on forms.

[2] An exception to the rule that nouns ending in –a are feminine.   [3] *(they) are worth.*   [4] *I don't need.*   [5] *I don't know.*

Señor, deseo una pera.

— Sí, señor. Si seis peras valen cinco centavos, cinco valen cuatro, cuatro valen tres, tres valen dos, dos valen uno, y una ... nada. Señor, deseo una pera. Muchas gracias ^{c} y adiós.^{d} El alumno toma una pera y se va ^{1} a su casa.

CONVERSACIÓN

1. ¿ Qué estudia el alumno en la escuela ? 2. ¿ Qué pregunta en la tienda ? 3. ¿ Cuánto valen las peras ? 4. ¿ Cuántas peras necesita el alumno ? 5. ¿ Qué toma el alumno ?

VOCABULARIO

a to
una **calle** street
un **centavo** cent, penny
¿ **cuánto, –a**? how much ?
  ¿ **cuántos, –as**? how many ?

un **día** day
una **escuela** school
un **hombre** man
mucho, –a much,
  a great deal

nada nothing
por through
una **tienda** store
tomar to take

What English words and meanings do you recognize from the following ?

aritmética, una **fruta**, mucho, necesitar, pasar, una **pera**, práctico, –a, un **problema**

MODISMOS

(a) **toda clase de** every kind of
(b) **entrar en** to enter (into)

(c) **gracias** thanks; **muchas gracias** many thanks

(d) **adiós** good-by

^{1} **se va,** (he) goes away.

LECCIÓN TERCERA

A. Negación.   B. Artículo definido

I. EJERCICIO DE PRONUNCIACIÓN

e: [1]	el	pa-pel	mer-la	pe-rro
	ser	de-ja	me-jor	per-fec-ta
	del	re-gla	e-fec-to	co-rre

La regla es perfecta.

II. LECTURA

En la clase

Hoy el profesor no toma un cuaderno en la clase de español. ¿Por qué no toma él un cuaderno? Porque el profesor necesita un libro. Él toma un libro y pregunta: — ¿Es esto el libro? ¿Quién contesta? Un alumno o una alumna contesta. ¿Qué contesta el alumno? — Es el libro. No es el cuaderno. Yo no necesito cuaderno. Yo necesito un libro para estudiar la lección.

En la clase de español nosotros no hablamos inglés. Nosotros hablamos español. El alumno y la alumna hablan español. El profesor pregunta en español. Nosotros contestamos en español. Nosotros no contestamos en inglés en la clase de español. — Luis, ¿contesta usted bien en la clase si usted no estudia en casa? — No, señor, si yo no estudio allí, yo no contesto bien en la clase. Nosotros estudiamos mucho en casa para hablar bien en la clase. Luis y Felipe no contestan bien porque ellos no estudian la lección. Ana y Lola estudian la lección en casa. Contestan bien en la clase porque ellas estudian. Si un alumno no estudia, él no contesta bien en la clase. Yo deseo estudiar en casa para contestar bien en la clase.

---

[1] Open e occurs in all closed syllables except those which end in **m**, **n**, and **s**. The e is also open when it comes in contact with the trilled **r** or before any **j** sound. Open e in Spanish is similar to *e* in *met*.

SERIE

Paso a la pizarra.	*I go to the blackboard.*
Tomo tiza.	*I take (a piece of) chalk.*
Escribo mi nombre.	*I write my name.*

Paso a mi asiento.	*I return to my seat.*
Me siento.	*I sit down.*

III. Vocabulario

la **casa** house; **en —**, at home
la **clase** class(room); **en la —**,
 in class; **la — de español**
 Spanish class

la **lección** lesson
la **mesa** table
la **silla** chair

esto this
¿ quién? who?
hoy today

IV. Gramática

A. Negative Verb

Luis *no* contesta bien.	*Louis does not answer well.*
Él *no* habla inglés.	*He does not speak English.*
Yo *no* necesito libro.	*I do not need any book.*

Observe that the verb in Spanish is made negative by placing
no before it. *Any* in negative sentences need not be expressed
in Spanish.

B. The Definite Article

el alumno	*the boy student*		*el* padre	*the father*
la alumna	*the girl student*		*la* madre	*the mother*

el padre y *la* madre   *the father and (the) mother*
el alumno y *la* alumna   *the boy and girl pupils*

Note that **el**, *the*, is used before a masculine noun; **la**, *the*, is used before a feminine noun. In Spanish the article is repeated before each noun.

V. CONVERSACIÓN

1. ¿ Qué toma el profesor? 2. ¿ Qué pregunta el profesor? 3. ¿ Quién contesta? 4. ¿ Hablan ustedes inglés en la clase? 5. ¿ Qué hablan ustedes? 6. ¿ Contestan ustedes en inglés? 7. ¿ Contesta bien Luis? 8. ¿ Estudia Luis la lección? 9. ¿ Por qué no contesta bien Luis? 10. ¿ Estudia usted la lección? 11. ¿ Estudia usted mucho en casa?

VI. EJERCICIOS

A. Completen con **el** o **la** y luego con **un** o **una** (*Complete with* **el** *or* **la** *and then with* **un** *or* **una**):

1. Esto es —— mesa. 2. Yo tomo —— pluma. 3. —— profesor pregunta en español. 4. Él pregunta: ¿ Es —— lápiz? 5. Ellos toman —— lápiz y —— pluma. 6. —— padre pregunta. 7. Ellas estudian —— lección. 8. Él toma —— gramática. 9. Nosotros estudiamos —— gramática. 10. Yo deseo —— cuaderno. 11. Es —— silla. 12. Él toma —— lápiz.

B. Hagan negativa cada frase de *A* (*Make each sentence of* A *negative*).

C. Completen con **el** o **la** (*Complete with* **el** *or* **la**):

—— casa	—— mesa	—— alumno	—— gramática
—— libro	—— día	—— muchacha	—— madre
—— muchacho	—— lección	—— pluma	—— semana
—— regla	—— lápiz	—— cuaderno	—— alumna
—— padre	—— asiento	—— lengua	—— clase

D. Test III. *Write the Spanish translation of the articles in English:*

1. Ustedes no estudian —— lección (*the*). 2. —— profesor no pregunta en inglés (*The*). 3. ¿ Es —— cuaderno (*a*) ? 4. Es —— libro (*the*). 5. Felipe no estudia —— lección (*the*). 6. Usted no toma —— lápiz (*the*). 7. Ellos estudian —— libro (*the*). 8. Ana no desea —— pluma (*a*). 9. Felipe estudia —— gramática (*the*). 10. No es —— silla (*the*).

E. Dictado:

El profesor dictará la Serie de la lección.

F. Oral:

(*a*) It is not: the book, the notebook, the chair, the table, the pencil.

(*b*) 1. I do not take. 2. We do not take. 3. They do not take. 4. You do not take.

(*c*) 1. They do not speak. 2. I do not speak. 3. We do not speak. 4. You do not speak.

(*d*) 1. I do not wish to answer. 2. We do not wish to speak. 3. Albert does not wish to study.

Cuento III

Un animal raro

Doesn't this always happen at a country fair ?

La clase de español lee [1] un libro sobre España. En el libro los alumnos leen [2] de la vida en las aldeas [3] de España. Todos los años [a] hay ferias [4] en las aldeas. En la feria de una aldea hay muchas personas.

Un hombre habla a las personas así:

— Señores, ¿ desean ustedes ver un animal extraordinario ? Es un animal raro, muy raro. Es un gato y no es gato. Tiene [5] la cabeza de un gato, pero no es gato. Tiene los ojos de un gato y no es gato. Tiene el cuerpo de un gato, pero no es gato. ¿ Quién desea ver un animal extraordinario ? Señores, dos centavos.

Todas las personas son curiosas. Todo el mundo desea entrar.

[1] *reads.* [2] *(they) read.* [3] *villages.* [4] *fairs.* [5] *It has.*

¿ Desean ustedes ver un animal extraordinario ?

Todo el mundo [b] desea ver el animal raro y extraordinario. Muchos desean ver un animal que es gato y no es gato. Pagan dos centavos para entrar.

Cuando las personas entran, ¿ qué ven ? [1] ¿ Ven un animal raro y extraordinario ? No. Ven [2] sobre una mesa . . . ¡ una gata con cuatro gatitos !

CONVERSACIÓN

1. ¿ Qué lee la clase ? 2. ¿ Hay ferias en España ? 3. ¿ A quién habla el hombre ? 4. ¿ Qué tiene el animal extraordinario ? 5. Cuando entran, ¿ qué ven ?

VOCABULARIO

así thus	el gato, la gata cat;	pagar to pay
la cabeza head	el gatito kitten	sobre on
cuando when	muchos, –as many	todo, –a all, every
el cuerpo body	muy very	ver to see
España f. Spain	el ojo eye	la vida life

What English words and meanings do you recognize from the following ?

curioso, –a, entrar, extraordinario, –a, España, la persona, raro, –a

MODISMOS

(a) todos los años every year   (b) todo el mundo everybody

[1] *what do they see?*   [2] *They see.*

LECCIÓN CUARTA

A. Segunda conjugación: Presente de indicativo
B. Pronombres personales sujetos

I. EJERCICIO DE PRONUNCIACIÓN

i:	mi	pi-pa	chi-ca	dis-tin-ta
	sin	li-la	mi-na	tí-pi-ca
	fin	li-ma	fin-ca	Fe-li-pe

Asistí a una misa en las Filipinas.

II. LECTURA

Aprendemos el español

Felipe comprende el español.[1] Comprende el español porque aprende bien. Lee y estudia la lección en casa.

Luis y Ana no comprenden el español. ¿Por qué no comprenden? Porque no escuchan en la clase y no estudian en casa. Hablan inglés, pero no hablan español. Para aprender bien el español debemos estudiar. Debemos también escuchar cuando habla el profesor en la clase.

Felipe estudia la lección en casa.

En la clase el profesor enseña el español. El alumno escucha y aprende. El profesor pregunta en español. El alumno debe responder también en español.

En la clase de español escucho. Escucho cuando habla el profesor. Pongo atención en la clase y estudio en casa. Hago esto porque así aprendo bien. Veo que mi amigo Luis

[1] The definite article is used before the names of languages.

estudia y aprende bien. En la clase siempre sé la lección.
Sé que para aprender bien el español debemos estudiar.

REFRANES

La práctica hace al maestro.	*Practice makes perfect.*
Saber es poder.	*Knowledge is power.*

III. VOCABULARIO

el **español** Spanish (*lan-guage*)

aprender to learn
comprender to under-stand
deber to have to, must

enseñar to teach
escuchar to listen
leer to read
poner to put; — **atención** to pay attention

responder to answer
¿ **cuándo**? when?
que that
siempre always

IV. GRAMÁTICA

A. Present Tense of Statement Form — Second Conjugation

VERB: **aprender** *to learn*

aprender = infinitive   **aprend** = stem

PERSON	FORMATION	EXAMPLE	ENGLISH
yo	stem + o	aprend o	*I learn*
usted	stem + e	aprend e	*you learn*
tú	stem + es	aprend es	*you learn*
él, ella	stem + e	aprend e	*he, she learns*
nosotros, –as	stem + emos	aprend emos	*we learn*
ustedes	stem + en	aprend en	*you learn*
vosotros, –as	stem + éis	aprend éis	*you learn*
ellos, –as	stem + en	aprend en	*they learn*

Like **aprender**: **comprender, leer, deber,** etc.

Note that to conjugate the present tense of all regular verbs in –er, we add –o, –e, –es, –e, –emos, –en, –éis, –en to the stem. Verbs of this class differ from the –ar verbs in that the vowel of the ending is e instead of a.

Note that the following verbs are irregular only in the first person singular, thus:

caer *to fall*	**caigo**, caes, **cae, caemos**, caéis, etc.
hacer *to do*	**hago**, haces, **hace, hacemos**, hacéis, etc.
poner *to put*	**pongo**, pones, **pone, ponemos**, ponéis, etc.
saber *to know*	**sé**, sabes, **sabe, sabemos**, sabéis, etc.
ver *to see*	**veo**, ves, **ve, vemos**, veis, etc.

B. Subject Pronouns

STATEMENT:	Aprendo.	*I learn.*
QUESTION:	¿ Qué aprende Vd. ?	*What do you learn?*
NEGATION:	No aprendemos.	*We do not learn.*
NEGATIVE QUESTION:	¿ No aprenden Vds. ?	*Do you not learn?*

Note that the subject pronoun of the verb is generally omitted in Spanish except when needed for emphasis or clearness. However, **usted** (abbreviated **Vd.** or **Ud.**) and **ustedes** (abbreviated **Vds.** or **Uds.**) are used even when the subject is clear.

V. Conversación

1. ¿ Qué lengua comprende Felipe ? 2. ¿ Por qué comprende el español ? 3. ¿ Comprenden Luis y Ana ? 4. ¿ Qué hablan Luis y Ana ? 5. ¿ Qué enseña el profesor ? 6. ¿ Aprenden Vds. ? 7. ¿ Pregunta el profesor en inglés ? 8. ¿ Deben Vds. responder en inglés ? 9. ¿ En qué lengua responden Vds. ? 10. ¿ Quién escucha en la clase de español ? 11. ¿ Cuándo escucha Vd. ? 12. ¿ Qué hace Vd. en la clase ? 13. ¿ Qué hace Vd. en casa ? 14. ¿ Sabe Vd. siempre la lección ? 15. ¿ Qué debemos hacer para aprender bien el español ?

VI. Ejercicios

A. Completen (*Complete*):

1. ¿ Qué aprend— Vd. ? 2. Nosotros estudi— el español. 3. Felipe y Alberto comprend— la lección. 4. Vds. aprend— la lección. 5. Yo comprend— el español y el inglés. 6. Ella deb— aprender el español. 7. ¿ Por qué no habl— Vds. ? 8. Yo deb— estudiar. 9. ¿ No respond— Vd. en español ? 10. ¿ Por qué no respond— Luis ? 11. ¿ Por qué no contest— Ana ? 12. Vds. no contest— en inglés.

B. Reemplacen la raya con el verbo apropiado (*Replace the dash with the proper verb form*):

1. (*caer*) Yo no —— en la clase. 2. (*poner*) Nosotros siempre —— atención. 3. (*hacer*) ¿ Cuándo —— yo esto ? 4. (*ver*) ¿ —— usted el libro ? 5. (*saber*) Yo siempre —— la lección. 6. (*caer*) ¿ Por qué —— Ana ? 7. (*poner*) ¿ Qué —— yo sobre la mesa ? 8. (*hacer*) ¿ Qué —— ellos en la clase ? 9. (*ver*) Yo —— la mesa en la clase. 10. (*saber*) ¿ Por qué no —— Vds. la lección ?

C. Reemplacen la raya con un verbo (*Replace the dash with a verb form*):

1. (*comprender*) Yo —— el español.   2. (*responder*) Ellas —— en español.   3. (*deber*) ¿ —— Vd. leer en español?   4. (*enseñar*) Vd. —— la lección.   5. (*escuchar*) El alumno no ——.   6. (*aprender*) Nosotros ——.   7. (*estudiar*) Ellos no ——.   8. (*leer*) El profesor no —— el libro.   9. (*hablar*) Alberto —— inglés.   10. (*deber*) ¿ No —— Vd. escuchar?   11. (*aprender*) ¿ —— Ana el inglés?   12. (*responder*) La alumna ——.   13. (*aprender*) Vds. —— el inglés.   14. (*estudiar*) Luis —— en casa.   15. (*escuchar*) ¿ —— el alumno?   16. (*responder*) Vds. —— en español.

D. Reemplacen la raya con un verbo:

aprender, responder, comprender, estudiar, hablar, escuchar, enseñar, caer, hacer, poner, saber, ver

1	2	3	4
nosotros ——	Vds. no ——	¿ —— Vd. ?	¿ No —— ella ?
ellos ——	Ana no ——	¿ —— Vds. ?	¿ No —— yo ?
yo ——	ella no ——	¿ —— yo ?	¿ No —— Vds. ?

E. Test IV. *Write the Spanish translation of the words in English:*

1. Felipe —— el español (*understands*).   2. —— en la clase (*I pay attention*).   3. —— la lección en casa (*I read*).   4. Yo siempre —— la lección (*know*).   5. ¿ Por qué —— usted esto (*do ... do*) ?   6. —— la mesa (*I see*).   7. El profesor —— el español (*teaches*).   8. Nosotros —— cuando el profesor habla (*listen*).   9. Yo siempre —— en casa (*fall*).   10. Nosotros —— el libro (*read*).

F. Dictado:

El profesor dictará cuatro preguntas de la Conversación y los alumnos escribirán las respuestas en español.

G. Oral:

1. We learn.   2. I do not learn.   3. Do you learn?   4. Doesn't she learn?   5. He doesn't understand.   6. Does Philip understand?   7. They do not understand.   8. What are you reading?   9. Who is reading?   10. He doesn't read.   11. Do we read?   12. I fall.   13. Why

are you falling? 14. What do I do? 15. Why are they doing this? 16. What do you know? 17. I know the lesson. 18. I put this here. 19. We do not put the book here. 20. I do not see well.

CUENTO IV

Entre amigos

He avoided the trap!

— Buenos días,[a] Alberto, ¿ cómo está [1] usted?

— Buenos días, Antonio, muy bien, gracias.

— Y, ¿ cómo está la familia?

— Todo el mundo está muy bien en casa ahora, muchas gracias.

— ¿ Trabaja usted como siempre todos los días?

— Sí, trabajo en una casa comercial.

— Y así, ¿ gana usted mucho?

— No gano mucho, pero gano bastante para vivir bien.

— Ahora, ¿ desea usted hacer un favor a su amigo?

— Sí, sí, ¿ por qué no?

— Dígame, ¿ tiene usted su cartera? [2]

El amigo pone la mano [3] en el bolsillo y contesta:

— Sí, aquí está.[4]

— Pues bien,[b] usted ha dicho [5] varias veces [c] que siempre tiene cinco duros para sus amigos.

— Sí, pero, ¿ por qué pregunta usted?

— Porque ahora yo necesito los cinco duros.

— Eso es imposible; si presto los cinco duros a usted, no los tengo [6] para otro amigo.

¿ Desea usted hacer un favor a su amigo?

---

[1] *are (is).*   [2] *Tell me, have you your wallet?*   [3] Exception to the rule that nouns ending in o are masculine.   [4] *it is.*   [5] *have said.*   [6] *I haven't them.*

CONVERSACIÓN

1. ¿ Quiénes son Alberto y Antonio ?   2. ¿ Cómo está todo el mundo en casa de Alberto ?   3. ¿ Cuánto gana Alberto ?   4. ¿ Qué tiene Alberto para sus amigos ?   5. ¿ Quién necesita los cinco duros ?

VOCABULARIO

ahora now	**¿ cómo?** how ?	**otro, –a** other, another
el **amigo** friend	el **duro** dollar	**para** for
aquí here	**entre** among, between	**prestar** to lend
bastante enough	**ganar** to earn	**trabajar** to work
el **bolsillo** pocket	la **mano** hand	**vivir** to live

What English words and meanings do you recognize from the following ?

Alberto, Antonio, comercial, la familia, imposible, varios, –as

MODISMOS

(a) **buenos días** good morning, good day   (b) **pues bien** well then
(c) **varias veces** several times

LECCIÓN QUINTA

**A. Género de los adjetivos.   B. Colocación y concordancia
de los adjetivos**

I. EJERCICIO DE PRONUNCIACIÓN

o:[1] lo   to-mo   lo-mo   o-so
       to-no   co-mo   co-lo-co   o-lo-ro-so
       so-lo   mo-no   po-co   tam-po-co

Todo lo tomo y lo coloco con el oro.

II. LECTURA

¿ De qué color es el libro?

La lección es fácil.   No es difícil.   El profesor toma un libro y pregunta: — ¿ De qué color es el libro ?   Un alumno

---

[1] The Spanish closed o is similar to the o in the English word *bone* without the glide sound of *u*.   The Spanish closed sound of o occurs in all open syllables.

responde. ¿ Qué responde? — El libro es verde. Es un libro verde. Luego el profesor pregunta: — ¿ De qué color es la tinta? Otro alumno contesta: — La tinta es negra. Es tinta negra.

Clara es una alumna aplicada.

Luis es un alumno español de la clase. Estudia mucho y siempre comprende la lección. Clara, una alumna, no es española; es americana. Isabel, otra alumna, es inglesa. Ella no estudia y no comprende la lección. Para Clara el español es fácil. ¿ Por qué es fácil? Porque Clara es aplicada. Es una alumna aplicada. Una alumna aplicada estudia y escucha bien en la clase. Para Felipe la lección es difícil. ¿ Por qué es difícil? Es difícil porque Felipe no es aplicado. No es un alumno aplicado. No estudia la lección en casa. No aprende bien en la clase. Si un alumno no estudia, no aprende en la clase.

Luis es un alumno aplicado.

Serie

Entro en la escuela.	*I enter the school.*
Subo la escalera.	*I go up the stairs.*
Entro en la clase.	*I enter the class.*
Saludo a mi profesor.	*I greet my teacher.*
« Buenos días, señor López. »	*"Good morning, Mr. López."*
Paso a mi asiento.	*I pass to my seat.*
Me siento.	*I sit down.*

III. Vocabulario

el color color; ¿ de qué color es? what is the color of?
la tinta ink
la tiza chalk

americano, –a American

aplicado, –a studious
blanco, –a white
difícil difficult, hard
español, –a Spanish
fácil easy
inglés, –esa English

negro, –a black
rojo, –a red
verde green
de of, in
luego then

IV. Gramática

A. Gender of Adjectives

Masculino	Femenino
(*a*) El libro es roj*o*.	La tinta es roj*a*.
The book is red.	*The ink is red.*
(*b*) Luis es un alumno diligente.	Ana es una alumna diligente.
Louis is a diligent pupil.	*Anna is a diligent pupil.*
(*c*) El libro es fácil.	La lección es fácil.
The book is easy.	*The lesson is easy.*
(*d*) Felipe es un alumno español.	Isabel es una alumna español*a*.
Philip is a Spanish pupil.	*Isabel is a Spanish pupil.*
(*e*) El alumno ingl*és* es aplicad*o*.	La alumna ingl*esa* [1] es aplicad*a*.
The English pupil is studious.	*The English pupil is studious.*

Adjectives ending in –o change –o to –a to form the feminine; other adjectives do not, as a rule, change their form in the feminine.

But adjectives of nationality ending in a consonant add –a to the masculine to form the feminine.

B. Position and Agreement of Adjectives

The adjective in Spanish usually follows the noun it modifies and agrees with it in gender and number.

V. Conversación

1. ¿ Es difícil la lección ? [2] 2. ¿ Qué toma el profesor ? 3. ¿ Qué pregunta ? 4. ¿ De qué color es el libro ? 5. ¿ Quién responde ? 6. ¿ Es el libro verde o negro ? 7. ¿ Qué pregunta el profesor ? 8. ¿ De qué color es la tinta ? 9. ¿ Qué contesta otro alumno ? 10. ¿ Qué es Luis en la clase ? 11. ¿ Qué es Clara ? 12. ¿ Quién es otra alumna ? 13. ¿ Es difícil el español para Clara ? 14. ¿ Quién es aplicada ? 15. ¿ Por qué es difícil la lección para Felipe ? 16. ¿ Por qué no aprende ?

---

[1] Note the absence of accent in the feminine. Why ?

[2] In questions a predicate adjective usually precedes the noun subject. It may follow the subject, however, in cases like sentence 6.

VI. Ejercicios

A. Escriban la forma apropiada del adjetivo (*Write the proper form of the adjective*):

1. *fácil:*   un libro ——   una gramática ——
2. *verde:*   un cuaderno ——   la tinta ——
3. *rojo:*   el color ——   la tiza ——
4. *inglés:*   Luis es ——   Ana es ——
5. *diligente:* Felipe es ——   Marta es ——
6. *blanco:*   el papel ——   la mesa ——
7. *negro:*   el color ——   la silla ——

B. Llenen el espacio con el adjetivo apropiado (*Fill the space with the correct form of the adjective*):

1. (*fácil*) La gramática no es ——. 2. (*español*) María es ——. 3. (*negro*) El libro es ——. 4. (*difícil*) La lección no es ——. 5. (*inglés*) Isabel es ——. 6. (*fácil*) ¿ Es —— el español ? 7. (*inglés*) ¿ Es —— la alumna ? 8. (*rojo*) Luis lee el libro ——. 9. (*verde*) Es un lápiz ——. 10. (*diligente*) Luis no es ——. 11. (*difícil*) El español no es ——. 12. (*blanco*) Es tiza ——.

C. Cambien el verbo al singular (*Change the verb to the singular*):

1. Nosotros estudiamos un libro español. 2. Nosotros hablamos inglés. 3. Nosotros no caemos en la clase. 4. Nosotros no vemos el libro difícil. 5. Nosotros sabemos la lección fácil. 6. Nosotros siempre hacemos esto. 7. Felipe y Ana aprenden la lección difícil. 8. Nosotros comprendemos la lección fácil. 9. Ustedes estudian la gramática española. 10. Nosotros ponemos el libro español allí.

D. Test V. *Write the Spanish translation of the adjectives in English:*

1. La alumna —— pone atención (*diligent*). 2. El libro es —— (*red*). 3. ¿ Ve Vd. el cuaderno —— (*green*) ? 4. El lápiz es —— (*black*). 5. Isabel es —— (*American*). 6. El español no es —— (*difficult*). 7. Es tiza —— (*red*). 8. Isabel no es —— (*Spanish*). 9. Ana no sabe la lección —— (*hard*). 10. La madre de Luis es —— (*English*).

E. **Oral:**

1. A green book; the red ink; an easy grammar; a difficult book; an American pupil (*m.*); the English pupil (*f.*); the studious girl. 2. The green table; the red chalk; a difficult lesson; the English grammar; the black pencil; the other chair; the red book. 3. The other lesson; another pupil; the white house; the Spanish language; an easy lesson. 4. Are you reading the red book? 5. He understands the difficult lesson. 6. Are you putting the other chair there? 7. I am putting the red chalk here. 8. I know the easy lesson. 9. We know the Spanish language. 10. They see the white house. 11. Does she see the green book?

CUENTO V

Ve solamente burros

One good answer deserves another.

Un hombre vende lentes.[1] Vende lentes por las calles de Madrid. Pocas personas compran lentes y el hombre no vende muchos. Al fin,*a* una persona llega y pregunta:

— ¿ Son buenos los lentes que usted vende ?

Veo solamente burros.

— Sí señor, son buenos y muy baratos.[2]
— Pues, deseo saber si veo bien con un par de lentes.
— Muy bien, señor, tome usted [3] un par.
El hombre, que es un bromista,[4] toma un par de lentes y se

[1] *eyeglasses, spectacles.*   [2] **barato, –a,** *cheap.*   [3] **tome usted,** *take.*   [4] *joker.*

los pone.[1]   Mira por todas partes;[b] luego mira al vendedor[2] y exclama:

— Tome usted sus lentes.   Veo solamente burros.

El vendedor toma el par de lentes con calma, se los pone, mira al bromista[2] y contesta con mucha convicción:

— ¡ Caramba![c]   ¡ Es verdad![d]   ¡ Es verdad!   ¡ Tiene usted razón![e]

CONVERSACIÓN

1. ¿ Quién vende lentes?   2. ¿ Quién llega al fin?   3. ¿ Qué es el hombre?   4. ¿ Qué ve el hombre con los lentes?   5. ¿ Qué ve el vendedor?

VOCABULARIO

bueno (buen), –a good	llegar to arrive	pues well, then
el burro donkey	mirar to look (at)	sus your
comprar to buy	el par pair	vender to sell
con with	pocos, –as a few	

What English words and meanings do you recognize from the following?

el burro, la calma, la convicción, exclamar, el par, la persona

MODISMOS

(a) al fin at last
(b) por todas partes = en todas partes everywhere

(c) ¡ caramba! Great Scott!
(d) es verdad it is true
(e) tiene usted razón you are right

---

[1] se los pone, *puts them on.*   [2] al vendedor (bromista), *at the vender (joker).*

Conversación II

La familia Molina

1. ¿ Qué representa el grabado ? — Representa la familia del señor Molina.
2. ¿ Cuántas personas hay en el grabado ? — Hay ...
3. ¿ Qué personas vemos en el grabado ? — Vemos al ...
4. ¿ Qué muebles (*articles of furniture*) vemos en el grabado ? — Vemos ...
5. ¿ Qué animales vemos en el grabado ? — Vemos ...
6. ¿ Quién es el número 6, 3, 2, 7, 8, 9 ? — El número 6 es ...
7. ¿ Qué hace el padre ? — El padre fuma la pipa y habla ...
8. ¿ Qué tiene el abuelo en la mano ? — El abuelo tiene un periódico y habla ...
9. ¿ Quién está sentado ? ¿ de pie ? — El padre ... El abuelo ...
10. ¿ En qué está sentado el padre ? — El padre ...
11. ¿ Está sentado o de pie el abuelo ? — El abuelo ...
12. ¿ Con quién juega (*plays*) el muchacho ? — El muchacho juega con ...
13. ¿ A quién habla la abuela ? — La abuela habla ...
14. ¿ A quién mira la madre ? — La madre o la señora Molina mira ...

SPAIN

The Land of Contrasts

In the extreme southwest of Europe there is a most attractive country. It offers delightful scenery, rich local color, the joy of novelty, and the thrill of discovery. Spain, the mother country of the Americas, the land of dreams, where art, history, and nature have united to create its charms, is an easy country to visualize. Picture a square-shaped block of land, about four times the size of New York State, or about twice as large as England in area, almost completely surrounded by water; place in the center of this land a high plateau that averages 2000 feet in height; dot the plateau with three great mountain ranges; place two more at the north end of the tableland, so that they seem to act as

II. LA FAMILIA MOLINA

1. La ventana. 2. La madre. 3. El padre. 4. La silla. 5. La mesa.
6. El abuelo. 7. La abuela. 8. La hija. 9. El hijo. 10. El perro. 11. El
gato.

props for the great plateau; tilt the plateau a bit to the southwest; and you will have a clear picture of Spain. Monotony of
landscape is a thing unheard of here. Spanish topography is
strikingly varied, consisting of startling changes, from soft, green-
covered valleys on the coast, to the bleak, arid, rugged plateau in
the center. The great central tableland, called the *Meseta Central*,
stretches over two-thirds of the country. The weather on the
plateau is very severe, and the mountains that rise from it send

PASTOR CASTELLANO
Sheep raising on the *Meseta Central*

the rivers down their forestless sides with such force and rapidity
that they empty themselves into the sea, leaving the beds dry.
The country is noted, however, for the great variety and excellent
quality of its fruits, and these are grown in the fertile soil beyond
the outer edge of the plateau, on the lands bordering the coast, or
else in the valleys of the great rivers that flow from the mountains.

Geographically, Spain presents such interesting facts as the following: practically the whole country lies in a humid climate;
the north and the northwest — including the cities of Santiago,
Oviedo, Bilbao, San Sebastián — form a region of very frequent

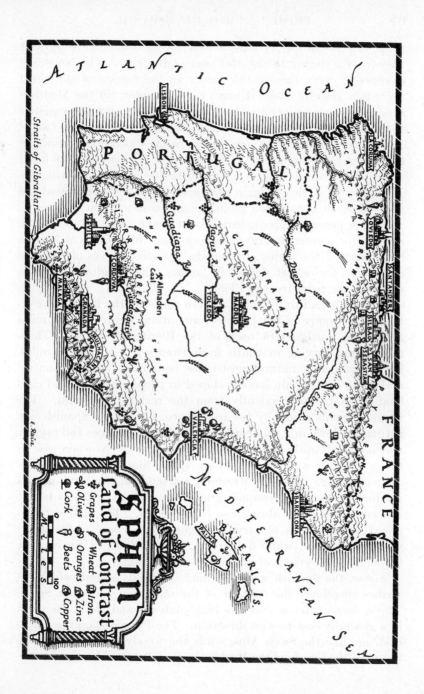

ATLANTIC OCEAN

PORTUGAL

FRANCE

Straits of Gibraltar

LISBON

LA CORUÑA

SANTANDER

OVIEDO

BILBAO

SAN SEBASTIAN

CANTABRIAN MTS.

CASTILLIAN

SEVILLE

CORDOVA

MALAGA

GRANADA

SIERRA NEVADA

Guadalquivir R.

SIERRA MORENA MTS.

SHEEP

SHEEP

Almaden
Coal

Guadiana R.

Tagus R.

TOLEDO

MADRID

GUADARRAMA MTS.

SHEEP

Duero R.

Ebro R.

PYRENEES

VALENCIA

BARCELONA

BALEARIC IS.

PALMA

MEDITERRANEAN SEA

E. Bair.

SPAIN
Land of Contrast

Grapes
Olives
Cork
Wheat
Oranges
Beets
Iron
Zinc
Copper

0   Miles   100

rains, whereas in the sections of lower Aragon and the southwest
no rain falls during the greater part of the year. The landscape
changes at every turn of the road. In the forests of the north
there is a grand display of oaks, pines, maples; in the Mediterranean region we find olive trees, oaks, and many other varieties
of trees; in Granada a road begins among the tropical foliage
and century plants, in a few hours reaches perpetual snows at
the summit of Mulhacén, the highest peak in Spain (11,420 feet),
and within a short time drops down to the coast of Motril, dry
and subtropical, rich in sugar cane and cotton. What a variety of
landscape: mountain and plain, rough coast and smooth beach,
valleys of perennial green, bare mountains, tangled forests! Can
one ask for greater wealth of scenery than the gardens of Murcia
and Valencia, the plains of Granada, the olive groves of Cordova
and Jaén, the wheat fields of Campos, the meadows of Asturias, and the palm trees of Elche?

Spain is bound to the southwestern corner of the European continent by a range of the Pyrenees mountains stretching 270 miles
across the northeastern neck of the Iberian Peninsula. These
mountains, varying in width from twenty-five to ninety miles,
have provided a natural protective boundary for the country,
and as a result, Spain has developed in people, culture, and civilization quite independently from the rest of the world. The
range descends gradually toward France, but on the Spanish side
it tumbles down in a wild confusion of steep precipices and ravines
which end abruptly in the sunny plains below. Nowhere else in
the world can we find a country quite like Spain, geographically speaking. While Switzerland reaches a higher level, it rises
gradually from the surrounding neighbor nations; Spain's height
is accentuated by its abrupt rise from the sea. The plateau, composed of tablelands of varying heights, is the base of five great
mountain ranges, while five rivers, the life lines of Spain, flow
through the labyrinth of ravines, gorges, and cliffs.

Sierra, the Spanish word meaning "saw," is a term which describes effectively the contour of the mountain ranges of Spain.
These *sierras* stretch over the high plateaus and along the coast
in a generally east-to-west direction. The Pyrenees, on the northeast, are like the Swiss Alps, while the woody slopes of Navarre
resemble the forests of the Rockies in magnitude and magnificence.

The peaks of Asturias and Santander, in the northwest, are the pride and joy of the mountain climber. The green farm lands of the French countryside are rivaled only by the flowing fields of the Cantabrian coast, along the north-central part of Spain. The harsh, bare cliffs of the *Sierra Morena* and the *Sierra Nevada*, facing out to the sea with a forbidding blackness that reminds one of Africa's rugged coast line, provide a dramatic background

EN LAS MONTAÑAS DE SIERRA NEVADA

Most of the traveling over these mountains is on horseback or muleback.

for the south coast. The *Meseta Central* is completely hemmed in by these ranges. The *Sierra de la Estrella* soars skyward along the western edge of the plateau; with the mountains following the boundary of Valencia on the east, the wall of mountains is completed. In the center of the tableland the towering tops of the Guadarrama, the Castilian, and Toledo peaks dot the plateau. Without much effort one can imagine Spain to be an immense castle with its citadel on the central tableland, with an average height of some two thousand feet.

As Spain is a very mountainous country, it is also one of the richest lands of the world in rivers. From the principal mountain ranges rise many streams unique, among other things, because of the curious physical contours of the country which cause them to flow in every direction, grow and diminish, twist and cut their way through, all over the country. The five chief rivers are: the Ebro, the Tagus, the Duero, the Guadalquivir, and the Guadiana. The first three are in the north and the last two in the south. The Guadalquivir and the Ebro are the only ones navigable within

EL PUENTE DE ALCÁNTARA, TOLEDO
Famous bridge over the Tagus River.

the territory of Spain. The Tagus, the longest river, flows through central Spain and in its course surrounds the historic city of Toledo and fertilizes fields that would otherwise be barren. The Ebro, on the north, with its source in the province of Santander, follows a generally southeast course for some 500 miles, flowing between the gorges and ravines of the Pyrenees and Iberian ranges. It is the only Spanish river of importance that empties into the Mediterranean. It flows into the sea near the border between Catalonia and Valencia. The Duero flows in a westerly direction through Portugal and into the Atlantic. ' The Guadalquivir is the most important river of the south and flows through Seville and Cordova.

Spain's climate is also a source of wonder. In the center, south, and east, the land is subject to severe extremes of weather, intensely cold in winter and scorchingly hot in summer. This is especially true of the central tableland.

The climatic regions can be broadly divided into two main sections, the wet and the dry. The line dividing these two can be said to start just north of the source of the Ebro, move westward to where the Iberian and Catalonian mountains meet, turn southward below the Cantabrian range, and follow the Portuguese frontier. With constant rainfall throughout the year, this region is damp and offers abundant vegetation. The Cantabrians along the west coast catch the western winds and suck them dry of all moisture, so that their slopes as well as those of the Pyrenees are smooth with grassland, while the central mountains get only occasional rains and storms that send the rivers down their sides in cataracts.

The beautifully fertile, green lands are very fruitful. As a result Spain is first in the production of olives and grapes, mainly grown in the south, which produce excellent oil and wines. The country is also world-famous for its Valencian oranges whose flavor is especially appreciated by the English who use them in the preparation of their marmalades. Malaga and muscatel grapes are universally known. Spanish cork also goes to all corners of the earth. Other products consist of cereals, cotton, hemp, flax, tobacco, and potatoes. Spain is one of the major countries in the production of beet sugar and the only one in Europe to produce cane sugar.

The north of Spain is rich in chestnut groves and forests of oak; its apple orchards produce the fruit from which the renowned Spanish cider is made.

The typical crop of the central plateau is wheat; so abundant is its production that this region is often called "The Land of Bread." The agricultural regions furnish grazing for animals, the hardiness of which have made them preferred in every country in the world. Merino sheep, pigs, goats, cows, bulls, horses, and the famous, faithful, plodding Spanish *burro* are a few of the hardy animals raised here.

Spain's natural resources are an object of envy to other nations, for besides the products already mentioned, its mineral wealth is second to none in all Europe. It produces in large quantities zinc, manganese, iron, mercury, silver, gold, and tin. The iron mines of Somorrostro, the copper mines of Río Tinto, and the mercury mines of Almadén are famous the world over for their quality and output. However, the production of lead and iron is the most important of all. These metals and others were exploited by the Phoenicians, Romans, and Moors, and today they form no small part of the nation's wealth.

Thus we have some general ideas of Spain's geography, but the real spirit of Spain we have yet to grasp and visualize. The severe weather that alternately brings the scorching sun of summer and the devastating frosts of winter has bred in the Spanish soil a variety of plants of unusual ruggedness. The country is full of flowering beauty. Of the ten thousand species of flowers grown in Europe, fully half are found only in Spain. The scent of these hardy plants that flourish with a minimum of dew is such that it makes the visitor marvel at the perfume. When one has walked in a garden of Spanish flowers, the memory of their beauty of color and fragrance lingers on.

And so this is Spain, a country of sharp contrasts: mountain and plain; rough, bleak coasts and smooth beaches; bare mountains and tangled woods; valleys of perpetual green and barren brown plains. Its rivers are dashing torrents for three months and dry for the rest of the year. Other streams flow quietly between rolling banks and then dash over jagged cliffs; and there are still others which, like the Guadiana, disappear into the earth only to reappear later, miles away, many times larger. And if variety is still sought, the pines of the Catalan coast, the orange groves of Valencia, and palm trees of Alicante will offer sharp contrasts. Seville with its flowers of penetrating fragrance and its rich local color, Granada and the Alhambra, Cordova and the Mezquita, these and many other points of interest make Spain the ideal country to study.

LECCIÓN SEXTA

A. Caso posesivo. **B.** Contracción de la preposición
de y el artículo *el*

I. Ejercicio de pronunciación

o:[1]

sol	por	te-mor	óp-ti-mo
a-mor	co-rre	o-jo	pos-ta
flor	bol-sa	ro-ca	os-cu-ro

La flor roja está en la torre al calor del sol.

II. Lectura

¿ De quién es el libro ?

Hoy el profesor toma un libro. ¿ Qué libro toma ? Toma
el libro de Felipe. Es el libro de un muchacho. Habla
de la lección. Pregunta:
— ¿ De quién es el libro ?
Otro muchacho de la clase
contesta: — Es el libro del
alumno. Es de Felipe.
Luego el profesor toma
la gramática de una mu-
chacha y pregunta: — ¿ De
quién es la gramática ? Ana
contesta: — Es la gramática de la
alumna. Es de Isabel.
El profesor habla del ejercicio del
día. Felipe lee una frase de la lección. Ana también lee una frase.

¿ De quién es el libro ?

Nosotros comprendemos la regla de la lección. La regla de
la lección no es difícil, es fácil. Es el uso de la palabra « del ».
En español expresamos *the boy's book* con « el libro del
muchacho », *the teacher's chair* con « la silla del profesor ».

---

[1] The Spanish open o is similar to the o in the English word *port*. The Spanish
open sound of o occurs in all closed syllables. The o is also open when it comes in
contact with initial r or rr or before any j sound.

Gracias

Gracias	Thank you.
Muchas gracias.	Many thanks.
De nada.	Not at all.
No hay de qué.	You are welcome.

III. VOCABULARIO

el **ejercicio** exercise   la **palabra** word   ¿ **cómo**? how?

la **frase** sentence   la **regla** rule   **de** from

el **muchacho** boy   el **uso** use   ¿ **de quién**? whose?

la **muchacha** girl

expresar to express, say

IV. GRAMÁTICA

A. Possession

ENGLISH	SPANISH FORM	SPANISH
Philip's book	= the book of Philip	: el libro de Felipe
Anna's grammar	= the grammar of Anna	: la gramática de Ana
the pupil's pencil	= the pencil of the pupil	: el lápiz del alumno
the pupil's mother	= the mother of the pupil	: la madre de la alumna
the teacher's chair	= the chair of the teacher	: la silla del profesor
a girl's notebook	= the notebook of a girl	: el cuaderno de una muchacha

In Spanish, possession is expressed by **de**, *of*, before a proper noun; by **de** + *the article* before other nouns. Remember that the possessor always follows the thing possessed.

B. Contraction of *de* with *el*

De + **el** contract to **del**. Note that **de** and **la** do not contract.

V. CONVERSACIÓN

1. ¿ De quién es el libro?   2. ¿ Qué pregunta el profesor? 3. ¿ Quién contesta?   4. ¿ Qué contesta?   5. ¿ Qué toma luego el profesor?   6. ¿ De quién es la gramática?   7. ¿ De qué habla el profesor?   8. ¿ Quién lee una frase?   9. ¿ Comprenden Vds. la regla?   10. ¿ Cómo expresa Vd. en español *the boy's book?* 11. ¿ Cómo expresa Vd. *the teacher's chair?*   12. ¿ Cómo expresan Vds. *the girl's grammar?*

VI. Ejercicios

A. Den el caso posesivo de (*Give the possessive case of*):

1. Veo el ejercicio —— Clara, —— muchacho, —— lección.
2. Pongo allí el lápiz —— Felipe, —— profesora, —— alumno.
3. Es la tinta —— alumna, —— Isabel, —— Ana.
4. Tomo la silla —— Alberto, —— alumno, —— muchacha.
5. Leo el libro —— profesor, —— Luis, —— Marta.
6. Necesito el cuaderno —— alumno, —— Ana, —— profesor, —— muchacho.

B. Usen la forma apropiada de la preposición **de,** con o sin el artículo (*Use the correct form of the preposition* **de,** *with or without the article*):

1. El lápiz es —— Alberto. 2. No es —— profesor. 3. No es —— alumna. 4. Él toma la pluma —— muchacha. 5. Él ve la gramática —— Isabel. 6. Hablamos —— ejercicio. 7. Luis lee la regla —— lección. 8. Él habla —— uso —— palabra. 9. ¿ —— quién es el cuaderno? 10. Es —— profesor. 11. ¿ No pongo el libro —— Ana allí? 12. El lápiz rojo es —— alumno. 13. No necesito el cuaderno —— alumno. 14. ¿ Lee Vd. el ejercicio —— día? 15. ¿ Dónde pone Vd. el libro —— profesor? 16. No comprendo la frase —— Tomás.

C. Reemplacen el inglés con el español (*Replace the English with Spanish words*):

1. El lápiz rojo es *Anna's.* 2. La tinta negra es *Philip's.* 3. ¿*Whose* es la gramática? 4. No tomo el libro *of the teacher.* 5. Lee el ejercicio *of the pupil.* 6. Vemos la tiza *of the teacher* (*f.*). 7. ¿*Whose* es la tinta verde? 8. Es *Isabel's;* no es *Clara's.* 9. ¿ Habla el profesor *of the lesson?* 10. No hablamos *of the use of the word.*

D. Test VI. *Replace the words in English with the Spanish words:*

1. El lápiz rojo es —— (*Anna's*). 2. La tinta negra es —— (*Philip's*). 3. La gramática es —— (*the boy's*). 4. No veo el libro —— (*the teacher's, m.*). 5. Lee el ejercicio —— (*the pupil's, f.*). 6. El libro es —— (*Isabel's*). 7. Es la tiza —— (*the teacher's, m.*).

8. ¿ —— es la tinta verde (*Whose*)? 9. ¿ Habla el profesor —— (*of the lesson*)? 10. No hablamos —— (*of the Spanish word*).

E. Dictado:

El profesor dictará las cuatro primeras oraciones del último párrafo de la Lectura.

F. Oral:

1. The boy's book; Isabel's pencil; Albert's notebook; Clara's class; the girl's teacher. 2. The pupil's grammar; the teacher's chair; the boy's pen; Philip's pencil; the pupil's notebook. 3. Louis' exercise; the girl's pen; Albert's lesson; the teacher's house; today's rule. 4. I take John's book. 5. Are you taking Isabel's notebook? 6. I do not know today's lesson. 7. We study in Isabel's class. 8. I am putting the teacher's book there. 9. He speaks of Philip's pen. 10. They are studying today's rule.

Cuento VI

En Madrid

He was not so clever as he thought.

En un pueblo de Castilla vive el tío Pepe.[1] Después de trabajar *a* muchos años, hace un viaje *b* a Madrid, capital de España. Ve la Puerta del Sol, plaza principal de la capital, los edificios, los parques, las calles, los teatros, las tiendas y otras muchas cosas. Después de cuatro días, llega la hora de salir para su pueblo.

Va[2] a la estación del Norte para comprar su billete.[3] Sube a[4] un coche de tercera[5] clase y toma asiento.*c* El tío Pepe no desea olvidar la impresión de Madrid. ¡ Qué hermosa ciudad![6] ¡ Con qué entusiasmo va a hablar *d* en su pueblo de la capital !

Mientras el tío Pepe ve en su imaginación todas las cosas, llega un estudiante a la estación y pregunta:

— Eh, amigo, ¿ está completa el arca de Noé ?[7]

---

[1] *lives Uncle Joe.* [2] (*He*) *goes.* [3] *ticket.* [4] *He gets* (*goes up*) *into.* [5] *third.* In a Spanish train the coaches are of first, second, or third class. [6] *What a beautiful city!* [7] *is Noah's Ark full?* In the Old Testament story Noah built an ark to protect his family and his animals from the flood.

El tío Pepe no es tonto. Pasa los ojos por [1] todos los bancos y con mucha calma contesta:

— Suba,[2] suba usted, amigo; falta el burro.[3]

CONVERSACIÓN

1. ¿ A dónde va (*goes*) el tío Pepe? 2. ¿ Qué es Madrid? 3. ¿ Qué ve allí? 4. ¿ Cuándo va a la estación? 5. ¿ Quién es el burro?

VOCABULARIO

el **año** year	el **edificio** building	**olvidar** to forget
el **banco** bench	el **estudiante** student	el **pueblo** town, village
la **cosa** thing	la **hora** hour, time	**salir** to go out, leave
donde, ¿ **dónde**? where	**mientras** while	**tonto**, –a stupid

What English words and meanings do you recognize from the following?

el **coche**, el **edificio**, el **entusiasmo**, la **estación**, el **estudiante**, la **imaginación**, la **impresión**, el **norte**, el **parque**, el **teatro**

MODISMOS

(*a*) **después de trabajar** after working. *In Spanish, after a preposition, the infinitive is used and not the present participle as in English.*

(*b*) **hacer un viaje** to take a trip
(*c*) **tomar asiento** to take a seat
(*d*) **va a hablar** he is going to speak

[1] *over.* [2] *Get on.* [3] *the jackass is missing.*

LECCIÓN SÉPTIMA

A. Tercera conjugación: Presente de indicativo
B. Terminaciones del infinitivo

I. Ejercicio de pronunciación

u:			
mu-la	sur	su-ma	gus-to
lu-na	u-na	plu-ma	nun-ca
cul-pa	úl-ti-mo	pun-to	a-lum-no

A un alumno nunca le gusta ser el último de su clase.

II. Lectura

Escribimos el ejercicio

Ahora el profesor enseña una regla de gramática. Explica la regla muy bien. Es una regla fácil. Felipe desea escribir la regla en la pizarra. Yo veo que no hay tiza en la clase. Salgo y traigo tiza de otra clase. Doy la tiza a Felipe. Felipe escribe en la pizarra con tiza.

El profesor explica la regla muy bien.

Nosotros escribimos la regla en papel. ¿ Con qué escriben Vds. en papel? Escribimos con tinta o con lápiz. Arturo toma una pluma y abre un cuaderno. ¿ Para qué abre el cuaderno? Abre el cuaderno para escribir la regla de la lección, pero no cabe allí. Arturo necesita papel.

— Arturo y Felipe, ¿ dónde viven Vds.? — Vivimos en

Nueva York. — ¿ Viven Vds. en España? — No, señor, no vivimos en España. — ¿ Desean Vds. salir para España? — Sí, señor. — ¿ Para qué desean Vds. salir? — Deseamos salir para España para aprender bien el español. — ¿ Vale mucho el estudio de una lengua como el español? — Sí, señor, vale mucho para un americano.

— ¿ Quién desea vivir en España? — Yo deseo vivir en España. — ¿ Para qué desea Vd. vivir en España? — Deseo vivir en España para estudiar, aprender y hablar bien el español.

Serie

Deseo escribir en la pizarra.	*I wish to write on the board.*
Me levanto.	*I rise.*
Paso a la pizarra.	*I go to the board.*
Tomo tiza para escribir.	*I take (a piece of) chalk in order to write.*
Escribo una letra, una palabra, una oración.	*I write a letter, a word, a sentence.*
Paso a mi asiento.	*I pass to my seat.*

III. Vocabulario

el **americano**, la **americana** American (*inhabitant*)
el **asiento** seat
el **estudio** study
Nueva York New York
el **papel** paper
la **pizarra** blackboard
abrir to open
explicar to explain
mucho much

IV. Gramática

A. Present Tense of Statement Form — Third Conjugation

Verbs: **vivir** *to live*

vivir = infinitive   viv = stem

Person	Formation	Example	English
yo	stem + o	viv o	*I live*
usted	stem + e	viv e	*you live*
tú	stem + es	viv es	*you live*
él, ella	stem + e	viv e	*he, she lives*
nosotros, –as	stem + imos	viv imos	*we live*
ustedes	stem + en	viv en	*you live*
vosotros, –as	stem + ís	viv ís	*you live*
ellos, –as	stem + en	viv en	*they live*

Like **vivir**: **escribir, abrir,** etc.

Note that to conjugate the present tense of all regular verbs in –ir, we add –o, –e, –es, –e, –imos, –en, –ís, –en to the stem. In the present tense the –ir verbs differ from the –er verbs only in the first and second plural.

Note that the following verbs have the regular endings of their respective conjugations, except the first person singular which is irregular:

caber *to fit*	quepo, cabes, **cabe, cabemos,** cabéis, **caben**
dar *to give*	doy, das, **da, damos,** dais, **dan**
salir *to go out, leave*	salgo, sales, **sale, salimos,** salis, **salen**
traer *to bring*	traigo, traes, **trae, traemos,** traéis, **traen**
valer *to be worth*	valgo, vales, **vale, valemos,** valéis, **valen**

B. Infinitive Endings

1st conjugation ends in –ar:	habl–ar	*to speak*
2nd conjugation ends in –er:	aprend–er	*to learn*
3rd conjugation ends in –ir:	viv–ir	*to live*

Note that all regular verbs in Spanish end in –ar, –er, –ir in the infinitive. To conjugate a verb, drop the infinitive ending, and add the personal endings for the various persons.

V. CONVERSACIÓN

1. ¿ Qué enseña el profesor ? 2. ¿ Cómo explica la regla ? 3. ¿ Quién desea escribir la regla ? 4. ¿ Qué trae Vd. a la clase ? 5. ¿ A quién da Vd. tiza ? 6. ¿ Dónde escribe Felipe ? 7. ¿ Qué escribimos nosotros ? 8. ¿ Qué hace Arturo ? 9. ¿ Por qué necesita papel Arturo ? 10. ¿ Dónde viven Arturo y Felipe ? 11. ¿ Para qué desean salir para España ? 12. ¿ Desea Vd. vivir en España ?

VI. EJERCICIOS

A. Den la forma apropiada del verbo (*Give the proper form of the verb*):

1. (*poner*) Yo —— el papel sobre la mesa. 2. (*abrir*) Felipe —— un libro. 3. (*escribir*) ¿ Por qué no —— Vd. ? 4. (*hacer*) Yo —— el ejercicio del día. 5. (*salir*) Yo —— para ver el libro. 6. (*dar*) ¿ A quién —— yo el ejercicio ? 7. (*vivir*) ¿ —— ellos en Boston ?

8. (*traer*) Yo —— libros a la clase.   9. (*escribir*) Nosotros —— en la pizarra.   10. (*saber*) Yo —— la lección del día.

B. Usen **Vd., nosotros, Luis, yo, él** con cada frase:

1. Escribir la frase.   2. Vivir en Madrid.   3. Salir para España.
4. Abrir la gramática.   5. Dar el libro a Felipe.   6. ¿ Aprender una regla ?   7. Caber en el asiento.   8. No estudiar la regla.

C. Pongan el verbo en el presente (*Put the verb in the present*):

1. *vivir:*   ¿ Dónde —— Vd. ?   Ellos —— en Boston.
2. *salir:*   Yo —— para Boston.   ¿ Quién —— para el pueblo ?
3. *escribir:* ¿ No —— Vds. la regla ? Yo —— con tinta.
4. *leer:*   Él —— bien.   ¿ Qué —— Vd. ahora ?
5. *hacer:*   ¿ Qué —— yo ?   ¿ Qué —— Vds. ?
6. *estudiar:* Yo —— una lección.   Ella —— la gramática.
7. *saber:*   Yo no —— la lección.   ¿ Qué —— Vds. ?

D. Cambien del singular al plural y viceversa (*Change from singular to plural and vice versa*):

sabemos	hacemos	cabemos
yo abro	vemos	Vd. enseña
salimos	ella escribe	traemos
caemos	ponemos	valemos
él no aprende	yo vivo	¿ qué tomo ?
¿ no lee ella ?	damos	ella comprende

E. Test VII. *Write the Spanish translation of the verbs in English:*

1. Él —— una regla de gramática (*teaches*).   2. —— para España (*I leave*).   3. —— en la pizarra (*They write*).   4. —— en el asiento (*I do not fit*).   5. —— bien el español (*We learn*).   6. El estudio del español —— mucho (*is worth*).   7. —— el lápiz a Felipe (*I give*).
8. —— esto en la clase (*I do not do*).   9. —— la lección muy bien (*I know*).   10. —— un libro sobre la mesa (*I put*).

F. Oral:

1. Do I write ?   2. Are you writing ?   3. I do not write.   4. What does he write ?   5. Who is writing ?   6. I am opening.   7. He opens.
8. Do they open ?   9. What do you open ?   10. Don't we open ?
11. I am living in . . .   12. Where do you live ?   13. Who is living

in . . . ? 14. Is the pupil living in . . . ? 15. We live in . . . 16. I am
leaving for Spain. 17. Are you leaving for Spain? 18. I give. 19. I
do not fit. 20. I am bringing. 21. I am worth much.

CUENTO VII

El caballo es muy corto

Beware of schemers.

Alberto alquila [1] una mañana un caballo. Desea ir a paseo [a]
por la tarde.[b] Deja un poco de [c] dinero en depósito.[2] Cuando
sale de allí, su amigo Carlos pasa por la calle. Éste dice [3] a Alberto:

— Hoy por la tarde voy a paseo en automóvil [4] con Eduardo
y Felipe. ¿ Desea usted ir con nosotros ?

Este caballo no sirve; es muy corto.

— ¡ Ah, sí ! — contesta su amigo — pero acabo de [d] alquilar
un caballo para esta tarde y no puedo [5] retirar el depósito.

— ¿ Por qué no ? ¡ Ya veremos ! [6]

Los dos amigos van a [7] la casa del hombre para hablar con él.
Carlos pregunta:

— ¿ Dónde está [8] el caballo que acaba de alquilar mi amigo
para esta tarde ?

— Allí está.

Carlos examina el caballo de la cabeza a la cola.

---

[1] *hires, rents.*   [2] *as a deposit.*   [3] *says.*   [4] *I am going for an automobile ride.*
[5] *I can't.*   [6] *We'll see about that!*   [7] *go to.*   [8] *is.*

— Este caballo no sirve; [1] es muy corto.

— ¿Qué dice usted? [2] ¡El caballo es muy corto! ¡Mi caballo no sirve!

— Sí, señor, es muy corto — contesta Carlos. — Este sitio es para usted, éste es para mí, éste es para Felipe ... Ahora, ¿qué sitio hay para Eduardo? Él debe ir con nosotros.

— Pero, ¿qué dice usted? ¿Ustedes van a montar cuatro personas en mi caballo?

— Sí, señor, cuatro, si Ricardo no desea ir con nosotros. Si él va, somos cinco y no cuatro.

— Pues bien, señores, aquí está el dinero. Ustedes no necesitan un caballo, necesitan un elefante, y un elefante muy grande. Yo no permito ese abuso. Pueden ustedes [3] alquilar un caballo en otro sitio.

Y con esto el hombre da el dinero a Alberto. Éste sale contento con su amigo Carlos.

CONVERSACIÓN

1. ¿Qué alquila Alberto? 2. ¿Quién pasa por la calle? 3. ¿Por qué desea retirar el depósito? 4. ¿Con quién hablan Carlos y Alberto? 5. ¿A quién da el hombre el dinero?

VOCABULARIO

el **caballo** horse	el **dinero** money	la **mañana** morning
la **cabeza** head	**este, –a** this; **ese, –a** that	**mío, –a** mine
la **cola** tail	**éste, –a** this one, the latter	**retirar** to withdraw
corto, –a short	**grande** large, big	el **sitio** place
dejar to leave	**ir** to go	la **tarde** afternoon

What English words and meanings do you recognize from the following?

el **abuso**, **Carlos**, **contento, –a**, **Eduardo**, **montar**, **permitir**, el **depósito**, la **persona**, el **automóvil**, el **elefante**

MODISMOS

(a) **ir a paseo** to go for a ride, go for a walk
(b) **por la tarde** in the afternoon
(c) **un poco de** a little
(d) **acabar de** + *inf.* to have just + *past part.*

[1] *is no good.*   [2] *What are you saying?*   [3] *You can.*

LECCIÓN OCTAVA

A. Complemento directo personal con _a_. B. Algunos pronombres personales complementos

I. Ejercicio de pronunciación

b:[1]   ban-co   bu-fón   bo-la   bom-ba   en bal-de
     ba-la   Bur-gos   bus-ca   tam-bién   un baúl
     Bal-mes   Be-lén   em-ble-ma   am-bos   un be-so

Benito también busca al hombre.

II. Lectura

Escuchamos al profesor

El profesor enseña muy bien. Desea ayudar a Luis. Lo ayuda siempre porque es un alumno aplicado. Hoy explica otra regla a la clase. La regla de hoy no es difícil, es fácil. La explica bien porque desea enseñar bien. ¿De qué habla? Habla de la palabra « al ». Nosotros comprendemos la regla porque comprendemos al profesor. Comprendemos al profesor porque enseña bien. Cuando no la comprendemos, preguntamos. Nosotros prestamos atención al profesor para aprender mucho. Alberto no presta atención al profesor y así no aprende. Alberto es perezoso.

Cuando no comprendo la regla, pregunto al profesor.

¿A quién habla la profesora? Habla al alumno y a la alumna. Habla a Tomás. Le habla. Habla también a

---

[1] The Spanish sound of _b_ is pronounced like _b_ in English when beginning a word, a breath group, a sentence, or after **m** or **n**. Also note that **n** before **b** or **v** has the sound of **m**.

Isabel. Le habla también. ¿A quién enseña el profesor?
Enseña al muchacho y a la muchacha. Enseña a Alberto y
a Marta. ¿Qué enseña el profesor en la clase? Enseña la
regla de la lección. Para enseñar la regla, toma y abre el
libro. Lo abre para leer y explicar la regla a la clase. Luego
nosotros tomamos el libro, lo abrimos y leemos la lección.
Si el profesor explica bien la lección, nosotros la comprendemos. Si estudiamos en casa comprendemos la lección y
al profesor en la clase.

Ejercicio de invención

hablar: inglés, español, bien, mal, mucho, etc.
dar: ——, ——, ——, ——, ——, ——, etc.
estudiar: ——, ——, ——, ——, ——, ——, etc.
saber: ——, ——, ——, ——, ——, ——, etc.
aprender: ——, ——, ——, ——, ——, ——, etc.
hacer: ——, ——, ——, ——, ——, ——, etc.
abrir: ——, ——, ——, ——, ——, ——, etc.
ir: ——, ——, ——, ——, ——, ——, etc.
salir: ——, ——, ——, ——, ——, ——, etc.

III. Vocabulario

perezoso, –a lazy   **prestar atención a** to pay attention to
ayudar to help   **mal** badly, poorly

IV. Gramática

A. Personal *A*

Enseña la regla.	*He teaches the rule.*
Enseña *a* Tomás y *a* Marta.	*He teaches Thomas and Martha.*
Enseña *al* alumno (*a la* alumna).	*He teaches the pupil.*

The preposition **a**, *to*, is used before a direct object which de-
notes a definite person, an intelligent animal, or a proper noun.
This so-called "personal **a**" is not expressed in English.

Note that the preposition **a** and the article **el** combine to
form **al** before a masculine singular noun; **a** does not combine
with **la**.

B. Some Object Pronouns

DIRECT:
lo { Comprendo a Luis — *lo* comprendo (*him*).
     Toma el libro — *lo* toma (*it*).

la { Ayudo a Marta — *la* ayudo (*her*).
     Toma la pluma — *la* toma (*it*).

INDIRECT: le { Habla a Tomás — *le* habla (*to him*).
                Explica a Marta — *le* explica (*to her*).

The direct object pronouns of the third person singular are: le [1] and lo, *him* and *it*, referring to a masculine noun; la, *her* and *it*, referring to a feminine noun. The indirect object pronoun, masculine and feminine, is le, *to him*, *to her*, or *to it*. These pronouns are generally placed before the conjugated verb.

V. CONVERSACIÓN

1. ¿ Qué explica el profesor ?   2. ¿ A quién explica la regla ? 3. ¿ De qué habla el profesor ?   4. ¿ Por qué comprenden Vds. la regla ?   5. ¿ A quién escuchan Vds. ?   6. ¿ Para qué escuchan Vds. al profesor ?   7. ¿ A quién habla el profesor ?   8. ¿ A quién enseña el profesor ?   9. ¿ Qué enseña el profesor a la clase ? 10. ¿ Comprende Vd. la regla ?   11. ¿ Escucha Vd. al profesor ? 12. ¿ Comprende Vd. al profesor ?   13. ¿ Cuándo le preguntan Vds. ?

VI. EJERCICIOS

A. Añadan a, si es necesario (*Add* a, *if it is necessary*):

1. Pregunto —— el profesor.   2. Tomás contesta —— Rosa. 3. ¿ Aprende Luis —— la frase ?   4. No comprendo —— la palabra. 5. ¿ Quién enseña —— la regla ?   6. El profesor enseña —— Ana. 7. Pregunto —— Alberto.   8. Él explica —— la regla.   9. Respondemos —— la profesora.   10. La clase comprende —— el profesor.   11. Luis lee —— el libro.   12. Isabel sabe —— la lección.

B. Reemplacen cada sustantivo complemento de *A* con el pronombre apropiado (*Replace each noun object in* A *with the suitable pronoun*).

---

[1] The direct object pronoun le is preferred in Spain when referring to persons. In Spanish America lo is more commonly used for persons and things.

C. Contesten:

1. ¿ Qué (*o* a quién) comprende el alumno? Luis, gramática, muchacho, frase, Isabel, libro, lección, Arturo, regla, Marta, palabra, Ana.

2. ¿ Qué (*o* a quién) enseña el profesor? Alumno, regla, muchacho, lección, clase, muchacha.

3. ¿ Qué (*o* a quién) necesito yo? Profesor, Ana, Tomás, alumno, libro, lápiz, tinta, mesa, tiza.

4. ¿ Qué (*o* a quién) explica él? Muchacho, regla, frase, Isabel, Felipe, lección, alumno, Ana, gramática.

D. Añadan un sustantivo complemento directo o indirecto (*Add a noun object, direct or indirect*):

1. Nosotros escuchamos ——. 2. Vd. comprende ——. 3. Ella responde ——. 4. No comprendo ——. 5. La clase comprende ——. 6. La profesora enseña ——. 7. Luis lee ——. 8. ¿ Quién contesta ——? 9. Tomás pregunta ——. 10. El alumno no escucha ——. 11. ¿ No enseña el profesor ——? 12. María explica ——. 13. Alberto ayuda ——. 14. Cuando no comprendemos ——, preguntamos ——. 15. El alumno toma ——. 16. La alumna toma ——.

E. Reemplacen cada sustantivo complemento de *D* con el pronombre apropiado.

F. TEST VIII. *Write the Spanish translation of the words in English:*

1. Vd. sabe —— (*the lesson*). 2. Ella responde —— (*the pupil*). 3. No comprendo —— (*Philip*). 4. Aprendo bien —— (*Spanish*). 5. —— traigo (*It, m.*). 6. ¿ Quién contesta —— (*the teacher, f.*)? 7. El profesor no ve —— (*the boy*). 8. Doy el libro —— (*to John*). 9. María —— explica la lección difícil (*to her*). 10. Ellos —— hablan (*to him*).

G. Oral:

1. I teach the rule, the lesson, the word, the pupil, Martha, the boy, Philip, a language, a sentence, Isabel, him, her, it. 2. He explains the sentence to Isabel, to her, to the boy; the lesson to the pupil, to him, to the teacher; the word to the class, to Thomas, to the man. 3. We ask the teacher, Anna, the boy, Philip, the girl, Martha, Isabel, Albert, the pupil, Clara, him, her.

Cuento VIII

La familia contenta

Persistence has its rewards.

Un hombre tiene [1] rábanos [2] en su jardín.   Uno de ellos es
enorme.   El hombre desea sacar el rábano de la tierra.   Hala [3]
y hala, pero no puede [4] sacar el rábano de la tierra.   El hombre
está [5] muy cansado.   Llama a su mujer.   La madre hala al padre,
el padre hala el rábano.   Pero ella no es muy fuerte.   El padre y
la madre halan y halan otra vez, pero no pueden [6] sacar el rábano
de la tierra.

La madre llama a María, su hija.   María hala a la madre.   La
madre hala al padre.   El padre hala el rábano.   María, su padre

Ellos halan y sacan el rábano de la tierra.

y su madre halan y halan otra vez,ᵃ pero no pueden sacar el rábano
de la tierra.

María tiene un perro.   María lo llama.   El perro hala a María.
María hala a la madre.   La madre hala al padre.   El padre hala
el rábano.   Ellos halan y halan, pero no pueden sacar el rábano
de la tierra.

El perro llama al gato.   El gato hala al perro.   El perro hala
a María.   María hala a la madre.   La madre hala al padre.   El
padre hala el rábano.   Todos halan y halan, pero no pueden sacar
el rábano de la tierra.

El gato llama al ratón.   El ratón hala al gato.   El gato hala
al perro.   El perro hala a María.   María hala a su madre.   Su

---

[1] *has.*   [2] *radishes.*   [3] *(He) pulls.*   [4] *he cannot.*   [5] *is.*   [6] *(they) cannot.*

madre hala al padre. El padre hala el rábano. Ellos halan y halan y así, poco a poco,[b] sacan el rábano de la tierra.

El padre, la madre, María, el perro, el gato y el ratón llevan el rábano a su casa y entre todos se lo comen.[1] ¡ Qué contentos están![c]

CONVERSACIÓN

1. ¿ Qué tiene el hombre en su jardín ? 2. ¿ Qué desea sacar de la tierra ? 3. ¿ A quién llama el padre ? ¿ A quién llama la madre ? etc. 4. ¿ Quiénes halan y halan ? 5. ¿ De dónde sacan el rábano ?

VOCABULARIO

cansado, –a tired	llamar to call	el perro dog
contento, –a happy, glad	llevar to carry	el ratón mouse
fuerte strong	la madre mother	sacar to take out, pull
la hija daughter	la mujer wife, woman	la tierra earth
el jardín garden	el padre father	

What English words and meanings do you recognize from the following ?

contento, –a, enorme, la familia, María

MODISMOS

(a) otra vez again   (b) poco a poco little by little, gradually
(c) ¡ qué contentos están! how glad they are!

LECCIÓN NOVENA

A. El plural de nombres, adjetivos y pronombres complementos.
B. Concordancia de los adjetivos

I. EJERCICIO DE PRONUNCIACIÓN

b:[2] lo-bo	be-be	a-ma-ba	bo-bo
a-ca-ba	bar-be-ro	Bil-ba-o	li-bros
Ha-ba-na	ha-bla-ba	Cu-ba	su-ba

Benito Boscán alababa a ambos bobos en la Habana.

---

[1] se lo comen, *eat it up.*

[2] Whenever b is not initial or does not follow m or n, it is produced by breathing lightly through the lips which hardly touch each other.

The main difference between English *b* and the Spanish soft b is that the English *b* is an explosive sound while the Spanish is not. The English *b* lasts but a second. whereas the Spanish b may be prolonged indefinitely.

II. Lectura
Las reglas son fáciles

En las escuelas las clases son grandes; no son pequeñas. En las clases hay asientos y pupitres para los alumnos. También hay mesas para los profesores. Sobre los pupitres hay libros rojos, cuadernos azules y lápices amarillos. En las paredes hay cuadros grandes de España y dos mapas,

La clase de español

uno de España y otro de la América española. En las paredes hay puertas y ventanas. En cada clase hay una puerta y tres ventanas.

En las clases de español los alumnos escuchan a los profesores. Siempre los escuchan. Así aprenden bien las reglas. Cuando los profesores les explican las reglas, los alumnos abren y escriben en los cuadernos. Escriben las reglas de las lecciones.[1] Las escriben con tinta negra. Las reglas de hoy son fáciles. Las reglas son siempre fáciles para los alumnos aplicados. Los alumnos aplicados com-

---

[1] Note the omission of the accent mark in the plural: lección, but lecciones. Why is the accent mark unnecessary in the plural?

prenden las reglas fáciles y difíciles porque estudian. Las reglas son difíciles para los alumnos perezosos. Los alumnos perezosos no comprenden al profesor. No comprenden las reglas de la lección. Nosotros comprendemos las lecciones porque comprendemos a los profesores. Cuando no las comprendemos, les preguntamos.

Para escribir las reglas de la lección, abrimos los cuadernos. No los necesitamos cuando escribimos en la pizarra.

MÁXIMAS

No hay tiempo como el presente: ahora, ahora, ahora.	*There is no time like the present: now, now, now.*
Los mejores amigos son los buenos libros.	*Good books are your best friends.*

Los mejores amigos

III. VOCABULARIO

la **América** America; — española Spanish America [1]
el **cuadro** picture
la **escuela** school
el **mapa** [2] map

la **pared** wall
la **puerta** door
el **pupitre** desk
la **ventana** window

uno, –a *pron.* one

amarillo, –a yellow
azul blue
cada each, every
pequeño, –a small, little

IV. GRAMÁTICA

A. The Plural

SINGULAR	PLURAL
el libro rojo	*los* libros rojo*s*
la pluma roja	*las* plumas roja*s*
el cuaderno azul	*los* cuadernos azul*es*
la regla fácil	*las* reglas fácil*es*

[1] Eighteen Spanish-speaking countries in the New World south of the United States.

[2] An exception to the rule that nouns endings in –a are feminine.

Singular	Plural
un lápiz verde	*unos* lápic*es* [1] verde*s*
una alumna diligente	*unas* alumna*s* diligente*s*

los { Enseña a los alumnos — *los* enseña (*them*).
      Toma los libros rojos — *los* toma (*them*).

las { Enseña a las alumnas — *las* enseña (*them*).
      Toma las plumas rojas — *las* toma (*them*).

les: Habla a Juan y a María — *les* habla (*to them*).

Note that to form the plural in Spanish, nouns and adjectives ending in a vowel take –s; those ending in a consonant add –es. The plural of el is los; the plural of la is las.[2] All these forms mean *the*. In the plural un changes to unos, and una to unas; the plural forms mean *some, a few*.

Note that the forms los and las are also used as direct object pronouns referring to persons and things. Les is the plural form of the indirect object for both genders.

B. Agreement of Adjectives

El libro y el cuaderno son roj*os*.	*The book and the notebook are red.*
La mesa y la silla son amarill*as*.	*The table and the chair are yellow.*
Ellos son american*os*.	*They are Americans.*
Ana y Felipe son aplicad*os*.	*Anna and Philip are industrious.*

Adjectives always agree in gender and number with the noun or pronoun to which they refer. An adjective modifying several nouns is in the plural. An adjective modifying nouns of different gender is in the masculine plural.

V. Conversación

1. ¿Qué hay en las escuelas? 2. ¿Qué hay en las clases? 3. ¿Qué hay para los profesores? 4. ¿Qué hay para los alumnos? 5. ¿Qué hay sobre los pupitres? 6. ¿Qué hay en las paredes? 7. ¿Qué mapas hay? 8. ¿Dónde escuchan los alumnos? 9. ¿A quiénes [3] escuchan? 10. ¿Cuándo abren los cuadernos?

---

[1] Nouns ending in –z change –z to –c and add –es for the plural.

[2] Neither de nor a contracts with the plural forms of the definite article: **Los libros de los alumnos son grandes**, *The boys' books are large.* **Habla a las alumnas**, *He speaks to the girl pupils.*   [3] Plural of **¿ quién?**

11. ¿Qué escriben los alumnos? 12. ¿Son las reglas fáciles o difíciles? 13. ¿Comprende Vd. las reglas? 14. ¿Por qué comprenden Vds. a los profesores?

VI. Ejercicios

A. Pongan en plural (*Put in the plural*):

el libro rojo	el lápiz negro	la ventana grande
el otro cuaderno	la palabra fácil	el pupitre pequeño
el alumno americano	el ejercicio difícil	el alumno inglés [1]
la frase difícil	la alumna española	el profesor español
la pluma verde	el color blanco	la mesa amarilla

B. Escriban en plural:

1. Es la ventana grande de la clase. 2. Es el asiento del alumno. 3. Es el libro pequeño del profesor. 4. Abro la puerta de la escuela. 5. Vd. toma la gramática del alumno español. 6. La alumna americana de la clase es aplicada. 7. Es el alumno perezoso de la escuela. 8. Es el mapa de la clase. 9. Tomo el lápiz amarillo del muchacho. 10. Es el ejercicio fácil del alumno. 11. Escribo al profesor. 12. La profesora enseña al alumno. 13. Escucho al muchacho. 14. Explica la regla a la alumna. 15. Pregunto a la profesora.

C. Reemplacen cada sustantivo complemento con el pronombre apropiado:

1. Tomamos los libros. 2. Las alumnas toman las plumas. 3. Los alumnos estudian las lecciones. 4. ¿Comprenden Vds. los ejercicios? 5. Ellos explican las reglas. 6. Carlos y María abren los cuadernos. 7. ¿Escribe Alberto las preguntas? 8. Felipe lee los libros. 9. Cada alumno necesita libros y cuadernos. 10. Isabel estudia las frases. 11. El profesor escribe las palabras. 12. Necesitamos lápices y plumas.

D. Test IX. *Write the Spanish translation of the words in English:*

1. El profesor explica ―― (*the difficult lessons*). 2. El profesor ―― explica (*them, f.*). 3. No hablan ellos de ―― (*the red books*).

----

[1] Adjectives ending in ―**és** add ―**es** for the plural but omit the accent mark; why?

4. Isabel —— habla (*to them*). 5. Veo —— de la clase (*the large windows*). 6. Doy —— a Felipe (*the black pencils*). 7. No cabemos en —— (*the small seats*). 8. Los muchachos —— ayudan (*them, m.*). 9. Les traigo —— (*the other notebooks*). 10. Salgo para ver a —— (*the English girls*).

E. Oral:

1. The red books; the green pencils; the white houses; the Spanish pupils; the English girls; the diligent boys. 2. The green notebooks; the yellow pens; the small windows; the lazy boys; the large doors; the small chairs. 3. I teach them (*m.*); you ask them; they understand them (*f.*); we answer them; he replies to them; she helps them. 4. I give them (*m.*); I see them (*f.*).

¿ Qué lugar ocupas en la clase ?

Cuento IX

Progreso

His father was disappointed.

Un padre desea saber qué progreso hace su hijo Carlos en los estudios. Un día le pregunta:

— ¿ Qué lugar ocupas en la clase ?

— El veintiuno — contesta el muchacho con aire de triunfo.

El muchacho no es aplicado y es muy perezoso.

— ¿ Y cuántos alumnos hay en la clase ? — le pregunta el padre.

— Veintiuno — contesta el muchacho un poco tímido.

Pasan dos semanas y el padre vuelve a preguntar *ª* a su hijo:

— ¿ Qué lugar ocupas ahora en la clase ?

— Ya no ocupo *ᵇ* el mismo lugar. Hace una semana que ocupo *ᶜ* el veinte — responde el hijo.

— ¡ Luego has ganado un puesto ! [1] — contesta el padre muy contento.

[1] *you are one place ahead.*

— ¡ Ah no, papá ! Uno de los alumnos se ha marchado [1] porque su familia va a vivir [d] en otra ciudad.

CONVERSACIÓN

1. ¿ Qué desea saber el padre ?   2. ¿ Qué lugar ocupa el muchacho ?
3. ¿ Qué clase de muchacho es ?   4. ¿ Qué lugar ocupa después de una semana ?   5. ¿ Hace Carlos progreso o no ?

VOCABULARIO

el **hijo** son, boy   el **lugar** place   la **semana** week
                              ya = **ahora** now

What English words and meanings do you recognize from the following ?

el **aire**, la **clase**, **ocupar**, el **progreso**, **tímido**, –a, el **triunfo**

MODISMOS

(a) **vuelve a preguntar** asks again   (c) **hace una semana que ocupo** for a
(b) **ya no ocupo** I no longer occupy   week I have been occupying
               (d) **va a vivir** is going to live

LECCIÓN DÉCIMA

A. Verbos irregulares: Presente de indicativo. **B.** Uso del presente para expresar tiempo futuro

I. EJERCICIO DE PRONUNCIACIÓN

la Ha-ba-na	Pe-pe	te-mor	óp-ti-mo	bom-bas
Pa-ra-ná	le-er	úl-ti-mo	Fi-li-pi-nas	un ba-úl
nun-ca	Li-ma	Pa-na-má	Bil-ba-o	a-la-ba-ba

II. LECTURA

Los alumnos aprenden

Un día el profesor explica una lección de gramática a la clase. Todos los alumnos prestan atención. ¿ Por qué

---

[1] *has left (school).*

prestan atención al profesor? Porque mañana hay examen.
Todos los alumnos quieren aprender. No pueden aprender
si no prestan atención. Mañana todos los alumnos van listos
para el examen, menos Luis. Todos los alumnos estudian y
aprenden mucho. Luis no es aplicado. Va a la clase todos
los días, pero no sabe la lección. No estudia y no aprende
mucho; aprende muy poco. Él dice que quiere aprender,
pero no puede. La verdad es que no presta atención al
profesor cuando explica la lección. El profesor ve que Luis
no pone atención y le pregunta:

— Luis, ¿ qué es gramática?

— ¿ Gramática? . . . ¿ gramática?

— Sí, señor, gramática.

Luis no contesta. Oye las palabras pero no sabe qué
contestar. No puede contestar porque no comprende al
profesor. Y luego el profesor añade:

— ¿ Es difícil la pregunta?

— No, señor, — le contesta Luis — la pregunta es fácil,
pero . . . la respuesta es muy difícil.

Un problema

— Si hay seis moscas en la mesa y mato una, ¿ cuántas quedan?

— Una.

III. Vocabulario

el **examen** examination	la **verdad** truth	**listo, –a** ready
la **pregunta** question		**mañana** tomorrow
la **respuesta** answer	**añadir** to add	**menos** except

IV. GRAMÁTICA

A. Irregular Verbs — Present Tense

decir	*to say*	**digo,** dices, **dice,** decimos, decís, **dicen**
ir	*to go*	**voy,** vas, **va, vamos,** vais, **van**
oír	*to hear*	**oigo,** oyes, **oye, oímos,** oís, **oyen**
poder	*to be able, can*	**puedo,** puedes, **puede, podemos,** podéis, **pueden**
querer	*to want*	**quiero,** quieres, **quiere, queremos,** queréis, **quieren**
venir	*to come*	**vengo,** vienes, **viene, venimos,** venís, **vienen**

These verbs are irregular to a greater extent than those in Lessons 4 and 7 preceding. **Poder** and **querer** change the vowel of the stem, but they are not otherwise irregular in the present tense.

B. The Present Used for the Future

Contesto en seguida.	*I shall answer immediately.*
Escribe mañana.	*He will write tomorrow.*
Ahora voy a la clase.	*I shall go to class now.*
Salgo para Madrid hoy.	*I shall leave for Madrid today.*

Note that the present, as in English, is used for the future tense to express more emphatically an act that will surely happen.

V. CONVERSACIÓN

1. ¿Qué explica el profesor a la clase? 2. ¿Quiénes prestan atención? 3. ¿Cuándo hay examen? 4. ¿Qué quieren hacer todos los alumnos? 5. ¿Quiénes van listos para el examen? 6. ¿Quién no es aplicado? 7. ¿Por qué no aprende mucho? 8. ¿Qué dice? 9. ¿Qué ve el profesor? 10. ¿Qué le pregunta? 11. ¿Qué oye Luis? 12. ¿Por qué no puede contestar al profesor? 13. ¿Qué pregunta el profesor? 14. ¿Qué contesta Luis?

VI. EJERCICIOS

A. Pongan en el singular (*Put in the singular*):

1. Vamos a las clases ahora. 2. ¿Saben Vds. las lecciones fáciles? 3. Ellos no explican las palabras difíciles. 4. No cabemos en los asientos. 5. Ellas no pueden aprender si no estudian. 6. Aprendemos las palabras inglesas en seguida. 7. Ellos dicen que no quieren aprender las lenguas. 8. Oímos las otras palabras. 9. No sabemos qué contestar a las preguntas. 10. Vemos los libros verdes mañana.

B. Pongan en el plural (*Put in the plural*):

1. Él no puede aprender la regla.   2. ¿ Por qué no comprende ella al profesor ?   3. El profesor explica la regla difícil muy bien.   4. Le da Vd. el libro negro a Felipe.   5. Traigo un lápiz para Tomás en seguida.   6. ¿ Escribe Vd. la palabra española ?   7. ¿ Sale Vd. para España mañana ?   8. Digo que hay examen mañana.   9. ¿ Quién sale a la calle ahora ?   10. ¿ Cuándo va él a la clase ?

C. Escriban el presente de indicativo de la persona en el margen (*Write the present indicative of the person in the margin*):

Vd.:   hablar, venir, escribir, oír, abrir, decir, hacer, estudiar
ellos: querer, poder, responder, vivir, escuchar, oír, poner, ir
yo: contestar, hacer, dar, preguntar, saber, salir, caer, traer
nosotros: ir, ayudar, ver, comprender, explicar, venir, valer, enseñar

D. Cambien los verbos al singular (*Change the verbs to the singular*):

decimos	pueden	cabemos
Vds. explican	caemos	damos
vamos	ponemos	ellos comprenden
oímos	ven	salimos
quieren	hacemos	escriben
venimos	valen	traemos

E. Test X. *Write the Spanish translation of the words in English:*

1. —— aprender la lección (*They cannot*).   2. —— a la clase (*I am going*).   3. Hoy —— la lección (*I know*).   4. —— que él quiere aprender (*I say*).   5. Felipe —— aprender (*does not want*).   6. —— las palabras de Luis (*I hear*).   7. —— un libro a Felipe (*I give*).   8. —— para ver a Tomás (*We come*).   9. —— para España (*I am leaving*).   10. Lo —— siempre (*do*).

F. Oral:

1. I (shall) go to class immediately.   2. I don't know the lesson. 3. I want to learn.   4. He cannot learn.   5. I (shall) see the books tomorrow.   6. Do you understand the teacher ?   7. You (will) know the rule now.   8. Do you want to go out ?   9. I always go out.   10. I am not doing this.   11. I am bringing chalk to the pupil.   12. I don't see the blackboard.

Cuento X

Una buena respuesta

Here is a fine bit of reasoning.

Pérez y Gómez comen juntos en un restaurante. Piden [1] dos biftecs. Después de pocos minutos el camarero [2] llega con los dos biftecs. Uno es grande y el otro pequeño. Ni uno ni [a] el otro toma su porción.

Gómez con cortesía dice a Pérez:

— ¿ Por qué no toma Vd. uno?

— Vd. primero — le contesta Pérez.

Un poco después [b] Gómez toma el biftec grande.

Pérez ve que Gómez toma el biftec grande y dice a su amigo un poco irritado:

— Vd. es poco delicado,[3] amigo Gómez.

— ¿ Por qué? — pregunta Gómez.

— Porque Vd. toma el pedazo de carne más grande.

— Al servirse,[c] ¿ cuál habría tomado Vd.? [4] — le pregunta su amigo.

¿ Por qué no toma Vd. uno?

— Pues yo habría tomado [5] el biftec pequeño.

— ¡ Muy bien! Si Vd. tiene [6] en su plato el pedazo de carne pequeño, ¿ qué más desea Vd.? — le contesta Gómez.

Y con esa respuesta come su biftec con apetito.

Conversación

1. ¿ Quiénes comen? 2. ¿ Qué piden los dos amigos? 3. ¿ Qué pedazo toma Gómez? 4. ¿ Qué pedazo debe tomar Pérez? 5. ¿ Cuál de los dos amigos contesta bien?

[1] *They order.* [2] *waiter.* [3] *You are not very polite.* [4] *would you have taken?*
[5] *I would have taken.* [6] *you have.*

VOCABULARIO

la **carne** meat	**juntos, -as** together	**-as** a few; **poco** *adv.* a
comer to eat	**más** more	while
¿ **cuál, -es?** which?	el **pedazo** piece	**primero (primer), -a** first;
grande (**gran**) large,	**pequeño, -a** small	*adv.* first
big	**poco, -a** little; **pocos,**	**pues** well

What English words and meanings do you recognize from the following?

el apetito, el biftec, grande, irritado, -a, el plato, la porción, el restaurante, servir

MODISMOS

(*a*) **ni . . . ni** neither . . . nor   (*b*) **un poco después** a little later
(*c*) **al servirse** upon helping yourself, if you helped yourself

REPASO DE GRAMÁTICA I

A. Artículos

	SINGULAR		PLURAL	
	Masculino	*Femenino*	*Masculino*	*Femenino*
DEFINIDO	el	la	los	las
	de + el = del	de la	de los	de las
	a + el = al	a la	a los	a las
INDEFINIDO	un	una	unos	unas

B. Verbos regulares

SUJETOS	I. hablar	II. aprender	III. vivir
yo	habl o	aprend o	viv o
tú	habl as	aprend es	viv es
él, ella, Vd.	habl a	aprend e	viv e
nosotros, -as	habl amos	aprend emos	viv imos
vosotros, -as	habl áis	aprend éis	viv ís
ellos, -as, Vds.	habl an	aprend en	viv en
1. AFIRMACIÓN	yo hablo	aprendo	vivo
2. NEGACIÓN	yo no hablo	no aprendo	no vivo
3. INTERROGACIÓN	¿ hablo yo?	¿ aprendo yo?	¿ vivo yo?
4. INTERROGACIÓN NEGATIVA	¿ no hablo yo?	¿ no aprendo yo?	¿ no vivo yo?

C. Adjetivos y sustantivos

SINGULAR	PLURAL
I. El cuaderno es rojo.	Los cuadernos son rojos.
La pluma es roja.	Las plumas son rojas.
II. Es un alumno diligente.	Son alumnos diligentes.
Es una alumna diligente.	Son alumnas diligentes.
III. El libro es fácil.	Los libros son fáciles.
La lección es fácil.	Las lecciones son fáciles.
IV. Es un muchacho español.	Son muchachos españoles.
Es una muchacha española.	Son muchachas españolas.

D. Pronombres complementos 3ª. persona

SUJETOS	DIRECTO	INDIRECTO
él	lo, le	le
ella	la	le
ellos	los	les
ellas	las	les

E. Verbos irregulares — Presente de indicativo

caber:	quepo, cabes, cabe, cabemos, cabéis, caben
caer:	caigo, caes, cae, caemos, caéis, caen
dar:	doy, das, da, damos, dais, dan
decir:	digo, dices, dice, decimos, decís, dicen
hacer:	hago, haces, hace, hacemos, hacéis, hacen
ir:	voy, vas, va, vamos, vais, van
oír:	oigo, oyes, oye, oímos, oís, oyen
poder:	puedo, puedes, puede, podemos, podéis, pueden
poner:	pongo, pones, pone, ponemos, ponéis, ponen
querer:	quiero, quieres, quiere, queremos, queréis, quieren
saber:	sé, sabes, sabe, sabemos, sabéis, saben
salir:	salgo, sales, sale, salimos, salís, salen
traer:	traigo, traes, trae, traemos, traéis, traen
valer:	valgo, vales, vale, valemos, valéis, valen
venir:	vengo, vienes, viene, venimos, venís, vienen
ver:	veo, ves, ve, vemos, veis, ven

I. Ejercicios de Repaso

(Achievement Test No. 1)

Completen las oraciones en español (*Complete the sentences in Spanish*):

A. 1. ¿ Qué —— (*does he explain*)? 2. Nosotros —— la lección (*study*). 3. El profesor —— (*does not ask*). 4. —— el español (*I do not understand*). 5. ¿ —— Luis la palabra (*Does . . . understand*)? 6. Ellos —— la regla (*do not understand*). 7. Usted —— el ejercicio (*do not write*). 8. Ustedes —— el español (*write*). 9. El cuaderno es —— (*white*). 10. La tinta es —— (*black*).

B. 1. El profesor —— enseña (*them*). 2. Los alumnos son —— (*studious*). 3. No estudia —— en casa (*the lesson*). 4. Desean aprender —— (*Spanish*). 5. El profesor —— pregunta (*him*). 6. El profesor les explica —— (*the rule*). 7. Escuchamos —— (*the teacher*). 8. Es —— (*a pencil*). 9. No es —— (*a seat*). 10. ¿ Qué —— usted (*do . . . understand*)?

C. 1. Es una pluma —— (*red*). 2. El lápiz es —— (*green*). 3. Yo —— en la clase (*am not writing*). 4. ¿ Por qué —— usted (*do not answer*)? 5. ¿ —— pregunta él (*Whom*)? 6. ¿ Es —— la pregunta (*difficult*)? 7. La pregunta es —— (*easy*). 8. ¿ Quién le —— la anécdota (*is-reading*)? 9. La mesa es —— (*the pupil's*). 10. Son —— del profesor (*the books*).

D. 1. Yo —— esto sobre la mesa (*put*). 2. No —— lee el libro (*to her*). 3. ¿ —— a Luis (*Is the teacher speaking*)? 4. ¿ Qué libro —— (*does he open*)? 5. Yo siempre —— la lección (*know*). 6. ¿ —— son los pupitres (*Whose*)? 7. ¿ Son los asientos —— (*the pupils'*)? 8. Yo —— al profesor (*understand*). 9. —— comprendemos (*them*). 10. ¿ Qué —— yo en casa (*do . . . do*)?

E. 1. —— un lápiz a Isabel (*I give*). 2. ¿ —— usted la lección (*Are . . . explaining*)? 3. —— aprender el español (*They wish*). 4. Yo —— para Boston (*am leaving*). 5. ¿ Ellas —— los libros (*are . . . not reading*)? 6. Son alumnas —— (*studious*). 7. Luis no contesta —— (*the teacher*). 8. Yo —— a la clase (*am going*). 9. El asiento es —— (*the pupil's, f.*). 10. —— en los cuadernos (*We are not writing*).

F. 1. Nosotros —— español (*speak*). 2. Ellos —— bien (*answer*).
3. Usted —— inglés (*speak*). 4. ¿ Qué —— yo (*do . . . ask*) ? 5. Usted
—— bien (*answer*). 6. Yo necesito —— (*a notebook*). 7. Felipe
estudia —— (*a language*). 8. Yo deseo —— (*a book*). 9. —— contesta bien (*A pupil, f.*). 10. Yo necesito —— (*a pencil*).

G. 1. Usted estudia —— (*the lesson*). 2. ¿ Es —— (*the book*) ?
3. Ana toma —— (*the notebook*). 4. Ellos estudian —— (*the grammar*). 5. Es —— (*the pencil*). 6. —— la lección (*I know*). 7. ——
el español (*I understand*). 8. Ellos —— el libro (*see*). 9. —— esto
(*I do*). 10. Nosotros —— estudiar (*have to*).

H. 1. ¿ Ven Vds. el libro —— (*green*) ? 2. Ana es —— (*American*).
3. El español es —— (*easy*). 4. El alumno sabe la lección ——
(*difficult*). 5. Veo el lápiz —— (*red*). 6. Felipe ve el libro —— (*the
teacher's, m.*). 7. ¿ —— es el lápiz verde (*Whose*) ? 8. La tinta roja
es —— (*Philip's*). 9. Leo el ejercicio —— (*of the grammar*). 10. No
hablamos —— (*of the Spanish language*).

I. 1. —— para España (*I leave*). 2. —— bien la gramática (*We
learn*). 3. —— el libro a Felipe (*I give*). 4. El estudio del español
—— mucho (*is worth*). 5. —— el libro sobre la mesa (*I put*). 6. Vd.
sabe —— (*the lesson*). 7. Vemos —— (*the teacher, f.*). 8. Doy el
libro —— (*to Louis*). 9. Ellos aprenden bien —— (*Spanish*).
10. —— traigo (*It, m.*).

J. 1. Ellos no hablan de —— (*the green books*). 2. El profesor ——
ayuda (*them, m.*). 3. Salgo para ver a —— (*the English girls*).
4. Felipe —— habla (*to them*). 5. No cabemos en —— (*the small
seats*). 6. Nosotros —— aprender (*want*). 7. —— para ver a Tomás
(*He comes*). 8. —— que él quiere aprender (*I say*). 9. —— las
palabras que dice Luis (*We hear*). 10. Vds. lo —— siempre (*do*).

Conversación III
La sala (de recibo)

1. ¿ Qué representa el grabado número III ? — El grabado representa . . .
2. ¿ Qué muebles vemos en el grabado ? — Vemos . . .
3. ¿ Qué cubre el suelo ? — La alfombra . . .
4. ¿ Qué es el número 9, 10, 13, 15, 17, 18, 16, 5 ? El número 9 . . .
5. ¿ Dónde están los libros ? — Los libros están . . .
6. ¿ Para qué usamos la puerta ? — Usamos . . .
7. ¿ De qué color es la pared ? ¿ el piano ? — La pared es . . .
8. ¿ Dónde está el libro ? ¿ el cuadro ? — El libro está . . .
9. ¿ Es el número 15 una mesa ? — No, señor, el número 15 no es . . .; es . . .
10. ¿ Qué hace la señora ? — Entra en . . .
11. ¿ De qué es la mesa ? — La mesa es de madera.
12. ¿ De qué es la puerta ? ¿ el piano ? ¿ el libro ? — La puerta y el piano son . . . de . . . El libro es de papel.
13. ¿ Qué ve Vd. en la pared ? ¿ en la chimenea ? ¿ en la mesa ? — Veo . . .
14. ¿ Cuántas puertas hay en la sala ? — Hay una . . .
15. ¿ Está la puerta abierta o cerrada ? — La puerta está . . . y la ventana . . .
16. ¿ Es la sala de recibo de Vd. grande o pequeña ? — Mi sala es . . .
17. ¿ Cuántas puertas hay ? — Hay . . .
18. ¿ Cuántas ventanas hay en la sala de recibo ? — Hay . . .
19. ¿ Recibe Vd. a sus amigos en la sala ? — Sí, los . . .
20. ¿ Cuántas sillas hay allí ? — Hay . . .
21. ¿ Hay una chimenea en su sala de recibo ? — Allí hay (o no hay) . . .
22. ¿ Hay un piano allí ? — Sí (o no), . . . hay . . .
23. ¿ Hay cuadros en las paredes ? — Sí, hay . . .
24. ¿ Estudia Vd. en su sala de recibo ? — Sí, señor, . . .
25. ¿ Qué hace Vd. para entrar allí ? — Abro . . .
26. ¿ Hay un sofá en su sala de recibo ? — Sí, señor, . . .
27. ¿ Hay muchos o pocos libros en el estante de allí ? — Hay . . .

III. LA SALA (DE RECIBO)

1. La luz eléctrica. 2. La ventana. 3. La cortina. 4. La pared. 5. La puerta. 6. El candelero. 7. El cuadro. 8. El reloj. 9. El piano. 10. El estante de libros. 11. El manto de chimenea. 12. La chimenea. 13. El sillón. 14. La alfombra. 15. La silla. 16. El sofá. 17. El libro. 18. La mesa. 19. El suelo.

THE SPANISH LANGUAGE

Before the Spanish language came into being, the inhabitants of the land were the Iberians, who gave the name of Iberia to the Peninsula, and the Celts, whose kinsmen in far-off Britain Julius Caesar fought in the first century before the present era. Phoenician traders from the east of the Mediterranean settled the coasts of Spain long before our knowledge of her history begins; seven centuries before the birth of Christ the enterprising Greeks planted colonies along the shores; Carthage, that powerful Phoenician dominion across the Mediterranean, next came, conquered, and exploited the country and its valuable tin, lead, and silver mines. But the history of Spain, as we best know it, dates from its conquest by the Romans, who

LA DAMA DE ELCHE

This marble bust of an Iberian woman is one of the earliest and best pieces of sculpture found in Spain. It shows Greek and Phoenician influence on the art of the Peninsula.

after many years of warfare succeeded in driving Carthage out of the Peninsula and in establishing their rule over the native population.

In estimating the long and lasting influence of the Romans, we must remember that all the leading nations of Europe received their culture, that is, their ideas and institutions, directly or indirectly from Rome. This is particularly true of the countries that were built on the ruins of the Roman Empire. Wherever Rome, mistress of the world, founded outlying provinces, Roman civilization was sure to follow in the wake of her legions. Not only was the territory annexed, but Roman merchants and traders, artisans and builders, migrated to ancient Gaul, to Spain, and even to distant Dacia on the lower Danube. Moreover, not only military commands were maintained in these countries, but also numerous settlements of soldiers and other colonists were made. The inhabitants intermarried with their rulers and imitated the habits and customs of the Romans. They borrowed so much from Rome that they accepted her speech and came to talk a Latin

EL ACUEDUCTO ROMANO DE SEGOVIA

This vast aqueduct, 3000 feet in length and comprising 119 arches, was built by the Roman emperor Trajan, a native of Spain. It is the finest example still remaining of what the Romans contributed to the comfort of Spanish life.

dialect. The inhabitants who thus became gradually transformed into Romans did not all talk an elegant Latin. Nor was communication between the many parts of the Roman Empire close enough to keep the language of all Latin-speaking countries uniform. Latin thus changed differently in the various geographical sections of the Roman world, according to the speech habits of the races whose adopted language it became. The form which Latin assumed in Italy we call Italian; in Gaul, French; in

Dacia, Rumanian; and in the Iberian Peninsula, Spanish, Portuguese, or Catalan.

While the basis of modern Spanish is the Latin speech spoken in the Peninsula after the Roman conquest, the word stock is not the literary Latin of our classical texts, with which the student is familiar, but the everyday speech of the masses who absorbed as best they could the Latin spoken by the soldiers and other adventurers who went to Spain. This type of Latin differed from literary Latin in vocabulary and syntax. Classical Latin lost much of its highly inflected structure in the process of changes, the most important of which was the complete disappearance of case endings. As time went on, further changes took place in Spain, all of them toward simplification. The poor communication that has always existed between the different regions of Spain, and local factors have done much to give rise to numerous dialects derived from Latin, of which Castilian, Catalan, Aragonese, Leonese, Galician, Asturian, and Andalusian are the principal ones. Of these, Catalan has assumed the importance of an independent language with a rich literature. The Basques speak a dialect of their own which has come down from pre-Roman days and which may have been the original language of the Iberian Peninsula. These dialects persist even to this day, in spite of the fact that Castilian is recognized as the official language of the nation. The growth of the different Spanish American republics in modern times has brought new words into the Spanish vocabulary. These new words are called *americanismos*, or more specifically, *mejicanismos, argentinismos, cubanismos,* etc. But do not be discouraged; while it is true that these dialects exist and that the Spanish American nations have local words for certain things, the student who studies Spanish in our schools will have no difficulty in making himself understood in Spain or in any country of Spanish America.

Many languages have influenced Spanish and left an indelible mark on its vocabulary. The greatest influence, of course, was that of Latin speech. This is explained by the fact that Rome differed from other invaders in that it brought to Spain its customs, its institutions, and its language. It developed in the conquered tribes a high civic sense. Full Roman citizenship became eventually the greatest ambition of the conquered Spaniards. They became more Roman than the Romans themselves. The Moorish occupation added a vast number of words of Arabic origin, many of which are recognized by the prefix *al*, such as *alfiler* (pin), *alfombra* (rug), *alcoba* (bedroom), etc. The reign of the Spanish Bourbons brought fresh contributions from modern French. In recent times Spanish has drawn heavily, like all other western European languages, from the speech of every part of the globe.

PATIO PRINCIPAL DEL PALACIO DEL DUQUE DE ALBA, SEVILLA

Typical of the style of home architecture developed by the Moors in the south of Spain, where the climate is warm and there is plenty of sunshine, which encourages living in the open.

In addition, it has adopted a large number of words from the aboriginal tongues of America. It can be said that of every hundred Spanish words, sixty are derived from Latin, ten from Greek, ten from Arabic, ten from the tongues of the North, and ten from other sources. Thus, Spanish is a new Latin language which because of historical and geographical circumstances has undergone many, many changes.

The Spanish written in Spain is generally more conservative than the language used by the authors in most parts of Spanish America, although in Spanish America itself some areas are more conservative than others.   Writers in the Peninsula follow more faithfully the linguistic traditions of many centuries.   Their speech is richer in idiom but less elastic than the language used in the Americas.   While in the popular magazines of Spain one sees a tendency toward a freer and more natural mode of expression, the books of the better writers still hold fast to classical patterns.   Though the language of Spanish America does not offer syntactical and idiomatic difficulties, it does present an important problem to the student.   He must always be on the watch for *americanismos*, the meanings of which are likely to vary in accordance with the locality where they are used.   The best advice that can be given the student is to write down in a notebook the Spanish and the equivalent words used in the various Spanish-speaking countries of the American continent.

SECCIÓN TERCERA
LA FAMILIA

GALICIA

In the extreme northwest of Spain. Under a gnarled oak a group of peasants listen to a bagpipe player. Near them crowd sleek oxen. Behind the player a calf edges up to its mother.

LECCIÓN ONCE

A. Presente de indicativo del verbo *ser*. **B.** *Ser* con un
nombre predicado

I. EJERCICIO DE PRONUNCIACIÓN

c: [1]

ca	ce	ci	co	cu
ca-ma	ce-na	ci-ne	co-la	cu-na
cam-po	ce-lo	cin-ta	co-ca	cu-cha-ra
Car-los	Cé-sar	Cis-ne-ros	Con-cha	Cu-ba

Nos acercamos a la cocina para comer a las cinco.

II. LECTURA
La familia

La madre   El hijo   La hermana

La familia del [2] señor Molina es pequeña; no es grande.
La familia comprende [3] el padre y la madre, el abuelo y
la abuela. El padre es un hombre. La madre es una mujer.
Yo soy el hijo. Isabel es la hija. Yo soy el hermano de
Isabel. Isabel es mi hermana. Somos los hijos de la familia.
Isabel desea ser maestra. Estudia mucho y es aplicada.
Yo deseo ser médico o abogado.

[1] C before e and i is pronounced as the *th* in the English word *thin*, but the sound
is somewhat prolonged.

[2] The definite article is required before a proper noun modified by a title
and not used in address.   [3] *consists of*, not *understands*.

Ernesto, ¿ es usted americano o español ? — Soy español pero vivo en ... — ¿ Cuál es su apellido? — Mi apellido es Pérez y Gómez. — ¿ Por qué los dos apellidos? — Pérez es el apellido de mi padre. Gómez es el apellido

El abuelo   La abuela   El padre

de mi madre. Los españoles llevan uno o dos apellidos. Mi padre es español y vive en Madrid. Mi madre es española también. — ¿ Es Felipe su hermano? — No, señor; es mi primo. Su padre es mi tío. Su madre es mi tía. Es hermana de mi padre. Vivimos en una casa grande. Todos somos felices.

La hora (*Time*)

¿ Qué hora es?
Es la una (la una y cinco; la una y cuarto; la una y media).
Son las dos (tres, etc.).

Son las tres menos cuarto.
Son las cinco en punto.
Son las ocho de la mañana (noche).
Estudio por la tarde.
¿ A qué hora?

¡ Media noche !

What time is it?
It is one (five after one; quarter after one; half past one).
It is two (three, etc.) o'clock.
It is quarter to three.

It is exactly five.
It is 8 A.M. (P.M.).

I study in the afternoon.
At what time?

III. Vocabulario

el **abogado** lawyer
el **abuelo** grandfather;
     la **abuela** grandmother

el **apellido** family name
el **hermano** brother;
     la **hermana** sister

los **hijos** son(s) and daughter(s), children
la **maestra** schoolteacher

el **médico** doctor   el **tío** uncle; la **tía** aunt;   **feliz** happy
el **primo,** la **prima**   los **tíos** uncle(s) and
          cousin   aunt(s)   **llevar** to bear, carry

¿ **cuál?** *pl.* ¿ **cuáles?** what ? which ?

IV. GRAMÁTICA

A. Present Tense of *Ser, to be*

SINGULAR		PLURAL	
yo soy	*I am*	nosotros somos	*we are*
Vd. es	*you are*	Vds. son	*you are*
tú eres	*you are*	vosotros sois	*you are*
él, ella es	*he, she is*	ellos, –as son	*they are*

STATEMENT: Soy pequeño.   *I am small.*
QUESTION: ¿ Soy pequeño?   *Am I small?*
NEGATION: No soy pequeño.   *I am not small.*
NEGATIVE QUESTION: ¿ No soy pequeño?   *Am I not small?*

B. *Ser* with Predicate Nouns

Alberto es americano.   *Albert is an American.*
Yo no soy español.   *I am not a Spaniard.*
El padre de Ana es profesor.   *Anna's father is a teacher.*
Isabel es una muchacha española.   *Isabel is a Spanish girl.*

Note that *a* or *an* is not expressed in Spanish before an unmodified predicate noun denoting a trade, profession, or nationality.

V. CONVERSACIÓN

1. ¿ Es la familia grande o pequeña? 2. ¿ Quiénes comprenden la familia? 3. ¿ Qué es el padre? 4. ¿ Quién es Isabel? 5. ¿ Quiénes son Isabel y Ernesto? 6. ¿ Qué desea ser Isabel? 7. ¿ Qué desea ser Vd.? 8. ¿ Cuál es el apellido de Ernesto? 9. ¿ Es Molina su apellido?[1] 10. ¿ Es su padre español o americano? 11. ¿ Cuál es su apellido? 12. ¿ Dónde vive la familia del señor Molina?

VI. EJERCICIOS

A. Conjuguen:

1. ¿ Ser americano?   3. ¿ Ser profesor?
2. No ser español.   4. ¿ No ser médico?

[1] The predicate noun, like the predicate adjective, usually precedes a noun subject in a question.

B. Añadan la forma apropiada de **ser**:

1. La familia —— grande. 2. El padre —— abogado. 3. Ana y yo —— los hijos. 4. Mi apellido —— ... 5. Marta y Ana no —— hermanas. 6. Luis desea —— médico. 7. ¿ No —— Vd. español? 8. ¿ —— Vds. americanos? 9. Yo —— el hermano de Luis. 10. Mi tío —— abogado. 11. Nosotros —— hermanos. 12. Alberto y Tomás —— primos. 13. Deseo —— médico o abogado. 14. ¿ Quién —— Vd.? 15. Yo —— el hijo de la familia. 16. ¿ Qué —— Alberto y Felipe? 17. Ellos —— hermanos.

C. Pongan en plural:

1. Él es español. 2. Soy alumno. 3. ¿ No es Vd. inglés? 4. Ella es profesora. 5. La familia es grande. 6. ¿ Quién es Vd.? 7. ¿ Qué desea ser Vd.? 8. No soy español. 9. ¿ Quién es alumno? 10. Yo deseo ser médico.

D. Traduzcan al español:

Vd.	*ellos*	*nosotros*	*yo*
are	want	hear	fall
say	come	are	put
go	bring	put	know
hear	are	go	give
can	see	come	am

E. Test XI. *Write the Spanish translation of the words in English:*

1. Nosotros —— maestros españoles (*are*). 2. ¿ Es Vd. —— (*a doctor*)? 3. Vd. —— mi amigo (*are*). 4. ¿ Desea Vd. ser —— (*a teacher*)? 5. —— hijo de la familia (*He is*). 6. Yo no —— español (*am*). 7. Soy —— (*a lawyer*). 8. ¿ Qué desean —— Ana y Alberto (*to be*). 9. Ellos —— abogados (*are*). 10. Soy —— (*an American*).

F. Modismos:

Es: 1:10; 1:15; 1:30; 1:45; 1:55.
Son: 3; 4:25 P.M.; 9:30 P.M.
Son: 8:15 A.M.; 7:20 A.M.; 8:30 P.M.

G. Tema de composición:

MI FAMILIA, tres frases originales.

H. Oral:

1. I am an American. 2. He is a lawyer. 3. Are you a Spaniard?
4. She is a teacher. 5. Who is a Cuban? 6. Aren't you a doctor?
7. They are lawyers. 8. Is he a doctor or a lawyer? 9. We are
Americans. 10. They are not teachers.

CUENTO XI

Seguro contra ruido

A problem may have more than one solution.

Gómez y Luna viven en una casa pequeña. El señor Gómez
vive en el piso primero. El señor Luna vive en el segundo. Los
hijos de éste hacen mucho ruido.
El señor Gómez no puede vivir.
Todos los días *ª* cuando llega a su
casa el ruido es infernal.

— ¿ Por qué no pone alfombras ¹
en el piso el señor Luna? — pregunta el pobre hombre.

Un día, ya perdida la paciencia,²
sube a ver a Luna.

— ¿ Qué desea Vd., señor Gómez? — pregunta Luna.

— Vengo a decir a Vd. que tiene ³
unos hijos muy amables, pero que
con el ruido que hacen no puedo
vivir. Todo el día *ᵇ* corren y ya
estoy medio loco.⁴ Haga el favor
de *ᶜ* poner alfombras en el piso para
evitar el ruido.*ᵈ*

Todos los días el ruido es
infernal.

— ¡ Imposible! ¿ Con qué voy
a comprar alfombras? Dios me da
muchos hijos, pero no me da dinero. Soy muy pobre y los pobres
no pueden comprar alfombras.

— ¿ Cuánto dinero necesita Vd. para comprar las alfombras?
— pregunta Gómez.

¹ *rugs.* ² *his patience already exhausted.* ³ *you have.* ⁴ *I am already half
crazy.*

— Doscientas pesetas — contesta Luna.

— Son muchas pesetas — dice Gómez.

— Es mucho ruido — contesta Luna.

Pasa un mes. Gómez ya no puede resistir más; [e] loco con el ruido, sube otra vez a ver a Luna.

— Aquí están [1] las doscientas pesetas. Haga el favor de alfombrar el piso.[2]

Cesa el ruido. Ahora Gómez es un hombre feliz. Un día dice a su mujer:

— Voy a subir a la casa de Luna para ver las alfombras.

Llama a la puerta [3] y entra, pero no ve alfombras.

— ¿ Dónde están las alfombras ? — pregunta Gómez.

— ¿ Alfombras ? No hay alfombras, señor Gómez.

— ¿ Y cómo es que ahora no oigo ruido cuando corren sus hijos ?

— Porque les compré [4] zapatos de fieltro.[5]

CONVERSACIÓN

1. ¿ Qué oye Gómez ? 2. ¿ Quiénes hacen el ruido ? 3. ¿ A dónde sube Gómez ? 4. ¿ Cuánto dinero quiere Luna para comprar alfombras ? 5. ¿ Qué compró (bought) Luna para sus hijos ?

VOCABULARIO

acabar to end
amable nice, amiable
correr to run
eso that
loco, –a crazy, mad

menos less
el mes month
el piso floor
pobre poor
el ruido noise

seguro insurance
su their
subir to go up
el zapato shoe

What English words and meanings do you recognize from the following ?

entrar, imposible, la paciencia, la peseta, la solución

MODISMOS

(a) todos los días every day
(b) todo el día the whole day
(c) haga el favor de + inf. = please + command

(d) para evitar el ruido to avoid the noise
(e) ya no puede resistir más cannot stand it any longer

[1] está, is, están, are.   [2] to cover the floor with rugs.   [3] He knocks at the door.
[4] I have bought them.   [5] felt.

LECCIÓN DOCE

A. Adjetivos demostrativos. **B.** Repetición del
adjetivo demostrativo

I. Ejercicio de pronunciación

d:[1] da-ma   Del-ta   don-de   dí-a   an-dan-do
       da-ta   Du-rán   on-da   du-ro   de-man-da
       da-ba   Dan-te   dan-do   dul-ce de-más

¿ A dónde anda la dama de Andalucía ?

II. Lectura

En el jardín

Luis es el primo de Julia. Entra en el jardín con su
prima. Enseña [2] las flores y los árboles a Julia. El jardín
es muy grande. Todas las flores del jardín son muy bonitas.

Luis y su prima en el jardín

Julia pregunta a Luis: — ¿ Quién cultiva estas flores ? — Yo
cultivo aquí estas rosas y estas violetas . . . papá ahí esos
claveles, y mamá allí aquellas violetas.

Luis y Julia andan por el jardín. — ¡ Qué altos y her-

[1] The letter **d** is similar to the sound of the English *d* when it begins a word,
a breath group, or a sentence, and after **n** or **l**. Initial **d** is similar to the English
except that the point of articulation is further forward. The tip of the tongue
touches the two rows of teeth.   [2] *to show,* not *to teach.*

mosos son estos árboles! — exclama Julia. — Sí, estos
árboles de aquí son manzanos. Esos árboles de ahí son
perales. Aquellos árboles son cerezos. — ¿ Cuál de estos
árboles da fruta? — pregunta Julia. — Este árbol que
está aquí da mucha fruta, pero aquel árbol que está allí da
poca fruta. — ¿ Qué fruta da ese árbol alto? — Ese árbol
da muchas cerezas. — ¿ Qué fruta da ese árbol pequeño?
— Ese árbol pequeño da muchas manzanas. — ¿ Y qué
fruta da aquel árbol? — Aquel árbol de allí da peras. Ese
cerezo hermoso da muchas cerezas grandes. Aquel cerezo y
aquel manzano son altos. En el verano leo siempre debajo de ese manzano. Leo en el jardín porque puedo ver
muchas flores hermosas. Paso unas horas en el jardín todos los días. ¿ Quiere Vd. ver mi jardín? No es un jardín
grande pero es muy bonito. Toda la familia cultiva muchas flores bonitas. Los árboles dan muchas frutas de
toda clase.

SERIE

Ando por el jardín.	*I walk through the garden.*
Hallo una rosa bonita.	*I find a pretty rose.*
Saco el cortaplumas.	*I take out my penknife.*
Corto la rosa para Julia.	*I cut the rose for Julia.*
« Muchas gracias, Luis. »	*"Many thanks, Louis."*
« De nada » — contesto yo.	*"You are welcome," I reply.*

III. VOCABULARIO

el **árbol** tree
el **cerezo** cherry tree;
    la **cereza** cherry
el **clavel** carnation
el **cortaplumas** pen-
    knife; *pl.* los **cor-
    taplumas**
la **flor** flower
el **manzano** apple tree;
    la **manzana** apple
el **peral** pear tree

el **verano** summer

andar to walk
cultivar to grow,
    raise
da bears; gives
exclamar to ex-
    claim

alto, -a high, tall
bonito, -a pretty,
    nice

hermoso, -a beautiful,
    handsome
mucho, -a much, a
    great deal of; *pl.*
    many, a great many;
    adv. much, a great
    deal

que who, which, that
¡ **qué** ! how !

IV. Gramática

A. Demonstrative Adjectives

	Singular				Plural	
	Masc.	*Fem.*			*Masc.*	*Fem.*
this:	este	esta	(*near the speaker*)	*these:*	estos	estas
that:	ese	esa	(*near the person addressed*)	*those:*	esos	esas
that: (over there)	aquel	aquella	(*away from both*)	*those:* (over there)	aquellos	aquellas

este muchacho	*this boy*	estos cuadros	*these pictures*
esta fruta	*this fruit*	estas peras	*these pears*
aquella ventana	*that window*	aquel color	*that color*
esas rosas	*those roses*	aquellas casas	*those houses*

Note that the demonstrative adjectives are always used with a noun, with which they agree in gender and number. **Ese** refers to what is near the person addressed; **aquel** refers to what is away from the speaker as well as the person addressed.

Demonstrative adjectives are often made clearer by adding adverbs: (**de**) **aquí**, *here*, after **este**; (**de**) **ahí**, *there* (*near you*), after **ese**; (**de**) **allí**, *there* (*over there, far from you and me*), after **aquel**.

B. Repetition of Demonstrative Adjectives

estas rosas y estos claveles	*these roses and carnations*
aquellos perales y aquellos cerezos	*those pear and cherry trees*

Like the articles, demonstrative adjectives are repeated with each noun they modify.

V. Conversación

1. ¿ Quién es Luis ?   2. ¿ Con quién entra en el jardín ?
3. ¿ Qué enseña a Julia ?   4. ¿ Qué pregunta Julia ?   5. ¿ Qué responde Luis ?   6. ¿ Quiénes caminan por el jardín ?   7. ¿ Qué exclama Julia ?   8. ¿ Qué son esos árboles altos ?   9. ¿ Qué son esos árboles de ahí ?   10. ¿ Qué son aquellos árboles ?   11. ¿ Qué da este árbol alto ?   12. ¿ Qué da ese árbol pequeño ?   13. ¿ Qué fruta da ese hermoso cerezo ?   14. ¿ Dónde lee Vd. en el verano ?

En el verano leo debajo del manzano.

CHISTE

— ¿ Cómo distingue Vd.[1] un peral de un manzano?
— Por la fruta.
— Muy bien. ¿ Y cuándo los árboles no tienen [2] fruta?
— Entonces,[3] espero.[4]

VI. EJERCICIOS

A. Usen la forma apropiada de **este, ese** y **aquel** e [5] imiten el modelo:

MODELO: Este jardín de aquí, ese jardín de ahí, aquel jardín de allí.

1. —— rosa; —— árboles; —— hombre; —— flores.
2. —— manzanas; —— peras; —— claveles; —— jardines.
3. —— flor; —— cerezas; —— violetas; —— perales.

B. Reemplacen el singular con el plural y viceversa:

1. Estas flores son bonitas. 2. Estos árboles son altos. 3. Esta flor es una violeta. 4. Tomo esa rosa roja. 5. Él habla de ese cerezo grande. 6. Aquellos árboles dan peras. 7. El jardín de este hombre es hermoso. 8. Vemos estos claveles de aquí. 9. Esas rosas son bonitas. 10. Este jardín es de Luis.

C. (1) Lean y traduzcan; (2) pongan en plural:

(*a*) este jardín bonito
 esa rosa blanca
 aquella manzana verde

(*b*) ese clavel blanco
 aquella cereza roja
 aquella flor hermosa

---

[1] *do you distinguish.* [2] *have.* [3] *then.* [4] *I wait.* [5] **Y,** *and,* becomes **e** before a word beginning with **i** or **hi**; e.g. **padre e hijo.**

(3) Lean y traduzcan;

(a) estas violetas bonitas
esas otras flores
aquellos manzanos pequeños

(4) pongan en singular:

(b) aquellas peras grandes
aquellos jardines bonitos
estos árboles altos

D. TEST XII. *Write the Spanish translation of the words in English:*

1. —— árbol es manzano (*That*). 2. —— árboles son cerezos (*These*). 3. —— flores son bonitas (*These*). 4. —— árboles son pequeños (*Those*). 5. Queremos —— claveles (*these*). 6. Entro en —— jardín (*this*). 7. Mi padre lee debajo de —— árbol (*that*). 8. Luis trae —— flores (*those*). 9. —— rosas son de Julia (*These*). 10. —— muchachos entran en el jardín (*These*).

E. Dictado:

El profesor dictará la Serie de la lección.

F. Oral:

1. This beautiful flower; those tall trees; these blue violets; this pretty garden; those white roses. 2. These roses and carnations; those apples and pears; this garden and house; that boy and girl; these flowers and trees. 3. These flowers are roses. 4. Those trees are apple trees. 5. Are you taking this rose or that carnation? 6. This house and garden are beautiful. 7. These trees are tall. 8. Those tall trees are not pear trees. 9. That beautiful flower is red. 10. This rose is white, that carnation is red. 11. These pear trees and apple trees are large.

CUENTO XII

Las mentiras de Luis

Louis lied once too often.

Luis es un muchacho amigo de decir *ᵃ* mentiras. Todos los días va al campo cerca del pueblo a pastar unas ovejas.[1]

Un día para divertirse grita:

— ¡ El lobo![2] ¡ El lobo! ¡ Socorro, que viene el lobo![3]

Unos hombres que trabajan cerca oyen los gritos de Luis. Corren para ayudar al muchacho, pero al llegar *ᵇ* ven que Luis se

---

[1] *to graze some sheep.*   [2] *wolf.*   [3] *Help, the wolf is coming!*

ríe de ellos [1] y que está muy contento de su mentira.   Luis repite [2]
esto de nuevo [c] dos o tres veces.   Los reproches de los hombres
no tienen [3] efecto.   Luis no se corrige.[4]

Una tarde un lobo llega de veras [d] y Luis, lleno de terror, grita:
— ¡Socorro!   ¡Socorro!   ¡El lobo!   ¡El lobo!   ¡Viene el lobo!

¡Socorro!   ¡Viene el lobo!

Como es natural, los hombres creen que es otra mentira y, no
obstante [e] los gritos, continúan su trabajo sin prestar atención al
muchacho.   Uno de ellos dice:
— Nuestro amigo Luis grita de nuevo, pero esta vez no nos
engaña.[5]

Luis se refugia [6] detrás de un árbol.   De allí, lleno de terror,
ve cómo el lobo mata, una a una,[f] todas las ovejas.

CONVERSACIÓN

1. ¿ Qué dice Luis siempre?   2. Para divertirse, ¿ qué grita un día?
3. ¿ Qué ven los hombres al llegar?   4. ¿ Cuándo llega de veras el
lobo?   5. ¿ Qué hace el lobo?

VOCABULARIO

el **campo** field	**gritar** to shout; el	**nuestro, -a** our
cerca de near	**grito** shout, cry	**sin** without
creer to think	**lleno, -a** full	el **trabajo** work
detrás de behind	**matar** to kill	la **vez** time
divertirse to amuse oneself	la **mentira** lie	

[1] *is laughing at them.*   [2] *repeats.*   [3] *have.*   [4] *does not reform.*   [5] *he won't deceive us.*   [6] *seeks protection.*

What English words and meanings do you recognize from the following?

continuar, el efecto, Luis, natural, el reproche

MODISMOS

(a) **amigo de decir** fond of telling
(b) **al llegar** upon arriving (In Spanish
   al + *infinitive* = the English *on* or
   upon + *present participle*.)

(c) **de nuevo** = otra vez again
(d) **de veras** really
(e) **no obstante** notwithstanding
(f) **una a una** one by one

LECCIÓN TRECE

**A. Pretérito de los verbos regulares. B. Uso general
del pretérito**

I. EJERCICIO DE PRONUNCIACIÓN

d: [1]

de-do	do-do	e-dad	bon-dad	me-di-da
du-da	se-da	us-ted	pe-did	se-na-do
da-do	ma-dre	Ma-drid	me-did	na-da

Medid un poco de seda y mandadla a la madre de Adela.

II. LECTURA

Mi cuarto

Ayer nuestra familia esperó a Felipe, mi amigo, en la estación. Llegó de Boston donde vive. Visita nuestra familia esta semana como la visitó el año pasado. Felipe bajó del tren y saludó a la familia. Luego preguntó:

— ¿ Dónde viven Vds. ahora, Carlos ?

— Vivimos en la calle del Príncipe — contesté yo. — ¿ Es grande su casa, Carlos ? Yo le respondí: — Sí, Felipe; es grande y mi cuarto es claro porque hay [2] varias ventanas

---

[1] When **d** is not initial in a breath group or after **n** or **l**, it is similar to the English sound of *th* in *thus*, but much weaker. This sound is especially weak when found between two vowels or at the end of a word, in which case it has a tendency to disappear.

[2] **hay** = *there is, there are;* used when making a statement without pointing out anything.

en él. — Y su cuarto, ¿ es claro? — le pregunté. — Sí,
Carlos, porque hay ventanas grandes como en su cuarto.

— ¿ Qué muebles hay en su cuarto? — preguntó Felipe.
— En mi cuarto hay varios muebles. — ¿ Son bonitos los
muebles? — preguntó Felipe. — ¡ Oh sí, Felipe! — yo contesté. — Son muebles muy bonitos. Los muebles principales de mi cuarto son la cama, la mesa, un armario, una

En mi cuarto hay varios muebles.

cómoda y dos sillas. El armario tiene un espejo. El año
pasado vendí mi mesa y compré otra. En esa mesa escribí
muchas cartas a mi amigo español en Madrid. Mi amigo
las contestó todas.

Felipe vivió varios días en la casa de Carlos en su cuarto.

III. Vocabulario

el **armario** closet
la **cama** bed
la **carta** letter
la **cómoda** bureau
el **cuarto** room
el **espejo** mirror
la **estación** station

el **mueble** piece of furniture;
  pl. furniture
la **ventana** window

bajar to get down (off)
esperar to wait (for)
recibir to receive

saludar to greet
visitar to visit

claro, –a light, clear
varios, –as several
como as, like

SERIE

Subo a mi cuarto.	*I go to my room.*
Abro la puerta.	*I open the door.*
Entro en el cuarto.	*I enter the room.*
Leo el periódico.	*I read the paper.*
Me acuesto.	*I go to bed.*
Me duermo.	*I fall asleep.*

IV. GRAMÁTICA

A. The Preterit Tense or Past Absolute

SUJETOS	I. comprar	II. vender	III. vivir
	I bought, did buy	*I sold, did sell*	*I lived, did live*
	ayer, anoche, el mes pasado, la semana pasada, el año pasado [1]		
yo	compr é	vend í	viv í
Vd.	compr ó	vend ió	viv ió
tú	compr aste	vend iste	viv iste
él, ella	compr ó	vend ió	viv ió
nosotros, –as	compr amos	vend imos	viv imos
Vds.	compr aron	vend ieron	viv ieron
vosotros, –as	compr asteis	vend isteis	viv isteis
ellos, –as	compr aron	vend ieron	viv ieron

Note (*a*) that the preterit of regular verbs is formed from the stem of the verb; (*b*) that for verbs in –er and –ir the preterit endings are the same; (*c*) that in the first person plural of verbs in ar and –ir, the present and the preterit have exactly the same form.

B. General Use of the Preterit

El año pasado vendí mi casa.	*Last year I sold my house.*
Escribió a su amigo.	*He wrote to his friend.*
Contestaron en seguida.	*They answered immediately.*

The preterit is used to express a wholly completed past action or state. It is the ordinary past tense of conversation and corresponds to the English simple past tense. Note that the auxiliary *did*, found in English with the negative and interrogative verb form, is not expressed in Spanish.

[1] *yesterday, last night, last month, last week, last year.*

V. Conversación

1. ¿ Quién llegó de Boston ? 2. ¿ Cuándo visitó la familia ?
3. ¿ Quién bajó del tren ? 4. ¿ Qué preguntó ? 5. ¿ En qué calle
vive la familia ? 6. ¿ Es grande o pequeña la casa ? 7. ¿ Cómo es
el cuarto de Carlos ? 8. ¿ Por qué es claro el cuarto ? 9. ¿ Cuáles
son los muebles principales del cuarto ? 10. ¿ Dónde hay un
espejo ? 11. ¿ Qué vendió el año pasado ? 12. ¿ Dónde escribió muchas cartas ? 13. ¿ De quién recibió muchas cartas ?
14. ¿ Cuándo contestó su amigo ? 15. ¿ Cuántas semanas pasó
Felipe en la ciudad ? 16. ¿ Dónde vivieron los dos amigos Carlos
y Felipe ?

Adivinanza

Cuatro gatos en un cuarto,
Cada[1] gato en un rincón,[2]
Cada gato ve[3] tres gatos,
Adivina[4] ¿ cuántos son ?

(Cuatro gatos.)

VI. Ejercicios

A. Conjuguen en el pretérito:

1. Ayer *visitar* la familia.
2. *Vender* los libros.
3. *Escribir* dos cartas.
4. *Esperar* a Isabel.

B. Añadan las terminaciones del pretérito:

1. Ayer yo salud— a mi amigo. 2. Nosotros baj— del tren.
3. Ellos vend— aquella casa. 4. Felipe compr— otro libro. 5. Yo
no escrib— a mi amigo. 6. ¿ Recib— él esa carta ? 7. Vd. no
contest— a Isabel. 8. Los dos viv— en Madrid. 9. ¿ Dónde
aprend— Vd. el español ? 10. ¿ Por qué no comprend— Alberto
aquella regla ? 11. Yo aprend— mucho en España. 12. Vds.
respond— muy bien.

C. Sustituyan la raya por el pretérito de indicativo:

1. *estudiar:*	Yo —— ayer.	Luis —— la lección.
2. *aprender:*	Nosotros los ——.	Ellos —— la regla.
3. *vivir:*	¿ Dónde —— Luis ?	¿ Dónde —— Vd. ?
4. *contestar:*	¿ Por qué no —— Vd. ?	¿ Por qué no —— Vds. ?

---

[1] *each.*   [2] *corner.*   [3] *sees.*   [4] *guess.*

5. *comprender:* Ayer yo lo —— bien. Nosotros —— eso.
6. *abrir:* ¿ —— Vd. su libro ?   ¿ Quién —— la gramática ?

D. Pongan los verbos siguientes en el presente y en el pretérito:

Vd.	*ellos*	*nosotros*	*yo*
abrir	comprender	escuchar	comprar
aprender	llegar	estudiar	recibir
enseñar	visitar	preguntar	pasar
escribir	vivir	bajar	responder
tomar	contestar	vender	saludar

E. TEST XIII. *Write the Spanish translation of the words in English:*

1. —— bien el español (*I did not learn*). 2. ¿ Cuándo —— para España (*did you leave*)? 3. Nosotros —— con esta tinta (*wrote*). 4. ¿ Quién —— mi pluma (*took*)? 5. ¿ Por qué —— esa regla (*didn't they learn*)? 6. ¿ Qué —— (*did they answer*)? 7. ¿ Por qué —— la lección (*didn't we study*)? 8. —— al profesor (*I did not understand*). 9. —— en esa clase (*I did not learn*). 10. ¿ A quién —— ayer (*did I write*)?

F. Dictado:

El profesor dictará la Serie de la lección.

G. Oral:

1. He visited our family. 2. You (*pl.*) visited them last year. 3. I greeted my friend. 4. They greeted their friends. 5. Then we asked this. 6. Did you live there? 7. I did not answer. 8. Philip asked Charles. 9. What did you (*pl.*) answer? 10. I did not answer him. 11. What did you sell last year? 12. To whom did you write the letter? 13. We did not write to them. 14. Do you write to them? 15. They wrote to them last year.

CUENTO XIII

Remedio original

Mr. Fernandez worried too much.

Son las once *ª* de la noche.*ᵇ* La señora Fernández ve que su marido no puede dormir y le pregunta:

— ¿ Qué tienes,[c] querido Juan ? ¿ Por qué no puedes dormir ? ¿ No te sientes bien ? [1]

— No. No puedo dormir — contesta el marido. — Mañana es fin de mes y debo pagar una cuenta a López, nuestro vecino de enfrente.[2]

— ¿ Es eso todo lo que tienes ? — pregunta la mujer de Juan.

— Sí, querida. Debo pagar a López y no tengo dinero.[3] No tengo un centavo para pagar la cuenta. Y la cuenta es de doscientas pesetas.

— ¿ Y es por eso [d] que no puedes dormir ?

— Sí, sí, es por eso — contesta el marido — que no puedo dormir.

Mi marido no puede pagar la cuenta mañana.

— Pues bien, si eso es todo lo que tienes, te aseguro que dentro de [e] unos minutos vas a dormir como un niño.

La señora Fernández va a la ventana, la abre y grita:

— ¡ Señor López ! ¡ Señor López !

El señor López, que vive en la casa de enfrente, la oye. Abre la ventana, se asoma [4] y pregunta:

— ¿ Qué hay ? ¿ Quién llama ?

— La señora Fernández lo llama.

— ¿ Y qué quiere Vd. ? — pregunta López irritado.

— Quiero decirle que mi marido no puede pagar la cuenta mañana.

El señor López, furioso, cierra [5] la ventana.

---

[1] *Don't you feel well?*   [2] *across the street.*   [3] *I haven't any money.*   [4] *looks out.*
[5] *closes.*

La señora Fernández también cierra la ventana y luego con mucha calma dice a su marido:

— Ahora el que [1] no puede dormir es López.

CONVERSACIÓN

1. ¿ Quién no puede dormir? 2. ¿ Qué debe pagar? 3. ¿ A quién llama la señora? 4. ¿ Quién la oye? 5. ¿ Qué le dice la señora Fernández?

VOCABULARIO

asegurar to assure	el fin end	querido, –a dear
la cuenta bill	el marido husband	unos, –as some
dormir to sleep	preocupar to worry, preoccupy	el vecino neighbor

What English words and meanings do you recognize from the following?

la calma, furioso, –a, irritado, –a, el minuto, la solución

MODISMOS

(a) son las once it is eleven o'clock
(b) de la noche at night
(c) ¿ qué tienes? what ails you?
(d) por eso that's why, for that reason
(e) dentro de within, in

LECCIÓN CATORCE

A. Adjetivos posesivos. B. Uso del artículo en lugar del adjetivo posesivo

I. EJERCICIO DE PRONUNCIACIÓN

g: [2] ga	ge	gi	go	gu
ga-to	gen-til	gi-rar	go-ma	gus-to
pa-ga	án-gel	má-gi-co	la-go	se-gun-do
Gar-cí-a	Ar-gen-ti-na	Bél-gi-ca	Go-dos	Gu-ru-gú

A Gustavo García no le gustan los gatos de la Argentina.

---

[1] *the one who.*

[2] The letter g before e and i is similar to the sound of h in *hush,* but considerably more exaggerated and harsher.

Initial g before a, o, and u is similar to the sound of the English g but it is considerably weaker when found between two vowels.

II. Lectura

Nuestro piso

Nuestra familia vive en un piso grande. Hay siete piezas en el piso. Nuestra familia necesita un piso grande. Necesita un piso grande porque la familia es grande. Las piezas de nuestro piso son la sala, el comedor, la cocina, el gabinete, el cuarto de baño y dos dormitorios. Todas nuestras piezas son grandes y claras.

En la sala, mi madre y mi hermana reciben a sus amigas. Yo recibo a mi amigo Felipe en mi cuarto. Cuando mi

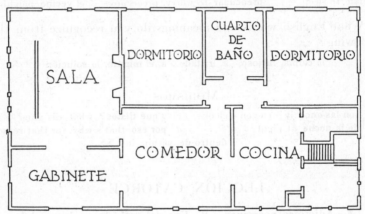

Hay siete piezas en nuestro piso.

padre no lee el periódico en la sala, mi hermana Isabel toca el piano allí. Mi madre y nuestra criada preparan la comida en la cocina. Toda nuestra familia come en el comedor. Mi padre trabaja en su gabinete. Mis hermanas y yo también estudiamos nuestras lecciones allí. En nuestros dormitorios hay camas, sillas y otros muebles.

III. Vocabulario

el **centro** center	la **comida** meal	el **dormitorio** [1] bed-
la **cocina** kitchen	la **criada** servant, maid	room
el **comedor** dining room	el **cuarto de baño** bathroom	el **gabinete** study

[1] Also, **la alcoba.**

el **patio** inner court
el **periódico** newspaper
el **piano** piano

la **pieza** room (*in a house*)
el **piso** floor; apartment
la **sala** parlor

preparar to prepare
tocar to play (*an instrument*)

IV. GRAMÁTICA

A. Possessive Adjectives

| | NOUN SINGULAR | | NOUN PLURAL | |
	Masc.	*Fem.*	*Masc.*	*Fem.*
my	mi	mi	mis	mis
your	su	su	sus	sus
your (familiar)	tu	tu	tus	tus
his, her, its	su	su	sus	sus
our	nuestro	nuestra	nuestros	nuestras
your	su	su	sus	sus
your (familiar)	vuestro	vuestra	vuestros	vuestras
their	su	su	sus	sus

nuestra familia	*our family*	su amigo (de Vd.)	*your friend*
mi madre	*my mother*	sus amigos (de él)	*his friends*
mis hermanos	*my brothers*	sus amigos (de ella)	*her friends*
su hermana	*your sister*	sus amigos (de ellos)	*their friends*

mi casa y mi jardín — *my house and garden*
mi padre, mi madre y mis hermanas — *my father, mother, and sisters*

Possessive adjectives agree in gender and number with the thing possessed and must be repeated before each noun.

As **su** and **sus** may mean *your, his, her, its, their*, the meaning is made clearer by adding the proper personal pronoun preceded by **de**.

B. Article Used for Possessive Adjectives

.Yo leo su libro *or* el libro de él.   *I read his book.*
Necesitamos su libro *or* el libro de Vd.   *We need your book.*
Recibí sus cartas *or* las cartas de Vds.   *I received your letters.*

Note that the definite article may be used instead of the possessive adjectives **su** and **sus**. In such cases the proper personal pronoun preceded by **de** must be added for the sake of clearness.

V. CONVERSACIÓN

1. ¿ Dónde vive su familia? 2. ¿ Cuántas piezas hay en su piso? 3. ¿ Cuáles son las piezas? 4. ¿ Dónde recibe su madre a sus amigas? 5. ¿ Dónde toca Isabel el piano? 6. ¿ Quién lee

en la sala? 7. ¿Quiénes preparan la comida? 8. ¿Dónde preparan la comida? 9. ¿Dónde come la familia? 10. ¿Dónde trabaja su padre? 11. ¿Quiénes estudian allí? 12. ¿Qué hay en los dormitorios?

EJERCICIO DE INVENCIÓN

Dibuje Vd. el plano de su casa (o piso) con las varias piezas.

VI. EJERCICIOS

A. Pongan el adjetivo posesivo en todas las personas:

1. En mi piso hay seis piezas.   3. Mis piezas son grandes.
2. Mi familia vive en esta casa.   4. Mis amigos viven en aquel piso.

B. Copien el modelo:

MODELO: *my* familia = mi familia

1. *my* casa	2. *our* madre	3. *his* cuarto
their sillas	*your* hermanos	*your* gabinete
our piso	*their* cocina	*his* muebles
her jardín	*our* amigos	*our* piezas

C. Traduzcan la forma apropiada de (*a*) *your*, (*b*) *my*, (*c*) *our*, (*d*) *his*, (*e*) *the*, (*f*) *this*, (*g*) *that* con los sustantivos siguientes

1. calle	2. amigos	3. comida
piezas	primos	silla
piano	tías	comedor

D. Pongan en plural o en singular:

1. Vd. preparó su cuarto. 2. Ayer recibimos aquellos libros. 3. Este hombre comió su pera. 4. Nosotros trabajamos en nuestras casas. 5. ¿Qué escribieron estos muchachos en nuestros cuartos? 6. ¿Quién abrió su libro?

E. TEST XIV. *Write the Spanish translation of the possessive adjectives in English:* [1]

1. —— tío es médico (*My*). 2. —— muebles son bonitos (*Your*). 3. —— padre quiere leer (*Our*). 4. ¿De dónde viene —— hermano

---

[1] In this exercise use the short as well as the two longer forms of su and sus; e.g. su libro, su libro de Vd., el libro de Vd.

(*her*)?   5. ¿ A dónde van —— amigos (*their*)?   6. —— sillas valen mucho (*My*).   7. —— hermana toca aquel piano (*Your*).   8. —— hermanas salen para Boston (*Our*).   9. —— madre no oye bien (*Her*). 10. No puedo ver —— casa (*their*).

F. Tema de composición:

Mi CASA, tres frases originales.

G. Oral:

1. My house; our address; his street; your rooms.   2. My friends; her piano; his family; our beds.   3. Your chairs, his sisters, our father; their bedrooms.   4. Their friends; her doctor; his cousins; your meal.   5. Their street; his house; her kitchen; his address. 6. Who prepared our rooms ?   7. Yesterday they received those books. 8. These men ate their pears.   9. Where do we work ?   10. Where did my brothers work ?   11. Who opened all these books ?   12. Our father wished to read his books.

Cuento XIV

Cambiar una cosa por otra

Just what is the matter with the visitor's solution?

Un aragonés tiene hambre,[a] mucha hambre, pero le hace falta dinero [b] para comer y beber. Después de caminar mucho y de pensar más entra en un restaurante de Zaragoza. Toma asiento en una mesa y cuando viene a servirle el camarero, le pregunta:
— ¿ Cuánto vale una botella [1] de vino ?
— Veinticinco centavos — contesta el camarero.
— Tráigame una botella.[2]
Antes de tomarla el aragonés pregunta de nuevo:
— ¿ Cuánto valen dos huevos fritos [3] con patatas ?
— Veinticinco centavos — le contesta el camarero.
— Hágame el favor de darme dos huevos fritos con patatas en vez de la botella de vino.
— Con mucho gusto [c] — le dice el camarero.
El aragonés se come los dos huevos fritos con patatas y luego sale del restaurante. El dueño lo llama y le dice:

---

[1] *bottle.*   [2] *Bring me a bottle.*   [3] *fried eggs.*

— Pague Vd. la comida,[1] amigo.

— ¡ Pero si la cambié por la botella de vino!

— Entonces pague la botella de vino.

— ¡ Pero, hombre, si no la tomé![2]

— Es verdad,[d] es verdad.

— ¡ Claro que es verdad![3] Cambié los huevos fritos y las

Cambié los huevos fritos y las patatas por la botella de vino.

patatas por la botella de vino. En economía política eso se llama permutar.[4]

— Y en doctrina cristiana[5] robar es tomar lo ajeno contra la voluntad de su dueño.[6] Vd. va ahora a permutar su libertad por la cárcel.[7]

CONVERSACIÓN

1. ¿ En dónde entra el aragonés? 2. ¿ Qué pregunta al camarero? 3. ¿ Qué come el aragonés? 4. ¿ Por qué lo llama el dueño? 5. ¿ A quién explica el aragonés que no debe nada?

VOCABULARIO

absolutamente absolutely
antes de before
cambiar to change

caminar to walk
deber to owe
el dueño owner
en vez de instead of

nada nothing; **no . . . nada** not . . . anything
servir to serve
el vino wine

[1] *Pay for the meal.*   [2] *I didn't take it.*   [3] *Of course it's true!*   [4] *to barter, exchange.*   [5] *Christian morals.*   [6] *to steal is to take what does not belong to you against the owner's will.*   [7] *jail.*

What English words and meanings do you recognize from the following?

la **aritmética**, la **patata**, el **restaurante**, la **visita**

Modismos

(*a*) **tiene hambre** (he) is hungry
(*b*) **le hace falta dinero** he needs money

(*c*) **con mucho gusto** with great pleasure
(*d*) **es verdad** it is true

LECCIÓN QUINCE

A. Presente de indicativo de *estar*. B. Uso de *estar* para indicar lugar o posición

I. Ejercicio de pronunciación

h: [1]
| ha-bi-ta | an-he-lar | a-hí | a-ho-ra | hu-mo |
| Ha-ba-na | He-re-dia | Hi-dal-go | Hon-du-ras | Hún-ga-ro |

j: [2]
| ca-ja | di-je | ji-ne-te | re-loj | jun-to |
| Ja-pón | Je-sús | Ji-mé-nez | Jo-sé | Ju-lio |

José y Jesús Jiménez habitan juntos en la Habana ahora.

II. Lectura

La comida

Nuestro comedor está entre la cocina y la sala. Toda la familia está en el comedor. Mi padre está a [3] un extremo de la mesa, mi madre está al otro. Mi hermana Luisa y yo estamos aquí a un lado de la mesa. Yo estoy entre mi padre y mi hermana. Mi abuelo y mi hermano José están allí,[4] al otro lado de la mesa. Todos estamos allí para comer, beber y charlar.

[1] The letter **h** is one of the few letters which are silent in Spanish.

[2] The sound of **j** is the same as **g** before **e** and **i**; *i.e.* similar to the exaggerated sound of *h* in the word *horse*. However, in Spanish America this sound is softened to the usual sound of the English *h*. When the letter **j** is final it is weak and even silent. [3] *at*, not *to*.

[4] *There is, there are* are expressed in Spanish by **estar allí** when we wish to indicate or point out a person or object. **Hay platos en la mesa** = *There are plates* (among other things) *on the table;* but **Los platos están allí** = There *are the plates* (in the place pointed out). Cf. page 121, footnote.

Después de la sopa comemos carne. Comemos también pescado y las legumbres que están en la mesa. Nuestra comida es siempre buena porque nuestra madre guisa muy

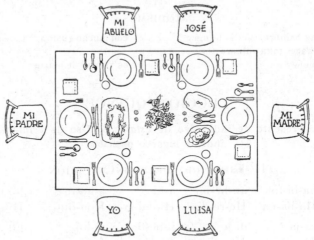

Toda la familia está en el comedor.

bien. Para postre hay fruta (manzanas o peras). Para beber agua o leche usamos los vasos que están sobre la mesa. Usamos tazas para tomar té o café.

Serie

« La comida está servida. »

La criada está en el comedor.	The maid is in the dining room.
Prepara la mesa para la comida.	She sets the table for the meal.
La cubre con un mantel.	She covers it with a table-cloth.
Coloca un plato, un cuchillo, una cuchara, un tenedor, un vaso, pan y una servilleta para cada persona.	She places a plate, a knife, a spoon, a fork, a glass, bread, and a napkin for each person.
Llama a los miembros de la familia.	She calls the members of the family.
Dice: « La comida está servida. »	She says: "Dinner is served."

III. Vocabulario

el **agua** f.[1] water	el **pescado** fish	**beber** to drink
el **café** coffee	el **postre** dessert	**charlar** to chat
el **extremo** end	la **sopa** soup	**guisar** to cook
el **lado** side	la **taza** cup	**usar** to use
la **leche** milk	el **té** tea	
la **legumbre** vegetable	el **vaso** glass	**bueno, –a** good

IV. Gramática

A. Present Tense of *Estar, to be*

SINGULAR		PLURAL	
yo **estoy**	*I am*	nosotros **estamos**	*we are*
Vd. **está**	*you are*	Vds. **están**	*you are*
tú **estás**	*you are*	vosotros **estáis**	*you are*
él, ella **está**	*he, she is*	ellos, –as **están**	*they are*

STATEMENT:	Estoy aquí.	*I am here.*
QUESTION:	¿ Está Ana aquí?	*Is Anna here?*
NEGATION:	Él no está aquí.	*He is not here.*
NEGATIVE QUESTION:	¿ No están ellos aquí?	*Are they not here?*

B. Location or Place

(Temporary Location)

Roberto está en el comedor.	*Robert is in the dining room.*
Los periódicos están sobre la mesa.	*The newspapers are on the table.*

(Permanent Location)

Madrid está en España.	*Madrid is in Spain.*
El comedor está entre dos cuartos.	*The dining room is between two rooms.*

Note that to express location or place, whether temporary or permanent, the verb **estar**, *to be*, must be used. Observe that *to be* is expressed in Spanish by **ser** and by **estar**, but their uses differ.

V. Conversación

1. ¿ Dónde está el comedor? 2. ¿ Quiénes están allí?
3. ¿ Dónde está el padre? ¿ la madre? 4. ¿ Dónde están Luisa y su hermano? 5. ¿ Dónde están José y su abuelo? 6. ¿ Para qué

[1] Feminine nouns beginning with stressed **a** or **ha** are preceded by **el**; e.g. **el agua**, *water*, **el hambre**, *hunger*, but **la alcoba**, *bedroom*.

están allí ? 7. ¿ Qué comen después de la sopa ? 8. ¿ Qué comen además (*besides*) ? 9. ¿ Por qué es buena la comida ? 10. ¿ Qué hay para postre ? 11. ¿ Qué usamos para beber ? 12. ¿ Qué usamos para tomar té o café ?

VI. Ejercicios

A. Escojan la forma apropiada de **ser** o **estar**:

1. Alberto (es *o* está) en aquel comedor. 2. Ese hombre (es *o* está) abogado. 3. Nosotros (somos *o* estamos) en este cuarto. 4. Luis y Ana (son *o* están) en casa. 5. ¿ Dónde (es *o* está) Vd. ahora ? 6. ¿ Quién (es *o* está) esa mujer ? 7. Nosotros (somos *o* estamos) delante de [1] esta ventana. 8. ¿ Dónde (somos *o* estamos) ahora ? 9. Yo no (soy *o* estoy) cerca de mi abuelo. 10. Yo no (soy *o* estoy) el padre de la familia. 11. ¿ (Es *o* Está) Vd. americano o español ? 12. ¿ Dónde (es *o* está) nuestro amigo ?

B. En las frases siguientes usen **yo, nosotros, Vd., ellos** como sujetos:

1. Estar en casa. 2. No estar en la cocina. 3. ¿ Estar delante de esta ventana ? 4. ¿ No estar en el comedor ? 5. No estar en casa de Luis. 6. Estar en . . .

C. Usen (*a*) en el presente de indicativo: **estar, ser, guisar, comer, abrir;**

(*b*) en el pretérito: **comer, tomar, abrir.**

1. Yo ——.	7. Nosotros no ——.	13. ¿ —— Juan ?
2. Vd. ——.	8. Vds. no ——.	14. ¿ —— él ?
3. Ana ——.	9. Felipe no ——.	15. ¿ Quiénes —— ?
4. Ellos ——.	10. Ellas no ——.	16. ¿ No —— Vd. ?
5. Ella ——.	11. ¿ Quién —— ?	17. ¿ No —— él ?
6. Él no ——.	12. ¿ —— ella ?	18. ¿ No —— yo ?

D. Imiten el modelo:

Modelo: ¿ Dónde está José ? Está en casa, en la escuela, cerca de la puerta, con sus amigos, etc.

1. ¿ Dónde está Vd. ahora ? 2. ¿ Dónde está su padre ? 3. ¿ Dónde está su mamá ? 4. ¿ Dónde está su hermana ? etc.

---

[1] *in front of.*

E. Test XV. *Write the Spanish translation of the words in English:*

1. —— en el comedor (*I am*). 2. Todos nosotros —— en este cuarto (*are*). 3. Nuestra criada —— en la cocina (*is*). 4. Nuestros amigos no —— en aquella casa (*are*). 5. Ellos —— en su casa (*are*). 6. Mi abuelo —— a un lado de la mesa (*is*). 7. ¿ Dónde —— Vds. cuando comen (*are*)? 8. —— en la cocina (*I am*). 9. ¿ Dónde —— Vd. ahora (*are*)? 10. Las hijas no —— allí (*are*).

F. Dictado: La mesa

Una buena muchacha siempre ayuda a su madre. Ahora está en el comedor y pone (*sets*) la mesa. Primero cubre la mesa con el mantel. Después busca (*looks-for*) los vasos y los platos. Coloca cuatro cubiertos (*covers*): uno para su padre, otro para su madre, el tercero para su hermano y el último para ella.

G. Oral:

1. I am here. 2. He is there. 3. Is she at home? 4. Aren't they in Boston? 5. You are not in Spain. 6. I am in the dining room. 7. There are spoons on the table. 8. Albert is not small. 9. We are in the garden. 10. Is he not there? 11. She is in her room. 12. She is pretty. 13. I wish to be there. 14. There are the plates and spoons.

Cuento XV

El trabajo da apetito

Hunger is the best sauce.

Es la hora de la comida *ᵃ* en casa de unos buenos labradores.[1] La familia está sentada a la mesa. Juanita, la única hija, toma la sopa. Después de tomar algunas cucharadas [2] pone la cuchara [3] en la mesa y dice con impaciencia:

— La sopa no está buena, no tomo más.

La madre le dice con calma:

— Pues bien, ahora no hay tiempo para preparar otra. Pero esta noche preparo otra mejor.

Después de la comida los padres van al campo y llevan a la

---

[1] *farmers.*   [2] *spoonfuls.*   [3] *spoon.*

niña. El padre debe recoger las patatas y ponerlas en sacos.
Juanita ayuda mucho a su padre toda la tarde. Cuando llegan a
casa [b] la madre va al jardín a recoger unas manzanas. También
la ayuda Juanita. La niña está muy ocupada toda la tarde porque
ayuda a sus padres.

A la hora de comer, la madre le trae de nuevo un plato de sopa.
Juanita toma una cucharada y dice, a su madre:

La sopa no está buena, no tomo más.

— Esta sopa sí está buena; está muy rica [1]; me gusta mucho [c];
no es como la otra.

Y la madre contesta a su hija:

— Juanita, es la misma sopa de esta mañana. Es que [d] el
trabajo siempre da apetito a una persona. El apetito es el mejor
cocinero.[2]

CONVERSACIÓN

1. ¿ Qué hora es en casa de los labradores ? 2. ¿ Por qué no toma
más sopa Juanita ?   3. ¿ A quién ayuda Juanita toda la tarde ?
4. A la hora de comer, ¿ qué trae la madre a Juanita ? 5. ¿ Qué da
apetito a una persona ?

VOCABULARIO

llevar to take
mejor better; el mejor
  the best
el niño boy, child

la niña girl, child
la noche night
los padres parents
recoger to pick (up)

el saco bag, sack
sentado, –a seated
único, –a only

[1] *delicious, tasty.*   [2] *cook.*

What English words and meanings do you recognize from the following?

el **apetito**, la **impaciencia**, **ocupado**, -a, el **plato**, **preparar**, la **sopa**

MODISMOS

(a) **es la hora de la comida** it is dinner time

(b) **llegar a casa** to reach home

(c) **me gusta mucho** I like it very much

(d) **es que** the fact is that

CONVERSACIÓN IV
La calle

1. ¿Qué representa el grabado en la página 141? — El grabado representa . . .
2. ¿Qué cosas ve Vd. en el grabado? — Veo . . .
3. ¿Es el número 13 un automóvil? — Sí, señor, el 13 es . . .
4. ¿Es el número 8 un tranvía? — No, señor, el 8 no es . . .; es un . . .
5. ¿Qué es el número 14, 21, 20, 1? — El número 14 es . . .
6. ¿Quién es el número 16, el 17, el 18? — El número 16 es . . .
7. ¿Qué es lo que está a la derecha (*at the right*) del grabado? ¿a la izquierda del grabado? — A la derecha del grabado está . . . A la izquierda del grabado . . .
8. ¿Dónde está el policía? — Está entre . . . y . . .
9. ¿Cuántas personas hay en el tranvía? — Hay . . .
10. Para ir de un sitio (*place*) a otro ¿qué medios de transporte usa Vd.? — Uso el tren (el metro, el tren elevado, el tranvía, el automóvil, y los pies).
11. ¿Qué tal es la calle, ancha o estrecha? — La calle es . . .
12. ¿A qué hora toma Vd. el tranvía para ir a la escuela? — Tomo . . . a las . . . para . . .
13. ¿A dónde vamos para comprar libros (zapatos, sombreros, drogas, pan, etc.)? — Para comprar . . . vamos a . . .
14. ¿Dónde se venden los libros? ¿los zapatos? — Los libros se venden . . .
15. Si quiere ver una pieza (*play*), ¿a dónde va Vd.? — Voy . . . al teatro.
16. ¿Qué tiendas ve Vd. en una calle? — Veo . . .

17. ¿ Para ir a la calle (la avenida) Bolívar, ¿ qué tranvía toma
Vd. ? — Tomo el tranvía número . . .
18. ¿ A dónde va este tranvía ? — Este tranvía va a la estación
de . . .
19. Perdone Vd., ¿ dónde hay un buen restaurante ? — En la
esquina (corner) de la calle del Príncipe hay . . .

MADRID

HUB OF THE NATION

The cities of Spain are among the most interesting in the world.
It is difficult to find elsewhere places of such charm and beauty.
The reason for this is that they are all different, that each has
its peculiar atmosphere, its own voice, its personality, its historical
tradition. No two have the same characteristics, and the visitor
goes into a different world every time he enters another Spanish
city. They are really unforgettable. Madrid, hardy, and not too
old, full of artistic treasures and vivacious people, with unpre-
dictable weather; Barcelona, the chief seaport and commercial
metropolis of Spain; Seville, the city of beauty, romance, typical
of the Spain of story books and legends; Valencia, the beautiful
flower city, whose wonderful gardens and rolling green countryside make it an Eden on earth; these and other cities display the
glories of Spain.

Madrid has been the capital of Spain and of the province of
Madrid for nearly four hundred years. It is today one of Europe's
most beautiful capitals, famed for its rich collection of paintings, its
splendid buildings, its religious monuments, its spacious squares,
magnificent parks, and wide thoroughfares. Situated in the exact
geographical center of Spain, Madrid is built on a high, arid, and
wind-swept plain of sand and clay. This plain stretches a few
miles to the north where the Guadarrama Mountains rise abruptly;
on all other sides there is found the barren and treeless tableland
of New Castile. The highest point in the city is 2370 feet above
sea level. This altitude, its exposed position, and the icy winds
of the Guadarrama range are chiefly responsible for the extreme
temperatures. The climate is one that leaves the visitor gasping.
Nine months of the year Madrid is a freezing city indeed, while
during three months, it is a blazing inferno. One broils in the

IV. LA CALLE

1. El teatro. 2. La librería. 3. La zapatería. 4. La sastrería. 5. La sombrerería. 6. El teatro cinematógrafo. 7. La farmacia o botica. 8. El banco. 9. La panadería. 10. La carnicería. 11. La tienda de comestibles. 12. El conductor (el chófer). 13. El automóvil. 14. El camión. 15. La acera (la vereda, la banqueta). 16. El policía (el guardia). 17. El conductor. 18. El cobrador. 19. El pavimento. 20. La vía del tranvía. 21. El tranvía.

CENTRAL DE CORREOS, MADRID

The Central Post Office, typical of the splendid modern buildings which have made Madrid one of Europe's most beautiful capitals.

summer sun, but by stepping into the shade may enjoy a temperature ten to twenty degrees lower. By turning a corner one may escape from the blistering sun into a cooling breeze from the Guadarrama Mountains.

Madrid has a colorful historical background. It is first mentioned in Arabic records early in the tenth century, and it assumed great importance in the affairs of Spain when Charles V, invigorated by its keen air and bracing climate, made the city his occasional residence. Philip II designated it as his capital and only court in 1560. The city has been the seat of the Spanish government ever since, except for a brief period in 1600. In 1937, during the Civil War, Barcelona became the capital of the nation.

Madrid has always had a special attraction for lovers of painting. Among the great collections of pictures, the Prado Museum ranks second to none for the number of its masterpieces. It has, of course, the richest collection of paintings by Velázquez and Goya, two of the most famous Spanish artists, in addition to many works of El Greco, Murillo, Ribera, and a host of other

MUSEO DEL PRADO, MADRID

The modest external appearance of the Prado Museum is no index
of the richness, variety, and splendor of its artistic treasures.

painters of the Spanish school, together with excellent examples
of the Dutch, Flemish, French, Italian, and German schools, collected during the sixteenth, seventeenth, and eighteenth centuries
by the art-loving monarchs of those periods.

For the lovers of architecture there is the National Palace,
formerly the Royal Palace, one of the most striking buildings in
the world. Built of granite and white marble, it stands on a hill
overlooking the city from the west. The floor is of marble mosaic;
the great black marble staircase can hold twenty men abreast.
The tapestried walls, the flags, trophies, and statues, all combine
to make the National Palace not only a magnificent building of
priceless beauty but also an important national museum.

Madrid is notable for the strong individual character of its
inhabitants. The humblest citizen has a lively sense of his own
dignity and importance. The street cleaner shovels the dust into
his cart with the air of a prince in disguise. The Madrileños
appreciate and are rightfully proud of their grand buildings, magnificent parks, and priceless museums, and they know how to

PALACIO NACIONAL, MADRID

The National Palace, formerly the Royal Palace, is justly famous as one of the best of its kind in the entire world. When Napoleon made his brother Joseph king of Spain, this palace was the only thing he envied in Joseph's new kingdom.

live in the fullest sense of the word. About sixteen hours of the day are spent out of doors. Along the grand avenue, *Gran Avenida de la Libertad*, one of the finest boulevards in all Europe, can be seen, in the space of twenty-four hours, many of the typical scenes of Madrid. The tree-lined promenade is alive all day long with strollers. The sidewalk restaurants are never idle during the afternoons and evenings, and everyone slowly sips a large variety of soft drinks of which the cooling *horchata* attracts the stranger's attention. While seated at one of the sidewalk restaurants, one may be approached by a boy with his box of *barquillas* or wafers. The person pays him a coin and spins the wheel on the top of the box, in order to find out how many of the wafers he will get for his coin.

The Madrileños, nearly a million of them, seem to be in evidence at all hours of the day and night. One meets them along the streets, in the parks, at sidewalk cafés, everywhere; they are talking, lounging, eating, drinking, or watching people go by. A

PUERTA DEL SOL, MADRID

This is the sun-bathed square, the very heart of Madrid, from
which the life of the capital flows in a perpetual stream.

representative array of Madrileños can be seen on any of the
streets: all types, — men and women dressed in the latest Parisian
style, army officers in bright uniforms, priests in black robes,
workingmen, barelegged children, and many others. The women,
— pretty and graceful, brunettes and blondes, — yes, there are
blondes in Spain — whether they wear a Parisian hat or the
mantilla, have a poise and grace that wins many a sincere com-
pliment from male admirers. Compliments are quite acceptable
to the ladies, even though they may come from a total stranger.

Without doubt, the central point of Madrid is the *Puerta del
Sol.* This square, called the "Gate of the Sun," derived its name
from an ancient gateway that faced the sun. It is the heart of
the city and its busiest square. The true Madrileño feels that
his life has not been normal during the day unless he has passed
through the square at least once. This is not a task, for he is
drawn there by the many shops and other attractions as well as
by the hope of finding some of his friends.

CALLE DE ALCALÁ, MADRID

One of the ten broad thoroughfares which radiate in various
directions from the Puerta del Sol.

If we stop at the *Puerta del Sol*, we can observe how a fairly
typical Madrileño spends his day.   He is apt to get up at eight,
have a light breakfast consisting of *café con leche* and a roll, and
go to work.   He will work from nine to twelve or one, at which
time he will return home for lunch, which he enjoys leisurely,
followed by a siesta.   This is made possible because all business
houses and shops are closed between twelve and three.   Work is
resumed at three and is continued till eight.   Upon his return
home, dinner will be served from nine to ten.   The meal is famous
for quantity as well as quality.   The evening meal is usually followed by a walk or visit to the café or theater.   One or two o'clock
in the morning is not considered an unusual hour to retire.   If
he lives in an out-of-the-way district, he will have to ask the
sereno to open the street door for him.

Madrid has several magnificent parks, the most famous of which
is *El Retiro*, with its fragrant gardens, splendid statues, fountains,
lakes, pavilions, walks, and promenades.   In some parks, in a little
corner can be found an open-air bookshelf, protected from the

sun and rain and entirely unattended. One may stroll up, take a book, carry it to a near-by bench, and read as much as he wants to. Aren't the books stolen? Ask a Spaniard that, and he will look at you in amazement. Can't you read the sign? It says: "These books are free to all and to the custody of all are confided." No, none are stolen.

And so this is Madrid, — beautiful, modern, cosmopolitan Madrid, with wide streets, big modern department stores, a fine subway system, large comfortable hotels, magnificent parks, and a keen, vivacious public, always polite and helpful to the stranger. One leaves Madrid with the hope that the next visit will be longer, for there are many things that still remain to be seen and enjoyed.

LECCIÓN DIECISÉIS

A. Pretérito de los verbos irregulares. B. Uso especial del pretérito

I. Ejercicio de pronunciación

11: [1]	fa-lla	bu-lla	be-llo	a-llá	e-lla
	ca-lla	lle-ga	a-llí	po-llo	llu-via
	Se-vi-lla	Lle-re-na	ga-lli-na	llo-rar	Ma-llor-ca

Un caballero sevillano llega a Mallorca un día de lluvia.

II. Lectura

En la biblioteca

Roberto y Pablo son compañeros. Un día de la semana pasada Roberto visitó a su amigo Pablo. Pablo abrió la puerta y lo saludó. Los dos amigos pasaron al cuarto de Pablo donde hablaron de varias cosas. Luego subieron a la biblioteca de don [2] Felipe Molina, el padre de Pablo. Éste

---

[1] The letter ll is similar to the *lli* in the English word *million*. Many speakers in Spain and Spanish America pronounce it like the English *y* in *yes*.

[2] **Don** and **doña** are used before given names only, when speaking to or about a relative or friend. Often it is best not to translate them into English. Here **don Felipe** is equivalent to *Mr. Molina* (**el señor Molina**).

condujo a Roberto a un estante y examinaron varios libros.
Roberto que es muy curioso preguntó:

— ¿ Qué libros hay sobre la mesa de su padre?

— Ahí hay toda clase de libros: novelas, revistas, diccio-
narios y gramáticas.   Mi padre es profesor de español y enseña en una escuela de Boston.

— ¿ Cuáles de los libros en la mesa son interesantes ? — preguntó Roberto.   Pablo no supo qué contestar porque todos
los libros de su padre son
interesantes.   En la biblioteca hay muchas revistas.
Hay revistas españolas,
Blanco y Negro, La Lectura
y otras muchas.   — ¿ No

hay revistas
de la América
española? —
preguntó Ro-
berto.   — Sí, hay muchas.   Aquí hay algunas de Cuba y
otras de Chile y de la Argentina.   El año pasado recibimos
dos de Venezuela.

Los dos pasaron al estante de los periódicos.   Buscaron
y hallaron unos periódicos españoles.   Estuvieron en la
biblioteca una hora y hablaron de varios libros.   Sacaron
algunos libros para leerlos.   Cuando Pablo no pudo estar
más en la biblioteca, los dos pusieron los libros en los
estantes.   Como algunos no cupieron ahí los dejaron en la
mesa de don Felipe en la biblioteca.

Poco después salió Roberto para regresar a su casa, donde
halló a la familia en la mesa.   Durante la comida hablaron
de la biblioteca de don Felipe.

Fechas (*Dates*)

¿ A cuántos estamos hoy?	*What day of the month is it today?*
Estamos a primero (a dos, etc.) de . . .	*Today is the first (the second, etc.) of . . .*
¿ Cuál es la fecha de hoy?	*What is today's date?*
Hoy (mañana) es el primero (el tres, etc.) de . . .	*Today (tomorrow) is the first (the third, etc.) of . . .*

III. Vocabulario

la **biblioteca** library
el **compañero**, la **compañera** companion
el **diccionario** dictionary
don Mr., **doña** Mrs.
el **estante** shelf
la **novela** novel

el **periódico** newspaper
la **revista** magazine

buscar to look for
examinar to examine
hallar to find
regresar to return

sacar to take (out)

durante during

interesante interesting

IV. Gramática

A. Irregular Preterit

andar *to walk* — **anduve**, anduviste, **anduvo**, **anduvimos**, anduvisteis, **anduvieron**

estar *to be* — estuve, estuviste, **estuvo**, **estuvimos**, estuvisteis, **estuvieron**

caber *to fit* — cupe, cupiste, **cupo**, **cupimos**, cupisteis, **cupieron**

poder *to be able* — pude, pudiste, **pudo**, **pudimos**, pudisteis, **pudieron**

poner *to put* — puse, pusiste, **puso**, **pusimos**, pusisteis, **pusieron**

saber *to know* — supe, supiste, **supo**, **supimos**, supisteis, **supieron**

conducir *to lead, guide* — **conduje**, condujiste, **condujo**, **condujimos**, condujisteis, **condujeron**

Note (*a*) that in these verbs a change has taken place in the stem of the infinitive and that the stem vowel in each of them is –u–; (*b*) that if the stem of an irregular verb changes in the preterit, the endings are: –e, –iste, –o, –imos, –isteis, –ieron, without any accent marks; (*c*) that when the stem ends in j, as in **conduje**, the third person plural ends in –eron.

B. Particular Use of the Preterit

Subieron a su cuarto.	*They went up to his room* (on that occasion).
Isabel escribió la carta.	*Isabel wrote the letter* (on that occasion).
Pusieron los libros sobre la mesa.	*They put the books on the table* (on that occasion).

Note that the preterit describes a single action that happened
at some definite time in the past. This tense must always be
used in Spanish if the phrase *on that occasion* can be added to an
English past form without changing the meaning.

V. Conversación

1. ¿ Quiénes son compañeros ?   2. ¿ Cuándo visitó Roberto a
Pablo ?   3. ¿ A dónde pasaron los dos amigos ?   4. ¿ De qué
hablaron ?   5. ¿ A dónde subieron luego ?   6. ¿ Qué examinaron
en la biblioteca ?   7. ¿ Qué vieron sobre la mesa del padre de
Pablo ?   8. ¿ Qué revistas hay en la biblioteca ?   9. ¿ De dónde
son algunas revistas ?   10. ¿ Qué periódicos hallaron en un estante ?
11. ¿ Cuánto tiempo estuvieron en la biblioteca ?   12. ¿ Dónde
pusieron los libros ?   13. ¿ Para qué salió Roberto ?   14. ¿ En
dónde halló su familia ?   15. ¿ De qué hablaron durante la comida ?

Máximas

El trabajo es una mina de oro.	*Work is a gold mine.*
El tiempo es oro.	*Time is money.*

VI. Ejercicios

A. Cambien el verbo al pretérito:

1. Él está allí.   2. Ellos visitan a sus amigos.   3. No puedo estar
más allí.   4. Roberto escribe aquella carta.   5. Estos libros no caben
en este estante.   6. Ella no lo sabe.   7. Andamos por aquella calle.
8. ¿ Qué compran Vds. en esta tienda ?   9. ¿ Qué pone él sobre la
mesa ?   10. ¿ Dónde comemos ?   11. Vd. no puede leer esta novela.
12. Él conduce a Roberto allá.

B. Conjuguen en el pretérito:

1. *Andar* con Roberto.   2. ¿ Qué *poner* aquí ?   3. *Vivir* en ——.
   Saber esto.   Los *conducir* allá.   *Abrir* esa puerta.
   Estar en mi casa.   *Comprar* libros.   *Saludar* a Rosa.
   No *poder* hablar.   *Aprender* mucho.   *Vender* periódicos.

C. Usen el pretérito del verbo en el margen:

1. *andar:* él ——, nosotros ——, Vds. ——, yo ——.
2. *visitar:* ellas ——, Vd. ——, yo ——, nosotras ——.
3. *estar:* yo ——, ellas ——, nosotros ——, ella ——.

4. *recibir:* nosotros ——, ellos ——, Vd. ——, yo ——.
5. *caber:* Vds. ——, Vd. y yo ——, yo ——, nosotros ——.
6. *pasar:* ella ——, yo ——, ellas ——, nosotros ——.
7. *subir:* nosotros ——, él ——, yo ——, Vds. ——.
8. *poner:* María ——, Vds. ——, Luis ——, yo ——.
9. *vender:* Vd. ——, ellos ——, yo ——, nosotros ——.
10. *saber:* Vd. ——, yo ——, ellos ——, nosotras ——.
11. *poder:* Vds. ——, Vd. y yo ——, yo ——, él ——.
12. *abrir:* Vd. ——, Ana ——, yo ——, nosotros ——.

D. TEST XVI. *Write the Spanish translation of the verbs in English:*

1. Él —— a Luis (*visited*). 2. Nosotros —— qué contestar (*did not know*). 3. ¿ Dónde —— Roberto (*was*) ? 4. Ana —— en ese sitio (*did not fit*). 5. ¿ Qué revistas —— allí (*did I put*) ? 6. Vds. —— a Pablo a su casa (*guided*). 7. Ellos —— a la biblioteca (*went up*). 8. Vd. —— leer esa novela (*could not*). 9. Yo —— por la calle (*walked*). 10. Pablo —— ese libro (*opened*).

E. Tema de composición:

EN LA BIBLIOTECA, tres frases originales.

F. Oral:

1. I knew it. 2. Did you know it ? 3. Who knew it ? 4. Did she walk ? 5. We walked. 6. I guided her. 7. She guided Paul. 8. That boy guided him to our house. 9. They were there; I was there; we were there. 10. Could my brother go ? 11. I could not go there. 12. I put it here; they put it there. 13. I was at home. 14. When were you at home ? 15. We were in this house.

CUENTO XVI

El sabio

(*En una biblioteca pública*)

Appearances are deceiving!

Luis. — ¿ Quién es ese anciano ? Hace tres semanas que ocupa [1] ese mismo asiento y pide [2] siempre libros muy raros.

---

[1] *For three weeks he has been occupying.* [2] *asks for.*

José. — No sé quién es aunque lo veo todos los días.   ¿Por qué no le preguntamos?

Luis. — Vamos a preguntar [a] primero al secretario.

(*Pasan a la mesa del secretario.*)

José. — ¿ Quién es ese anciano, señor secretario?

El secretario. — ¿ Habla Vd. del sabio?

Luis. — ¡ Ah! ¿ Es un sabio? ¿ Cuál es su nombre?

El secretario. — No lo sé. Su firma [1] no es muy clara. Pero por [2] los libros que pide,[3] debe ser un sabio.

Con la lectura de estos libros raros puedo dormir. .

José. — Debe ser un doctor en ciencias naturales.

Luis. — O un escritor de revistas científicas.

El secretario. — Solamente sé que hace tres semanas que lee obras muy raras. Es un caso curioso. Un día consulta obras de filosofía, otro, obras de física y química, otro, libros de poesía . . .

José. — ¡ Qué sabio! [b]

Luis. — Es un deber patriótico decir al público su nombre. ¿ Pero, cuál es su nombre?

El secretario. — Si Vds. desean saber su nombre, hay un pretexto para hablar con él. Hagan el favor de [c] darle este libro que acaba de pedir.

Luis. — Muchas gracias, señor secretario.

José. — ¿ Quién va a hablarle primero?

Luis. — Yo.

(*Los dos van a hablar al anciano.*)

Luis. — Buenos días, señor.

José. — No oye; hable más fuerte.[4]

Luis. — Perdone Vd.,[d] señor . . .

(*El sabio levanta la cabeza.*)

El sabio. — ¡ Ah!

[1] *signature.*   [2] *from.*   [3] *asks for.*   [4] *speak louder.*

José. — Somos grandes admiradores de Vd., de su obra, de sus estudios.

El sabio. — ¿ Qué dice Vd. ?   No lo comprendo.

José. — ¡ Tenemos tanto gusto en hablar **[e] con Vd., con un sabio !

El sabio. — Yo no soy sabio.

Luis. — ¡ Tanta modestia !   Pero haga el favor de decirnos su ocupación y por qué lee Vd. libros tan profundos.

El sabio. — ¿ Mi ocupación ?   Soy sereno.

Luis y José. — ¡¡ Sereno !!

El sabio. — Sí, amigos míos, sereno.

Luis. — ¿ Y por qué lee Vd. libros tan raros ?

El sabio. — Para dormir bien en un sitio donde no hay ruido. En mi casa hay muchos niños.   El ruido de los niños me molesta tanto que no me deja dormir tranquilo.   Aquí no hay ruido y con la lectura de estos libros raros y profundos puedo dormir mucho mejor.

CONVERSACIÓN

1. ¿ Dónde están Luis y José ?   2. ¿ Qué desean saber ?   3. ¿ Qué libros lee el anciano ?   4. ¿ Qué es el anciano ?   5. ¿ Para qué lee libros de esa clase ?

VOCABULARIO

el **admirador** admirer	**mismo,** -a same	la **poesía** poem, poetry
el **anciano** old man	el **nombre** name	el **sabio** scholar
aunque although	**nos** us	el **sereno** night watchman
el **deber** duty	la **obra** work; book	**tan** so
el **escritor** writer	**pedir** to ask for	**tanto,** -a so much
levantar to raise		

What English words and meanings do you recognize from the following ?

el **caso,** las **ciencias naturales, científico,** -a, **consultar,** la **filosofía,** la **física,** la **modestia, molestar,** la **ocupación, patriótico,** -a, el **pretexto, profundo,** -a, el **público,** la **química,** el **secretario, tranquilo,** -a

MODISMOS

(*a*) **vamos a preguntar** let us ask

(*b*) ¡ **qué sabio !** what a scholar !

(*c*) **haga(n) el favor de** please

(*d*) **perdone Vd.** pardon

(*e*) **tenemos tanto gusto en hablar**
     we are so glad to speak

LECCIÓN DIECISIETE

A. *Estar* con adjetivos. **B.** Concordancia

I. EJERCICIO DE PRONUNCIACIÓN

ñ:[1] ña-ña   a-ño   ñu-do   ñi-pe   ba-ñe
     Es-pa-ña   ba-ño   ñu   re-ñir   mu-ñe-ca
     ma-ña-na ño-ño   Ñu-ble   Ñá-ñi-go   ñe-que

La niña del señor Núñez baña y riñe a la muñeca.

II. LECTURA

La familia está triste

Luis no está bien; está triste y cansado. Guarda cama porque está enfermo con dolor de cabeza. Cuando está enfermo no asiste a las clases. Está ausente. Luis nunca

Rosa lee un cuento a su hermano.

quiere estar ausente de las clases. Rosa, su hermana, está sentada cerca de la cama. Lee un cuento a su hermano. El cuento que Rosa lee es muy interesante. Don Felipe, el padre, y la madre, doña María, están tristes.

Don Felipe llama al médico. Vive cerca de la casa de don Felipe. Es amigo de la familia. Cuando entra les pregunta: — ¿ Quién está enfermo ? Doña María le contesta que Luis no está bien. El médico halla a Luis en cama. Le pregunta: — ¿ Cómo está usted ? — No estoy muy bien — contesta él. La madre pregunta al médico: —

---

[1] The letter ñ is similar to the *ni* in *union*, but not preceded by the *n* sound which is present in English.

¿ Está muy enfermo Luis ? — No, señora, no está muy enfermo — le contesta el médico, — pero debe guardar cama dos o tres días. Las ventanas deben estar abiertas y la puerta cerrada. Luis no debe leer y no debe estudiar. Luis está triste porque está enfermo pero está contento que no debe estudiar.

La salud (*Health*)

¿ Cómo está Vd. ? ¿ Cómo sigue Vd. ?	*How are you?*
Bien, gracias, ¿ y Vd. ?	*Well, thanks, and you?*
Así, así.	*Fairly well.*
¿ Cómo están en casa ?	*How are they at home?*
Perfectamente, gracias.	*Very well, thanks.*

III. Vocabulario

el **cuento** story	**guardar cama** to stay	**cansado, –a** tired
el **dolor** pain; — **de**	in bed	**cerrado, –a** closed,
cabeza headache	**llamar** to call	shut
		enfermo, –a sick, ill
asistir a to attend	**abierto, a** open	**presente** present
estar bien to be	**ausente** absent	**triste** sad
(feel) well		

IV. Gramática

A. *Estar* with Adjectives

Felipe está enfermo.	*Philip is ill.*	(Temporary condition)
Luis está ausente.	*Louis is absent.*	(Accidental condition)
Estamos sentados.	*We are seated.*	(Result of an action)
La comida está servida.	*Dinner is served.*	(Result of an action)

Observe that **estar**, *to be*, must be used with an adjective that expresses (*a*) a temporary or accidental condition,[1] or (*b*) the result of an action.

B. Agreement with *Estar*

Mi hermano está sentado.	*My brother is seated.*
Esa puerta está abierta.	*That door is open.*
Estos muchachos están enfermos.	*These boys are ill.*
¿ Están cerradas las ventanas ?	*Are the windows closed?*

[1] The adjectives **nuevo**, *new;* **viejo, –a**, *old;* **joven**, *young;* **rico, –a**, *rich;* **pobre**, *poor*, are considered as denoting a permanent condition. Hence, **mi abuelo** *es* **viejo; el padre de mi amigo** *es* **rico**, etc.

Note that the adjective used after **estar** agrees in gender and number with the subject. This is also true when the past participle is used as an adjective.

V. Conversación

1. ¿ Quién no está bien ? 2. ¿ Quién guarda cama ? 3. ¿ Dónde está sentada Rosa ? 4. ¿ A quién lee Rosa el libro ? 5. ¿ Quiénes están tristes ? 6. ¿ A quién llama don Felipe ? 7. ¿ Dónde vive el médico ? 8. ¿ Qué les pregunta el médico ? 9. ¿ Qué le contesta doña María ? 10. ¿ Dónde halla el médico a Luis ? 11. ¿ Está Luis muy enfermo ? 12. ¿ Cómo deben estar las ventanas ? 13. ¿ Cómo debe estar la puerta ? 14. ¿ Por qué está triste Luis ? 15. ¿ Por qué está contento ?

VI. Ejercicios

A. Escojan la forma apropiada de **ser** o **estar**:

1. (Soy o Estoy) enfermo. 2. Alberto (es o está) un muchacho. 3. Mi primo (es o está) bien. 4. (Somos o Estamos) hermanos. 5. Vd. (es o está) médico. 6. Mis hermanos (son o están) sentados. 7. Yo no (soy o estoy) enfermo. 8. Aquella puerta (es o está) cerrada. 9. Este señor (es o está) el padre de Luis. 10. Nosotros no (somos o estamos) cansados. 11. Vd. (es o está) presente. 12. Vds. no (son o están) ausentes. 13. ¿ (Es o Está) triste María ? 14. Esta ventana (es o está) abierta.

B. Pongan estas frases en plural:

1. No estoy triste. 2. ¿ Quién está ausente ? 3. ¿ Está Vd. cansado ? 4. Mi hija está presente. 5. Esa puerta está abierta. 6. ¿ No está Vd. bien ? 7. Aquella ventana está cerrada. 8. Su hija está sentada. 9. Yo estoy presente. 10. Ese hombre está enfermo.

C. Completen con el verbo **ser** o **estar**:

1. Luis y Pedro —— ausentes. 2. Nosotras —— hermanas. 3. La puerta —— cerrada. 4. Nosotros —— cansados. 5. Clara no —— muy enferma. 6. Nuestra hermana —— triste. 7. Vd. —— la hermana de Luis. 8. Las ventanas del cuarto —— abiertas. 9. Ese hombre —— español. 10. Esta mujer —— sentada. 11. Yo no —— bonita. 12. Su padre —— médico. 13. ¿ Qué —— esto ?

14. Mi primo —— rico; no —— pobre. 15. Nuestro padre ——
joven; no —— viejo. 16. ¿ De quién —— aquel libro ? 17. ¿ ——
Vds. en el comedor ?

D. TEST XVII. *Write the Spanish translation of the words in
English:*

1. Vds. no —— enfermos (*are*). 2. Yo no —— muy bien (*am*).
3. ¿ Por qué —— Vd. triste (*are*) ? 4. ¿ Quién —— ausente (*is*) ?
5. Nosotros —— cansados (*are*). 6. Mis hermanos —— sentados
(*are*). 7. Este libro —— escrito en español (*is*). 8. Aquellas ventanas
—— abiertas (*are*). 9. Don Felipe no —— médico (*is*). 10. Yo no
—— abogado (*am*).

E. Dictado: LA FAMILIA

La familia está en el cuarto de Felipe. Felipe guarda cama porque
está enfermo. El padre está sentado y lee un periódico. La madre lee
una novela a Felipe. La hermana de Felipe está en el cuarto también.

F. Oral:

1. Are they tired ? 2. John is small. 3. I am not a Spaniard.
4. We are seated. 5. This window is open. 6. That door is closed.
7. He is poor. 8. The book is closed. 9. She is tired. 10. They are
absent. 11. We are present. 12. My mother is ill. 13. Who is a
doctor ? 14. She is not young.

CUENTO XVII

Un eco extraordinario

Andalusians are supreme for telling tall ones.

Cuando los españoles quieren contar algo gracioso,[1] los actores
del cuento son casi siempre andaluces. Como todo el mundo[a] sabe,
los andaluces son, por lo general,[b] muy exagerados.[2] Un cuento
muy popular sobre ellos es el siguiente:

En un café de Madrid están sentados unos amigos. Tres de
ellos principian a[c] hablar de los ecos. Cada uno dice algo extraordinario sobre este tema. Uno de ellos dice con mucha seriedad:

---

[1] *witty, funny.*   [2] *boastful.*

— En mi tierra hay una iglesia muy grande. Tan grande es que el eco repite [1] cinco veces las palabras pronunciadas [2] allí.

El otro dice con aire de victoria:

— Pues en mi tierra hay un eco mucho mejor, también en una iglesia. Allí el eco de una palabra pronunciada por la mañana [d] se oye [3] hasta por la tarde.

El tercero, cansado de oír tantas mentiras sobre los ecos, no puede resistir la tentación de decir algo. Así es que [4] dice a sus dos amigos con tono de convicción:

— ¡Calma,[5] señores! Los ecos de que hablan Vds. son extraordinarios, es evidente; pero no puedo menos de decir [e] algo

Eco como ése no existe en ninguna parte.

sobre el eco, también en una iglesia, de mi pueblo. Eco como ése no existe en ninguna parte. [f]

— Y, ¿ qué tiene de particular el eco [6] de su pueblo ? — pregunta uno de los amigos.

— ¿ Qué tiene de particular ? Pues, que el eco de la iglesia de mi pueblo es tan extraordinario que si uno le pregunta, « ¿ Cómo está Vd. ? », el eco contesta con voz muy clara: « Muy bien, gracias, ¿ y Vd. ? »

CONVERSACIÓN

1. ¿ Quiénes están sentados en un café ? 2. ¿ De qué hablan ?
3. ¿ Por qué habla el tercero del eco de su pueblo ? 4. ¿ Cuál de los tres ecos es el más extraordinario ? 5. ¿ Por qué es tan extraordinario ?

[1] *repeats.*   [2] *pronounced.*   [3] *is heard.*   [4] *For that reason.*   [5] *Calm yourselves!*   [6] *what is there special about the echo?*

VOCABULARIO

algo something	hasta until, even	siguiente following
alguien somebody	la iglesia church	el tema subject, theme
andaluz Andalusian	sentado, –a seated	la tentación temptation
cada each	la seriedad seriousness,	la tierra land, country
el café restaurant, café	gravity	

What English words and meanings do you recognize from the following?

el aire, claro, –a, el eco, evidente, existir, extraordinario, –a, pronunciar, repetir, resistir, la victoria

MODISMOS

(a) **todo el mundo** everybody
(b) **por lo general** in general
(c) **principiar a** + *inf.* to begin to + *inf.*
(d) **por la mañana (tarde)** in the morning (afternoon)
(e) **no puedo menos de decir** I cannot help saying
(f) **en ninguna parte** nowhere

LECCIÓN DIECIOCHO

A. Pronombres posesivos. B. Uso del artículo para expresar posesión

I. EJERCICIO DE PRONUNCIACIÓN

qu:[1]

que	qui
que-da que-rer	quin-ta qui-na
por-que par-que	quin-qué a-quí
Que-rol Que-ré-ta-ro	Quin-ta-na I-qui-que

El señor Quintana quiso quedar aquí en el parque quince minutos.

II. LECTURA

El cuarto de los niños

Luis y su amigo Carlos están en el cuarto de los niños. En el cuarto hay muchos juguetes. Están allí para ver los

---

[1] The letter q appears only in the combination of qu, before the vowels e and i. The sound of qu is similar to the English k.

juguetes de los niños.   Hay en el cuarto una mesa, dos o
tres sillas, y varios estantes.   En los estantes hay libros de
cuentos.   Hallan en el suelo unos libros de grabados, una
pelota, una muñeca, un ferrocarril y otros juguetes.   Los
libros de grabados son muy bonitos.

— Luis, este libro español con muchos grabados es muy
interesante.   ¿ Es suyo o el de su hermano ?

— No es mío;   es de mi hermano Arturo.

— ¿ De quiénes son estos juguetes ?

— Son nuestros.   El ferrocarril que está ahí es de mi
primo que pasa una semana con nuestra familia.   La pelota

y la muñeca que están allí son de mi hermana.   Los otros
juguetes son míos.

— Y esos libros de grabados, ¿ por qué no los mete Vd.
en el estante ?

— Porque no son míos.   Los míos están en mi cuarto.
No son libros de grabados;   son libros de cuentos.   Mi hermano Juan y yo los leemos todas las noches.   También leemos revistas de España.

— ¿ Dónde está su hermano Juan ?

— Estudia en el gabinete de mi padre.   No desea estudiar,
pero debe preparar sus lecciones.   Mañana hay un examen
en la clase de español.

III. Vocabulario

el **ferrocarril** railway
el **grabado** picture; li-
    bro de —s picture
    book
el **juguete** toy

la **mañana** morning;
    tomorrow
la **muñeca** doll
los **niños** children
la **pelota** ball

el **suelo** floor

meter to put (**en** on)
pasar to spend (*time*)

IV. GRAMÁTICA

A. Possessive Pronouns

WHEN THERE IS ONE POSSESSOR

el mío [1]	la mía	los míos	las mías = *mine*
el suyo	la suya	los suyos	las suyas = *yours, his, hers, its*
el tuyo	la tuya	los tuyos	las tuyas = *yours*

WHEN THERE IS MORE THAN ONE POSSESSOR

el nuestro	la nuestra	los nuestros	las nuestras = *ours*
el suyo	la suya	los suyos	las suyas = *yours, theirs*
el vuestro	la vuestra	los vuestros	las vuestras = *yours*

mi libro y el suyo (de Vd.)	*my book and yours*
su mesa y la mía	*your table and mine*
mis hermanas y las suyas (de ella)	*my sisters and hers*

Note that the possessive pronoun must agree in gender and number with the noun for which it stands.

As **el suyo, la suya,** etc. may mean *yours, hers, his, its, theirs,* the forms in parenthesis are added for clearness or emphasis.

B. Definite Article Used for Possessive Pronoun

Mi libro y el de su hermano	*My book and his brother's (that of his brother)*
Su casa y la de mi hermana	*His house and my sister's (that of my sister)*
Nuestras primas y las de Arturo	*Our cousins and Arthur's (those of Arthur)*

Note that *that of, the one of, those of* are expressed in Spanish by **el, la, los, las,** followed by **de.**

V. CONVERSACIÓN

1. ¿ Dónde están Luis y su amigo ?   2. ¿ Para qué están allí ?
3. ¿ Qué hay en el cuarto ?   4. ¿ Qué hay en el suelo ?   5. ¿ De quién es el libro de grabados ?   6. ¿ De quiénes son los juguetes ?
7. ¿ De quién son los libros que están en el suelo ?   8. ¿ Dónde está Juan ?   9. ¿ Qué debe preparar ?   10. ¿ Qué libros leen Luis y su hermano ?

---

[1] The possessive pronoun usually drops the definite article after the verb **ser**; e.g. **Este libro es mío.** These forms without the article are also used as adjectives, in which case they follow the noun; e.g. **un hermano mío,** *a brother of mine.*

VI. Ejercicios

A. Pongan en plural:

1. Este libro es mío.
2. Este cuarto es suyo.
3. Mi libro es de papel.
4. Aquel reloj es suyo.
5. Esta mesa es mía.

6. Este periódico es nuestro.
7. Esa novela es interesante.
8. Aquella muñeca es nuestra.
9. Este grabado es mío.
10. Aquella chaqueta es de lana.

B. Traduzcan las palabras en inglés:

1. ¿ Desea Vd. leer *my* libro o *his?* 2. Necesito *her* revista; no necesito *yours*. 3. Esta casa es *ours* y no es *Robert's*. 4. Estos niños están en *their* cuartos y no en *ours*. 5. Estos juguetes son *yours;* no son *the children's*. 6. En el suelo hay *her* libro de grabados y *mine*. 7. Aquí están *your* grabados y *your brother's*. 8. Estamos en *our* cuartos; los niños están en *theirs*.

C. Test XVIII. *Write the Spanish translation of the words in English:*

1. Mi hermano y —— están cansados (*Albert's*). 2. Los de José y —— no son altos (*mine*). 3. Su cuarto y —— no son grandes (*his*). 4. —— no es grande; es pequeño (*Mine*). 5. Mi amigo y —— son españoles (*hers*). 6. ¿ De quién es esta casa ? Es —— (*theirs*). 7. Yo entro en mi casa, pero no en —— (*John's*). 8. Ellos hallan sus juguetes; no hallan —— (*yours*). 9. Deseamos leer nuestras novelas y —— (*Anna's*). 10. ¿ Desea Vd. leer —— (*ours*) ?

D. Tema de composición:

El cuarto de los niños, tres frases originales.

E. Oral:

1. My *book* and yours; his or mine; ours and theirs; hers or John's. 2. Our *toys* and theirs; mine and yours; hers and his; ours and Albert's. 3. Her *house* and his; theirs and ours; mine and hers; yours and Clara's. 4. Our *magazines* and theirs; his and mine; theirs and hers; mine and my sister's; yours and Arthur's. 5. This house is theirs and not Isabel's. 6. Here are my pictures and my sister's. 7. Our rooms and theirs are not large. 8. Whose is this magazine ? 9. Is it yours or mine ? 10. I eat in my house and not in Charles'.

Cuento XVIII

El otro recibió el puesto

Another was even more clever than Pérez.

Un día Pérez se pasea [1] por [2] la orilla de un lago. Ve a un hombre que lucha para no ahogarse. Se ve [3] que no sabe nadar [a]; y se hunde [4] más y más a cada momento. Pérez pregunta al hombre con interés:

— ¿ Cuál es su nombre? ¿ Cuál es su profesión? ¿ Dónde trabaja?

El pobre hombre cree que va a salvarlo. No comprende por qué le hace tantas preguntas [b] en vez de sacarlo del agua. Pero

¿ Cuál es su nombre? ¿ Cuál es su profesión? ¿ Dónde trabaja?

le da los informes que pide.[5] Y como ya no puede más [c] se hunde en el agua. Pérez se va [6] con mucha calma en vez de hacer algo para salvarlo. Va a la casa donde trabaja el ahogado y dice al jefe:

— Vengo a pedir el puesto de uno de sus empleados, que acaba de ahogarse.

— Imposible, amigo mío — dice el jefe.

— ¿ Por qué? — pregunta Pérez. — Yo puedo hacer esa clase de trabajo.

— Porque no puede ser.

---

[1] *takes a walk.* [2] *along.* [3] *It is evident (is seen).* [4] *he sinks.* [5] *he asks for.*
[6] *goes away.*

— ¿ Por qué no ?

— Ya le he dicho que no puede ser.

— Pero, señor, ¿ por qué no puede ser, si yo hago esa clase de trabajo ? En esa clase de trabajo soy experto, muy experto. ¿ Por qué no me da la oportunidad de trabajar una semana o dos ? Así podrá ver si puedo lleñar el puesto.

— Ah, no, eso es imposible porque ahora mismo [d] otro hombre más listo que [1] Vd. acaba de llenar el puesto de ese pobre hombre.

— ¿ Más listo que yo ? ¿ Quién puede ser ? [e] — pregunta Pérez con sorpresa. Recuerda [2] que no había [3] nadie sino él cuando perdió la vida el pobre ahogado.

— Bueno, si usted quiere saberlo: es el que [4] lo echó al lago — dijo el jefe con mucha calma.

CONVERSACIÓN

1. ¿ Quién se pasea ?   2. ¿ Qué informes le da el pobre hombre ? 3. ¿ A dónde va Pérez ?   4. ¿ Qué puesto quiere Pérez ?   5. ¿ Quién recibió el puesto ?

VOCABULARIO

ahogarse to drown; el ahogado drowned (man)	el jefe manager	la orilla shore
echar to throw	el lago lake	perder to lose
el empleado employee	luchar to fight	el puesto position
los informes information	llenar to fill	salvar to save
	nadie nobody, no one	sino but, except

What English words and meanings do you recognize from the following ?

la clase de trabajo, comprender, el interés, el momento, la profesión, experto

MODISMOS

(a) saber nadar to know how to swim
(b) hacer preguntas to ask questions
(c) ya no puede más he can't stand it any longer

(d) ahora mismo right now
(e) ¿ quién puede ser ? who can it be ? I wonder who it is ?

---

[1] clever than.   [2] He remembers.   [3] there was.   [4] the one who.

LECCIÓN DIECINUEVE

A. Adjetivos con *ser* y *estar:* cambio de significado
B. Observación general

I. EJERCICIO DE PRONUNCIACIÓN

r:[1] es-cri-bir   me-re-cer   pa-ra   ca-ro   sur
    ins-cri-bir ce-re-bro   pe-ro   ce-ro   cu-ra
    Ma-rí-a   Bar-ce-lo-na Gi-bral-tar Cór-do-ba   Ar-gen-ti-na

Quería escribir en el parque aquella tarde una carta a un señor
en la Argentina.

II. LECTURA

Una visita

Don Felipe está en su gabinete.   Espera la visita de don
Luis.   Éste es un caballero muy bueno.   Es un hombre
viejo, amigo [2] de la familia.   Es un abogado famoso.[3]   Cuando
está bueno siempre visita a
sus amigos.

Ahora el amigo de don Felipe
llama a la puerta.   La criada
abre la puerta y pregunta:

— ¿ Quién es ?

— Soy el señor Molina.

— Ah, buenos días, señor
Molina.

— ¿ Está en casa don Fe-
lipe ?

— Sí, señor, está en casa.   ¿ Quiere usted entrar ?

Estoy muy bien, gracias.

---

[1] Single r when not initial in a word or a breath group, or preceded by l, n, and
s, is pronounced as r in the English word *three*, and trilled clearly with the tip of the
tongue against the upper gums.

[2] The article is omitted before a noun in apposition.

[3] The indefinite article *is* used when the predicate noun is modified by an
adjective or an adjective phrase.   Compare also: **Alberto es alumno** and **Alberto
es** *un* **alumno de la clase.**

(*El señor entra en el gabinete y don Felipe recibe a su amigo.*)

— ¿ Cómo está usted ?

— Estoy muy bien, gracias.

— ¿ Y su señora está todavía mala ?

— No, señor, hoy está pálida, pero está buena. Todos estamos muy buenos en casa, gracias.

Los dos amigos hablan de varias cosas, de sus familias y de sus amigos. Así pasan una hora. Luego el señor Molina regresa a su casa.

— Adiós, don Felipe.

— Hasta luego, amigo mío.

SERIE

Deseo visitar a mi amigo.	*I wish to visit my friend.*
Voy a su casa.	*I go to his house.*
Llamo a la puerta.	*I knock at the door.*
La criada abre la puerta.	*The maid opens the door.*
Entro y pregunto: « ¿ Está en casa el señor López? »	*I enter and ask: "Is Mr. López at home?"*
Paso a la sala.	*I pass to the parlor.*
Charlo con mi amigo una hora.	*I chat an hour with my friend.*
Luego regreso a casa.	*Then I return home.*

III. VOCABULARIO

el **caballero** gentleman	**famoso, –a** famous	**todavía** yet, still
la **señora** wife	**malo, –a** bad	**hasta luego** see
la **visita** visit	**pálido, –a** pale	you later !

llamar a la puerta to knock at the door

IV. GRAMÁTICA

A. Adjectives with *Ser* or *Estar*

Felipe es bueno.	*Philip is good.*	(Always so)
Felipe está bueno.	*Philip is well.*	(At present)
Todos no somos malos.	*We are not all bad.*	(As a rule)
Todos no estamos malos.	*We are not all ill.*	(Just now)
Doña Isabel es pálida.	*Isabel is pale-complexioned.*	(Always so)
Doña Isabel está pálida.	*Isabel is pale.*	(At present)

Note that some adjectives have one meaning when used with **ser**, and quite another meaning when used with **estar**. With **bueno** and **malo**, **ser** indicates character, while **estar** refers to health.

B. General Observation

Ser	Estar
La familia es grande. (Permanent characteristic)	**¿ Cómo está Vd. ?** (Temporary condition)
Mi padre es médico. (Profession)	**Estamos cansados.** (Accidental condition)
Soy español. (Nationality)	**España está en Europa.** (Location)
El libro es de papel. (Material)	**Ahí está mi madre.** (Location indicated) THERE *is my mother.*

In general, observe that to express *to be*, **ser** is used. However, when location is expressed or indicated, or when a predicate adjective expresses a temporary or accidental condition, **estar** must be used.

V. CONVERSACIÓN

1. ¿ Dónde está don Felipe? 2. ¿ Qué espera don Felipe? 3. ¿ Quién es un caballero bueno? 4. ¿ Cuándo visita a sus amigos? 5. ¿ Quién llama a la puerta? 6. ¿ Qué abre la criada? 7. ¿ Quién es? 8. ¿ Qué pregunta a la criada? 9. ¿ Está mala o buena la señora de don Luis? 10. ¿ Quiénes están buenos? 11. ¿ De qué hablan los dos amigos? 12. ¿ A dónde regresa don Luis?

VI. EJERCICIOS

A. Den el plural y traduzcan al inglés:

1. Este caballero es bueno. 2. Mi hermano está bueno. 3. ¿ Por qué está Vd. triste? 4. Esa mujer es pálida. 5. Aquel hombre es bueno. 6. Vd. está muy bien. 7. ¿ Quién está malo? 8. Él no está cansado. 9. ¿ Cómo está Vd. ? 10. Ella está sentada.

B. Completen con la forma apropiada de **ser** o **estar**:

1. Ese muchacho —— pálido. 2. Aquella señora —— en la biblioteca. 3. Su padre —— siempre bueno. 4. Mi cama —— bonita. 5. Nuestros cuartos —— grandes. 6. Mi hermana y la suya —— españolas. 7. Sus amigos y los míos —— americanos.

8. Nosotros —— pequeños. 9. Yo —— cansado porque trabajo
mucho. 10. Las puertas —— abiertas. 11. Estos niños —— pálidos
hoy. 12. Luis —— un muchacho malo. 13. Este hombre ——
bueno. 14. No trabajo cuando —— malo. 15. Esas ventanas y esa
puerta —— cerradas. 16. ¿ —— Vd. bien hoy?

C. Escriban enteramente en español:

my padre y *yours*   his familia y *yours*
our amigos y *theirs*   our juguetes y *his*
your casa y hers   your grabados y *mine*
their amigas y mine   your libro y hers

D. Usen estas expresiones con los varios pronombres:

ser bueno	estar bueno	llamar a Luis
estar malo	ser malo	leer bien
ser pálido	estar pálido	abrir la puerta

yo ——	Luis no ——	¿ no —— yo?	Felipe ——
él ——	ellas no ——	¿ —— ellos?	Vd. ——
ellos ——	Vd. no ——	¿ no —— Vd.?	ella ——
nosotros ——	ellos no ——	¿ no —— él?	Ana ——
Vds. ——	Vd. y yo no ——	¿ —— ella?	el hombre ——

E. TEST XIX. *Write the Spanish translation of the words in
English:*

1. Hoy —— muy bien (*I am*). 2. Este hombre no —— siempre
bueno (*is*). 3. Su hermana y la mía —— bonitas (*are*). 4. Su padre
—— bueno hoy (*is*). 5. Nosotros —— primos (*are*). 6. ¿ Por qué
—— Vds. pálidos (*are*)? 7. Isabel, Vd. —— muy bonita (*are*).
8. Su hermana y la mía —— amigas (*are*). 9. —— profesor de
español (*I am*). 10. ¿ Por qué —— Vd. triste (*are*)?

F. Dictado:

El profesor dictará la Serie de la lección.

G. Oral:

1. Is he at home? 2. We are not in Spain. 3. Where is she?
4. She is at my home. 5. She is ill. 6. Mary is tired. 7. Where is
he? 8. He is a lawyer. 9. We are tired. 10. They are not sad.
11. His house is closed. 12. My friend is tired. 13. He is good.
14. Who are you? 15. The book is red. 16. He is not a doctor.

Cuento XIX

El padre, el hijo y el burro

You cannot please everybody.

Un padre anciano y su hijo van al mercado [1] a vender su burro. Por el mismo camino van unas mujeres.

— ¡ Burros son los tres! — dice una. — En vez de ir montados [a] van a pie.[b]

El padre dice al hijo:

— La mujer tiene razón [c]; monta en [2] el animal.

Más tarde pasan unos campesinos [3] y uno dice:

— ¡ Qué hijo cruel! Un muchacho fuerte y robusto va montado

Por fin los dos llevan el burro con un palo entre ellos.

en el burro y en cambio [d] su pobre padre anciano va a pie. No hay justicia en el mundo.

El muchacho dice a su padre:

— Es verdad; suba usted,[4] padre. Yo iré a pie.[5]

Monta el anciano y el muchacho sigue a pie.[6] Poco después pasa un viajero.

— ¡ Qué padre cruel! — dice éste. — ¡ Es un hombre sin corazón! Él va montado muy cómodo [7] en el burro y el pobre muchacho debe seguirlo a pie. ¡ Qué mundo curioso!

— El hombre tiene razón; — añade el padre — monta tú también.

[1] *market.* [2] *get on.* [3] *farmers.* [4] *get on.* [5] *I shall walk.* [6] *follows on foot.*
[7] *comfortably.*

Están a punto de [e] llegar al mercado cuando pasa otro hombre y al ver a los dos montados en el burro dice:

— ¡ Por Dios ! [f] ¡ Qué crueles son los dos ! Dos hombres montados en un animal tan pequeño. ¡ Pobre burro ! Los dos son tan fuertes que deberían [1] llevar al animal.

— Padre, ese hombre también tiene razón — añade el hijo.

Por fin [g] los dos bajan, atan las patas [2] del burro y lo llevan al mercado con un palo entre ellos.

Todos se ríen [3] al verlos pasar así. Al cruzar un puente [4] el burro trata de [h] librarse, cae al agua y se ahoga.[5]

— ¡ Bien lo merecemos ! [6] — dice el padre. ¡ Es imposible agradar a todo el mundo, hijo mío !

CONVERSACIÓN

1. ¿ Quiénes van al mercado ? 2. ¿ A quiénes ven en el camino ?
3. ¿ Por qué son crueles el padre y el hijo ? 4. ¿ Qué trata de hacer el burro ? 5. Por fin, ¿ qué dice el padre ?

VOCABULARIO

agradar to please	el corazón heart	el palo pole, stick
anciano, –a old	cruzar to cross	el puente bridge
atar to tie	fuerte strong	seguir to follow
el camino way, road	librarse to free oneself	el viajero traveler

What English words and meanings do you recognize from the following ?

el burro, curioso, –a, la justicia, montar, pasar, el puente, robusto, –a

MODISMOS

(a) ir montado to ride
(b) ir a pie to walk
(c) tener razón to be right
(d) en cambio on the other hand
(e) estar a punto de to be about to
(f) ¡ por Dios ! Heavens !
(g) por fin = al fin finally
(h) tratar de to try to

[1] *they should.* [2] *hoofs.* [3] *laugh.* [4] *bridge.* [5] *drowns.* [6] *It serves us right!*

LECCIÓN VEINTE

A. Pretérito de los verbos irregulares. B. Uso especial del pretérito

I. Ejercicio de pronunciación

a-cer-ca	don-de	us-ted	ji-pi-ja-pa	cin-co
cu-cha-ra	an-dan-do	pa-ño	hu-mo	po-llo
ce-re-bro	es-cri-bir	má-gi-co	quin-qué	Es-pa-ña
Jo-sé	Ma-drid	Ar-gen-ti-na	Ha-ba-na	Se-vi-lla

II. Lectura

La ambición de Perico

Anoche el abuelo de Perico pasó una hora en su cuarto. Como no quiso estar solo llamó a su nieto. Cuando Perico oyó a su abuelo, fué a hablar con él. Pocos minutos después trajo sus libros al cuarto de su abuelo para estudiar allí.

¿ Por qué no trabaja Vd. como papá ?

El abuelo leyó los periódicos del día y fumó su pipa. Admiró la aplicación de Perico a los estudios.

Hubo [1] tanto que hacer aquella noche que Perico, cansado de estudiar las lecciones, dejó los libros, miró a su abuelo con curiosidad y le hizo una pregunta:

---

[1] The verb **haber** is used in the third person singular of the preterit to express the English forms *there was, there were, was there? were there?*

— Abuelo, ¿ por qué no trabaja Vd. como papá ?

El abuelo suspendió la lectura del periódico y dió la siguiente explicación a su nieto.

— ¡ Ah, Perico ! — dijo el viejo con una sonrisa. — No trabajo porque soy viejo. De chico asistí a la escuela y escuché a los profesores. Hubo mucho que aprender en aquel tiempo. Yo presté atención y aprendí varias cosas útiles en las clases. De hombre, trabajé y trabajé mucho. Hubo muchos hombres que trabajaron como yo y como papá. De viejo es necesario descansar y descanso. Por lo general, los viejos leen los periódicos, fuman la pipa y llevan a los nietos al cine cuando son buenos. Ahora bien, ¿ y cuál es la ambición de mi Perico al ser [1] hombre ?

Y Perico contestó a su abuelo inmediatamente y con convicción:

— ¿ Yo?... ¡ Ser viejo pronto !...

III. Vocabulario

la **ambición** ambition	el **tiempo** time	**útil** useful
el **cine** "movie"	el **viejo** old man; **de** —,	**viejo, –a** old
el **chico** child, boy; **de** —,	—, as an old	
as a child	man	**inmediatamente** immediately
la **curiosidad** curiosity		mediately
la **explicación** explanation	**admirar** to admire	**pronto** soon
el **hombre** man; **de** —,	**descansar** to rest	
as a man	**fumar** to smoke	**hay que** one must
el **nieto** grandson		**hubo que** one had to
la **pipa** pipe	**solo, –a** alone	

IV. Gramática

A. Irregular Preterit

decir	*to say*	dije, dijiste, dijo, dijimos, dijisteis, dijeron
hacer	*to do*	hice, hiciste, hizo, hicimos, hicisteis, hicieron
querer	*to want*	quise, quisiste, quiso, quisimos, quisisteis, quisieron
venir	*to come*	vine, viniste, vino, vinimos, vinisteis, vinieron
dar	*to give*	di, diste, dió, dimos, disteis, dieron
ser (ir)	*to be (go)*	fuí, fuiste, fué, fuimos, fuisteis, fueron

[1] In Spanish **al** + *infinitive* is equivalent to English *on* (or *upon*) + present participle.

caer	to fall	caí, caíste, cayó, caímos, caísteis, cayeron
creer	to believe	creí, creíste, creyó, creímos, creísteis, creyeron
leer	to read	leí, leíste, leyó, leímos, leísteis, leyeron
oír	to hear	oí, oíste, oyó, oímos, oísteis, oyeron
traer	to bring	traje, trajiste, trajo, trajimos, trajisteis, trajeron

(a) Four of these verbs, decir, hacer, querer, and venir, have –i– for stem vowel in the preterit, and the same endings as the verbs in Lesson 16 (–e, –iste, –o, –imos, –isteis, –ieron), with the exception of the third plural ending of decir whose preterit stem ends in –j– and whose third plural ends in –eron.

(b) Dar, ser, and ir are quite irregular; dar has the endings of a verb of the second or third conjugation, and ser and ir are identical in the preterit.

(c) If the stem of a verb ends in a vowel (ca–er), the i of the endings –ió and –ieron changes to y. Note the accent mark over í in each ending. Observe also that traer does not follow this rule.

B. Special Use of the Preterit

Ayer fuí a su casa dos veces.	*Yesterday I went to his house twice.*
Anoche Perico preguntó a su abuelo varias cosas.	*Last night Perico asked his grand-father several things.*
El año pasado mi abuelo leyó el periódico todos los días.	*Last year my grandfather read the news-paper every day.*

The preterit is used to express repeated actions in the past when included in a definite period of time. In this case the act is emphasized and not the duration of time.

V. CONVERSACIÓN

1. ¿ Qué hizo anoche el abuelo de Perico? 2. ¿ Por qué llamó a su nieto? 3. ¿ Qué hizo Perico? 4. ¿ Para qué trajo sus libros al cuarto? 5. ¿ Qué leyó el abuelo? 6. ¿ Qué admiró en su nieto? 7. ¿ Qué pregunta hizo Perico a su abuelo? 8. ¿ Quién dió la explicación? 9. ¿ Por qué no trabaja el abuelo? 10. ¿ Qué aprendió en las clases? 11. ¿ Cuándo trabajó mucho? 12. ¿ Qué hacen los viejos? 13. ¿ Cuándo llevan los nietos al cine? 14. ¿ Cuál es la ambición de Perico?

VI. EJERCICIOS

A. Cambien los verbos al pretérito:

1. El abuelo *está* allí. 2. No *quiero* estar solo. 3. ¿ *Llama* Vd. al abuelo ? 4. ¿ A quién *oye* Perico ? 5. ¿ Por qué no *vamos* a hablar con él ? 6. ¿ A dónde *traen* Vds. esos libros ? 7. Los *traen* a la biblioteca. 8. ¿ Qué *estudia* Vd. allí ? 9. ¿ Cuándo *leemos* estos periódicos ? 10. ¿ Quién *fuma* la pipa ? 11. *Hay* mucha gente allí. 12. No *dejo* los libros en el cuarto. 13. ¿ Qué *cae* de la mano del abuelo ? 14. *Hago* una pausa para preguntarle. 15. ¿ Qué le *decimos?*

B. Escriban las oraciones siguientes en el presente y pretérito:

1. Yo *ir* al cine.
2. Él no *estar* allí.
3. ¿ Qué *hacer* Vd. ?
4. *Haber* periódicos.
5. Luis no *venir.*
6. Ellos *leer* el periódico.
7. Isabel no *creer* esto.
8. ¿ Qué *traer* Vd. ?
9. ¿ Qué *oír* ellos ?
10. La novela *ser* buena.
11. Nosotros *comprar* libros.
12. Vds. *andar* por allí.
13. Nosotros *vender* la casa.
14. Él no *poder* ver.
15. Yo lo *decir.*
16. ¿ Qué *dar* ellos a María ?
17. ¿ Qué *caer* de la ventana ?
18. Vd. *aprender* cosas útiles.

C. Repitan las oraciones con los sujetos **nosotros, ellos y Vd.:**

1. Yo fuí a la ciudad. 2. No quise hablar. 3. Lo di a Luis. 4. Anduve por esa calle. 5. ¿ Qué hice aquel día ? 6. ¿ A dónde lo conduje ? 7. ¿ Qué libros leí ? 8. No supe qué decir. 9. Yo aprendí mucho. 10. Oí a Perico.

D. Reemplacen la raya con el verbo en el presente y pretérito:

1. ¿ Quién —— a la ciudad (*ir*) ? 2. Él —— visitar a su primo (*querer*). 3. Nosotros —— tres semanas (*trabajar*). 4. ¿ Quiénes —— estos periódicos (*leer*) ? 5. ¿ Qué —— él (*hacer*) ? 6. Yo —— esa revista (*tomar*). 7. ¿ Ellos —— aquella novela interesante (*leer*) ? 8. ¿ Quién —— por esa calle (*andar*) ? 9. Mi amigo —— de la biblioteca (*salir*). 10. Pablo —— estar allí dos horas (*poder*). 11. ¿ Qué —— Vd. en mi cuarto (*buscar*) ? 12. ¿ Qué —— Vds. de su madre (*recibir*) ?

E. TEST XX. *Write the Spanish translation of the words in English:*

1. —— aquí ayer (*I was not*). 2. Luis lo —— al teatro (*conducted*).
3. ¿ —— esa carta ayer (*Did you receive*)? 4. Yo —— esa revista
(*bought*). 5. Ellos —— a los muchachos la semana pasada (*heard*).
6. ¿ Dónde —— el periódico (*did we put*)? 7. ¿ Qué —— Vds. por
las calles (*did you see*)? 8. ¿ Qué —— Vd. (*did . . . say*)? 9. ¿ Qué
—— Vd. en su casa (*did . . . hear*)? 10. Mi primo —— en esta calle
(*fell*).

F. Tema de composición:

LA AMBICIÓN DE PERICO, cuatro frases originales.

G. Oral:

1. My brother and yours gave him the letter. 2. Our friends and
his said that. 3. You did it. 4. Your friends and ours were there.
5. My grandfather and his did not want them. 6. I bought it.
7. What did his grandson do? 8. These boys fell. 9. We heard
our friends. 10. A man was there. 11. There were many men.

CUENTO XX

El espíritu del bosque

An Argentine legend with a moral.

La siguiente leyenda [1] enseña que el espíritu del bosque odia [2]
al hombre que invade sus dominios.

Es Juncho un joven fuerte y sano, leñador [3] de oficio. Va al
bosque todas las mañanas,[a] corta árboles todo el día [b] y no regresa a su casa hasta la noche. Así corta muchos árboles en el
bosque.

Cuando el espíritu del bosque ve tantos árboles destruídos, jura
venganza. Una noche, al regresar a su casa por un camino solitario, Juncho y otro leñador ven un monstruo. Juncho, más
valiente, toma su hacha [4] y trata de atacar al monstruo. Su
compañero, lleno de terror, corre detrás de un árbol y así puede
ver el cambio que sufre [5] el pobre Juncho.

Ve que el joven queda inmóvil,[6] en actitud de combate. Toda
su persona tiene un aspecto raro,[7] negro, lleno de arrugas.[8] Poco

---

[1] *legend.* [2] *hates.* [3] *woodcutter.* [4] **el hacha** *f., axe.* [5] **sufrir un cambio,** *to
undergo a change.* [6] *motionless.* [7] *strange.* [8] *wrinkles.*

a poco, crece hasta tomar la forma de un gigante; luego echa ramas y hojas.[1] El compañero de Juncho queda paralizado del [2]

El árbol con el aspecto de un hombre.

miedo al ver lo que [3] ocurre al pobre Juncho. Poco después [c] ya no ve al monstruo, pero puede ver a la luz de la luna, el árbol en que se ha convertido [4] Juncho, con el aspecto de un hombre enorme en actitud de combate.

Muchos años pasan y el árbol queda todavía allí en el bosque. Los leñadores que pasan cerca de él lo miran, sombrero en mano. En esa actitud de respeto, creen que no hay peligro para ellos si no cortan muchos árboles. Nunca olvidan que el espíritu del bosque quiere conservar los árboles intactos. Todos ven el terrible poder del espíritu en el árbol que en otros tiempos fué un hombre, el pobre Juncho.

CONVERSACIÓN

1. ¿ A quién odia el espíritu del bosque? 2. ¿ Qué vió Juncho y su compañero una noche? 3. ¿ Qué trató de hacer Juncho? 4. ¿ Cómo quedó Juncho? 5. ¿ En qué ven los hombres el poder del espíritu?

VOCABULARIO

el **bosque** forest
cortar to cut
crecer to grow
destruído, –a destroyed
el **ejemplo** example
el **espíritu** spirit
el **gigante** giant

jurar to swear
la **luna** moon
la **luz** light
el **miedo** fear
ocurrir to happen
el **oficio** trade
olvidar to forget

el **peligro** danger
el **poder** power
quedar to remain
sano, –a healthy
el **sombrero** hat
la **venganza** vengeance, revenge

What English words and meanings do you recognize from the following?

---

[1] *grows branches and leaves.* [2] *from.* [3] *what.* [4] *into which (he) has changed.*

la actitud, el aspecto, el combate, continuo, –a, conservar, la crueldad, el dominio, la forma, intacto, –a, el monstruo, paralizado, el respeto, solitario, –a, valiente

MODISMOS

(a) **todas las mañanas** every morning (b) **todo el día** the whole day
(c) **poco después** shortly after

REPASO DE GRAMÁTICA II

A. *Ser* y *estar*

SUJETOS	ser	estar
yo	soy	estoy
tú	eres	estás
él, ella, Vd.	es	está
nosotros, –as	somos	estamos
vosotros, –as	sois	estáis
ellos, –as, Vds.	son	están

B. Pretérito de indicativo

SUJETOS	I. hablar	II. comer	III. vivir
yo	habl é	com í	viv í
tú	habl aste	com iste	viv iste
él, ella, Vd.	habl ó	com ió	viv ió
nosotros, –as	habl amos	com imos	viv imos
vosotros, –as	habl asteis	com isteis	viv isteis
ellos, –as, Vds.	habl aron	com ieron	viv ieron

C. Pretérito irregular

andar:[1] anduve, anduviste, anduvo, anduvimos, anduvisteis, anduvieron
caer:[2] caí, caíste, cayó, caímos, caísteis, cayeron
conducir: conduje, condujiste, condujo, condujimos, condujisteis, condujeron
dar:[3] di, diste, dió, dimos, disteis, dieron
decir: dije, dijiste, dijo, dijimos, dijisteis, dijeron
hacer: hice, hiciste, hizo, hicimos, hicisteis, hicieron
ser:[4] fuí, fuiste, fué, fuimos, fuisteis, fueron
poder: pude, pudiste, pudo, pudimos, pudisteis, pudieron
poner: puse, pusiste, puso, pusimos, pusisteis, pusieron

[1] Like andar: estar (estuv-). [2] Like caer: creer, leer, oír. [3] Like dar: ver.
[4] Identical with ser: ir.

querer:	quise, quisiste, quiso, quisimos, quisisteis, quisieron
saber: [1]	supe, supiste, supo, supimos, supisteis, supieron
traer:	traje, trajiste, trajo, trajimos, trajisteis, trajeron
venir:	vine, viniste, vino, vinimos, vinisteis, vinieron

D. Posesivos

Adjetivos

| | SINGULAR | | PLURAL | |
Masc.	Fem.	Masc.	Fem.
mi	mi	mis	mis
tu	tu	tus	tus
su	su	sus	sus
nuestro	nuestra	nuestros	nuestras
vuestro	vuestra	vuestros	vuestras
su	su	sus	sus

Pronombres

el mío	la mía	los míos	las mías
el tuyo	la tuya	los tuyos	las tuyas
el suyo	la suya	los suyos	las suyas
el nuestro	la nuestra	los nuestros	las nuestras
el vuestro	la vuestra	los vuestros	las vuestras
el suyo	la suya	los suyos	las suyas

E. Demostrativos

Adjetivos demostrativos

| SINGULAR | | | | PLURAL | |
Masc.	Fem.			Masc.	Fem.
este	esta	[que es *mío* o está cerca de *mí*]		estos	estas
ese	esa	[" " *de Vd.* " " " *Vd.*]		esos	esas
aquel	aquella	[" " *suyo* " " " *él*]		aquellos	aquellas

II. Ejercicios de repaso

(Achievement Test No. 2)

Completen en español:

A. 1. Nosotros no somos —— (*Spanish*). 2. ¿ Es Vd. —— (*a doctor*) ? 3. —— hijo de la familia (*He is*). 4. ¿ Qué desean —— ellos

---

[1] Like saber: caber.

(*to be*)? 5. No soy —— (*a Spaniard*). 6. —— árbol es peral (*That*).
7. —— árboles son altos (*Those*). 8. Queremos —— flores (*these*).
9. —— claveles son de Julia (*Those*). 10. —— muchachos entran en
el jardín (*These*).

B. 1. Yo —— el español (*did not learn*). 2. ¿ —— Vd. para
España (*Did you leave*)? 3. Nosotros les —— (*wrote*). 4. ¿ Por qué
—— ellos (*didn't they answer*)? 5. ¿ —— Vd. al profesor (*Didn't you
understand*)? 6. —— padre es abogado (*My*). 7. —— madre quiere
leer (*Our*). 8. ¿ A dónde van —— amigos (*our*)? 9. —— sillas no
valen mucho (*Their*). 10. —— hermanas oyen bien (*Our*).

C. 1. Todos nosotros —— aquí (*are*). 2. Nuestra criada —— en
la cocina (*is*). 3. ¿ Dónde —— Vds. cuando comen (*are*)? 4. Yo
—— a un lado de la mesa (*am*). 5. Ellos —— siempre en su casa
(*are*). 6. Yo —— qué contestar (*did not know*). 7. ¿ Dónde ——
Felipe (*was*)? 8. Vds. —— a Pablo (*guided*). 9. ¿ Quién —— por
aquella calle (*walked*)? 10. ¿ —— Vd. aquella novela (*Could . . .
read*)?

D. 1. ¿ No —— Vds. bien hoy (*are*)? 2. Sí, señor, —— muy bien
(*I am*). 3. ¿ Por qué —— Vd. triste (*are*)? 4. ¿ Quién —— presente
(*is*)? 5. Nosotros —— cansados (*are*). 6. Mi hermana y —— están
tristes (*Albert's*). 7. Su cuarto y —— no son pequeños (*ours*).
8. ¿ —— es esa casa (*Whose*)? 9. Deseamos leer estos libros y ——
(*Mary's*). 10. Mis libros y —— son interesantes (*Charles'*).

E. 1. Hoy —— muy bien (*we are*). 2. Su hermana y —— son
bonitas (*ours*). 3. —— primos (*We are not*). 4. ¿ Por qué —— Vd.
pálido (*are*)? 5. Marta, Vd. —— muy bonita como siempre (*are*).
6. Ayer yo —— allí (*was*). 7. ¿ A quién —— (*did you hear*)?
8. ¿ Dónde —— el periódico (*did we put*)? 9. ¿ Qué —— en su casa
(*did you do*)? 10. —— en la calle (*We fell*).

F. 1. ¿ Dónde —— el abuelo (*is*)? 2. Fuma —— pipa (*his*).
3. Hoy Perico —— ocupado (*is*). 4. El abuelo no es —— (*a doctor*).
5. Este periódico es —— (*mine*). 6. —— libros son interesantes
(*These*). 7. ¿ —— estos juguetes (*Did you buy*)? 8. ¿ Qué —— él
(*did . . . receive*)? 9. Las revistas —— en el suelo (*are*). 10. El abuelo
es —— (*a Spaniard*).

G. 1. Los dos están —— (*seated*). 2. ¿ Es este hombre mi abuelo
o —— (*yours*)? 3. ¿ —— Vd. allí una o dos horas (*Were*)? 4. Los

niños —— siempre buenos (*are*). 5. —— en la biblioteca (*They spoke*).
6. Ellos —— a su amigo (*visited*). 7. —— por la calle (*They walked*).
8. ¿ Cómo —— su abuelo (*is*)? 9. Mi padre no es —— (*a teacher*).
10. —— salir aquel día (*They could not*).

H. 1. Aquellos libros —— allí (*did not fit*). 2. ¿ Dónde —— Vd.
(*do . . . work*)? 3. Yo —— mucho (*do not study*). 4. ¿ Quién ——
viejo (*is*)? 5. Su madre —— cansada (*is*). 6. Mi hermano no es
—— (*a lawyer*). 7. Su periódico y —— son buenos (*ours*). 8. Perico
es —— (*a pupil*). 9. Él lee sus libros y —— (*ours*). 10. Estos
muchachos son —— hermanos (*our*).

I. 1. Su revista y —— son interesantes (*mine*). 2. ¿ Dónde ——
las suyas (*are*)? 3. ¿ Quién es —— muchacho (*this*)? 4. ¿ Es su
amigo o —— (*ours*)? 5. —— qué escribir (*I did not know*). 6. Nosotros no —— tristes (*are*). 7. Su hermana y —— están aquí (*mine*).
8. ¿ Quién —— en casa (*is*)? 9. Yo no —— ausente (*am*). 10. ¿ De
quién son —— novelas (*these*)?

J. 1. —— novelas son interesantes (*Those*). 2. —— silla es alta
(*That*). 3. ¿ Dónde —— Vd. los libros (*did you put*)? 4. Las novelas
son —— (*mine*). 5. Ayer —— a mi amigo (*I waited for*). 6. ——
abuelo es bueno (*Their*). 7. Ellas —— ocupadas (*are*). 8. ——
hermanos no están aquí (*My*). 9. Mi tío es —— (*an American*).
10. ¿ Es su padre —— (*a lawyer*)?

CONVERSACIÓN V
La cocina

1. ¿ Qué representa este grabado? — El grabado . . .
2. ¿ Qué es el número 4, 10, 1, 2, 9, 13? — El número 4 es . . .
3. ¿ Es el número 10 . . .? — Sí, señor, el número 10 es . . .
4. ¿ Cuántos objetos hay en el grabado? — En el grabado hay . . .
5. ¿ Cuáles son algunos objetos en el grabado? — Algunos objetos son . . .
6. ¿ Dónde está el número 9, 12, 10, 13, 2, 1? — El número 1 está . . .
7. ¿ Quién prepara la comida (*meal*)? — La cocinera . . .

V. LA COCINA

1. La cafetera. 2. La cacerola. 3. La cocina económica (la estufa).
4. El horno. 5. El delantal. 6. La cocinera. 7. La tetera. 8. La olla.
9. La botella de leche. 10. La cazuela. 11. El tenedor. 12. El cuchillo.
13. El vaso.

8. ¿ Qué hacemos con el número 1 ? ¿ con el 12 ? ¿ con el 13 ?
   — Con el ...

9. ¿ Quién es el número 6 ?   — Es ...

10. ¿ Qué está sobre la mesa ? ¿ sobre la estufa ? ¿ sobre el
    suelo ?   — Sobre el ...

11. ¿ Qué hace la cocinera ?   — Ella prepara ...

12. ¿ A qué hora come Vd. por la mañana ? ¿ por la tarde ? ¿ por
    la noche ?   — Como a ...

BARCELONA

GEM OF SPANISH SEAPORTS

Industrial and commercial Barcelona is a fascinating and inspiring city.   Its rich historical background, its traditions, and
its modern spirit make the inhabitants — and there are a million
of them — excellent businessmen and keen traders, reputed to
be the most practical and progressive people among the Spaniards.
But this is entirely compatible with a flair for beauty in all its
forms and a real appreciation for the arts and sciences.   In the
higher levels of activity, they are positive, alert, and daring in
their artistic conceptions.

The vast majority of the inhabitants are Catalans.   They speak
Catalan, a different tongue from Castilian, with a grammar and
a literature of its own.   For the masses on the Rambla, in the bull-
ring, the pelota court, and other popular centers of amusement,
Catalan rather than Castilian is the spoken language.   However,
one may find Spaniards from all sections of the country in this
modern city.   In the factories and foundries for which Barcelona
is justly famous can be seen, working shoulder to shoulder with
the native Catalans, hard-working Galicians from the ever green
regions of the northwest, reserved and austere Castilians from
the bleak central plateau, pleasure-loving and exuberant Andalusians from the sunny south, hard-headed Aragonese from the valley
of the river Ebro, impulsive and vivacious Valencians, and sturdy
Extremadurians from that region of Spain which gave birth to
so many of the *conquistadores* of the New World.

Situated in the northeast of Spain on the shores of the Mediterranean, at the foot of Mount Tibidabo on a broad, smiling plain

surrounded by picturesque mountains, Barcelona is ideally located to enjoy equable weather. No broiling sun, no biting winds, but warm, temperate days that make good the proud boast that Barcelona has 3000 hours of sun a year.

Barcelona is great in size, activity, and spirit. It is the chief industrial and commercial city of Spain, and an important manufacturing center of woolens, cottons, laces, hats, and firearms. Through its deep and wide harbor, the best port of Spain, passes the bulk of the import and export trade. Large quantities of

EL PUERTO DE BARCELONA

The port of Barcelona is the chief outlet for the industrial products of the greatest manufacturing region in Spain. The harbor, with its magnificent docks and shipping facilities, is one of the finest in Europe.

olives, cork, hides, skins, paper base products, artificial pearls, and antiques leave Barcelona every year for foreign parts. At least one-fourth of the entire sea-borne commerce of the country passes through this harbor, three times the size of Marseilles and only slightly smaller and less busy than the harbor of Genoa.

At the entrance of the harbor, near the customhouse, there is a monument to Columbus, reputed to be one of the most beautiful of its kind erected in Europe or America. It is composed of a base, richly engraved and decorated with four large bronze lions, from which there rises a substantial column, about two hundred feet high, capped by a gilded globe on which stands a

EL MONUMENTO DE COLÓN

The Columbus monument on the Barcelona sea front corresponds somewhat to the Statue of Liberty in New York Harbor.

twenty-five foot statue of the discoverer of the New World. From this height Columbus gazes into the blue waters of the Mediterranean, *Mare Nostrum*, the sea claimed by the nations of Latin origin, on whose shores he spent his early childhood. His right hand stretches out in the direction of America while in the left he holds a geographical chart half unfolded. This monument is Barcelona's tribute to the great navigator because it had the unique distinction of having received and entertained him on his first return trip from America.

Barcelona dates from the third century B.C. In the second century A.D. it became one of the chief commercial cities of southern Europe and it has retained this enviable position to the present day. It was founded by the Carthaginians, occupied by the Moors in the eighth century, and retaken by the Spaniards in the twelfth. In the Middle Ages it competed with Venice for the supremacy of Mediterranean commerce.

The city is divided into two parts, the old town and the new. Through the old city, the heart of Barcelona, runs the Rambla, one of the main thoroughfares, a broad avenue lined with trees. On the Rambla is the famous flower market. Every morning can be seen stalls overflowing with roses, carnations, violets, in a riot

of color, all displayed for sale.   This avenue is also a general
shopping district, with some of the most important stores, and a
meeting place and promenade.   A characteristic figure of the
Rambla is the *mozo de cuerda,* or the "redcap," who meets trains
and buses and carries loads of incredible weight on his back.
His uniform consists of a smock, a scarlet cap, and rough canvas
shoes called *alpargatas.*   Now and then, along the Rambla, one
comes upon uniformed members of the national police, with
their traditional three-cornered hats turned up sharply at the back.
These are known as *Guardias civiles,* and are always seen in pairs.
The *Guardia civil* is not to be confused with the municipal police.

While the larger business houses face the Rambla, a block or
two on either side of it the traveler finds himself in a maze of
narrow and dark streets.   He comes upon signs written in Castilian
and Catalan.   For those who cannot read, a picture conveys the
idea effectively; for example, if it is a one-way street, there is a
picture of a man driving a cart in the direction toward which he
must travel.   Occasionally one sees a *tartana* or a two-wheeled
canvas-covered vehicle with seats running lengthwise, drawn by
a sturdy little horse with a certain business-like air, who appre-
ciates the trust that has been placed in him.

The Plaza de Cataluña is situated at one end of the Rambla.
In some ways it corresponds to the Puerta del Sol of Madrid.
The modern section of the city begins there.   It is a center for
fine shops, great hotels, modern buildings, and the activities of
the city's daily life.   The modern section of Barcelona has broad
promenades and avenues, such as the Paseo de Gracia, the Calle
de las Cortes, and many others.

Among the city's many fine old buildings is the fourteenth-
century Gothic cathedral dedicated to Saint Eulalia.   Although
it is not the outstanding Gothic cathedral of Spain, it is nevertheless one of the most important.   With its beautiful interior
veiled in darkness, this great church is exceedingly impressive.

As in Madrid, the people are out-of-doors in the streets, squares,
and in the open-air cafés, shops, everywhere.   And what are they
doing?   Just talking, gesticulating, moving, and apparently en-
joying themselves immensely.   Despite the holiday atmosphere
of the city, the buzz of machinery in the factories never ceases.
Barcelona works for Spain and for other cities beyond the sea.

PLAZA DE CATALUÑA, BARCELONA

Barcelona is a rich commercial city which has expanded considerably during the last hundred years. This famous *plaza* gives an excellent idea of the new city.

While keeping intact the wonders of the past, Barcelona keeps abreast of the times. Even now architects are completing the Church of the Holy Family, a new cathedral that abandons all architectural traditions and is very much of a puzzle for the conservative admirer of architectural art. Here there is no slavish copy of any European models, but a new virile style which expresses the bold character and dash of the inhabitants of Barcelona. It has been called by its admirers "the most important modern building in the world," for there is certainly no other structure like it in Europe.

The public parks and gardens are many and spacious. The largest of the parks, and the most modern, is Montjuich, at the side of the mountain of the same name, the seat of the International Exposition of 1929. Of the many interesting things seen in the exposition grounds, the "Spanish Village" probably makes the strongest impression. It is a composite unit of many characteristic structures, a sort of sampler of typical specimens of Spanish

CATEDRAL DE SANTA EULALIA, BARCELONA

The Saint Eulalia Cathedral, built near the center of old Barcelona, where stood first a Roman temple and later a Moorish mosque, is the finest of all the Catalan churches and the pride of the city.

architecture found in different parts of the nation. There one sees reproduced lovely old houses, stores, shops, and squares, alive with people making and selling their handiwork.

Barcelona can be happy and gay, or it can be somber and serious, to fit the occasion. The city stands as an example of balanced culture in Spain. Its museums are filled with priceless old art treasures, while its main thoroughfares are filled with the latest in architectural fashions. Thus Barcelona flourishes on the coast of the Mediterranean, a seaport extraordinary, a rare combination of beauty, culture, and progress.

EL CUERPO HUMANO Y LAS PRENDAS DE VESTIR

GUIPÚZCOA

Basque peasants from the North at their favorite game of ninepins.

LECCIÓN VEINTIUNA

A. Presente y pretérito de indicativo del verbo *tener*.   **B.** *Tener*
con un complemento personal

I. Ejercicio de pronunciación

r   (initial):[1]

ri-co	ru-mor	re-que-rir	ba-rril	ca-rro

rr: hon-ra   al-re-de-dor   re-co-rrer   ci-ga-rro   co-rri-da
Ri-be-ra   Ri-car-do   In-gla-te-rra   Gue-rre-ro   Na-va-rro

Rápidos corren los carros por la vía del ferrocarril.

II. Lectura

El cuerpo humano

Carlitos tiene un padre muy bueno.   Enseña muchas cosas
a Carlitos.   Siempre desea enseñar a su hijo cosas útiles.
Su hijo desea aprender.   Carlitos escucha con atención a su

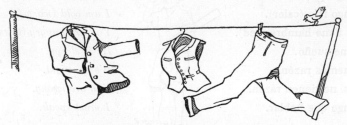

Las tres partes del cuerpo humano

padre y aprende mucho.   Un día el padre pregunta a Carlitos: — ¿ Cuántas partes tiene el cuerpo humano ?   — Tres
— contesta.   — ¿ Y cuáles son ?   — La americana, el chaleco
y el pantalón . . .   Luego el padre explica a Carlitos que

[1] The letter **r**, initial or preceded by **l, n, s** or when double, is a repeated trill,
double the length of a single **r**.   This sound has usually from three to five vibrations
and in slow or emphatic speech the number of vibrations may be even more.

todos tenemos un cuerpo, y que él, como los otros niños tiene la cabeza, el tronco con dos brazos y dos piernas.

Cada brazo tiene una mano con cinco dedos. Para andar tenemos las piernas y los pies. Para trabajar y escribir tenemos las manos.

Carlitos tiene el pelo negro. Tiene un hermano. Su hermano tiene el pelo negro. La hermana de Carlitos, Carmen, también tiene el pelo negro, cara bonita, manos pequeñas y una sonrisa divina. Yo tengo un amigo que tiene el pelo rubio. En nuestra familia hay dos hermanas. Rosa tiene doce años y Ana tiene quince. — ¿ De qué color tienen los ojos ? — Una tiene los ojos azules y la otra tiene los ojos negros. Las dos son muy simpáticas.

Hay algunos americanos que creen que todos los españoles son morenos, que tienen los ojos negros y el pelo negro. Eso no es verdad. Hay españoles y habitantes de la América Española que tienen el pelo rubio y los ojos azules.

Modismos con *tener*

Tengo quince años.

Tengo frío (calor).

Vd. tiene hambre (sed).

Tiene sueño.

Tenemos razón.

Vds. no tienen razón.

Tengo que hablar.

I am fifteen (years old).

I am cold (warm).

You are hungry (thirsty).

He is sleepy.

We are right.

You are wrong.

I must speak.

Carlitos tiene calor.

III. Vocabulario

la **americana** sack coat
el **brazo** arm
la **cara** face
el **chaleco** vest
el **dedo** finger

el **habitante** inhabitant
el **pantalón** trousers
el **pelo** hair
el **pie** foot
la **pierna** leg

la **sonrisa** smile
el **tronco** trunk (*of body*)

humano, –a human
moreno, –a dark, swarthy
rubio, –a blond

IV. Gramática

A. Present Tense of *Tener, to have*

yo	tengo	*I have*
Vd.	tiene	*you have*
tú	tienes	*you have*
él, ella	tiene	*he, she has*
nosotros, –as	tenemos	*we have*
Vds.	tienen	*you have*
vosotros, –as	tenéis	*you have*
ellos, –as	tienen	*they have*

¿ Tengo yo ?	Yo no tengo.	¿ No tengo ?
Have I ?	*I have not.*	*Have I not ?*

NOTE: Preterit: tuve, tuviste, tuvo, tuvimos, tuvisteis, tuvieron

B. *Tener* with the Personal Object

El padre pregunta a Carlitos.	*The father asks Charlie.*
Carlitos tiene una hermana.	*Charlie has a sister.*
María tiene una amiga.	*Mary has a friend.*

The verb **tener** does not take **a** before a personal direct object.

V. Conversación

1. ¿ Quién enseña a su hijo ? 2. ¿ Qué le enseña ? 3. ¿ Por qué aprende mucho Carlitos ? 4. ¿ Qué le pregunta su padre ? 5. ¿ Qué contesta Carlitos ? 6. ¿ Cuáles son las partes del cuerpo humano ? 7. ¿ Para qué tenemos los pies ? 8. ¿ Qué tenemos para trabajar y escribir ? 9. ¿ De qué color tiene Vd. los ojos ? 10. ¿ De qué color tiene Vd. el pelo ? 11. ¿ Quién tiene el pelo negro ? 12. ¿ Cuántas hermanas hay en su familia ? 13. ¿ Cuántos hermanos tiene Vd. ? 14. ¿ Cuántos años tiene su hermano ? 15. ¿ Cuántos años tienen sus hermanas ? 16. ¿ De qué color tienen los ojos ? 17. ¿ Qué creen algunos americanos ? 18. ¿ Qué tienen unos habitantes de España y de la América Española ?

Entre amigos

— ¡ Qué idiotas somos !
— ¿ Por qué no habla usted en singular ?
— Sí, tiene usted razón; ¡ qué idiota es usted !

VI. Ejercicios

A. Conjuguen el verbo en cursiva en el presente y el pretérito:
1. No *tener* padre. 2. No *tener* tíos. 3. *Estar* en su cuarto. 4. *Escribir* bien. 5. *Ser* bueno. 6. *Querer* leer. 7. *Ir* a hablarle. 8. No *poder* comprar un periódico. 9. No *oír* su nombre. 10. No *saber* mucho.

B. Reemplacen la raya con el verbo en cursiva en el presente y pretérito:
1. *tener:* ella ——, Vds. ——, yo ——, él ——, Vd. ——.
2. *tener:* ellos ——, ¿ no —— ellos ? yo ——, ¿ no —— él ?
3. *estar:* ¿ —— él ? ¿ —— yo ? ¿ —— ella ? ¿ —— nosotros ?
4. *traer:* él ——, nosotros ——, Vds. ——, yo ——.
5. *hablar:* nosotros ——, ellos ——, ella ——, yo ——.
6. *dar:* yo ——, Vd. ——, él ——, Vds. ——, ellos ——.
7. *saber:* ella ——, Luis ——, yo ——, nosotros ——, Vds. ——.
8. *ser:* Vd. ——, yo ——, Vds. ——, nosotros ——.
9. *hacer:* él ——, ellos ——, Vds. ——, nosotros ——.

C. Pongan en plural:
1. Yo tengo un compañero. 2. Este hombre tiene los ojos negros. 3. Él es español y tiene los ojos azules. 4. Aquel muchacho tiene las manos pequeñas. 5. Su hermano tuvo un amigo español. 6. Esta muchacha tiene una amiga bonita. 7. Él está en su casa y no en la mía. 8. La hermana de Carlitos está triste. 9. Mi amigo y el suyo tienen los pies pequeños. 10. Tuve un tío en España.

D. Completen con **tener**:
1. Nosotros —— los ojos azules. 2. ¿ —— Vd. abuelo ? 3. La hermana de Ana —— las manos bonitas. 4. Yo —— padre y madre. 5. Él —— el pelo rubio. 6. Isabel —— los ojos verdes. 7. Vds. no —— primos. 8. Ellas —— hermanas bonitas. 9. Aquel muchacho —— la cabeza pequeña. 10. Mi prima Isabel —— una madre bonita. 11. Vds. —— cinco dedos en cada mano. 12. ¿ Qué —— Vd. para hablar ?

E. Usen la preposición **a,** si es necesaria:
1. Enseña —— Carlitos. 2. Roberto no tiene —— madre. 3. ¿ —— quién pregunta ? 4. Preguntan —— María. 5. Yo tengo

—— tres hermanos. 6. No tengo —— hermanas. 7. Comprendemos —— este hombre. 8. Llamo —— mi hermana. 9. No tenemos —— padre. 10. Yo tengo —— un amigo español.

F. Test XXI. Write the Spanish translation of the verbs in English:

1. Nosotros —— los ojos azules (*have*). 2. ¿ —— Vd. abuelo (*Have*)? 3. El año pasado —— muchos amigos españoles (*I had*). 4. Yo —— padre y madre (*have*). 5. Ellos —— el pelo rubio (*have*). 6. Ellas —— hermanas bonitas (*have*). 7. ¿ Cuántos amigos —— en España (*did you have*)? 8. Aquel muchacho —— la cabeza pequeña (*has*). 9. Este hombre —— muchos hijos (*had*). 10. Nosotros —— una madre bonita (*have*).

G. Dictado:

(*a*) El profesor dictará varias preguntas de la Conversación; (*b*) luego los alumnos escribirán las respuestas.

H. Modismos:

1. They are right. 2. We have to know. 3. She is hungry. 4. Is he sleepy? 5. We are wrong. 6. Are you cold? 7. I am warm. 8. He is ten years old.

I. Oral:

1. I haven't a friend. 2. My brother and his have no sons. 3. They are having. 4. What have we? 5. Have we not friends? 6. He has not many friends. 7. Have you not a brother? 8. I have blue eyes. 9. He has black hair. 10. What have they in that house?

Cuento XXI

De la misma profesión

This actor works for dramatic effects even off stage.

Abrieron un restaurante nuevo en Madrid. Fernando Díaz de Mendoza,[1] el conocido actor español, fué a comer allí un día. Al

---

[1] A contemporary Spanish actor and one of the most popular figures of the Spanish stage, who died in 1930. As an actor his success went far beyond the confines of Spain. He made several trips to the Spanish American republics and the United States with his stock company, which included María Guerrero, his wife, an actress of no less fame.

terminar la comida, le presentaron poco después una cuenta muy alta.

Miró la cuenta y llamó al dueño.

— ¡ Vamos a ver ! [a] ¿ Es para mí esta cuenta ? — preguntó el actor al dueño. — Por lo visto,[b] no me conoce Vd. ¿ Sabe Vd. quién soy ?

— No, señor, no tengo el honor de conocerlo, — dijo el dueño del restaurante. — ¿ Quién es Vd. ? ¿ Vive Vd. en esta ciudad o en otra ?

— Pero hombre, no sé por qué Vd. no me conoce, — dijo el actor. — Yo soy compañero de Vd.; soy de la misma profesión.

Yo soy compañero de Vd.; soy de la misma profesión.

— ¡ Un compañero ! ¿ De la misma profesión ? — dijo el dueño con sorpresa. — Tengo mucho gusto en conocerlo.[c] En ese caso, voy a hacerle un descuento de un setenta y cinco por ciento en la cuenta.

El actor pagó su cuenta. El dueño lo acompañó hasta la puerta con mucha atención. Al salir, preguntó el dueño al actor:

— Perdone Vd., señor. Soy muy curioso. ¿ Quiere Vd. decirme cuál es el nombre del restaurante que Vd. tiene ? ¿ Está situado en la capital o en otra ciudad ?

— Yo no tengo restaurante, ni en esta ciudad, ni en otra — le contestó el actor.

— ¿ Pues, no me dijo Vd. que es mi compañero de profesión ?

— Sí, sí, eso le dije — contestó el actor con aire de convicción. — ¡ Yo también soy ladrón ! . . .

CONVERSACIÓN

1. ¿ Quién es el actor del cuento? 2. ¿ A dónde fué a comer? 3. ¿ Por qué le hizo el dueño el descuento? 4. ¿ Qué quiso saber el dueño del restaurante? 5. ¿ Por qué son los dos de la misma profesión?

VOCABULARIO

acompañar to take, accompany	el descuento discount	presentar to present, give
caro, –a dear, high	el ladrón thief	situado, –a situated
conocer to know	pagar to pay (for)	la sorpresa surprise
conocido, –a known	por ciento per cent	terminar to end, finish
	el precio price	

What English words and meanings do you recognize from the following?

el **aire**, la **atención**, el **caso**, el **compañero**, la **convicción**

MODISMOS

(a) ¡ **vamos a ver**! let's see   (b) **por lo visto** apparently
(c) **tengo mucho gusto en conocerlo** I am very glad to make your acquaintance

LECCIÓN VEINTIDÓS

A. Mandatos (Imperativo con *Vd.*, *nosotros* y *Vds.*)
B. Pronombres complementos con el imperativo

I. EJERCICIO DE PRONUNCIACIÓN

s:[1]				
so-los	los ni-ños	so-mos	des-de	is-la
sa-las	las ma-nos	so-so	ras-go	es-tas
Ro-sa	es-bel-to	So-ro-lla	des-ga-rra	Su-sa-na

Somos españoles y escribimos cartas a los amigos en los Estados Unidos.

[1] The letter s is similar to the *s* in the English word *so* but pronounced with the tip of the tongue in a higher position than in English, in order to produce a softer and less hissing effect.

The letter s is like *s* in the English word *goes* when final in a syllable before a voiced consonant b, d, g, l, m, n, y, or hi.

II. Lectura

Los sentidos

—Felipe, abra Vd. su libro y lea para qué tenemos los ojos.

—Los ojos son para ver y mirar. Son los órganos de la vista.

—Muchachos, tomen Vds. sus cuadernos y ábranlos; no escriban Vds. todavía. Ahora, copien Vds. las palabras. Cópienlas en los cuadernos:

Usamos los oídos para oír.

« Usemos los ojos para ver y para mirar. »   Ahora, escuchen Vds.: ¿ Qué usan Vds. para oír?

—Usamos los oídos [1] para oír y escuchar.

—Para oler una rosa, ¿ qué usa Vd., Felipe? Hable Vd. despacio para no cometer faltas.

—Uso la nariz, porque la nariz es para oler las flores.

—Pablo, pase a la ventana; ábrala y respire Vd. el aire puro. ¿ Qué parte de la cara usa Vd.?

—Uso la nariz. Es el órgano del olfato.

—Tomemos los cuadernos y abrámoslos. Escribamos en los cuadernos: « Usamos la nariz para oler y para respirar. » . . . Ahora copiemos las frases y aprendámoslas de memoria: « En la boca tenemos la lengua y los dientes. » « Usamos la boca para comer y beber. » « Usémosla tam-

---

[1] El **oído** is the *inner ear*, the *sense of hearing;* the *ear(shell)* is **la oreja.**

bién para hablar.   Pero no la usemos para hablar mal de nuestros amigos. »

— Sin los ojos no podemos ver.   Los ciegos no pueden ver. Con los oídos podemos oír o escuchar las cosas y a las personas.   Sin olfato no podemos oler las cosas.   Si deseamos aprender muchas cosas útiles, debemos usar todos los sentidos.

CONSEJOS [1]

Coma siempre despacio.

Coma poca carne y muchas legumbres y frutas.

No coma dulces [2] entre las comidas.

Respire aire puro día y noche.[3]

Respire por la nariz con la boca cerrada.

III. VOCABULARIO

el **aire** air
la **boca** mouth
el **ciego** blind man
el **diente** tooth
la **falta** error; **cometer**
  —s to make mistakes
la **lengua** tongue

la **memoria** memory;
  de —, by heart
la **nariz** nose
el **oído** ear
el **olfato** smell
el **órgano** organ
el **sentido** sense
la **vista** sight

copiar to copy
oler to smell
respirar to breathe

despacio slowly

puro, –a pure

IV. GRAMÁTICA

A. Commands

I	II	III
tomar *to take*	**comer** *to eat*	**abrir** *to open*
Stem + –e, –emos, –en	–a, –amos, –an	–a, –amos, –an
Tome Vd.	**Coma Vd.**	**Abra Vd.**
Take (sing.)	*Eat* (sing.)	*Open* (sing.)
Tomemos	**Comamos**	**Abramos**
Let us take	*Let us eat*	*Let us open*
Tomen Vds.	**Coman Vds.**	**Abran Vds.**
Take (pl.)	*Eat* (pl.)	*Open* (pl.)

[1] *advice.*   [2] *sweets.*   [3] *day and night.*

¡ Escuche Vd. !

Note that to form a direct command for regular verbs in –ar, you add to the stem –e for **Vd.**, –emos for **nosotros**, and –en for **Vds.**; for verbs in –er and –ir, you add –a, –amos, and –an respectively. **Vd.** and **Vds.**, when used as subjects after commands, make the form more polite. They are omitted when the command is a general direction.

The subject pronoun **nosotros** is usually omitted in commands.

B. Object Pronouns with Commands

Tome Vd. el libro.	**Tóme***lo* Vd.	*Take it.*
Hable Vd. a Tomás.	**Hábl***e***le** Vd.	*Speak to him.*
Abramos ¹ la puerta.	**Abrámos***la*.	*Let us open it.*
Abran Vds. la puerta.	**Ábran***la* Vds.	*Open it.*
BUT: **No abran Vds. las puertas.**	**No *las* abran.**	*Do not open them.*

Object pronouns, direct or indirect, follow and are attached to the verb in affirmative commands, but precede in negative commands. The stress remains on the syllable originally stressed and usually must be indicated with a written accent.

Fórmulas de cortesía

Haga(n) Vd(s). el favor de leer. *Please (Do the favor to) read.*
Tenga(n) Vd(s). la bondad de escribir. *Please (Have the kindness to) write.*
Sírva(n)se repetir la respuesta. *Please repeat the answer.*

V. Conversación

1. ¿ Para qué tenemos los ojos ?   2. ¿ Quiénes abren los cuadernos ?   3. ¿ Qué escriben los alumnos ?   4. ¿ Qué usan Vds. para oír y escuchar ?   5. ¿ Para qué tiene Vd. la nariz ?   6. ¿ Quién pasa a la ventana ?   7. ¿ Qué usa Vd. para respirar ?   8. ¿ Para qué son las manos ?   9. ¿ Qué usa Vd. para comer y beber ?   10. ¿ Para qué usa Vd. también la boca ?   11. ¿ Con qué vemos ?   12. ¿ Con qué oímos y escuchamos ?   13. ¿ Qué usamos para aprender muchas cosas útiles ?

¹ **Vamos a** + *inf.* = *Let us* + *inf.* This construction is also used to denote a command in the first person plural.

VI. Ejercicios

A. Cambien el verbo al singular o al plural:

1. Prepare Vd. este ejercicio. 2. No coman Vds. mucho. 3. No trabaje Vd. poco. 4. Yo tengo los ojos azules. 5. Escuchen Vds. a su padre. 6. Tenga Vd. la bondad de entrar. 7. Coma Vd. poco. 8. Abra Vd. esta puerta. 9. Respire Vd. aire puro. 10. Lean Vds. aquellos libros interesantes. 11. No les escriban Vds. con lápiz. 12. No abran Vds. la ventana.

B. Escriban la forma apropiada del verbo en el presente de indicativo y pretérito: *

1. *tener:* él ——, yo no ——, ¿ —— Vd.?
2. *querer:* nosotros ——, ella ——, Vds. ——.
3. *estar:* ellos ——, ¿ —— Vd.? nosotros ——.
4. *poder:* yo no ——, él no ——, Vd. ——.
5. *ser:* nosotros ——, ¿ —— ella? Vd. ——.
6. *decir:* ellos ——, Vd. ——, yo ——.
7. *mirar:* él ——, ¿ —— ella? yo ——.
8. *venir:* ¿ —— Vd.? ¿ —— Vds.? nosotros ——.
9. *comer:* ¿ —— Vd.? ellos ——, yo ——.
10. *traer:* ¿ —— Vds.? Ana ——, yo ——.
11. *escribir:* ellos ——, él no ——, nosotras ——.
12. *poner:* yo ——, ¿ no —— Vd.? él ——.

C. Copien el modelo:

MODELO: Mire Vd. (miremos, miren Vds.) aquí.
No mire Vd. (no miremos, no miren Vds.) aquí.

1. Abrir el libro. 2. Mirar por la ventana. 3. Usar los ojos. 4. Hablarles español. 5. Contestarle en español. 6. Beber mucha agua. 7. Respirar por la nariz. 8. Aprender esta lección. 9. Copiar las palabras. 10. Escribirle las frases. 11. Llamarlas. 12. Visitarlo. 13. Leerles esto. 14. Estudiarlo. 15. Ayudarla.

D. Cambien a la forma imperativa:

1. Vd. lee este cuento. 2. Vds. toman estas revistas. 3. Miramos estos libros. 4. Vd. no abre mi cuaderno. 5. Vd. no escucha a Isabel. 6. Aprendemos las palabras. 7. Vds. no comen carne. 8. Vd. escribe la frase en su cuaderno. 9. Vd. no habla a su amigo. 10. No escribi-

mos a los hombres.   11. Recibimos a nuestros amigos.   12. Llamamos a las muchachas.   13. Vd. aprende las palabras difíciles.   14. Vds. escriben a Tomás y Felipe.

E. TEST XXII.   *Write the Spanish translation for the words in English:*

1. —— Vds. a su padre (*Write*).   2. —— Vd. mucho (*Don't eat*). 3. —— Vds. en seguida (*Open them, f.*).   4. —— la ventana y la puerta (*Let us open*).   5. —— ahora (*Let us eat*).   6. —— en papel (*Let us copy it, f.*).   7. —— Vds. estos libros (*Sell*).   8. —— Vd. en español (*Do not answer him*).   9. —— Vd. en su cuarto (*Receive him*).   10. —— Vds. estas palabras (*Learn*).

F. Tema de composición:

Los SENTIDOS, cuatro frases originales.

G. Modismos:[1]

1. Escribir en español.   2. Tomar los libros.   3. Abrir esa puerta. 4. Leer mucho.   5. Respirar aire puro.   6. Entrar en el cuarto.

H. Oral:

1. Look here.   2. Don't look there.   3. Write to John.   4. Let us write to him.   5. Write the letter.   6. Write it now.   7. Don't read it.   8. Open that door.   9. Do not open your books.   10. Open them now.   11. Don't open these windows.   12. Pass to the door.   13. Do not open it.   14. Let us open it now.   15. Let us pass to our seats.

CUENTO XXII

Hablar demasiado

A good reason why one should not talk too much.

Lola habla demasiado.   En la clase, en vez de prestar atención, habla y habla.   Cuando la maestra escribe en la pizarra, Lola habla a sus amigas.   En fin,[a] Lola habla todo el tiempo con sus compañeras de clase, aun cuando no le contestan.   Por esta razón[b] la maestra la castiga con frecuencia.[c]

Un día está imposible.   La maestra trata de darle una buena lección y le pregunta:

---

[1] Use tenga(n) Vd(s). la bondad de, haga Vd. el favor de, and sírvase.

— ¡ A ver ! Lola, ¿ cuántos oídos tiene Vd. ?

— Tengo dos, señorita — contesta Lola.

— Y, ¿ cuántas lenguas tiene ? — pregunta la maestra.

— Una nada más, señorita — responde Lola.

— ¿ Por qué no tiene más que ^{d} una lengua cuando tiene dos oídos y dos ojos ? — pregunta otra vez la maestra.

— No sé, señorita — responde la niña.

— Reflexione. ¿ Para qué son los ojos ? — dice la maestra.

— Para ver — contesta Lola.

— Y, ¿ los oídos ?

— Para oír, señorita.

— Y, ¿ para qué es la lengua, Lola ?

— Para hablar, señorita.

— Está bien ^{e} — dice la maestra.

— Esto quiere decir ^{f} que si tiene dos ojos y dos oídos y solamente una lengua, es que debe usar do-

¿ Para qué es la lengua ?

blemente los ojos para ver y los oídos para oír que su lengua para hablar. ¿ No es verdad ?

CONVERSACIÓN

1. ¿ Qué hace siempre Lola ? 2. ¿ Por qué la castiga la maestra con frecuencia ? 3. ¿ Qué trata de darle la maestra un día ? 4. ¿ Para qué son los ojos y oídos ? 5. ¿ Qué debe usar doblemente ?

VOCABULARIO

aun even	doblemente doubly	que than
castigar to punish	notar to notice, note	reflexionar to think
demasiado too much	el par pair	

What English words and meanings do you recognize from the following ?

la compañera, imposible, notar, señorita, usar

MODISMOS

(*a*) **en fin** in short

(*b*) **por esta razón** for this reason

(*c*) **con frecuencia = muchas veces** frequently

(*d*) **no tener más que** to have only

(*e*) **está bien** all right, very well

(*f*) **querer decir** to mean

LECCIÓN VEINTITRÉS

A. El verbo auxiliar *haber* y el presente perfecto

B. El participio pasado

I. EJERCICIO DE PRONUNCIACIÓN

v: [1]

va-so	ver-so	vi-ve	in-va-dir	ne-var
ven-de	va-ca	vol-ver	in-vi-to	sal-va-je
Val-dés	Vic-tor	vi-va-ci-dad	en-vol-ver	sal-vo

Los vemos volver por el valle en la verde primavera.

II. LECTURA

María compra un sombrero

— ¿ Qué han hecho Vds. hoy ?

— Esta mañana hemos andado por las calles, hemos visitado las tiendas y hemos comprado varias cosas útiles.

— ¿ Dónde ha comprado Vd. ese bonito sombrero ?

— En la tienda de López en la calle de Bolívar; hemos visto sombreros muy bonitos y baratos, y mi mamá ha comprado uno para mi hermana y otro para mí.

— ¿ A qué hora han vuelto Vds. a casa ?

— Hemos vuelto a la una.

— ¿ Y cómo han pasado la tarde ?

— Hemos estado muy ocupadas toda la tarde.

— ¿ Qué han hecho Vds. ?

— Mamá ha cortado y cosido una falda y una blusa para

---

[1] The letters **b** and **v** are pronounced alike in Spanish. When initial or when preceded by **m** or **n**, they are like the *b* in the English word *bone*. In other positions **b** and **v** are pronounced with lips that do not close, while the air escapes through them.

mi hermana. Mi mamá cose muy bien. Yo no coso muy
bien pero siempre ayudo a mi madre.
Yo he recibido un paquete de mi tía
Carlota. Lo he abierto y he hallado
un vestido de lana. Además, he
ayudado a la criada. Hemos lavado
y planchado la ropa del niño.

— ¿ Quién ha hecho la ropa de
Isabel ?

— Mamá y yo hemos hecho todos
sus vestidos. Mi padre y mi tía
han comprado el paño en una
tienda. Hay muchas tiendas donde
podemos comprar paño bueno y
barato.

Hemos comprado varias
cosas útiles.

III. Vocabulario

la **blusa** blouse, waist	la **ropa** clothes, clothing	**lavar** to wash
la **falda** skirt	el **vestido** dress	**planchar** to iron
la **lana** wool		
el **paño** cloth	**coser** to sew	**barato, –a** cheap

IV. Gramática

A. The Auxiliary Verb *Haber* and the Present Perfect

yo	he	+ past participle	*I have*	+ past participle
Vd.	ha	+ past participle	*you have*	+ past participle
tú	has	+ past participle	*you have*	+ past participle
él, ella	ha	+ past participle	*he, she has*	+ past participle
nosotros, –as	hemos	+ past participle	*we have*	+ past participle
Vds.	han	+ past participle	*you have*	+ past participle
vosotros, –as	habéis	+ past participle	*you have*	+ past participle
ellos, –as	han	+ past participle	*they have*	+ past participle

Note: Preterit: **hube, hubiste, hubo, hubimos, hubisteis, hubieron**

Note that in Spanish the present perfect tense is formed with
the present indicative of **haber** followed by the past participle,
which parts must never be separated. **Haber** is never used independently, except as an impersonal verb.[1]

---

[1] **Hay libros sobre la mesa.** *There are books on the table.*

The use of this tense corresponds to that of the English present perfect.

B. The Past Participle

INFINITIVE	PAST PARTICIPLE ENDING	PAST PARTICIPLE
habl–ar	–ado	hablado
com–er	–ido	comido
viv–ir	–ido	vivido

Irregular Past Participles

abierto *opened*	**dicho** *said*	**leído** *read*	**roto** *broken*
creído *believed*	**escrito** *written*	**oído** *heard*	**visto** *seen*
cubierto *covered*	**hecho** *done*	**puesto** *put*	**vuelto** *returned*

The past participle of regular as well as many irregular verbs is formed by adding –ado to the stem of verbs in –ar; –ido is added to the stems of verbs in –er and –ir.

V. Conversación

1. ¿Qué ha hecho María? 2. ¿Con quién ha visitado las tiendas? 3. ¿Qué han comprado? 4. ¿Dónde ha comprado su sombrero bonito? 5. ¿A qué hora ha vuelto a casa con su madre? 6. ¿Qué ha hecho su madre hoy? 7. ¿Qué ha recibido María? 8. ¿De quién ha recibido el paquete? 9. ¿Qué ha hallado en él? 10. ¿A quién ha ayudado?

Serie

María va hacia el armario.	*Mary goes to the closet.*
Abre el armario.	*She opens the closet.*
Saca sus vestidos.	*She takes out her dresses.*
Toma el cepillo de ropa.	*She takes the clothes brush.*
Cepilla su ropa.	*She brushes her clothing.*

VI. Ejercicios

A. Den el participio pasado de:

1.	2.	3.	4.
cortar	haber	salir	responder
vivir	recibir	hablar	oír
comer	coser	beber	estar
comprar	tener	venir	asistir
decir	ser	hallar	poner

B. Cambien al plural o al singular:

1. ¿ Qué ha hecho este hombre ? 2. He hablado con mi hermano y con el suyo. 3. Ellos han vivido en las casas grandes. 4. Yo he puesto este paquete sobre aquella mesa. 5. Hemos vuelto a las tres con nuestros amigos españoles. 6. Nuestros compañeros y los suyos han abierto estas ventanas pequeñas. 7. Abran Vds. sus libros y los de Isabel. 8. ¿ Quiénes han oído a mis hermanos ? 9. ¿ Qué tiendas han visitado Vds. en estas calles ? 10. Hemos comprendido a las criadas españolas.

C. Den el presente perfecto de las mismas personas:

MODELO: abran Vds. = Vds. han abierto

1. miren Vds.	2. beba Vd.	3. ella escucha
lavemos	comamos	venimos
visitemos	escriban Vds.	ellos ven
Vd. abre	él pone	recibamos
yo hago	él dice	ellos dan

D. Conjuguen en el perfecto:

1. Visitar a Luisa.
2. Lavar la ropa.
3. No coser la falda.
4. ¿ Qué recibir ?
5. ¿ No hablar de él ?
6. Mirar el sombrero.

E. TEST XXIII. *Write the Spanish translation of the words in English*:

1. ¿ Dónde —— Vd. ese libro (*have . . . put*) ? 2. Ellas —— dos paquetes para mí (*have received*). 3. ¿ Quién —— a Rosa (*has seen*) ? 4. ¿ Quién —— con Vds. (*has spoken*) ? 5. Yo —— eso a Luis (*have said*). 6. Ellas no —— la ropa (*have sewed*). 7. Hoy nosotros —— a nuestra casa (*have returned*). 8. Vds. —— la puerta (*have opened*). 9. Ella —— una blusa (*has made*). 10. Hoy Luis —— una carta a Felipe (*has written*).

F. Dictado:

El profesor dictará la Serie de la lección.

G. Oral:

1. We have not asked that. 2. Have they washed their clothing? 3. Has he worked ? 4. She has seen that pretty hat. 5. She has not

eaten your apples. 6. We have not read that book. 7. Have they received these packages? 8. What has Rose done? 9. Have you opened that window? 10. What have I said? 11. Let us help our maid. 12. Speak to our friends; speak to them.

Cuento XXIII

La manía de la conjugación

A conscientious pupil.

Uno de los visitantes diarios al café Fornos de Madrid es un capitán. Un día pasa el capitán a la mesa de un señor que está sentado solo y que lee un periódico.

— Señor — le dice el capitán — tal vez si Vd. ha leído . . .

El hombre levanta la cabeza y sin dejarlo terminar conjuga con toda seriedad:

— Yo leo, tú lees, él lee, nosotros leemos, vosotros leéis, ellos leen. — Y sin decir nada más, ni hacer caso al *a* capitán, continúa la lectura de su periódico.

— Perdone Vd. — le dice el capitán otra vez, un poco irritado — hágame el favor de prestarme su periódico.

— Yo presto, tú prestas, él presta, nosotros prestamos, vosotros prestáis, ellos prestan.

Es la única respuesta del señor y el capitán, creyéndose objeto [1] de una broma, le dice en tono de amenaza: [2]

— Terminemos esta broma, una vez para siempre,*b* señor.

— Yo termino, tú terminas, él termina, nosotros terminamos, vosotros termináis, . . . — y así continúa el hombre.

Pero el capitán no lo deja terminar sino que [3] le da una resonante bofetada [4] y le dice furioso:

— ¡ Vamos a ver si Vd. puede conjugar ésa !

El hombre con toda calma contesta:

— Yo conjugo, tú conjugas, él conjuga, nosotros conjugamos, vosotros conjugáis, ellos conjugan.

Al día siguiente *c* se baten en duelo *d* el capitán y el señor del periódico. El capitán, después de herir a su adversario en el brazo, le pregunta:

---

[1] *believing himself to be the victim.* [2] *in a menacing tone.* [3] **sino (que)** *but,* is used after a negative verb and is followed by another verb. [4] *stinging slap.*

— ¿ Por qué insiste [1] Vd. en conjugar los verbos ?

— Yo insisto, tú —— principia de nuevo el señor del periódico.

Entonces uno de los padrinos [2] explica que el lector del periódico es inglés; que como no puede aprender el español, su profesor le

Se baten en duelo el capitán y el señor del periódico.

ha dado el consejo de que si le hablan en esa lengua debe conjugar todos los verbos que oye.

— ¡ Cuánto lamento lo que ha pasado,[e] señor ! — dice el capitán al oír la explicación. — Créame que lo siento muchísimo [f] — y le da la mano [g] en señal de reconciliación.

— *Ah, yes!* — dice el inglés como si nada hubiera pasado.[3]

— Yo lamento, tú lamentas, él lamenta, nosotros lamentamos, vosotros lamentáis, ellos lamentan.

CONVERSACIÓN

1. ¿ Dónde está el capitán ? 2. ¿ Qué quiere del hombre ? 3. ¿ Qué contesta el hombre ? 4. ¿ Cuándo se baten en duelo ? 5. ¿ Para qué conjuga el hombre los verbos ?

VOCABULARIO

la **broma** joke	**herir** to wound	**si** whether
conjugar to conjugate	el **lector** reader	**solo**, –a alone
el **consejo** advice	**ni** nor	**tal vez** perhaps
continuar to continue	la **señal** sign	**único**, –a only
diario, –a *adj.* daily	la **seriedad** seriousness	el **visitante** visitor

[1] *insist.*   [2] *seconds* (in a duel).   [3] *had happened.*

What English words and meanings do you recognize from the following?

el **adversario**, el **café**, el **capitán**, el **duelo**, **explicar**, la **explicación**, **furioso**, –a, el **inglés**, **irritado**, –a, **lamentar**, **presente**, la **reconciliación**, **resonante**, **terminar**

MODISMOS

(a) **hacer caso a** = **poner atención a** = **prestar atención a** to pay attention to

(b) **una vez para siempre** once and for all

(c) **al día siguiente** the next day

(d) **se baten en duelo** they fight a duel

(e) **cuánto lamento lo que ha pasado** how sorry I am for what has happened

(f) **lo siento muchísimo** I am very sorry

(g) **dar la mano a** to shake hands with

LECCIÓN VEINTICUATRO

A. Pronombres personales objetos de preposición
B. *Conmigo, contigo, etc.*

I. EJERCICIO DE PRONUNCIACIÓN

t:[1]

la-ta	an-te	tin-ta	tan-to	tu-te
pa-ta-ta	te-ma	te-te-ra	to-tal	tu-mul-to
Ta-jo	Vi-cen-te	Ti-ti-ca-ca	To-le-do	Ven-tu-ra

Matilde trajo una taza de té con la tetera para Tito.

II. LECTURA

Juana tiene un resfriado

Mi hermana Juana tiene un resfriado y tose mucho. Está en cama, pálida y triste. Yo también estoy triste porque mi hermana está enferma. ¿Quién está con ella? Toda la familia. Mi mamá está sentada en una silla cerca de la cama. Mi hermano está sentado delante de mí. El médico está sentado cerca de mi hermana y habla con ella.

---

[1] Note that the Spanish t is purely explosive and not followed by the breathing sound as in English. The sound of t in Spanish is pronounced farther forward in the mouth and is always dental. The tip of the tongue is pushed forward till it barely touches the lower front teeth and leans heavily on the upper front teeth.

El médico es un amigo de la familia. Siempre visita nuestra familia. Es muy amable con nosotros. Cuando visita la familia, siempre compra algo para nosotros. Compra frutas o dulces para nosotros.

— Doctor Gómez, hay un paquete aquí. ¿ Es para mí o para mi hermano ?

— No, Juan, no es para Vd., ni para él. (*A Juana*) Amiga Juana, tengo en este paquete un libro interesante

Eso no es grave.

para Vd., pero no lo lea ahora. . . . Y ¿ cómo está Vd. ? ¿ Tiene Vd. dolor de cabeza ? ¿ fiebre ?

— Tengo un dolor de cabeza, doctor.

— Eso no es grave. Está Vd. cansada y pálida, pero no hay fiebre. . . . (*A la madre*) Juana no debe leer con dolor de cabeza. Ahora tengo que regresar a casa, señora. ¿ Cómo está el señor Molina ? Muchos recuerdos para él.

— Muchas gracias, señor doctor.

Mi madre está alegre. En pocos días Juana está curada y regresa a la escuela donde asiste a las clases conmigo. Todas las amigas de Juana están alegres.

En los países de habla española cuando una persona cae enferma la curan en casa. No es costumbre llevar a los enfermos al hospital. Solamente en casos graves llevan las personas al hospital.

Modismos con *tener*

(*Continuación*)

¿ Qué tiene Vd. ?	*What is the matter with you?*
Tengo un dolor de cabeza.	*I have a headache.*
Él tiene los ojos cansados.	*His eyes are tired.*

III. Vocabulario

la **costumbre** custom
los **dulces** candy
la **fiebre** fever
el **habla** *f.*[1] speech
el **paquete** package
el **recuerdo** remembrance; **muchos —s** best regards
el **resfriado** cold

toser to cough

alegre cheerful

amable (con) kind (to)
curado, -a cured
grave grave, serious

delante de in front of, before

IV. Gramática

A. Pronouns after Prepositions

Este libro es para mí, para Vd., para *ti,* para él, para ella, para nosotros (–as), para Vds., para *vosotros* (–as), para ellos (–as).	*This book is for me, for you, for you (fam.), for him, for her, for us, for you, for you (fam.), for them.*
Él habla de mí, de Vd., de *ti,* de él, de ella, de nosotros (–as), de Vds., de *vosotros* (–as), de ellos (–as).	*He speaks of me, of you, of you (fam.), of him, of her, of us, of you, of you (fam.), of them.*

Observe that the forms of the personal pronoun used after prepositions are **mí, Vd.,** *ti,* **él, ella, nosotros,** –as, **Vds.,** *vosotros,* –as, **ellos,** –as.

B. *Conmigo, contigo, etc.*

Él vive **conmigo, con Vd.,** *contigo,* **con** él, con ella, con nosotros (–as), con Vds., con vosotros (–as), con ellos (–as).	*He lives with me, with you, with you (fam.), with him, with her, with us, with you, with you (fam.), with them.*
Ella no trabaja **conmigo, con Vd.,** *contigo,* **con** él, con ella, con nosotros (–as), con Vds., con vosotros (–as), con ellos (–as).	*She does not work with me, with you, with you (fam.), with him, with her, with us, with you, with you (fam.), with them.*

[1] Feminine nouns beginning with stressed a or ha are preceded by **el**: e.g. **el habla,** *speech,* **el agua,** *water,* but **la alcoba,** *bedroom.*

Note that **con** and **mí** become **conmigo**. **Tú** changes to **ti** after a preposition; **con** + **ti** becomes **contigo**. **Vosotros, –as** retain the same forms after prepositions.

V. CONVERSACIÓN

1. ¿Qué tiene mi hermana? 2. ¿Dónde está? 3. ¿Quiénes están con ella? 4. ¿Dónde está sentado el médico? 5. ¿Para quién es el paquete? 6. ¿Es interesante el libro? 7. ¿Por qué está alegre mi madre? 8. ¿A dónde regresa mi hermana? 9. ¿Con quiénes asiste a las clases? 10. ¿Dónde curan a los enfermos en los países de habla española? 11. ¿Cuándo llevan las personas al hospital?

VI. EJERCICIOS

A. Completen con el pronombre en todas las personas:

MODELO: Esto es para ———. Esto es para mí, para Vd., para él, para ella, etc.

1. Él trabaja sin ———. 2. Él ha vivido con ———. 3. No le habla de ———. 4. Ellos entraron con ———. 5. El médico vive cerca de ———. 6. Él está sentado delante de ———. 7. Roberto está detrás de ———. 8. Isabel es amable con ———. 9. Han hablado de ———. 10. Él no vive cerca de ———. 11. Juan estuvo aquí con ———. 12. Ha comprado algo para ———.

B. Cambien el pronombre al plural o al singular:

1. Yo he trabajado con *ellos*. 2. Estudie Vd. con *nosotros*. 3. Ese paquete es para *Vd*. 4. Estas revistas son para *él*. 5. Él está sentado delante de *Vds*. 6. Viva Vd. cerca de *nosotros*. 7. Hablemos de *ellos* y de *ellas*. 8. Asistió a las clases con *nosotros*. 9. ¿Quién estudia con *ellos?* 10. Estos periódicos son para *nosotros*.

C. Completen con el pronombre en todas las personas:

1. Él habla con ———. 2. Isabel es amable con ———. 3. Ella trabaja con ———. 4. ¿Quién estudia con ———? 5. Él habla de ———. 6. Hablamos de ———. 7. No vive Vd. cerca de ———. 8. Juan está aquí con ———. 9. Mi hermano está delante de ———. 10. Ella no vive con ———. 11. El médico compra algo para ———. 12. Mi padre está detrás de ———.

D. Sustituyan el pronombre apropiado por el nombre en cursiva:

1. No hablemos de *esa mujer.* 2. Hablen Vds. de *su hermano.* 3. Han hablado bien de *sus amigos.* 4. Él habló mal de *sus primas.* 5. Leamos este cuento con *Jorge.* 6. No hable Vd. de *su hermana.* 7. ¿ Qué tiene Vd. para *mi padre?* 8. No entre Vd. sin *su madre.* 9. Visitémosla con *Rosa y Luis.* 10. ¿ Dónde trabajó Vd. con *mis amigos?*

E. Test **XXIV.** *Write the Spanish translation for the pronouns in English:*

1. Ella ha estado cerca de —— *(them, m.).* 2. Escribamos con —— *(them, f.).* 3. Estos libros son para —— *(you, sing.)* 4. Ana ha dicho algo de —— *(me).* 5. Juan siempre habla con —— *(me).* 6. Ana está entre Rosa y —— *(him).* 7. Abra Vd. la puerta con —— *(us).* 8. Aprendan Vds. esto sin —— *(her).* 9. Ha comido sin —— *(us).* 10. Hemos recibido a nuestro amigo con —— *(you, pl.).*

F. Tema de composición:

Juana tiene un resfriado, cuatro frases.

G. Modismos:

1. What is the matter with him? 2. He has a headache. 3. Is she sleepy? 4. She is not sleepy, but her eyes are tired.

H. Oral:

1. I am near him. 2. He is near them. 3. We are near her. 4. He has been near me. 5. My uncle lived near us. 6. John is seated between us. 7. She has spent the afternoon with you and me. 8. He lives between them and us. 9. This package is for him. 10. Speak Spanish with me. 11. Read this with him. 12. He lived with me.

Cuento **XXIV**

No aceptó el regalo

Greed gets its reward.

Una señora americana pasa algún tiempo en Madrid. Un día cae enferma y manda por un médico,[a] llamado López.

La señora está tres semanas en cama. Durante su enfermedad

la cuida el mencionado médico.   Cuando está buena de nuevo
decide regresar a los Estados Unidos.   Pero antes de salir para
su tierra va a casa del doctor López.   Le enseña una hermosa
cartera de piel de Rusia [1] con su monograma en oro y ofrece la
cartera al médico con estas palabras:

— Doctor, ¿ quiere Vd. hacerme el favor de aceptar este regalo ?

El médico no ha enviado todavía la cuenta a la señora.   Al
ver la cartera [2] cree que ésta busca un medio para no pagarle.
Así es que [3] el médico le dice de mal modo [b]:

La señora saca dos mil pesetas y las da al médico.

— Muchas gracias, señora, pero preferiría [4] recibir el dinero
que Vd. me debe por mis servicios.

La señora dice entonces sin insistir:

— ¿ De veras [c] ?   Pues entonces dígame [5] cuánto le debo, doctor.

— Dos mil pesetas, señora.

La señora abre con calma la cartera llena de billetes de banco,[6]
saca dos mil pesetas y las da al médico.   Luego guarda el resto
del dinero.

Dentro de la cartera había diez mil pesetas.

CONVERSACIÓN

1. ¿ Quién está enferma ?   2. ¿ Quién la cuida ?   3. ¿ A dónde
va la señora cuando está buena ?   4. ¿ Qué quiere dar al médico ?
5. ¿ Cuánto dinero recibió el médico ?

[1] *Russian leather wallet.*   [2] *wallet, purse.*   [3] *For that reason.*   [4] *I should prefer.*   [5] *tell me.*   [6] *bank notes, bills.*

VOCABULARIO

aceptar to accept	**la enfermedad** illness,	**guardar** to keep
alguno (algún), –a some	sickness	**el medio** way, means
	enseñar to show	**mencionado, –a** aforesaid
buscar to look for	**enviar** to send	**ofrecer** to offer
cuidar to take care of;	**los Estados Unidos**	**el oro** gold
el cuidado service	United States	**el regalo** gift

What English words and meanings do you recognize from the following?

americano, –a, decidir, insistir, el monograma, preferir, el resto

MODISMOS

(*a*) **mandar por un médico** to send for a doctor

(*b*) **de mal modo** roughly, discourteously

(*c*) **¿ de veras?** really?

LECCIÓN VEINTICINCO

A. El futuro regular. B. El futuro irregular

I. EJERCICIO DE PRONUNCIACIÓN

z:[1]
za-pa-to	ze-da	lá-piz	a-rroz	an-da-luz
zas	tez	ma-íz	zo-rra	a-zul
Za-ra-go-za	Pé-rez	fe-liz	Zo-ri-lla	Zur-ba-rán

Pérez es andaluz y vive feliz en Zaragoza.

II. LECTURA

La ropa

La semana próxima el señor Silva y su hija saldrán para Boston. Desean visitar a sus amigos en Boston. Esta noche el padre hará su baúl para el viaje. Si la señora Silva está en casa, ayudará a su marido. El señor Silva abrirá el baúl. Pondrá varios trajes en él. Cada traje comprenderá

---

[1] The letter z is pronounced like *th* in the English word *thin*, only the sound is somewhat prolonged. Note that this same sound appears when c is followed by e or i.

una chaqueta (o una americana), un chaleco y un pantalón. Necesitará también un sombrero, zapatos, camisas, cuellos y corbatas.

— Rosa, ¿ viajará Vd. con su padre ? — Sí, haré el viaje con mi padre. — ¿ Qué necesitará Vd. para el viaje ? — Necesitaré dos o tres vestidos, varias blusas y faldas. — ¿ Nada más ? — Necesitaré también un sombrero, guantes y varios pañuelos. Si necesito un paraguas, lo compraré en Boston.

Mañana el señor Silva y su hija saldrán para Boston.

— ¿ Cuántos meses pasarán en Boston ?

— Estarán allí dos meses.

— ¿ Qué harán en aquella interesante ciudad ?

— Visitarán la biblioteca y varios museos. Visitarán también a unos amigos que viven en Boston. Escribirán muchas veces a la señora Silva.

— Y ¿ qué harán después de los dos meses ?

— Regresarán a la ciudad donde viven.

El próximo viaje del señor Silva y de su hija será a Buenos Aires, capital de la Argentina, la ciudad más grande de habla española en el continente americano. Como han leído mucho de esa famosa ciudad quieren ver sus interesantes monumentos y edificios de estilo distinto al nuestro.

SERIE

abrir	Abriré el baúl.
poner	Pondré dos trajes en él.
añadir	Añadiré camisas, cuellos y corbatas.
necesitar	Necesitaré también guantes y zapatos.
cerrar	Cerraré el baúl.

III. Vocabulario

el **baúl** trunk; **hacer el** —,   el **museo** museum   **distinto,** –a (a) dif-
   to pack one's trunk   el **pañuelo** handker-   ferent (from)
la **camisa** shirt   chief
la **corbata** tie   el **paraguas** umbrella;   **cerrar** to close
el **cuello** collar   *pl.* los **paraguas**   **comprender**   to
la **chaqueta** jacket   el **traje** suit (*of clothes*)   comprise
el **estilo** style   el **viaje** trip; **hacer un**   **viajar** to travel
el **guante** glove   —, to take a trip

IV. Gramática

A. The Future

Sujetos	I. hablar	II. aprender	III. escribir
	I shall speak, etc.	*I shall learn, etc.*	*I shall write, etc.*
yo	hablar é	aprender é	escribir é
Vd.	hablar á	aprender á	escribir á
tú	hablar ás	aprender ás	escribir ás
él, ella	hablar á	aprender á	escribir á
nosotros, –as	hablar emos	aprender emos	escribir emos
Vds.	hablar án	aprender án	escribir án
vosotros, –as	hablar éis	aprender éis	escribir éis
ellos, –as	hablar án	aprender án	escribir án

Note that the future is formed by adding –é, –á, –ás, –á, –emos, –án, –éis, –án to the infinitive.

B. The Irregular Future

		YO	VD.	TÚ	ÉL, ELLA
haber	*to have*	habré	habrá	habrás	habrá
poner	*to put*	pondré	pondrá	pondrás	pondrá
decir	*to say*	diré	dirá	dirás	dirá
hacer	*to do*	haré	hará	harás	hará
querer	*to want*	querré	querrá	querrás	querrá

NOSOTROS	VDS.	VOSOTROS	ELLOS, –AS
habremos	habrán	habréis	habrán
pondremos	pondrán	pondréis	pondrán
diremos	dirán	diréis	dirán
haremos	harán	haréis	harán
querremos	querrán	querréis	querrán

Note these irregular future forms. Observe that while the stem is irregular, the endings in all verbs are regular.

Like **haber** (the e of the infinitive ending is dropped): **poder**, *to be able, can;* **saber**, *to know;* **caber**, *to fit;* thus **podré, podrá,** etc.; **sabré; cabré.**

Like **poner** (a d replaces the characteristic infinitive vowel): **salir,** *to go out, leave;* **tener,** *to have;* **valer,** *to be worth;* **venir,** *to come;* thus **saldré, saldrá; tendré; valdré; vendré.**

V. Conversación

1. ¿ Para dónde saldrá el señor Silva ? 2. ¿ Qué hará esta noche ? 3. ¿ A quién ayudará la señora Silva ? 4. ¿ Qué pondrá en el baúl ? 5. ¿ Qué necesitará Rosa ? 6. ¿ Qué comprará en Boston ? 7. ¿ Cuándo saldrán el señor Silva y su hija ? 8. ¿ Cuántos meses pasarán en Boston ? 9. ¿ A quiénes visitarán en Boston ? 10. ¿ Cuándo regresarán los dos ? 11. ¿ Cuál será su próximo viaje ? 12. ¿ Qué es Buenos Aires ? 13. ¿ Qué verán en Buenos Aires ?

Refrán

Mañana será otro día. *Tomorrow is another day.*

VI. Ejercicios

A. Completen en el futuro:

1. Yo ayudar— a mi madre. 2. Él necesitar— un baúl. 3. Nosotros no pasar— tres semanas allí. 4. Mañana ellos saldr— para Boston. 5. ¿ Quién comer— conmigo ? 6. Ella coser— la falda para ella. 7. Yo visitar— a Alberto. 8. ¿ Qué comprar— Vds. con ella ? 9. Ellos hablar— con Vd. 10. ¿ Quién har— el baúl ? 11. Yo estar— en casa con mi padre. 12. Ella no comprender— eso. 13. Ellos querr— visitar a sus amigos. 14. Isabel escribir— a su familia. 15. ¿ Cuándo regresar— sus hermanos ? 16. Mi padre tendr— varios trajes.

B. Pongan estos verbos (*a*) en el pretérito; (*b*) en el presente perfecto; (*c*) en el futuro:

MODELO: él habla de mí = habló de mí = ha hablado de mí = hablará de mí

1. Vd. abre	2. Vds. dicen	3. salimos
ellos comen	yo hago	ella trabaja
él no tiene	ellos quieren	Ana los vende
ponemos	esto vale	necesito guantes

C. Cambien las frases siguientes al imperativo:

1. Vd. sale para Boston. 2. Ahora no comemos mucho. 3. Vds. venden guantes. 4. Pasamos una semana allí. 5. Vd. abre la puerta. 6. Vds. compran esos cuellos.

D. Pongan el verbo (a) en el futuro; (b) en el presente perfecto; (c) en el pretérito:

1. *tomar:* yo no ———, Luis ———, ellos ———, nosotros ———.
2. *abrir:* nosotros ———, ellos no ———, ¿ ——— yo? Vd. ———.
3. *leer:* ¿ quién ———? ¿ ——— ellos? Vd. ———, Ana ———.
4. *poner:* ¿ no ——— él? nosotros ———, Vd. ———, yo ———.
5. *tener:* ellos ———, ella no ———, ¿ no ——— él? yo ———.

6. *saber:* Vd. ———, él ———, ¿ no ——— Vds.? ella ———.
7. *salir:* nosotros ———, Vds. ———, ellos no ———, ¿ ——— ella?
8. *ser:* ella ———, Vds. ———, yo ———, ¿ ——— nosotros?
9. *venir:* yo ———, nosotros ———, ellos ———, ¿ ——— Vd.?
10. *decir:* ellos ———, ella no ———, Vd. ———, yo no ———.

E. Pongan el verbo en el presente perfecto y luego en el futuro:

1. Él *abre* el baúl. 2. Sus amigos *caben* allí. 3. *Paso* una semana en Boston. 4. Vd. *pone* esto aquí. 5. Ana *escribe* a su madre. 6. Yo *regreso* a la ciudad después de ella. 7. Vds. *ayudan* a sus amigos. 8. ¿ *Leen* ellos estos periódicos? 9. ¿ Qué *dice* a su padre? 10. Mi padre *necesita* cuellos. 11. *Tengo* que salir sin ellos. 12. ¿ Con quién *viene* Vd.?

F. Test XXV. *Write the Spanish translation of the words in English:*

1. Ellos ——— el baúl (*will-open*). 2. Nosotros ——— varios trajes (*shall-need*). 3. Rosa ——— varios trajes en el baúl (*will-put*). 4. Nosotros ——— a nuestros amigos (*shall-see*). 5. ¿ Cuántos meses ——— Vds. allí (*will-be*)? 6. Mi madre ——— mañana (*will-write*). 7. Vds. ——— para la ciudad (*will-leave*). 8. Isabel ——— salir con su padre (*will-be-able*). 9. Yo ——— cuellos y corbatas (*shall-have*). 10. ¿ Dónde ——— los periódicos (*will they put*)?

G. Dictado:

(a) El profesor dictará las preguntas de la Conversación; (b) luego los alumnos escribirán las respuestas.

H. Oral:

1. When will he buy it (*trunk*)? 2. When will you write? 3. Shall I receive the package? 4. Won't they receive it? 5. How will she arrive? 6. We shall say that to John. 7. I shall work. 8. When will he know? 9. Where shall I put this trunk? 10. When will your sister come? 11. Who says this? 12. Who put this book there? 13. My father went to Boston.

Cuento XXV

Una joven con ilusiones

The origin of "Don't count your chicks before they are hatched."

Ahí va una joven con su cántaro [1] de leche sobre la cabeza. Lleva la leche al mercado [2] para venderla. Hace cálculos de cuánto ganará si vende la fresca leche. Mientras anda por [3] el camino habla de este modo [a]:

De esta manera ganaré mucho dinero.

— Con el dinero que recibiré compraré unos huevos y una gallina. De estos huevos saldrán otras muchas gallinas. Luego venderé las gallinas y compraré una cabra. En un año tendré varias cabras. Después de algunos meses venderé las cabras y recibiré dinero suficiente para comprar una hermosa vaca. La vaca dará leche muy rica, que venderé a las familias del pueblo. De esta manera [a] ganaré dinero, mucho dinero. Con el dinero compraré un traje bonito, una mantilla, un par de zapatos y medias de seda. Más tarde compraré una casa con jardín donde viviré contenta. Después me casaré con [4] el mejor joven del pueblo. Los dos seremos felices. Tendremos dos hijos y dos hijas. Por supuesto,[b] todos asistirán a [c] la escuela para aprender

[1] *pitcher.* [2] *market.* [3] *along.* [4] *I shall marry.*

mucho.   Uno de mis dos hijos será médico y el otro será abogado.
Mis dos hijas se casarán con [1] nobles ricos y tendrán muchos
hijos.   Irán a visitarnos todos los domingos.   ¡ Qué contentos
estaremos todos con una hermosa casa, una familia grande y con
mucho dinero!   Pero no sé si [2] seré la mujer del mejor joven del
pueblo.   Sin duda es mejor ser la mujer de un príncipe ...   Una
joven bonita como yo debe ser la mujer del rey y no de un príncipe ...   Nada menos que un rey.

De pronto la pobre joven sacude la cabeza con tan [3] mala fortuna, que ¡ zas! [4] el cántaro de leche cae al suelo y todas sus
ilusiones desaparecen en seguida.[d]

Ya no podrá vender la leche.   No podrá comprar ni huevos
ni gallina.   No saldrán gallinas de los huevos.   No podrá vender
las gallinas, ni comprar una cabra.   ¿ Cómo comprará una vaca
si no tiene dinero ?   ¿ Cómo venderá leche a todas las familias
del pueblo sin la vaca ?   ¿ Cómo ganará dinero, mucho dinero ?
¿ Cómo va a comprar el traje bonito, la mantilla, el par de zapatos
y las medias de seda ?   ¿ Cómo va a comprar la casa grande con
jardín donde vivirá contenta ?   ¿ Cómo será mujer del mejor
joven del pueblo ?   ¿ Podrán ser felices con dos hijos y dos hijas
sin dinero ?   Y sin dinero, ¿ podrán estudiar sus dos hijos para
médico [e] y para abogado ?   ¿ De quiénes van a ser mujeres sus
dos hijas si no son ricas ?   ¿ Dónde van a visitar a la joven si no
tiene casa grande, ni familia, ni dinero ?   Ya no podrá ser la mujer
del joven, ni del príncipe, ni del rey, ni de nadie.

¡ Adiós leche, huevos, gallinas, cabras, vaca, traje bonito, mantilla, zapatos, casa con jardín, dinero y otras muchas cosas !

CONVERSACIÓN

1. ¿ A dónde lleva la leche la joven ?   2. ¿ Qué comprará con el
dinero si vende la leche ?   3. ¿ Qué casa comprará ?   4. ¿ De quién
será la mujer ?   5. ¿ Por qué cae la leche al suelo ?

VOCABULARIO

la **cabra** goat	el **huevo** egg	el **rey** king
el **cálculo** calculation	la **ilusión** dream	**sacudir** to shake
desaparecer to disappear	el **joven** young man	la **seda** silk
fresco, –a fresh	la **joven** young lady	el **suelo** ground
la **gallina** chicken	la **media** stocking	la **vaca** cow

[1] *will marry.*   [2] *whether.*   [3] *such.*   [4] *bang!*

What English words and meanings do you recognize from the following?

la **fortuna**, la **manera**, el **príncipe**, **suficiente**, **varios**, –as

MODISMOS

(*a*) **de esta manera** – **de este modo**   (*c*) **asistir a** to attend
      in this way   (*d*) **en seguida** immediately,
(*b*) **por supuesto** of course   instantly
     (*e*) **estudiar para médico** (**abogado**) to study medicine (law)

CONVERSACIÓN VI

El restaurante

1. ¿ Qué representa el grabado en la página 225 ? — El grabado representa . . .
2. ¿ Qué representa el número 2 ? — Representa . . .
3. ¿ Qué es el número 5, 3, 4, 6, 14, 15, 16, 17, 8 ? — El número 5 es . . .
4. ¿ Qué objetos ve Vd. sobre la mesa ? — Veo . . .
5. ¿ Es el número 5, 4, 10, 3, . . . ? — Sí, señor, el número 5 es . . .
6. ¿ Cuántas mesas hay en el grabado ? — En el grabado hay . . .
7. ¿ Dónde está el mozo ? — El mozo . . .
8. ¿ Dónde está la percha ? — La percha está . . .
9. ¿ Dónde está el número 14, 15, 16, 17 ? — El 14 está . . .
10. ¿ Cuántas personas están sentadas ? — En el grabado . . .
11. ¿ Cuántas personas están de pie ? — En el restaurante . . .
12. ¿ Come Vd. en un restaurante ? — Sí, señor, . . .
13. Para comer ¿ qué usamos ? — Para comer . . .
14. ¿ Qué comemos en el restaurante ? — Comemos pan, panecillos, . . .
15. Para beber ¿ qué usa Vd. ? — Uso . . .
16. ¿ Cuándo entra Vd. en un restaurante ? — . . . cuando tengo hambre.
17. ¿ Come Vd. en un restaurante todos los días ? — No, señor, como solamente . . .
18. ¿ Para qué entra Vd. en un restaurante ? — Para . . .
19. ¿ Come Vd. poco o mucho en el restaurante ? — Como poco porque . . .

20. ¿ Prefiere Vd. un restaurante americano o español ? — Prefiero . . .

21. ¿ Cómo se llama el restaurante donde come ? — Se llama . . .

22. ¿ En qué calle está situado ? — Está situado en la calle
(avenida) . . .

23. ¿ Son los precios caros o baratos ? — Son siempre . . .

24. ¿ Come Vd. solo o con algunos amigos ? — Siempre como . . .

25. ¿ Qué bebe Vd. en le restaurante, agua, vino o cerveza (*beer*) ?
— Bebo . . .

SEVILLE

Dream City of Spain

No one can deny that Madrid and Barcelona are Spanish cities,
although they have been changed by modern commercial, cosmopolitan, and political influences. But to see Spain with all the
local color and romance, with a touch of the poetic, the Spain of
green hills and blue skies, with sunshine showering its warmth
and friendliness, one must go to Seville. Seville, the queen city
of the south, the museum of Andalusia, is the city that best
typifies the complete realization of the Spain of our imagination.

Seville is situated on the banks of the Guadalquivir River,
fifty-three miles from the sea, in the midst of a vast and rich
plain. It is the fourth city in size in Spain and the chief port
of the Guadalquivir. It carries on an active commerce in tobacco, olives, oil, cork, pottery, hardware, and leather goods.
Today it is the chief commercial center and the largest city in
the south of Spain.

But the greatness of Seville is not in the commercial field. Its
fame is built on a rich background of tradition, artistic wealth,
and historical importance. Its monuments, museums, and interesting places are so many that only a few can be mentioned.

The most famous edifice, the largest Gothic church in the world,
is without doubt the cathedral built between 1402 and 1519 on
the site of a Moorish mosque. It is a magnificent structure of
fifteenth-century Spanish-Gothic architecture. It might be considered a huge historical museum rather than a temple, because
of its vast treasures. The majesty and beauty of its lofty naves,

VI. EL RESTAURANTE

1. El mantel. 2. La mesa. 3. La servilleta. 4. El cuchillo. 5. El plato.
6. La botella. 7. Las frutas. 8. Las flores. 9. El pan (el panecillo). 10. La
cuchara. 11. El tenedor. 12. El mozo (camarero, mesero). 13. La percha.
14. El sombrero de paja. 15. El paraguas. 16. El sobretodo (el gabán).
17. El bastón.

VISTA DEL PUERTO, SEVILLA

Seville is located in a bend of the Guadalquivir River. Its harbor has been famous for American trade since Columbus returned from his first voyage of discovery.

the wealth of paintings and sculptures and of works in precious metals, the symphony of color in the stained-glass windows, and the embroidered pieces, all these make the cathedral an imposing treasure house. But this church has a soul; its spiritual life seems to brood over its wealth of stained glass, bronze, silver, and gold. Its interior is so vast that one feels lost in a Gothic forest. The builders of this temple, it is said, planned a building of such huge proportions that the generations to come would think them mad. The cathedral has a sentimental value for Americans because within it there stands a beautiful tomb reputed to guard the remains of Columbus. This claim, however, is challenged by the Cathedral of Santo Domingo where another tomb is alleged to contain the real remains of the Discoverer.

Forming a part of the cathedral is the justly famous Giralda Tower, considered by some the finest in Europe. Originally it was a minaret or Moorish tower, built in the twelfth century; other parts were added in the sixteenth century by the architect Hernán Ruiz. The Giralda flashes in the sunlight reflecting its gaily colored tiles. It is crowned by a three-thousand-pound

LA CATEDRAL DE SEVILLA Y LA GIRALDA

The Cathedral of Seville is the largest Gothic church in the world. This edifice and the Giralda Tower are among the most famous landmarks of this great city.

statue of Faith, which serves as a weather vane. As the tower soars eagle-like high into the azure blue, it affords from its dizzy height a wide sweep of the storied city of Seville, fragrant with romance, the loveliest garden of fair Andalusia.

The next in order of importance is the Alcazar or Moorish palace, built by Pedro I of Castile, in the fourteenth century. The work was directed by Moorish architects. The different buildings and gardens of incomparable beauty satisfy the most exacting artistic soul. It is an ensemble of halls, chambers, patios, and gardens studded with myrtles, roses, orange trees, palms, fountains, mosaics, and slender columns partly decorated with colored glazed tiles that remind one of a brilliant canvas of Oriental splendor. In the gardens of the Alcazar one is apt to imagine that he is in a fairyland in the midst of so many flowers, sweet-smelling plants and trees, and the ever recurrent scent of orange blossoms. One is tempted to rub his eyes to discover whether

PATIO DE LAS DONCELLAS, ALCÁZAR DE SEVILLA

The arcaded Court of the Maidens is one of the most attractive features of the Alcazar which, next to the Alhambra, is the most romantic palace in Spain.

or not a dream from the Arabian Nights is not to vanish into the blue skies of smiling Seville.

Worthy of brief mention are: the Provincial Museum, where there is a large number of paintings of the Sevillian School; the Town Hall, a beautiful building of the sixteenth century; and Pilate's House, remarkable for its Moorish-Plateresque style of architecture. There are, in addition, several churches with many paintings and sculptures, a number of palaces, and the Archives of the Indies with thousands of original documents relating to the discovery of America.

Now for the people of Seville! We can get a better picture of the city if we sit at one of the cafés on the Street of the Serpents, the principal shopping center and favorite lounging place. This street is reserved for pedestrians. On hot days it is covered throughout its length by awnings stretched from roof to roof to protect the people from the heat of the sun. The passers-by are many: men

and women, farmers and herdsmen, grandees and gypsies, beggars
and venders of lottery tickets wishing the buyers fortunes with
a lucky number.   Foods of all kinds are offered for sale: cakes
and sweets, candied nuts and seeds, small cooked crabs, and many

CALLE DE LAS SIERPES, SEVILLA

The Street of the Serpents, narrow and winding, has
become the principal shopping center and the favorite
strolling and lounging place of Seville.

other tidbits.   The types that predominate show clearly the racial
influence of the Moors.   The eyes and complexions vary from
darkest sepia to cream, although blue eyes and light hair are not
wholly absent.   The proverbial high comb and lace *mantilla* are
still worn here, perhaps more so in Seville than in any other

Spanish town. The high-crowned flat *sombrero*, short jacket and close-fitting trousers are only seen at certain typical fiestas and at the bullfight.

A glance at the people in the cafés convinces us that the folk of Seville love to talk and argue; if not about some business deal which is closed right then and there, they will discuss the merits of each of the fighters who will appear at the next *corrida*, still the national sport of Spain, in spite of the fact that foreigners would like to see it abolished. And the Sevillians talk while they nibble bits of dried ham, spices, olives, or potato chips, and sip one cup of black coffee after another.

Seville is a city of dancing, castanets, guitars, songs, and feast days. No description of it would be complete without mentioning the typical and popular festivals, of which there are many throughout the year. Chief among them are the *romerías* or religious pilgrimages to shrines, the picturesque *ferias* or fairs, in the spring, the bullfights, and the processions of Holy Week. While festivals are largely of a religious character, many combine the religious phase with plenty of merrymaking. Except for the solemn celebration during Holy Week, festivals always provide an opportunity for dancing, singing, eating, and drinking *manzanilla*, the famous Andalusian white wine. These fiestas are always attended in the characteristic native costumes.

Seville is famous for its gardens and patios. The town might well be called the city of gardens. There are few anywhere which can vie with those of Murillo, Catalina de Rivera, and the Alcazar. The Park of María Luisa, the seat of the Spanish American Exposition, is peaceful and charming with a fragrance of flowers not easily forgotten. There one finds a riot of color in flowers, palms, trees of all kinds, brooks, fountains, all of which blend to form a picture which remains ever present in one's imagination.

The streets of Seville are narrow and winding. Avenues are generally shaded with trees. The houses that line the streets are usually white; their artistic balconies overflow with a rich variety of plants and flowers that climb both sides of the lanes and greet each other in friendly fashion, producing scenes of unequaled beauty and charm. Even the humblest house is made bright with flowers blooming in window boxes or growing along the paths, and the air is always laden with the fragrance of the dark red carnations

LA FERIA. JINETES VESTIDOS A LA ANDALUZA

Sevillians in Andalusian costume, riding to one of the traditional fairs.

ROMERÍA DEL ROCÍO

Another characteristic group of Sevillians going to a famous religious celebration. Note the high-crowned flat *sombreros*, short jackets and close-fitting trousers.

LA CANCELA, SEVILLA

A hand-wrought iron grill giving access to the courtyard of
one of the better houses.

and roses. The doors of the houses are made of hand-wrought
verjas or openwork iron grills, which give the passers-by plenty
of opportunity to catch glimpses of the beauty of the patios.

And what shall we say of the patios? "An open-air courtyard within a house" is such a colorless definition! It says nothing
of columns and arches, of green plants, of palms and flowers that
suggest coolness on the warmest of days, of birds and their songs,
of glazed tiles, and of the soft, merry splash of water in the fountains. The patio is really an open-air parlor where the family
and their friends spend many delightful hours chatting. The
outsider can almost hear those who dwell within purr with comfort.

Seville, often called "more Spanish than Spain," is a revelation
to the visitor, for there he has a glimpse of a Spain that cannot
be found elsewhere. Indiscriminately jumbled up in its streets,
thoroughfares, and buildings, is the life of the Spain of centuries

ago and of the most up-to-date people. Seville has been for centuries a great city. It has watched scores of empires rise to their glory and crumble. The Phoenicians, the Carthaginians,

CALLE SUSONA, SEVILLA

A typical street in the old residential section: narrow, winding, with a profusion of flowers. It was formerly called the "Street of Death." According to a legend, the head of a beautiful woman hung on a hook here. The moon's rays falling on the skull cast a shadow of a skeleton on the white walls.

the Romans, the Goths, the Moors, and the Christians, all made Seville their home at one time or another, and almost all of them have left some mark. The Moors, more than any other race, have left an imprint which will last indefinitely. It is much more than mere traces of having lived there five centuries. Theirs is a contribution not only of their magnificent architecture, their chivalry, and their civilization; theirs is a greater contribution, for they have left material remains in the forms of narrow, winding streets, houses with enchanting patios, gardens which delight the eye, ancient palaces, ruins of old walls, churches venerable with age, and a thousand other things, through all of which one feels their heart and soul. Seville retains its many artistic riches of all periods with the background of art, poetry, and gaiety, and its many beautiful buildings interspersed with gardens in bloom, covered by a soft canopy of blue Andalusian sky, make it appear like an immense turquoise.

Before leaving Seville, a visit to the artistic quarter of Santa Cruz near the Alcazar is necessary. This section is deeply tinged and throbbing with tradition and history. No district in the city can boast of more episodes and legends through the long period of its existence. A typical legend is that of Coffin Street: A certain wealthy youth was leading a loose life and making himself very much of a nuisance. One night he was called to his door; no sooner had he opened it than he was knocked down by some mysterious force. At the same time a chill voice was heard saying, "Bring on the coffin, he is dead!" However, the legend has it that the young rake was not dead, but in a swoon. When he came to, he mended his evil ways and became a model citizen, who eventually won fame and the respect of his fellow men.

LECCIÓN VEINTISÉIS

A. Nombres usados en sentido general.   B. Nombres partitivos

I. Ejercicio de pronunciación

ia (ya) [1]	ie (ye)	io (yo)	iu (yu)
lim-pia	hie-rro	pa-tio	viu-do
jo-ya	tie-ne	ma-yo	ciu-dad
via-je	yer-ba	a-diós	yu-go
Go-ya	yel-mo	yo-yo	Yu-ca-tán

[1] Note that when y or i precedes the vowels a, e, o, u, the y or i has the same sound as the y in the English word yes.

II. Lectura

Los vestidos

En el verano los hombres llevan ropa de algodón. En el invierno llevan ropa de lana. La chaqueta (o americana), el chaleco y el pantalón forman el traje del hombre. Los vestidos de la mujer comprenden la blusa y la falda. Los vestidos de señora son de seda, de algodón o de lana. Los hombres y las mujeres llevan sombreros. Los sombreros de paja son muy cómodos en el verano. Los niños no usan sombreros; usan gorras.

Otras prendas principales son las camisas, los cuellos y las corbatas. Las mujeres y los niños llevan medias; los hombres llevan calcetines. Los niños desean siempre trajes con muchos bolsillos para llevar varias cosas. En el verano muchos chicos pobres no llevan zapatos. — ¿ Llevan zapatos los niños ricos ? — Sí, señor, los niños ricos siempre deben llevar zapatos.

La mantilla española

Los hombres llevan trajes, calcetines y pantalones. Las mujeres llevan vestidos, medias y faldas. Algunas españolas e hispanoamericanas también llevan la mantilla o el mantón con bonitas peinetas. A veces llevan en las fiestas el vestido típico del país.

Refrán

El hábito no hace al monje.
Clothes do not make the man.

III. Vocabulario

el **algodón** cotton
el **bolsillo** pocket
el **calcetín** sock
la **fiesta** feast
la **gorra** cap
el **invierno** winter
la **mantilla** mantilla
(*a lady's light headdress, often made of lace*)

el **mantón**| heavy embroidered shawl
la **paja** straw
la **peineta** comb
la **prenda** article (*of clothing*), garment

formar to form, make up
llevar to wear; carry

usar to use; wear (*an article of clothing*)

a veces = **algunas veces** sometimes

cómodo, –a comfortable
pobre poor
rico, –a rich

IV. Gramática

A. Nouns in a General Sense

La lana es útil.
Unos vestidos de señora son de seda.
Las españolas llevan la mantilla.
Usan la seda para las corbatas.

Wool (in general) *is useful.*
Some women's suits are of silk.
Spanish women wear the mantilla.
They use silk for neckties.

When the words *in general, usually, generally* are understood in English after a noun, the definite article must be used with the noun in Spanish.

B. Nouns in a Partitive Sense

Los niños llevan gorras.
¿ Usan sombreros los hombres?
Los niños pobres no llevan zapatos en el verano.

Children wear (some, not all) *caps.*
Do men wear (any) *hats?*
Poor children do not wear (any) *shoes in the summer.*

Whenever *some* or *any* is understood before a noun following a verb in English, the article is omitted in Spanish.

V. Conversación

1. ¿ Cuándo llevan ropa de algodón los hombres? 2. ¿ Cuándo llevan ropa de lana? 3. ¿ Qué comprende el traje de hombre? 4. ¿ Qué comprende el vestido de señora? 5. ¿ De qué son los vestidos de señora? 6. ¿ Quiénes llevan la mantilla? 7. ¿ Qué sombreros son cómodos en el verano? 8. ¿ Qué llevan los niños en la cabeza? 9. ¿ Qué trajes desean los niños? 10. ¿ Cuándo andan los chicos pobres sin zapatos? 11. ¿ Llevan Vds. zapatos

en el verano? 12. ¿Quiénes llevan también la mantilla y el mantón? 13. ¿Qué llevan a veces en las fiestas?

Ejercicio de invención

Imiten el modelo:

(a) Los habitantes de España son españoles.
(b) Viven en España y hablan español.
(c) La capital de España es Madrid.

1. Francia. 2. Los Estados Unidos. 3. Italia. 4. Alemania. 5. Cuba. 6. Méjico, etc.

VI. Ejercicios

A. Traduzcan las palabras dadas entre paréntesis:

1. —— serán útiles (*Friends*). 2. —— no son siempre buenos (*Boys*). 3. Compren Vds. —— (*magazines*). 4. —— son para trabajar (*Hands*). 5. —— desean llevar vestidos bonitos (*Women*). 6. —— de seda son cómodas en el verano (*Shirts*). 7. —— llevaron gorras (*Children*). 8. —— son útiles para ellos (*Books*). 9. —— son interesantes (*Newspapers*). 10. Llame Vd. a —— (*boys*). 11. ¿Qué llevan —— (*men*)? 12. —— de hombre son cómodos (*Suits*). 13. —— llevan vestidos bonitos (*Girls*). 14. —— son de algodón o lana (*Suits*).

B. Traduzcan al español:

1. Let us wear hats.
2. He wears woolen clothing.
3. She does not sell.
4. Don't (*sing.*) sell.
5. We do not receive.
6. Did you buy?
7. They will not say.
8. He has given.
9. They have written.
10. Let us see.
11. I do not fit.
12. Did he fall?
13. She has said.
14. Who said?
15. Did you do?
16. Did we put?
17. He does not hear.
18. I am putting.
19. He cannot see.
20. Do they want?

C. Traduzcan al español las palabras entre paréntesis:

1. Nosotros hemos comprado —— (*some-collars*). 2. Ella no ha comprado —— de seda (*any-stockings*). 3. Yo no usaré —— (*any-*

gloves). 4. Vd. ha visto —— bonitas (*some-ties*). 5. No compremos —— (*any-neckties*). 6. Él no ha tenido —— (*any-friends*). 7. Él no comprará —— para mí este año (*any-suits*). 8. ¿ Necesitarán Vds. —— mañana (*any-collars*)? 9. No, gracias, tenemos —— y —— (*some-collars . . . ties*). 10. No lleve Vd. —— de lana en el verano (*any-clothing*). 11. Los hombres no llevan —— (*any-stockings*). 12. No escribamos —— a nuestros amigos (*any-letters*).

D. Escriban enteramente en español:

these periódicos y *John's*	*these* mujeres	*your* ropa y *mine*
these corbatas y *Philip's*	*this* sombrero	*our* trajes y *theirs*
our libros y *Isabel's*	*those* medias	*her* sombrero y *yours*
these novelas y *Anna's*	*that* hombre	*his* zapatos y *mine*

E. Test XXVI. *Write the Spanish translation of the words in English:*

1. —— llevan ropa de lana (*Men*). 2. —— serán útiles (*Hats*). 3. Nosotros no usamos —— (*any caps*). 4. —— pobres no llevaron zapatos (*Boys*). 5. No necesitaron —— (*any newspapers*). 6. Recibiremos —— de España (*some letters*). 7. Compremos —— en español (*some books*). 8. —— no son siempre de lana (*Suits*). 9. —— llevan faldas bonitas (*Girls*). 10. Lean Vds. —— útiles (*some books*).

F. Tema de composición:

Los vestidos, cuatro frases originales.

G. Oral:

1. Newspapers are useful. 2. They did not buy any books. 3. Boys will not wear any hats. 4. I have seen pretty ties. 5. Let us buy some collars. 6. Children wear shoes. 7. He did not receive any magazines from Spain. 8. Have you read them? 9. Spanish ladies have worn mantillas. 10. Boys, men, and women read in Spanish. 11. Buy (*pl.*) some collars. 12. Boys are studious.

Cuento XXVI

El precio de dos asientos

The trick did not work that time.

Cuatro amigos viajan cierto día de Buenos Aires a Córdoba, dos ciudades de la República Argentina. Van en un compartimiento de primera clase. Cada uno de ellos está sentado en un rincón. En los dos asientos del medio [1] ponen las maletas.[2] De esta manera los otros viajeros creerán que los asientos están reservados. Ya va a salir el tren cuando un hombre abre la puerta del compartimiento y los amigos ven la cabeza de un señor rubio, que parece ser inglés.

— Caballeros, — pregunta con cortesía — ¿ están ocupados todos los asientos ?

El inglés toma las maletas y las tira por la ventanilla.

— Sí, están ocupados, caballero — contestan los cuatro amigos todos juntos.[a]

— ¿ Pues entonces estas maletas no son de Vds. ? — pregunta el viajero.

— No, señor — contestan los cuatro amigos.

El inglés, sin perder tiempo, hace algo sorprendente.[3] Toma las maletas y las tira por la ventanilla.[4] En el lugar en que había estado [5] una de ellas toma asiento. En el otro pone los pies y se prepara a [6] hacer un viaje cómodo. Luego toma una de sus maletas, la abre y saca un libro para leerlo.

Esta escena dura unos cuantos [b] segundos. Los viajeros quedan inmóviles de sorpresa. Están furiosos, pero tienen que [c] callar para no parecer embusteros.[7] Por no perder un asiento, perdieron sus maletas.

« Quien todo lo quiere, todo lo pierde. » [8]

[1] *In the two center seats.* [2] *suitcases.* [3] *surprising.* [4] *coach window.* [5] *there had been.* [6] *gets ready to.* [7] *fibbers, liars.* [8] *"Want all, lose all."*

CONVERSACIÓN

1. ¿ En qué clase viajan los cuatro amigos ? 2. ¿ Qué ponen en los asientos ? 3. ¿ Qué les pregunta el pasajero ? 4. ¿ Qué .tira el pasajero por la ventanilla ? 5. ¿ De quiénes son las maletas en los asientos ?

VOCABULARIO

callar to be silent	**la escena** scene	**la rabia** anger, rage
el compartimiento compartment	**perder** to lose	**el rincón** corner
durar to last	**el precio** price	**tirar** to throw out

What English words and meanings do you recognize from the following ?

la **Argentina,** cierto, –a, la **cortesía,** enorme, furioso, –a, ocupado, –a, la república, reservado, –a, la **sorpresa**

MODISMOS

(a) **todos juntos** all together   (b) **unos cuantos, –as = unos**
                                           = algunos a few
         (c) **tener que** to have to

LECCIÓN VEINTISIETE

A. Imperfecto de los verbos regulares. B. Primer uso del imperfecto

I. EJERCICIO DE PRONUNCIACIÓN

ai (ay) [1]	au	ei (ey)	eu	oi (oy)
ai-re	au-to	rei-na	deu-da	boi-na
cai-go	cau-sa	vein-te	neu-tro	oi-ga
hay	flau-ta	rey, ley	reu-ma	hoy, soy
¡ ca-ray !	Pau-la	re-yes	Eu-ro-pa	doy, voy

II. LECTURA

Las cuatro edades del hombre

En casa hablábamos ayer de las cuatro edades del hombre. Mientras Roberto hablaba nosotros escuchábamos.   Todo

---

[1] Review these sounds in the introduction. Note that the sound of o is open in the diphthongs oi and oy; the e is open in the diphthongs ei and ey.

el mundo hablaba de la edad de los miembros de su familia. Algunos decían la edad de sus hermanos que son niños y otros hablaban de sus hermanos que son jóvenes. Roberto, que tiene dieciséis años, decía: — Soy un joven; no soy un niño. Rosa también estaba allí y decía algo de su familia. Dijo que su padre es un hombre de mediana edad, ni joven ni viejo.

Luego Carlos habló de su abuelo. El abuelo de Carlos es un viejo porque tiene muchos años. Carlos quiere mucho a su abuelo. Decía a sus amigos que su abuelo siempre le contaba cuentos bonitos, cuando estudiaba sus lecciones y recibía buenas notas. Le decía también muchas cosas de su vida.

De joven vivió en España y Francia y hablaba español y francés. También hablaba otros idiomas. Hablaba siempre español en casa con sus amigos españoles. Cuando vivía en Francia hablaba francés. Carlos dijo que su abuelo tenía muchos amigos, unos caballeros simpáticos, ancianos como él. A menudo le visitaban y siempre hablaban de las cosas que habían visto en sus viajes. Habían viajado mucho y habían leído y aprendido muchas cosas útiles. Veían las cosas del pasado con la misma claridad del presente y hablaban de los grandes hombres como si hablaban de amigos íntimos. Su conversación siempre resultaba interesante e instructiva.

Es muy bueno viajar y hablar varios idiomas como el abuelo de Roberto. Si una persona habla inglés, francés, alemán y español, puede viajar en muchos países de Europa. También puede hablar con los habitantes de esos países. Así su viaje será siempre muy interesante y aprenderá muchas cosas útiles. Con el español podemos viajar por un vasto territorio, más grande que Europa y Rusia, al sur de los Estados Unidos. Hay dieciocho repúblicas donde hablan español en el continente americano.

Fórmulas de cortesía

Dispénseme Vd. } Con su permiso. }	*Excuse me.*
No es nada. } Está Vd. dispensado. }	*Surely; certainly; not at all.*
Perdone Vd.	*Pardon me.*
Lo siento mucho.	*I am very sorry.*
Con mucho gusto.	*With great pleasure.*

III. VOCABULARIO

el año year; tener...
  años to be ... years
  old; tener muchos
  años to be very old
la claridad clarity, clearness
la edad age

el francés French
  (*language*)
el idioma language
la nota mark
el sur south

querer a to love

resultar to be

íntimo, –a intimate
mediano, –a middle

mientras while
menudo: a —, often

IV. GRAMÁTICA

A. The Imperfect Tense

SUJETOS	I. hablar	II. comer	III. vivir
	I used to speak, was speaking, spoke	*I used to eat, was eating, ate*	*I used to live, was living, lived*
	todos los días, siempre, generalmente, a menudo [1]		
yo	habl aba	com ía	viv ía
Vd.	habl aba	com ía	viv ía
tú	habl abas	com ías	viv ías
él, ella	habl aba	com ía	viv ía
nosotros, –as	habl ábamos	com íamos	viv íamos
Vds.	habl aban	com ían	viv ían
vosotros, –as	habl abais	com íais	viv íais
ellos, –as	habl aban	com ían	viv ían

Note that the imperfect tense of regular verbs is formed from the stem to which are added personal endings. Note that for verbs in –er and –ir the personal endings are the same. This rule of formation applies to all irregular verbs as well, with the exception of three. (See Lesson 30.)

Observe also that this tense is stressed on the same syllable

[1] *every day, always, generally, often.*

throughout. For verbs in –ar, the first person plural is the only form which has a written accent. Verbs in –er and –ir have a written accent on all personal endings.

B. First Use of the Imperfect

Ayer hablábamos de ella.	*Yesterday we were talking about her.*
Roberto decía siempre la misma cosa.	*Robert always said the same thing.*
A menudo le visitaban.	*They used to visit him often.*
Cuando vivía en Francia, hablaba francés.	*When he lived in France, he spoke (would speak) French.*

Note that in Spanish there is a special past tense called the imperfect which describes an action or state *which used to go on repeatedly* or *was continued habitually*. This tense corresponds to the English "used to" or "would" followed by an infinitive, or the past of *to be* with the –*ing* form, or the simple past tense, if it implies habitual or repeated action.

V. Conversación

1. ¿ De qué hablábamos ayer ? 2. Mientras Roberto hablaba, ¿ qué hacíamos ? 3. ¿ De quién hablaba todo el mundo ? 4. ¿ Cuántos años tenía Roberto ? 5. ¿ Qué decía ? 6. ¿ Quién estaba también ahí ? 7. ¿ Qué decía ella ? 8. ¿ Qué dijo de su padre ? 9. ¿ De quién habló Carlos ? 10. ¿ Qué le contaba su abuelo ? 11. ¿ Cuándo le contaba bonitos cuentos ? 12. ¿ Dónde vivió su abuelo de joven ? 13. ¿ Qué idiomas hablaba ? 14. ¿ Cuántos amigos tenía su abuelo ? 15. ¿ De qué hablaban ? 16. ¿ Cómo resultaba su conversación ? 17. ¿ En cuántas repúblicas del continente americano hablan español ?

VI. Ejercicios

A. Pongan las terminaciones del imperfecto:

1. Mientras Roberto habl—, ellos escuch—. 2. Nosotros habl— en casa. 3. Algunos dec— la verdad y otros no. 4. Yo quer— mucho a mi abuelo. 5. Cuando Vd. estudi—, recib— buenas notas. 6. Ella habl— francés cuando est— en Francia. 7. Él hab— leído mucho de España. 8. Vds. pod— viajar por un vasto territorio. 9. Cuando yo viv— en España, ten— muchos amigos. 10. Vds. recib— todas las cartas que les escrib—. 11. Vds. compr— las

novelas españolas que vend— en esa tienda. 12. Cuando mi padre est— enfermo, yo lo ayud—.

B. Conjuguen (*a*) el presente de:

hablar, decir, estar, comer, caer, vivir, valer, hacer, querir, ir, venir, salir.

(*b*) el pretérito de:

hacer, poner, comprar, tener, saber, comprender, vivir, decir, ir.

(*c*) el imperfecto de:

dar, abrir, leer, decir, querer, salir, saber, pasar, tener.

(*d*) el futuro de:

pasar, poner, decir, comer, hacer, querer, abrir, saber, haber, tener, salir.

C. Pongan el verbo en el imperfecto:

1. Visito a mis amigos todas las noches. 2. Él escribirá a su padre. 3. He escrito en su cuaderno. 4. Copie Vd. y aprenda las frases de memoria. 5. Comemos siempre despacio. 6. Respiremos aire puro. 7. Yo supe mucho de ese hombre. 8. Él puso los paquetes sobre la mesa. 9. Su abuelo tiene muchos amigos. 10. Lea Vd. las palabras útiles en su cuaderno. 11. Ellos han dicho la verdad. 12. Vd. recibe todas las cartas que le escribo.

D. Test XXVII. *Write the Spanish translation of the words in English:*

1. —— a mi hermana (*I-used-to-visit*). 2. Le —— muchas cartas (*he-used-to-write*). 3. —— muchos amigos en España (*We-had*). 4. —— mucho de ese hombre (*They-used-to-know*). 5. —— el periódico cuando él entró (*They-were-reading*). 6. A menudo —— cartas de él (*we-used-to-receive*). 7. En casa siempre —— inglés y español (*we-would-speak*). 8. Mientras Vds. —— en Boston salimos para España (*were*). 9. Cuando Vd. —— en España, yo visité a Madrid (*were-living*). 10. Siempre —— a nuestros amigos (*he-would-help*).

E. Dictado:

El profesor dictará el último párrafo de la lección.

F. Oral:

1. He was reading and writing. 2. We would always write to him. 3. They used to buy and sell newspapers. 4. Men and women always traveled much. 5. I used to eat and drink. 6. When he studied he received good marks. 7. I used to study and learn my lessons. 8. He would read the same books.

Cuento XXVII

Franklin aprendió una buena lección

An old story which teaches a practical lesson.

Dice Franklin en uno de sus libros:

« Una fría mañana de invierno, cuando yo tenía unos diez años, me detuvo en la calle un hombre que llevaba una hacha [1] al hombro. Me miró y me preguntó con cara alegre:

— Querido niño, ¿ tiene tu padre una piedra de amolar ?

— Sí, señor — le contesté.

— ¡ Oh ! Eres el niño más fino que he conocido — dijo el hombre. — ¿ Puedes hacerme el favor de permitirme entrar en [a] tu casa a amolar [2] mi hacha ?

La frase de « niño fino » me agradó tanto que quise servirle en seguida y así le contesté:

— Con mucho gusto, señor, entre Vd.; la piedra de amolar está en el segundo piso.

— Muy bien, hijo mío, — me dijo y los dos entramos en la casa y subimos al segundo piso.

— ¿ Quieres traerme ahora un poco de agua caliente ?

¿ Cómo no hacer un favor a un hombre tan simpático ? Corrí a la cocina y le traje en seguida el agua caliente.

— ¿ Qué edad tienes y cómo te llamas ? [3] — me preguntó, y sin esperar respuesta continuó:

— Vamos,[b] como decía, tú eres el más simpático de todos los muchachos que he visto hasta ahora.[c] ¿ Puedes dar vueltas a [4] la piedra unos minutos ?

Engañado con tantas palabras amables, principié a [d] trabajar. Los minutos duraron horas. El trabajo era muy duro. Como el hacha era nueva tuve que trabajar varias horas. Oí que sonaba

---

[1] **el hacha** *f. axe.* [2] *to grind, sharpen.* [3] *what is your name?* [4] *Can you turn.*

la compana de la escuela, pero no pude abandonar el trabajo. Mis manos estaban cansadas, mi cara mojada de sudor [1] y el hacha estaba solamente medio amolada.[2]

Por fin, después que hice un nuevo esfuerzo, dijo el hombre que el hacha estaba ya amolada. Entonces exclamó, pero en tono muy diferente:

— Vamos, tonto, ya has jugado bastante. ¡ Ahora a la escuela, sin perder tiempo!

Y al decir eso, salió de allí con su hacha al hombro.

— ¡ Ah! — exclamé yo — después de ayudar tanto a este

El trabajo era muy duro.

hombre, ahora por premio [3] dice que soy tonto, y que he jugado toda la mañana.

Este incidente hizo profunda impresión en mí; nunca he podido olvidarlo. Así cuando veo una persona o un comerciante [4] muy cortés, excesivamente cortés, con sus amigos o sus parroquianos,[5] me digo [6]:

— ¡ Ese hombre tiene una hacha que amolar!

CONVERSACIÓN

1. ¿ A quién vió Franklin una mañana? 2. ¿ Qué quería hacer el hombre? 3. ¿ En dónde entraron? 4. ¿ Quién trabajó mucho? 5. ¿ Qué aprendió Franklin?

[1] *damp with perspiration.* [2] *sharpened.* [3] *as a reward.* [4] *merchant.* [5] *customers.* [6] *I say to myself.*

Vocabulario

caliente warm
cambiar to change
la campana bell, gong
duro, –a hard

engañar to deceive
el esfuerzo effort
la fuerza strength
el hombro shoulder

nuevo, –a new
la piedra stone; — de
amolar grindstone

What English words and meanings do you recognize from the following ?

abandonar, amable, continuar, cortés, diferente, el episodio, exclamar, la frase, la impresión, el incidente, el minuto, permitir, práctico, –a, profundo, –a, servir

Modismos

(a) entrar en to enter
(b) vamos come

(c) hasta ahora up to the present time
(d) principiar a + inf. to begin to + inf.

LECCIÓN VEINTIOCHO

A. Pronombres complementos directos e indirectos
B. Colocación de los pronombres complementos

I. Ejercicio de pronunciación

(Strong Vowels) [1]

ae	ao	ee, eo	oa, oe
ca-e	ca-ca-o	le-er	pro-a
ma-es-tro	sa-ra-o	cre-er	hé-ro-e
Ja-én	Ca-lla-o	de-se-o	No-é

(Weak Vowels)

iu		ui	
ciu-dad	triun-fo	rui-do	cui-da-do
viu-do	diur-nio	rui-na	cui-ta

[1] The vowels a, e, and o are called strong, while i and u or y are weak. Two strong vowels are pronounced separately with the stress on the first syllable. The combination of a strong and weak vowel form a diphthong with the stress falling on the strong vowel. When two weak vowels form a diphthong they are pronounced separately with the stress on the second vowel. When pronounced slowly this is quite noticeable, but in fast speech two weak vowels become one in sound.

II. Lectura

Los ejercicios físicos

A Tomás le gusta leer. Esta semana ha leído un libro de ejercicios físicos. Desea practicarlos porque son buenos para la salud. Los practica todos los días. Así podrá ser uno de los muchachos fuertes de su escuela. No le gusta ser un muchacho débil. Hay varios muchachos fuertes en su clase. Los admira porque tienen músculos firmes y son miembros de varios equipos. Uno de ellos levanta setenta y cinco libras con una mano.

Tomás desea formar una clase de gimnasia con sus compañeros. Los invita a pasar media hora con él después de

Los ejercicios físicos son buenos para la salud.

las clases. Ellos prometen visitarlo. A todos les gusta practicar ejercicios físicos al aire libre. Como Tomás es el jefe, sus compañeros lo escucharán. Él les explicará unos ejercicios y sus amigos le imitarán. Él les enseñará los varios ejercicios. Los compañeros de Tomás lo visitan todas las tardes. Van a su casa para hacer ejercicios con él. Todos hallan interesantes los ejercicios físicos. Les gustan mucho esos ejercicios. Desean practicarlos por muchos años para ser hombres fuertes.

III. Vocabulario

el **aire** air; **al — libre** in the open, outdoors
el **equipo** team
la **gimnasia** gymnastics
la **libra** pound
el **músculo** muscle

la **salud** health
imitar to imitate
practicar to practise; **— los ejercicios** to exercise

prometer to promise
débil weak
firme firm, hard
físico, –a physical

IV. GRAMÁTICA

A. Object Pronouns

Direct Object

Tomás *me* visita (a mí).   Tomás *nos* invita (a nosotros).
Tomás *lo* visita (a Vd.).   Tomás *los* invita (a Vds.).
Tomás *te* visita (a ti).   Tomás *os* invita (a vosotros).
Tomás *lo* visita (a él).   Tomás *los* invita (a ellos).
Tomás *la* visita (a ella).   Tomás *las* invita (a ellas).
Tomás *lo* lee (el libro).   Tomás *los* lee (los libros).

1ST PERS.	2ND PERS.	3RD PERS. (PERSONS)	3RD PERS. (THINGS)
me *me*	(lo), la *you*	lo *him*, la, *her*	lo, la *it*
nos *us*	te *you*	los, las *them*	los, las *them*
	os *you*		
	los, las *you*		

Indirect Object

Me habla (a mí).   *Nos* habla (a nosotros).
Le habla (a Vd.).   *Les* habla (a Vds.).
Te habla (a ti).   *Os* habla (a vosotros).
Le habla (a él, a ella).   *Les* habla (a ellos, a ellas).

1ST PERS.	2ND PERS.	3RD PERS. (PERSONS)	3RD PERS. (THINGS)
me *(to) me*	le *(to) you*	le *(to) him, her*	le *(to) it*
nos *(to) us*	les *(to) you*	les *(to) them*	les *(to) them*
	te *(to) you*		
	os *(to) you*		

Note that the direct and indirect object forms are similar except for the indirect forms of the third person singular and plural, in which case **le** must be used to render *to him, to her, to you, to it,* and **les** to render *to you, to them.*

The pronouns in parentheses are usually omitted unless they are needed for emphasis or clearness.

B. Position of Object Pronouns

Direct Object

Tomás nos visita. (Before the conjugated verb)
Ellos desean practicarlos. (After the infinitive and attached to it) *or*
Los desean practicar. (Before the conjugated verb)

Imitémoslos.   (After and attached to the affirmative command)
But: **No los imitemos.**

Indirect Object

Me explica los ejercicios.   (Before the conjugated verb)
Quiere explicarme los ejercicios.   (After the infinitive)
Me quiere explicar los ejercicios.   (Before the conjugated verb)
Léame Vd. el libro.   (After the affirmative command and attached to it)

Notice that the personal pronoun object, direct or indirect, is placed immediately before the conjugated verb, but it follows the infinitive and the affirmative command and is attached to them. However, when the conjugated verb is followed by an infinitive, the object pronoun may be placed either before the conjugated verb or after the infinitive.

Gustar (*To please, to like*)

Me gusta leer.	*I like to read* (*It pleases me to read*).
Nos gusta el libro.	*We like the book* (*The book pleases us*).
Le gustan las flores.	*She likes flowers* (*Flowers please her*).

The verb **gustar** has for its subject what the person likes, which generally follows the verb. The characteristic construction is the indirect object of the person who likes + the verb **gustar** in the third person singular or plural + the subject, i.e. **Me gusta el español.** *I like Spanish.* (*Spanish is pleasing to me.*)

V. Conversación

1. ¿ Qué le gusta a Tomás ?   2. ¿ Qué ha leído esta semana ?
3. ¿ Por qué desea practicar los ejercicios ?   4. ¿ Cuándo los practica ?   5. ¿ Qué podrá ser ?   6. ¿ Quiénes hay en la clase ?   7. ¿ Por qué admira a los muchachos fuertes ?   8. ¿ Qué desea formar Tomás ?   9. ¿ A quiénes invita Tomás ?   10. ¿ A quién prometen visitar ?   11. ¿ Cuándo visitan los compañeros a Tomás ?   12. ¿ A dónde van ?   13. ¿ Para qué van a su casa ?   14. ¿ Qué les enseñará ?   15. ¿ Qué tal (*How*) les gustan los ejercicios ?   16. ¿ Para qué desean practicarlos ?   17. ¿ Le gustan a Vd. los ejercicios físicos ?   18. ¿ Cuándo los practica Vd. ?

Copla [1]

Me gusta la leche,
me gusta el café,
pero más me gustan
los ojos de usted.[2]

VI. Ejercicios

A. Conjuguen el verbo y sustituyan **me** con los otros pronombres:

1. ¿Me escribirá una carta? 2. Isabel quiere escucharme.
3. Carlos promete visitarme. 4. Me escribía a menudo. 5. ¿Por qué no me contestó? 6. Me ha dicho esto. 7. Me dió un libro.
8. Me dirá la verdad. 9. Me gustaba leer. 10. Me leía una novela.

B. Traduzcan las palabras inglesas:

him ha ayudado	*you* admirará	*to you* quiere escribir
to me habló	*her* imitábamos	no *to them* escriban
to us leerá	*it* tomaron	*us* promete decir
to them ha prometido	abran Vds. *them*	leamos *to them*
hable Vd. *to him*	*us* han imitado	*me* quería ver

C. Sustituyan el complemento en cursiva con un pronombre:

1. Los hombres han leído *el libro*	*los cuentos*	*las revistas*
2. Invite Vd. *a los amigos*	*a Isabel*	*a sus hermanas*
3. Leeré *al muchacho*	*a María*	*a los compañeros*
4. Tomaré *el periódico*	*las cartas*	*los sombreros*
5. No abran Vds. *las ventanas*	*la puerta*	*los ojos*
6. Ellos practican *los ejercicios*	*el idioma*	*la lección*
7. Hablaron *a Juan*	*a los amigos*	*a Rosa*
8. Desean comprar *el libro*	*cuellos*	*las camisas*
9. Debíamos preparar *los vestidos*	*las sillas*	*el cuarto*
10. Vd. necesitaba *el sombrero*	*el traje*	*los zapatos*

D. Test XXVIII. *Translate the object pronouns into Spanish and put them in the proper place with reference to the verb:*

1. Escribiré esto (*to her*). 2. Arturo ha mirado (*him*). 3. Rosa llevaba (*it, f.*). 4. Hemos hallado (*them, f.*). 5. Prometa Vd. esto

---

[1] *Song.*   [2] How pronounced?

(*to him*).   6. Tomás quería formar (*it, f.*).   7. Ellos hablaron de nosotros (*to them*).   8. No gusta escribir (*to us*).   9. Prometieron llamar (*us*).   10. No lean Vds. (*them, m.*).

E. Tema de composición:

Los ᴇᴊᴇʀᴄɪᴄɪᴏs ꜰÍsɪᴄᴏs, cuatro frases originales.

F. Modismos:

1. I like to read.   2. Don't you like to write letters?   3. He likes books.   4. We used to like physical exercises.   5. He liked Spanish. 6. They will like this house.

G. Oral:

1. He has spoken to me (to them, to us, to her, to you, to him, to Philip).   2. He wishes to visit him (us, you, her, them, him, Isabel and Mary).   3. He will read to them (to me, to us, to her, to you, to him, to Louis).   4. He used to like to help her (them, him, Charles). 5. I like to read (to speak, to study, to learn, to practise).   6. He asked (you, me, her, us, them, John).   7. Write to me (to him, to them, to her, to us).   8. Let us admire him (them, her, Charles, Isabel and Anna).   9. Let us not speak to him (to her, to them, to you).

Cᴜᴇɴᴛᴏ XXVIII

Los estudiantes y el chico

The clever always meet their match.

Un día de primavera tres estudiantes andaban por un camino fuera de la ciudad.   Hablaban de varias cosas.   A lo lejos [a] vieron venir un chico de unos diez años.   Uno de los estudiantes en cuanto [b] lo vió dijo a sus compañeros:

—Vamos a ver [c] si podemos pasar un rato agradable con ese chico; le haremos preguntas y veremos qué contesta.   Ya verán qué buen cuarto de hora vamos a pasar con él.

Continuaron su camino los tres estudiantes hasta que llegaron a pocos pasos del chico, quien los saludó dándoles los buenos días.[d] Quería continuar su marcha, cuando uno de los estudiantes le preguntó en tono de burla [1]:

— ¿ A dónde va este camino ?

_____
[1] *mocking tone.*

— Este camino no va a ninguna parte,[e] porque no puede andar — contestó el chico en seguida.

El estudiante no se atrevió a hacerle más preguntas; pero otro le dijo para entrar en conversación:

— Oye,[1] chico, ¿ cómo te llamas [2] ?

— Como mi padre.

— Y tu padre, ¿ cómo se llama ?

— Como yo.

— Vamos, chico, y tu padre y tú, ¿ cómo os llamáis ? — preguntó el estudiante.

— Los dos lo mismo.

El estudiante no quedó satisfecho con la rápida contestación [3]

Yo no me llamo, porque me llaman a mí.

del chico.   El tercero, que se creía muy listo,[4] tuvo el valor de preguntarle:

— Oye, ¿ cómo te llamas ?

— Yo no me llamo, porque me llaman a mí.

— ¿ Y cómo te llaman ?

— A gritos [5] cuando estoy lejos — contestó el chico con calma.[6]

No quiso preguntarle cómo le llamaban cuando estaban cerca.

El primero quiso hacerle otra pregunta para no perder su fama de listo y le preguntó otra vez:

— ¿ Qué hacen en tu pueblo con los chicos insolentes como tú ?

— Los hacen estudiantes — contestó el chico con una sonrisa y continuó su camino.

---

[1] *Listen.*   [2] *What do you call yourself?   What is your name?*   [3] *answering.*   [4] *thought himself very clever.*   [5] *In a loud voice.*   [6] *calmly.*

Conversación

1. ¿ Quiénes andaban por el camino ? 2. ¿ A quién vieron a lo lejos ? 3. ¿ Qué querían hacer los estudiantes ? 4. ¿ Cómo se llamaban el padre y el hijo ? 5. ¿ Cuál de los cuatro es el más listo ?

Vocabulario

agradable agreeable, enjoyable	el **cuarto** quarter	el **paso** step
atreverse (a) to dare	la **fama** reputation, fame	la **primavera** spring
cerca near, nearby	**fuera** outside	el **rato** while
	la **marcha** walk	**ya = ahora** now

What English words and meanings do you recognize from the following ?

la **conversación**, el **estudiante**, la **fama**, **insolente**, **rápido**, –a, **satisfecho**, –a, el **tono**

Modismos

(a) **a lo lejos** in the distance
(b) **en cuanto** as soon as
(c) **vamos a ver** let's see
(d) **dándoles los buenos días** wishing them good morning
(e) **ninguna parte** nowhere

LECCIÓN VEINTINUEVE

A. El verbo reflexivo. B. Uso del artículo definido en lugar del adjetivo posesivo

I. Ejercicio de pronunciación

ua [1]	ue	ui	uo
guar-da	cuer-da	rui-do	cuo-ta
a-gua	lue-go	cui-da-do	con-ti-nuo
cuar-to	bue-no	cui-ta	in-di-vi-duo
E-cua-dor	Ve-ne-zue-la	Lui-sa	re-si-duo

II. Lectura

Cómo paso el día

Yo me llamo José Luna. Me levanto temprano. Mi amigo se llama Luis. Se levanta tarde. Todos los días me

---

[1] When **u** precedes another vowel in the same syllable, the **u** has the sound of *w* in the English word *win*.

lavo las manos, la cara y el cuello con agua fría y jabón. Muchos niños no desean lavarse la cara[1] y las orejas. Luego me seco con una toalla. Me pongo los pantalones, la camisa, el cuello, una corbata, y luego la chaqueta. Después me miro al[2] espejo, me peino y bajo al comedor. Bajo al comedor para desayunarme. Me desayuno a las siete. A las ocho me cubro y me preparo para ir a la escuela.

Me levanto temprano.

Cuando entro en la escuela me quito el sombrero. Todos nos quedamos en la escuela de las nueve a las tres. De las tres a las cuatro me paseo por el parque con mis compañeros. Allí corremos y saltamos al aire libre. Pasamos una hora o dos en el parque. De las cuatro a las seis estudio y aprendo las lecciones. Después de la cena leo el periódico o un libro interesante, o charlo con mis dos hermanos.

En el parque corremos y saltamos.

MÁXIMA

Quien temprano se levanta
tiene una hora más de vida,
y en su trabajo adelanta.

*He who rises early
has one more hour of life,
and progresses in his work.*

[1] **Cara** is singular in Spanish, since each person has only one. **Orejas** is plural, since each person has two. [2] **al** = *in the.*

Serie

Me levanto a las siete.	*I get up at seven o'clock.*
Me lavo la cara y las manos.	*I wash my face and hands.*
Me limpio los dientes.	*I wash my teeth.*
Me peino.	*I comb my hair.*
Me visto.	*I dress myself.*
Bajo al comedor.	*I go down to the dining room.*
Me desayuno a las ocho.	*I breakfast at eight.*
Voy a la escuela.	*I go to school.*

III. Vocabulario

la **cena** supper
el **jabón** soap
el **labio** lip
el **parque** park
la **toalla** towel

cubrirse to put on one's hat
desayunarse to breakfast
lavarse to wash one-self; — **la cara** wash one's face
levantarse to get up
llamarse to be called *or* named
mirarse to look at oneself
pasearse por to walk through
peinarse to comb one's hair

ponerse to put on
prepararse to prepare oneself
quedarse to remain, be
quitarse to take off
saltar to jump
secarse to dry oneself
tarde late
temprano early

IV. Gramática

A. The Reflexive Verb

lavarse *to wash (oneself)*

yo	*me* lavo	*I wash myself*
Vd.	*se* lava	*you wash yourself*
tú	te lavas	*you wash yourself*
él, ella	*se* lava	*he, she, washes himself, herself*
nosotros, –as	*nos* lavamos	*we wash ourselves*
Vds.	*se* lavan	*you wash yourselves*
vosotros	os laváis	*you wash yourselves*
ellos, –as	*se* lavan	*they wash themselves*

peinarse *to comb one's hair*

yo	deseo peinar*me*	*I wish to comb my hair*
Vd.	desea peinar*se*	*you wish to comb your hair*
tú	deseas peinar*te*	*you wish to comb your hair*
él, ella	desea peinar*se*	*he, she wishes to comb, etc.*

nosotros, –as	deseamos peinar*nos*	*we wish to comb, etc.*
Vds.	desean peinar*se*	*you wish to comb, etc.*
vosotros	deseáis peinar*os*	*you wish to comb, etc.*
ellos, –as	desean peinar*se*	*they wish to comb, etc.*

PERFECT: me he lavado   FUTURE: me lavaré
PRETERIT: me lavé   IMPERFECT: me lavaba

COMMANDS: lávese Vd., lávense Vds.
But: No se laven Vds.

The reflexive pronoun is placed before the conjugated verb. If the conjugated verb is followed by the infinitive, the reflexive pronoun may either be joined to the infinitive or may precede the conjugated verb. It is always attached to a positive command.

B. The Reflexive with the Definite Article

Me lavo *las* manos.	*I wash my hands.*
Debemos lavar*nos las* orejas.	*We must wash our ears.*
Se lava *la* cara.	*He washes his face.*
Luis *se* quita *la* gorra.	*Louis takes off his cap.*

The definite article, — and not the possessive adjective, as in English, — is often used with reflexive verbs when speaking of parts of the body or articles of clothing if the sense is clear.

V. CONVERSACIÓN

1. ¿ Cómo se llama usted ?   2. ¿ A qué hora se levanta usted ?
3. ¿ No desea levantarse tarde ?
4. ¿ Quién se levanta tarde ?
5. ¿ Con qué se lava Vd. las manos ?
6. ¿ Quiénes no desean lavarse las orejas ?   7. ¿ Para qué usa Vd. la toalla ?   8. ¿ Para qué baja Vd. al comedor ?   9. ¿ Cuándo se prepara Vd. para ir a la escuela ?
10. ¿ Cuánto tiempo se queda usted en la escuela por la mañana ?

¿ Qué hace José ?

VI. EJERCICIOS

A. Conjuguen en el presente:

1. ¿ Cómo *llamarse?*
2. *Levantarse* temprano.
3. ¿ Por qué no *cubrirse?*
4. *Lavarse* las manos.
5. *Quitarse* el sombrero.
6. No *deber quedarse* aquí.
7. *Ponerse* los guantes.
8. *Mirarse* al espejo.

PARA CONSERVAR[1] LA SALUD

Yo prometo:

1. Lavarme cada mañana con agua fría.
2. Practicar ejercicios físicos todos los días.
3. Lavarme siempre las manos con jabón antes de[2] cada comida.
4. No llevar[3] a la boca vasos usados por otros.
5. Comer poca carne, mucha fruta y legumbres.
6. Lavarme la boca y los dientes después de[4] cada comida.
7. Bañarme[5] todos los días.
8. Estar al aire libre.
9. Respirar por la nariz y no por la boca.
10. Dormir[6] con las ventanas abiertas.
11. Dormir ocho horas.
12. Acostarme[7] y levantarme temprano.

[1] *preserve.* [2] *before.* [3] *raise, lift.* [4] *after.* [5] *bathe.* [6] *sleep.* [7] *go to bed.*

B. Reemplacen la raya con el pronombre reflexivo:

1. —— levantaremos temprano. 2. ¿ Cómo —— llama usted ?
3. ¿ Por qué —— cubrieron ? 4. Vds. —— han peinado. 5. Yo
—— paseaba por el parque con ella. 6. ¿ A qué hora —— levantaba ?
7. ¿ Quién —— levantó temprano ? 8. Vds. —— prepararán tarde.
9. Láven —— Vds. las manos. 10. Necesitamos levantar ——.

C. Escriban la forma apropiada del verbo reflexivo:

1. (*lavarse*) Yo —— las manos. 2. (*desayunarse*) Él —— a las
ocho. 3. (*ponerse*) Los muchachos —— los zapatos. 4. (*quitarse*)
No debo —— el sombrero. 5. (*pasearse*) Nosotros —— por el parque.
6. (*quedarse*) ¿ Cuántas horas —— Vd. con ellos en la escuela ?
7. (*levantarse*) ¿ Por qué —— él temprano ? 8. (*secarse*) Vd. debe
—— las manos. 9. (*lavarse*) Yo —— la cara. 10. (*mirarse*) Después
él —— al espejo. 11. (*cubrirse*) Vds. deben —— aquí. 12. (*prepararse*) Los hombres —— para salir.

D. Escriban en el plural o en el singular:

1. ¿ A qué hora se levanta Vd. ? 2. ¿ Quién se lavaba las manos ?
3. Cúbrase ahora. 4. ¿ Cuándo se pasearán Vds. por las calles ?
5. El invierno pasado nos poníamos ropa de lana. 6. ¿ Por qué miró
Vd. al espejo ? 7. No nos quitaremos el sombrero allí. 8. ¿ Dónde
se han lavado la cara ? 9. ¿ Quiénes se secaron las manos ?
10. ¿ Cuándo se peinará Vd. ? 11. Nos hemos puesto los guantes.
12. Quédese en este cuarto.

E. TEST XXIX. *Write the Spanish translation of the words
in English:*

1. ¿ Cuándo —— (*do-you-get-up*) ? 2. Siempre queríamos ——
las manos (*wash*). 3. Luis —— el sombrero (*took-off*). 4. María
siempre —— tarde (*used-to-get-up*). 5. Los niños —— al espejo
(*have-looked-at-themselves*). 6. —— para salir (*Prepare-yourselves*).
7. Necesitaremos —— (*put-on-our-hats*). 8. No —— Vd. esta tarde
(*take-a-walk*). 9. Yo —— a las siete (*take breakfast*). 10. Vds. ——
temprano (*get-up*).

F. Dictado: *El profesor dictará las siguientes preguntas a los
alumnos y luego escribirán las respuestas:*

1. ¿ A qué hora se levanta Vd. ? 2. ¿ A qué hora se desayuna Vd. ?
3. ¿ A qué hora entra Vd. en la escuela ? 4. ¿ Cuándo principian las

clases ? 5. ¿ A qué hora come Vd. ? 6. ¿ A qué hora terminan las
clases ? 7. ¿ Se pasea Vd. por el parque ? 8. ¿ Cuándo estudia Vd.
las lecciones ?

G. Oral:

1. I wanted to get up late. 2. What is your name ? 3. Will they
get up late ? 4. My name is John Mendes. 5. They will take a
walk. 6. Wash your hands now. 7. You used to take a walk every
day. 8. He has not washed his face. 9. Get up (*pl.*) at seven
o'clock. 10. I was combing my hair. 11. Yesterday they did
not put on their shoes. 12. Charles has looked at himself in the
mirror.

CUENTO XXIX

Dos adversarios amables

Common sense solves a delicate question of honor.

Un día un boticario [1] y un militar tuvieron una discusión.
Poco a poco la discusión se hizo [2] violenta. Los dos se dijeron
muchas frases ofensivas. Por fin decidieron batirse en duelo. Los
padrinos escogieron la pistola como arma para el duelo.

El soldado aceptó esta condición con mucho gusto. Practicaba
tiros de pistola [3] todos los días con su arma favorita.

En cambio *a* el boticario tuvo que aceptar la condición, pero
no estaba muy contento. No sabía usar la pistola. Por lo general
los boticarios no matan con una pistola.

Por fin tuvo una buena idea el boticario, pero no dijo nada.
Llegó el día del duelo. Los adversarios llegaron al lugar esco-
gido para el caso, donde ya estaban muchas personas. Los padrinos trajeron un par de pistolas.

El boticario dijo al soldado delante de todos:

— Señor, Vd. es militar; yo soy boticario. Vd. sabe usar la
pistola, yo no; nunca he tenido una en la mano. Vd. ve que las
condiciones de nuestro duelo no son iguales. Por eso *b* le hago la
siguiente proposición: Aquí tiene Vd. una caja pequeña. En esta
caja hay dos píldoras.[4] En una hay un veneno mortal,[5] la otra
es completamente inofensiva. Tome Vd. una de las dos píldoras

---

[1] *druggist.* [2] *became.* [3] *He engaged in target practice.* [4] *pills.* [5] *deadly poison.*

Tome Vd. una de las dos píldoras y yo tomaré la otra.

y yo tomaré la otra. Uno de los dos morirá y el honor de cada uno quedará satisfecho.

Esta proposición singular causó mucha gracia [1] a los presentes. Los dos adversarios se dieron la mano [c] y cada uno volvió a su casa sano y salvo. [d]

CONVERSACIÓN

1. ¿ Qué decidieron hacer el boticario y el militar ? 2. ¿ Qué arma escogieron los padrinos ? 3. ¿ Por qué no estaba contento el boticario ? 4. ¿ Qué había en la caja pequeña ? 5. Por fin, ¿ qué hicieron ?

VOCABULARIO

el **adversario** opponent	**igual** equal	**mortal** fatal; violent
el **arma** *f.* weapon	**matar** to kill	el **presente** bystander
la **caja** box	el **militar** = el **soldado**	**satisfecho**, -a satisfied
la **discusión** argument	soldier	**ya** already
escoger to choose	**morir** to die	

What English words and meanings do you recognize from the following ?

aceptar, amable, el caso, la **condición**, decidir, el duelo, favorito, -a, la ocasión, el par, la pistola, la proposición

MODISMOS

(a) **en cambio** on the other hand   (c) **darse la mano** to shake hands
(b) **por eso** for that reason   (d) **sano y salvo** safe and sound

[1] *fun, merriment.*

LECCIÓN TREINTA

A. Imperfecto de los verbos irregulares. **B.** Segundo uso
del imperfecto

I. Ejercicio de pronunciación

pa-ís	dí-a	flú-i-do	deu-da	ro-de-o
o-ír	ca-í-da	ba-úl	re-ú-ne	se-am-os
re-ír	le-í-do	hu-í-do	con-ti-nuo	viu-da
le-í	co-mí-a	ma-íz	con-ti-nú-o	frí-o

II. Lectura

La esfinge

La lección del día era sobre los sentidos, los órganos y sus
funciones. Los alumnos de la clase eran muchos. Cuando
la lección era interesante, todos los alumnos prestaban
atención. Todos estaban atentos porque deseaban contestar bien. Aquel día los alumnos creían que la lección iba
a ser interesante. El profesor explicó la lección a la clase.

Al final de la clase, el profesor quería saber si los alumnos
comprendían la lección.

— Ahora, quiero ver si ustedes saben la lección — dijo
el profesor. — Yo pronunciaré unas frases y quitaré una
palabra que ustedes dirán.

Mientras el profesor hablaba, veía que los alumnos estaban atentos. Iba a hacerles unas preguntas fáciles.

— Ahora principio: La esfinge, animal fabuloso de piedra, con cabeza, cuello y pecho de mujer, cuerpo y pies de león, tiene todos los sentidos pero no los usa. Así, pues, tiene dos ojos y no puede . . .

— ¡ Ver! — contestó un alumno cuando Ana ya iba a responder.

— Muy bien. Tiene dos orejas y no puede . . .

— ¡ Oír! — respondió Ana, que era una de las alumnas aplicadas.

— Perfectamente. Tiene boca y no puede . . .

— ¡ Hablar!

— Muy bien. Tiene nariz y no puede . . .

— ¡ Sonarse! — contestó la clase a coro.

III. Vocabulario

el **coro** chorus; **a —,** all together
la **esfinge** sphinx
el **final** end, conclusion
la **función** use, function
el **león** lion

el **maestro** teacher, master
el **pecho** chest, breast

principiar to begin, start
pronunciar to pronounce

quitar to take away, leave out
sonarse to blow one's nose

atento, –a attentive
fabuloso, –a imaginary

IV. Gramática

A. Irregular Imperfect

ser *to be* era, eras, era, éramos, erais, eran
ir *to go* iba, ibas, iba, íbamos, ibais, iban
ver *to see* veía, veías, veía, veíamos, veíais, veían

Note that these are the only verbs which are irregular in the imperfect tense.

B. Second Use of the Imperfect

Cuando el profesor hablaba, los alumnos escuchaban.
When the teacher spoke, the students listened.

Mientras estaban atentos, siempre respondían bien.
While they were attentive, they always answered well.

Si la lección era fácil, todos la comprendían.
If the lesson was easy, everyone understood it.

Note that another use of the imperfect is to express two un-completed past actions which happened side by side and lasted the same length of time.

V. Conversación

1. ¿ Cuál era la lección del día ? 2. ¿ Cuándo prestaban aten-ción todos los alumnos ? 3. ¿ Por qué estaban atentos ? 4. ¿ Qué explicó el profesor a la clase ? 5. ¿ Qué quería saber ? 6. ¿ Quién iba a pronunciar las frases ? 7. ¿ Qué quitará el profesor ? 8. ¿ Qué veía el profesor ? 9. ¿ Qué preguntas iba a hacer ? 10. ¿ De qué animal hablaba ? 11. ¿ Qué cabeza, cuello y pecho tiene la esfinge ? 12. ¿ Qué cuerpo y pies tiene ? 13. ¿ Qué órganos tiene la esfinge y no puede usarlos ? 14. ¿ Con qué palabra contestó la clase a la última pregunta ?

VI. Ejercicios

A. Cambien los verbos siguientes al imperfecto:

iremos	Vd. es	fué	Vds. son
hizo	vieron	verá	vengo
han llegado	ayude Vd.	hemos dicho	se ha lavado
puse	escribí	fuimos	tuvieron
estuvieron	somos	Vd. saldrá	dijo
me levanto	se peina	nos miramos	se llamó

B. Conjuguen en el imperfecto de indicativo:

1. prestar atención   3. comprender bien   5. abrir la puerta
2. ver los periódicos   4. ir a la biblioteca   6. ser español

C. Usen los verbos del ejercicio *B* en el imperfecto con los sujetos:

1. Vd.   3. yo   5. ellos   7. Carlos   9. el profesor
2. nosotros 4. él   6. Vds.   8. ella   10. los hombres

D. Escriban las oraciones siguientes en el imperfecto:

1. Unos alumnos hablaron y otros escucharon. 2. Mientras el profesor habla, los alumnos están atentos. 3. Aquel día estudiaron mucho porque desearon contestar bien. 4. ¿ A quién ve Vd. todos los días ? 5. El ejercicio del día será fácil. 6. Querrán saber co-sas útiles porque trabajarán. 7. Vds. vieron a mis amigos porque

estuvieron en mi casa. 8. Voy a hacerles unas preguntas fáciles.
9. Iré a verle. 10. Lean Vds. estos libros. 11. Le ha gustado leer.
12. Comamos a la misma hora. 13. ¿ Quién me ve todos los días?
14. Los hemos visto. 15. El abogado va a hablarles.

E. TEST **XXX**. *Write the Spanish translation of the words in English:*

1. Los alumnos de la clase ——— muchos (*were*). 2. Cuando el
profesor explicaba la lección ——— atentos (*we were*). 3. ——— la
lección cuando estudiaba (*I used to know*). 4. ¿ Quién ——— la esfinge
(*was*)? 5. Cuando los muchachos no comprendían al profesor, lo
——— (*used to ask*). 6. A Vds. les ——— la clase de español (*used to
like*). 7. Un muchacho ——— la lección, mientras otros escuchaban
(*was reading*). 8. ——— a nuestros amigos que vivían en aquella calle
(*You used to see*). 9. ——— y hablábamos al mismo tiempo (*We were
eating*). 10. Todos los días cuando ——— a la escuela, veía a mis
amigos (*I went*).

F. Tema de composición:

LA ESFINGE, cuatro frases originales.

G. Oral:

1. There are many pupils in the class. 2. How many went to
school that day? 3. They used to pass through that street. 4. When
will they return? 5. Have you seen those pupils? 6. Let us go
there. 7. We used to go and they used to come. 8. You used to
speak and I used to listen. 9. When my grandfather read the newspaper, he used to smoke. 10. They (we, you) were going. 11. I
(they, she) used to (would) say. 12. They (he, you) used to be.
13. We (I, they, you) had friends. 14. She (we, they, you) used to
see. 15. They (we, you) were Americans.

CUENTO XXX

Leyenda centroamericana

An early episode of the Spanish Conquest in the New World.

Había en Guatemala,[1] algunos años antes de la conquista española, un rey indio que tenía una hija muy hermosa. Cuando

[1] Guatemala is the northernmost and most populous as well as the chief commercial country of Central America.

llegaron allí los hombres de raza blanca, vino entre ellos un hermoso capitán, de quien se enamoró [a] la joven princesa india. En una

ocasión ésta pudo salvarlo de una muerte cierta,[1] pues supo que los suyos,[2] que eran muchos, iban a atacarlo. Cuando llegó la noche, fué a buscar al capitán blanco. Le explicó que si la seguía, lo llevaría por caminos que ella solamente conocía y así podía escaparse sano y salvo. Aceptó el capitán la proposición de la princesa india. Ya se iban los dos cuando salió la luna en todo su esplendor. A la luz de la luna la princesa y el capitán pudieron ver que los indios llegaban para atacar el campamento de los españoles. Entre tanto [b] los indios también vieron a su princesa que se iba con el capitán. Éste, al verse descubierto, en vez de protegerla, la dejó abandonada, a merced de la justa furia de la tribu. La conducta del capitán blanco le hizo perder el deseo de vivir. No quiso escaparse y cayó en manos de los suyos, quienes la acusaron de traición.[3]

Los indios también vieron a su princesa.

Por algunos meses la princesa quedó prisionera de los suyos. Como el capitán nunca volvió a [c] verla, una noche la princesa se escapó. Corrió como una loca, hasta llegar a un monte muy alto de donde se tiró.[4] A la mañana siguiente hallaron el cuerpo sin vida de la hermosa princesa india, víctima de su amor por el capitán blanco.

CONVERSACIÓN

1. ¿ De quiénes habla esta leyenda? 2. ¿ Quién llegó con los hombres de raza blanca? 3. ¿ De quién se enamoró la princesa india? 4. ¿ Quién salvó la vida del capitán? 5. ¿ Por qué se tiró del monte la princesa india?

---

[1] *sure.*   [2] *her people.*   [3] *treason.*   [4] *from which she threw herself down.*

VOCABULARIO

el **amor** love	el **deseo** desire; zest	la **merced** mercy
blanco, –a white	**irse** to go off, go away	el **monte** mountain
el **campamento** camp	el **loco**; la **loca** lunatic,	la **raza** race
descubierto, –a discovered	maniac	

What English words and meanings do you recognize from the following?

acusar, atacar, centroamericano, –a, la conducta, la conquista, escaparse, el esplendor, explicar, la furia, indio, –a, la princesa, la prisionera, la víctima

MODISMOS

(a) **enamorarse de** to fall in love with   (b) **entre tanto** in the meantime
(c) **volver a** + *inf.* = *verb* + **otra vez** = *verb* + **de nuevo** = *verb* + again

REPASO DE GRAMÁTICA III

A. *Tener* y *haber*

SUJETOS	tener	haber	
yo	tengo	he	+ p.p.
Vd.	tiene	ha	+ p.p.
tú	tienes	has	+ p.p.
él, ella	tiene	ha	+ p.p.
nosotros, –as	tenemos	hemos	+ p.p.
Vds.	tienen	han	+ p.p.
vosotros, –as	tenéis	habéis	+ p.p.
ellos, –as	tienen	han	+ p.p.

B. Imperativos

I. hablar	II. aprender	III. vivir
hable Vd.	aprenda Vd.	viva Vd.
hablemos	aprendamos	vivamos
hablen Vds.	aprendan Vds.	vivan Vds.
no hable Vd.	no aprenda Vd.	no viva Vd.
no hablemos	no aprendamos	no vivamos
no hablen Vds.	no aprendan Vds.	no vivan Vds.

Imperativo con pronombre complemento o reflexivo

	Forma positiva	Forma negativa
1. Complemento directo	Escríbalo Vd.	No lo escriba Vd.
	Escribámoslo	No lo escribamos
	Escríbanlo Vds.	No lo escriban Vds.
2. Complemento indirecto	Háblele Vd.	No le hable Vd.
	Hablémosle	No le hablemos
	Háblenle Vds.	No le hablen Vds.
3. Pronombre reflexivo	Levántese Vd.	No se levante Vd.
	Levantémonos [1]	No nos levantemos
	Levántense Vds.	No se levanten Vds.

C. Futuro

Sujetos	I. hablar	II. aprender	III. vivir
yo	hablar é	aprender é	vivir é
Vd.	hablar á	aprender á	vivir á
tú	hablar ás	aprender ás	vivir ás
él, ella	hablar á	aprender á	vivir á
nosotros, –as	hablar emos	aprender emos	vivir emos
Vds.	hablar án	aprender án	vivir án
vosotros, –as	hablar éis	aprender éis	vivir éis
ellos, –as	hablar án	aprender án	vivir án

Futuro irregular

caber: cabré, cabrás, cabrá, cabremos, cabréis, cabrán
decir: diré, dirás, dirá, diremos, diréis, dirán
haber: habré, habrás, habrá, habremos, habréis, habrán
hacer: haré, harás, hará, haremos, haréis, harán
poder: podré, podrás, podrá, podremos, podréis, podrán
poner: pondré, pondrás, pondrá, pondremos, pondréis, pondrán
querer: querré, querrás, querrá, querremos, querréis, querrán
saber: sabré, sabrás, sabrá, sabremos, sabréis, sabrán
salir: saldré, saldrás, saldrá, saldremos, saldréis, saldrán
tener: tendré, tendrás, tendrá, tendremos, tendréis, tendrán
valer: valdré, valdrás, valdrá, valdremos, valdréis, valdrán
venir: vendré, vendrás, vendrá, vendremos, vendréis, vendrán

[1] In the imperative affirmative the final –s of the first person plural is omitted before the reflexive pronoun nos. The original stressed syllable must be indicated with a written accent.

D. Imperfecto de indicativo

Sujetos	I. hablar	II. comer	III. vivir
yo	habl aba	com ía	viv ía
Vd.	habl aba	com ía	viv ía
tú	habl abas	com ías	viv ías
él, ella	habl aba	com ía	viv ía
nosotros, –as	habl ábamos	com íamos	viv íamos
Vds.	habl aban	com ían	viv ían
vosotros, –as	habl abais	com íais	viv íais
ellos, –as	habl aban	com ían	viv ían

Imperfecto irregular

ser: **era, eras, era, éramos,** erais, **eran**
ir: **iba, ibas, iba, íbamos,** ibais, **iban**
ver: **veía, veías, veía, veíamos,** veíais, **veían**

E. Pronombres

Sujetos	Indirectos	Directos	Reflexivos	Preposicionales
yo	me	me	me	mí
tú	te	te	te	ti
Vd.	le	le, lo	se	Vd.
él	le	le, lo	se	él
ella	le	la	se	ella
nosotros, –as	nos	nos	nos	nosotros, –as
vosotros, –as	os	os	os	vosotros, –as
Vds.	les	los, las	se	Vds.
ellos	les	los	se	ellos
ellas	les	las	se	ellas

III. Ejercicios de repaso

(Achievement Test No. 3)

A. 1. ¿ —— Vd. los ojos azules (*Have*)? 2. —— abuelo (*I have no*). 3. Él —— hijos (*has*). 4. Isabel —— las manos bonitas (*has*). 5. Ellos no —— hermanos en Madrid (*had*). 6. Nosotros —— amigos en España (*had*). 7. Vds. —— una madre bonita (*have*). 8. Esta muchacha —— una cabeza pequeña (*has*). 9. Yo —— una hermana en Boston (*have*). 10. Cada mano —— cinco dedos (*has*).

B. 1. —— Vd. a Luis (*Write*). 2. —— ahora (*Let us write to him*). 3. —— Vds. en seguida (*Don't open them, f.*). 4. No —— Vd. para comer (*live*). 5. —— Vd. este cuento (*Read*). 6. —— mucha fruta (*Let us eat*). 7. —— Vds. en inglés (*Speak to her*). 8. —— Vd. en su casa (*Receive her*). 9. ——Vds. estas palabras (*Learn*). 10. —— estas novelas (*Let us sell*).

C. 1. Nosotros —— la carta (*have written*). 2. Yo —— a Luis (*have visited*). 3. ¿ Qué —— Vd. (*have . . . said*)? 4. ¿ A quién —— Vd. (*have . . . seen*)? 5. ¿ Cuándo —— Vd. (*have . . . returned*)? 6. ¿ Qué —— Isabel allí (*has put*)? 7. ¿ Qué —— Vds. esta mañana (*have . . . eaten*)? 8. Ellas —— estos paquetes para mí (*have received*). 9. Vds. —— una blusa para María (*have made*). 10. ¿ Por qué —— Vd. la puerta (*have . . . opened*)?

D. 1. Nosotros estamos cerca de —— (*her*). 2. Este libro es para —— (*me*). 3. Ellos trabajan —— (*with me*). 4. Luis vive —— (*with you, pl.*). 5. Estas revistas son para —— (*you*). 6. No hablemos de —— (*them*). 7. Felipe está aquí —— (*with me*). 8. Ana está entre Carmen y —— (*him*). 9. Aprendan Vds. esto sin —— (*us*). 10. Comamos sin —— (*them*).

E. 1. —— el baúl (*He will open*). 2. Vd. —— varios trajes (*will buy*). 3. Su hija —— varios trajes en el baúl (*will put*). 4. ¿ Qué —— mañana (*shall we do*)? 5. ¿ Qué —— a mi madre (*shall I say*)? 6. —— para Boston (*They will leave*). 7. —— cuellos y corbatas (*We shall sell*). 8. —— salir de España (*They will not be able to*). 9. Ellos —— qué decir (*will not know*). 10. —— muchos cuellos (*You will have*).

F. 1. —— son útiles (*Books*). 2. Él no tuvo —— (*any gloves*). 3. ¿ No tiene Vd. —— (*any friends*)? 4. Lean Vds. —— españoles (*newspapers*). 5. Nosotros siempre llevamos —— de lana (*suits*). 6. Este señor comprará —— bonitas (*neckties*). 7. —— no usan medias (*Men*). 8. ¿ Recibirá Vd. —— de España (*any letters*)? 9. —— son muy bonitas (*Mantillas*). 10. No necesitaron —— (*any shoes*).

G. 1. —— a su madre (*She was visiting*). 2. —— a nuestros amigos en Madrid (*We used to write*). 3. —— muchos amigos en

España (*They always had*). 4. Ella siempre —— la misma cosa (*would say*). 5. Visitaban a Felipe cuando —— allí (*he lived*). 6. Vivía en España mientras ellos —— en Boston (*were living*). 7. A menudo —— cartas de ella (*you used to receive*). 8. —— muchos trajes (*They had*). 9. En casa —— qué comer (*we did not know*). 10. Yo —— una revista mientras que Vd. tocaba el piano (*was reading*).

H. 1. Ella —— una carta (*wrote me*). 2. Nosotros —— (*understand them*). 3. Yo no —— esa novela (*shall read her*). 4. —— una carta interesante (*Let us write to them*). 5. Yo no deseé —— (*visit them*). 6. No —— Vds. en esa casa (*visit us*). 7. ¿ Quién —— (*used to invite her*)? 8. —— a las siete (*Get up*). 9. ¿ Por qué —— su sombrero (*haven't you taken off*)? 10. Yo deseaba —— todos los días por esa calle (*take a walk*).

I. 1. ¿ A dónde —— Vd. aquel día (*were . . . going*)? 2. Siempre —— estos libros en mi cuarto (*we used to see*). 3. —— en aquella casa (*I used to live*). 4. —— la misma cosa (*They were saying*). 5. —— contestar al profesor (*I was going to*). 6. Vds. —— el periódico (*would read*). 7. Vd. —— nuestros amigos todos los días (*used to see*). 8. —— al cine todas las noches (*They used to go*). 9. En aquella casa —— todos españoles (*were*). 10. ¿ Quién —— aquel señor (*was*)?

Conversación VII
El dormitorio

1. ¿ Qué representa el grabado en la página 273 ? — El grabado representa . . .
2. ¿ Qué es el número 5, 3, 18, 20, 11, 14 ? — El número 5 es . . .
3. ¿ Es el número 7 . . . ? — No, señor, el número 7 no es . . .; es . . .
4. ¿ Es el número 5 . . . ? — Sí, señor, el número 5 es . . .
5. ¿ De qué color es el número 5 ? — El número cinco es *blanco, negro, azul, rojo,* . . .
6. ¿ Qué objetos ve Vd. en el grabado ? — Veo . . .
7. ¿ Dónde está el número 3 ? — El número tres está *cerca de, lejos de, bajo, sobre* . . .
8. ¿ Qué es el número dieciséis ? — El 16 . . .

9. ¿ Qué usamos para dormir, escribir, lavarnos, beber, para limpiarnos los dientes ? — Usamos ... para ...

10. ¿ A qué hora se levanta Vd. ? — Me levanto a ...

11. ¿ Se levanta Vd. temprano o tarde? — Me levanto a ..., me levanto ...

12. ¿ Qué hace después? — Me lavo, me baño, me afeito, me preparo para desayunarme.

13. ¿ Con qué se lava Vd. ? — Me lavo con agua y jabón.

14. ¿ Con qué se seca Vd. (*dry yourself*) ? — Me seco con una toalla.

15. ¿ Con qué se limpia Vd. los dientes ? — Me limpio los dientes con un cepillo.

16. ¿ A qué hora sale de casa? — Salgo a las ...

17. ¿ Toma Vd. el travía o el tren para ir a la escuela? — Tomo el ...

18. ¿ A qué hora vuelve Vd. a casa? — Vuelvo a ...

19. ¿ Qué hace Vd. por la tarde, por la noche, por la mañana? — Estudio, trabajo, leo, ...

20. ¿ A qué hora se acuesta Vd. (*do you go to bed*) ? — Me acuesto a las ...

VALENCIA

ORANGE GROVE OF SPAIN

Valencia, a gay and happy city, is the capital of the most prosperous agricultural province in Spain. It rises in the center of a wide plain on the eastern coast and is surrounded by many picturesque *barracas*. The typical *barraca* is a whitewashed farmhouse made of sun-dried brick walls with a high, pointed, thatched roof. This vast plain is known as the *huerta*. So great is its fertility that it has often been called "the Garden of Spain." The *huerta* lies on both banks of the Turia or Guadalaviar River from which *acequias*, or irrigation ditches, get their supply of water. The fertility of the region, which produces as many as three or four crops a year, is due in a large measure to an efficient network of artificial irrigation by means of eight different canals. Valencia owes this to the Moors, who appropriately called the *huerta* "a bit of heaven dropped to earth." At four o'clock every morning

VII. EL DORMITORIO

1. La manta. 2. La cama. 3. La almohada. 4. La funda de almohada.
5. La sábana. 6. El tocador. 7. El espejo. 8. La luz eléctrica. 9. El jarro.
10. La palangana. 11. El lavabo. 12. La jabonera. 13. El toallero. 14. La
toalla. 15. El cepillo de dientes. 16. La silla. 17. La gaveta. 18. La
cómoda. 19. El cuadro. 20. La lámpara. 21. El escritorio. 22. El tintero.
23. La pluma. 24. El papel.

UNA BARRACA DE VALENCIA

These houses show the prevailing style of construction in the *huerta*. The *barraca* is used either as a residence to shelter the farmer and his family or as a barn to store his crops and farm implements. The crosses on the roof are supposed to provide protection against evil spirits.

UNA TARTANA DE VALENCIA

This is really a city *tartana* or family coach, now generally replaced by the automobile. The rural *tartana* used to carry the farm products of the *huerta* into the city is a two-wheeled cart.

an endless procession of *tartanas* begins from the country into the city. Long lines of these heavy, two-wheeled carts make their way through the crooked, narrow, and cobbled streets accompanied by the cracking of whips and the ever cheery note of the mule bells, a constant reminder of the fertility and gaiety of the *huerta*.

LA CATEDRAL CON EL MIGUELETE, VALENCIA
As in Seville and in Toledo, the cathedral continues to be the principal attraction. The *Miguelete* is the tower in the background.

The most important structure of Valencia is the cathedral, built on the site of a mosque. The architecture of the edifice combines several styles and periods. It was begun in 1262 and finished in the fifteenth century. Subsequent additions were made in the seventeenth and eighteenth centuries. The eight-sided bell tower of the cathedral is called *El Miguelete* and is about two hundred feet high. The huge bronze bell of this tower rings to announce the opening or shutting of the canals of the *huerta*, and woe to the farmer who disregards this warning. Like the Giralda of Seville, the Miguelete is the characteristic landmark of Valencia. The view from the top of the tower over the blue-tiled domes of the cathedral leaves a lasting impression of the fertile and green lands of the *huerta* threaded with *acequias*.

Valencia is a symphony of colors. The orange groves flash their green and gold hues over the reddish brown of the native soil. The dazzling white of the low houses and the dark blue glazed tiles of the towers of the city blend harmoniously with the blue of the skies.

Valencia cannot be mentioned without reference to the legendary figure of El Cid, for it was he who wrested the city from the Moors. Tradition has it that the day after capturing Valencia El Cid showed the beauty of the city and the surrounding country to his wife and daughters from the Miguelete. After his death, the Moors regained possession of the city, only to surrender it again to the Spaniards after the heroic efforts of King James I, the conqueror of Aragon.

The other main points of interest in Valencia are: the many squares; the university, founded in 1411; the Alameda, a fashionable promenade bordered with trees; and the exchange, notable for its immense hall of columns.

There are many old and quaint customs and institutions in Valencia which are kept alive even to this day. Of the many that the Moors introduced in Spain, the *Tribunal de las Aguas* is the last remnant of their democratic method of administering justice in the *huerta*. The life of the peasants in the *huerta* depends upon the flowing of the water through the *acequias* or water ditches. Sometimes there are disputes over the distribution of water. To settle disagreements of this character, the *Tribunal de las Aguas* was instituted. Every year the landowners themselves choose the officers. Their decisions are final. This peasant court meets every Thursday in front of the Door of the Apostles, one of the most beautiful doors of the cathedral.

El Grao, Valencia's seaport, located at the mouth of the Guadalaviar River, is one of the safest ports on the Mediterranean. Through it Valencia exports oranges, raisins, rice, melons, fresh and dried fruit, silks, and excellent olive oil. The city has also factories of felt, gloves, leather goods, glazed pottery ware, and colored tiles, many of whose products go to foreign parts from this port.

Valencia is very old and naturally its history spans through many centuries. It was occupied by the native Celtiberians, Phoenicians, Carthaginians, Romans, and Visigoths. In the year 714 it fell into the hands of the Moors before their onslaught across Spain. They held this in their possession till the year 1094 when El Cid captured and took possession of the city after

EN LA HUERTA DE VALENCIA

Rice is one of the many products of the *huerta*. The farmers shown in the picture are hulling rice by the primitive process of pouring the grain through a sieve and raking it.

a long siege. As in Seville, five centuries of Moorish occupation have left an indelible mark on the city and the people. The Valencian type is swarthy, intelligent, of fiery temper, and somewhat vindictive.

For many centuries Valencia has been an active art center. This has contributed in no small measure to make the Valencians preëminently artistic. Their works in painting and sculpture have been so important and so distinctly their own in style that they have given rise to the Valencian School. The great Sorolla, the most important of the native painters of Valencia, as well as the novelist Blasco Ibáñez, have done much in recent years to keep the name of Spain before the multitudes of the world. The chief center of art, the *Museo Provincial de Pinturas*, housed in a former convent, contains a collection of some fifteen hundred paintings and gives a very definite idea of the Valencian School. It is one of the best in Spain, second only to the Prado in Madrid. A visit there is well worth one's while, for in it one can get an exact idea of Valencia's contribution to Spanish painting.

FALLA DE SAN JOSÉ

This figure shows Don Quijote's fight with the windmills, one of the most famous episodes in Cervantes' *Don Quijote de la Mancha*.

Even in the common people the artistic tendency is ever ready to express itself. The creative genius of the Valencians is manifested in the *fiestas*. During Carnival, the summer holidays, and on the eve of Saint Joseph, their gift for decorative arts has free play. Particularly famous is the feast of the *Fallas de San José* which is celebrated on the 19th of March. The *fallas* are gigantic cardboard figures which are generously smeared with wax to be subsequently burned in different sections of the city. The artists are kept busy many days before the *fiesta* making these grotesque, satirical, or heroic figures which form the chief feature of the celebration. The figures vary in size from a few feet to two or three stories high. This holiday lasts six or seven days and is always an intense period of merrymaking. For the entire week Valencia is in an uproar because of the many visitors who come to the city. The inhabitants and strangers consume a large amount of *buñuelos* or doughnuts, the universal and characteristic food of this period. There are band competitions, continuous parades, bullfights, and much noise from the *trackas*, or strings of firecrackers, which are strung along the main streets. Fireworks light the night skies. During this holiday a young lady is crowned Miss Valencia for the entire year. The *fiesta* is climaxed on the night of St. Joseph when the crowds dance before the *fallas* and the gigantic figures sway and twirl. As midnight approaches the music becomes louder and the dancing wilder. When the bell of the Miguelete rings out at midnight, a person with a lighted torch appears and sets fire to the *fallas* and a few moments later the gigantic figures burst into flames. The intense light casts peculiar reflections on the faces of the men and women. As the flames sink and the brightness diminishes, the frame of the *falla* falls with a crash giving forth an outburst of sparks which disappear and leave the street under a canopy of darkness.

FALLA DE SAN JOSÉ

The figures to be burned in the *fallas* frequently ridicule some local custom or public policy. This one criticized the traction company for removing the rails from an important street.

At about one o'clock the crowds begin to retire and the *falla de San José* is over.

The Valencians are known for their gay temperament. We have seen that they are particularly fond of feasting. Till very recently, practically every day on the calendar had some form of celebration. One of the most beautiful festivals is the Battle of Flowers which is celebrated in midsummer. So many kinds of flowers are used that they create a veritable riot of brilliant colors. This is also an opportunity for open contests in poetry, country dancing, grand opera performances, and bullfights on a grand scale. The Valencians are justly proud of their bull ring because it is the largest in Spain, with a seating capacity of some 17,000.

It may be interesting to note that Valencia exports every year no less than three hundred tons of flowers, principally roses, of which it cultivates eighty different varieties. One of the sights of this city is the Flower Market in Castelar Park, a permanent flower exhibit supervised by charming Valencian beauties who bestow motherly care on a display of flowers with all the colors of the rainbow. What glorious splendor there is in the glowing red, dazzling blue, bright yellow, and creamy white of endless flowers which send out waves and waves of fragrance!

There are many smart and attractive shops along the streets of Valencia. Among the numerous articles offered for sale, two are especially noteworthy: the *mantillas* and the large variety of fans. The *mantilla*, which is a fine lace veil or scarf, is generally black, but on festive occasions, such as *fiestas* and bullfights, a cream-colored *mantilla* is usually worn. The fans are of every description, from inexpensive paper ones, with artistic pictures, to costly silk painted by hand. The fan is still an indispensable article of adornment in the Spanish dress. The ladies of Valencia, as well as their sisters in other sections of Spain, are particularly gifted in its use, whether to create a gentle breeze or merely as a decorative addition to their colorful costumes. They have also a special gift for adorning their hair with flowers. No other women in the world can combine brilliant colors in their dress with such artistic effects.

Valencia, Seville, Madrid, and Barcelona are four representative Spanish cities, but there are so many others! Spain offers more variety in its cities than any other country in Europe. Ávila, of quaint medieval atmosphere; Bilbao, the Pittsburgh of Spain, not far from the iron mines of the north; Burgos, with its grand cathedral; Cádiz, the city of white on the blue sea; Córdoba, the ancient Mecca of the West, with its caliphs and its mosque, the classic example of Moorish architecture; Granada, the city of mystery, with its hill palace, the Alhambra, the glories of which have been sung by Washington Irving; Toledo, the Spanish Rome and the museum city of Spain; Málaga, of ideal climate and enchanting scenery; Salamanca, the university city of the past; and so on. We could cite at least another score of cities, each and every one of them with its characteristic, distinctive note and special appeal, each throbbing with a life peculiarly its own; all steeped in tradition, all rich in local color.

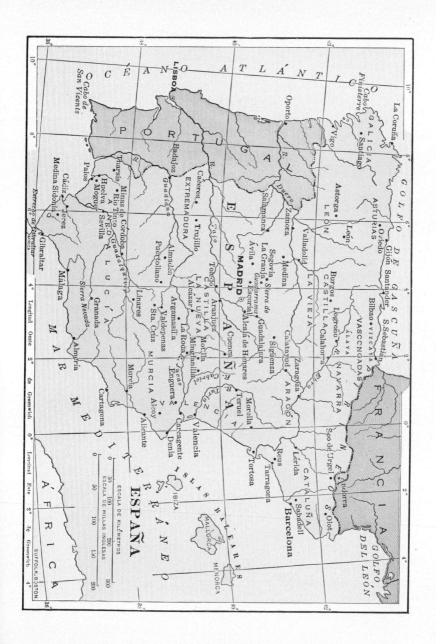

ESPAÑA

SECCIÓN QUINTA
POR LA CIUDAD

Joaquín Sorolla

ARAGÓN

Aragon was one of the cradles of the United Kingdom of Spain. In this picture the artist shows the brave mountaineers and their womenfolk dancing the well-known *jota aragonesa* at a festival held on a mountain road.

LECCIÓN TREINTA Y UNA

A. Verbos en *-ar* y *-er* que cambian la raíz: Presente de indicativo. **B.** Mandatos

I. Ejercicio de pronunciación

ca	que	qui	co	cu
ca-ma	que-rer	quin-ce	co-sa	cul-pa
lo-ca	sa-que	a-quí	lo-co	dis-cur-so
ca-ca-o	por-que	quin-qué	co-lo-co	cu-co
Ca-ra-cas	Que-ré-ta-ro	Qui-to	Co-lón	Cu-ba

II. Lectura

Un abogado como pocos

Rosa, una niña de diez años, y Alberto su hermano de doce, desean jugar al abogado. Para principiar, Rosa sale del cuarto y cierra la puerta. Pocos minutos después llama a la puerta.

ALBERTO: — ¡ Adelante !

ROSA: — Buenos días, señor abogado. Vd. me esperaba, ¿ no es verdad? (*Alberto le muestra una silla y dice a Rosa con toda la cortesía de un abogado.*)

ALBERTO: — Siéntese Vd., señora, por favor. Me acuerdo de que me escribió de este asunto.

ROSA: — Señor, me [1] robaron un objeto. Creo que fué mi criado. ¿ No piensa Vd. que debe pagarlo?

ALBERTO: — Sí, señora, pierda Vd. cuidado. Cuando una persona

Buenos días, señor abogado.

roba un objeto, si no lo devuelve, tiene que pagarlo. Señora, ¿ puede Vd. decirme cuánto vale el objeto que le robaron?

[1] *from me.*

283

Rosa: — No vale mucho. Es una caja de dulces que me dió mi tío Juan para el día de mi santo. El ladrón se comió toda la caja. Como no me he comido ni un dulce, el ladrón debe pagarme la caja entera. Encuentre Vd. al ladrón, si puede, para decirle que debe comprar una caja igual.

Alberto: — Es una mentira, señora. No empiece [1] por decir mentiras. Muéstreme la caja. Vd. sabe muy bien que no me comí todos los dulces.

Rosa: — ¡ Entonces es Vd. el ladrón ! ¡ Vd., abogado y ladrón al mismo tiempo !

Alberto: — Sí, yo soy; pero me acuerdo muy bien de que no me comí todos los dulces. Me he comido varios, nada más.

Rosa: — Bueno, señor abogado. Como Vd. es el ladrón, tiene que comprarme otra caja. Aquí tiene Vd. la dirección de la confitería donde Vd. pronto encuentra otra igual.

Alberto: — Está bien. ¿ Cuánto vale la caja de dulces ?

Rosa: — No me acuerdo. Creo que vale cinco pesos.

Alberto: — Muy bien, señora. Como mi consulta vale diez pesos y la caja vale cinco, sólo me debe cinco pesos. Ahora, buenos días, y hágame el favor de mandarme el dinero mañana. Vuelva Vd. a verme otra vez, si me necesita, y tendré mucho gusto en ayudarla.

El tiempo (*Weather*)

¿ Qué tiempo hace ?	*How is the weather ?*
Hace buen tiempo.	*It is good weather.*
Hace mal tiempo.	*It is bad weather.*
Hace frío.[2]	*It is cold.*
Hace calor.	*It is warm.*
Hace mucho calor.	*It is very hot.*
Hace viento.	*It is windy.*
Hace fresco.	*It is cool.*
Hace sol.	*The sun is shining.*
Hace luna.	*The moon is shining.*
Llueve.	*It rains.*
Nieva.	*It snows.*

[1] All verbs ending in –zar change the z to c before –e.

[2] Note that hacer frío = *to be cold* (of the weather), and tener frío = *to be cold* (of persons or animals); see *Modismos* in Lesson 21; estar frío = *to be cold* (of things); see Lesson 17.

III. Vocabulario

la **caja** box; **una — de dulces** a box of candy
la **confitería** candy shop
la **consulta** consultation
el **ladrón** thief
la **mentira** lie
el **objeto** object, thing

el **peso** dollar
el **santo** saint; **el día de —**, festival day of one's saint

comerse to eat up
deber to owe
empezar por to begin by

jugar al abogado to play lawyer
robar to steal, rob

igual similar, alike

casi almost
sólo = solamente only
¡ adelante ! come in !

pierda Vd. cuidado don't worry
¡ qué sé yo ! how should I know ?

IV. Gramática

Radical Changes in –ar and –er Verbs

A. Present Indicative

		1st Conjugation		2nd Conjugation	
Infinitive		contar	pensar	volver	perder
		to count	*to think*	*to return*	*to lose*
Pres. Ind.	yo	*cuento*	*pienso*	*vuelvo*	*pierdo*
	Vd.	*cuenta*	*piensa*	*vuelve*	*pierde*
	tú	*cuentas*	*piensas*	*vuelves*	*pierdes*
	él, ella	*cuenta*	*piensa*	*vuelve*	*pierde*
	Vds. (ellos, –as)	*cuentan*	*piensan*	*vuelven*	*pierden*
But:	nosotros	contamos	pensamos	volvemos	perdemos
	vosotros	contáis	pensáis	volvéis	perdéis

In the present indicative of certain verbs of the first and second conjugations, the vowel of the syllable preceding the infinitive ending changes from o to ue, and from e to ie if the stress falls on that syllable.

Observe that in the present indicative the stress falls on the syllable preceding the infinitive ending in the three persons of the singular and in the third person of the plural. In the first and second plural the stress is shifted to the following syllable. In radical-changing verbs, the verbal forms of the present indicative used with nosotros and vosotros never undergo this change of spelling.

The other indicative tenses of such verbs are regular.

B. Commands

	1ST CONJUGATION		2ND CONJUGATION	
INFINITIVE	contar	pensar	volver	perder
IMPERATIVE	*cuente* Vd.	*piense* Vd.	*vuelva* Vd.	*pierda* Vd.
	cuenten Vds.	*piensen* Vds.	*vuelvan* Vds.	*pierdan* Vds.
But:	contemos	pensemos	volvamos	perdamos

The vowel changes occurring in the present indicative of the above verbs also occur in commands with the subjects **Vd.** and **Vds.**

The following verbs, among others, are subject to these changes:

(o = ue)[1]

acordarse (de)	*to remember*
acostarse	*to go to bed*
almorzar	*to take lunch*
contar	*to count, tell*
devolver	*to return* (an object)
encontrar	*to meet, find*
mostrar	*to show*
mover(se)	*to move*
volver	*to return, go back*

(e = ie)

cerrar	*to close*
comenzar	*to begin*
despertarse	*to wake up*
empezar	*to begin*
entender	*to understand*
pensar	*to think, intend*
perder	*to lose*
sentarse	*to sit down*

V. CONVERSACIÓN

1. ¿ Cuántos años tiene Rosa? ¿ Alberto? 2. ¿ A qué quieren jugar Rosa y Alberto? 3. ¿ Cuándo llama Rosa a la puerta? 4. ¿ Qué le robaron a Rosa? 5. ¿ Quién cree que fué? 6. ¿ Cuánto valía el objeto? 7. ¿ De quién recibió Rosa la caja de dulces? 8. ¿ Qué se comió Alberto? 9. ¿ Quién era el ladrón? 10. ¿ Cuánto creía Rosa que valía la caja de dulces? 11. ¿ Cuánto vale la consulta? 12. ¿ Cuánto debe Rosa al abogado?

VI. EJERCICIOS

A. Conjuguen en el presente:

comenzar	cerrar	pensar	volver
jugar	despertarse	sentarse	entender

[1] By exception, **jugar**, *to play* (*a game*), is the only verb which changes **u** to **ue** when the syllable in which **u** is found is stressed; thus: yo juego; Vd., él, ella juega; Vds., ellos, –as juegan.

B. Escriban el imperativo afirmativo y negativo:

MODELO: cerrar: cierre Vd.   no cierre Vd.
               cierren Vds.   no cierren Vds.
               cerremos   no cerremos

contar	perder	acostarse	volver
cubrirse [1]	entender	acordarse	moverse

C. Escriban las oraciones siguientes con los pronombres **yo, Vd., Vds., él:**

1. Cerramos la puerta. 2. No nos sentamos allí. 3. ¿ Qué perdemos siempre ? 4. No encontramos la caja de dulces. 5. Nos acordamos de su nombre. 6. Le mostramos una silla. 7. ¿ A qué hora nos despertamos ? 8. Empezamos la lectura.

D. Sustituyan la raya con el presente de indicativo:

1. *pensar:* yo ——, Vds. ——, él no ——, ¿ —— Vd. ?
2. *cerrar:* él ——, ¿ no —— Vd. ? ¡ —— Vd. ! yo ——.
3. *comenzar:* ella no ——, Vds. no ——, yo ——, Ana ——.
4. *volver:* ¿ —— ellas ? yo ——, Vds. ——, él ——.
5. *jugar:* él no ——, Vds. ——, yo ——, Vd. ——.
6. *poder:* él ——, ¿ —— Vds. ? yo ——, Rosa ——.
7. *sentarse:* ellos ——, ¿ —— él ? Vds. ——, yo ——.
8. *perder:* Vd. ——, él ——, ¿ no —— ellos ? ¿ —— Vds. ?
9. *acostarse:* ellas ——, Vd. ——, él no ——, yo ——.
10. *mostrar:* él ——, yo ——, Vd. ——, ellas ——.

E. TEST XXXI. *Write the Spanish translation of the words in English:*

1. Ellos —— la puerta (*close*). 2. —— Vd., señora, en esa silla (*Sit down*). 3. ¿ —— Vd. el español (*Do . . . understand*) ? 4. —— la caja de dulces (*I do not find*). 5. —— a la tienda (*Let us return*). 6. —— Vds. temprano (*Go to bed*). 7. ¿ A qué hora —— Vds. (*do . . . wake up*) ? 8. Rosa —— mi nombre (*does not remember*). 9. —— Vds. aquella carta (*Show me*). 10. —— dinero todos los días (*We do not lose*).

F. Dictado:

(*a*) El profesor dictará seis preguntas de la Conversación; (*b*) luego los alumnos escribirán las respuestas.

---

[1] Review *Commands* in Lesson 22, and *Reflexive Verbs* in Lesson 29.

G. Modismos:

1. Today it is good weather. 2. It is not cold. 3. It is not warm.
4. It is not windy. 5. The sun is shining. 6. It is not raining.
7. It is not snowing. 8. It is not bad weather.

H. Oral:

1. I always count. 2. When did he count our books. 3. They used to count. 4. They will count. 5. Who closes the door? 6. Close the door. 7. They begin the book. 8. Show me (**Vd.**) the box of candy. 9. At what time do you wake up? 10. Do you understand this sentence? 11. I shall return to Spain. 12. Do you always lose your hat? 13. I sit here.

Cuento XXXI

Un juez sabio

A decision that gives neither side an advantage.

Hace algún tiempo *ᵃ* en un lejano país vivían dos amigos. Los dos eran muy buenos y se querían mucho.*ᵇ* Eran muy honrados y muy trabajadores.[1] Un día descubrieron una mina de oro. Desde entonces *ᶜ* empezó el cambio de Juan y Pedro. Con el tiempo olvidaron el respeto que se tenían [2] y empezaron a discutir. Por fin, decidieron separarse y dividir los bienes [3] que poseían en común. Al llegar la hora de la división, los amigos no podían ponerse de acuerdo.*ᵈ* Cada uno quería para sí lo mejor.

— Esto es mío — decía Juan.

— No, esto es para mí — contestaba Pedro.

Por fin decidieron someter el caso a una tercera persona. Fueron a ver a un sabio juez que había en el lugar.[4] Prometieron aceptar su decisión. El juez los recibió y los oyó con interés y atención. Después pidió el plano de la mina de oro y dijo:

— La división me parece un problema muy fácil, si Vds. aceptan mi solución. ¿La aceptan Vds.?

— ¡Ya lo creo! *ᵉ* Sí, la aceptamos con mucho gusto — dijeron juntos los dos amigos.

— Pues bien — continuó el juez — ahora mismo uno de Vds.

---

[1] *hard-working.*   [2] *the respect they had for each other.*   [3] *property.*   [4] *town.*

El juez los oyó con interés y atención.

va a dividir con este lápiz en el plano, la mina, las tierras y las otras cosas que Vds. poseen en común. Solamente tengo que decirles que la persona que hace la división puede hacerla a su gusto [1] y el otro tiene la libertad de escoger la parte de su preferencia.

Los dos amigos comprendieron la lección que el sabio juez quiso enseñarles. Dieron las gracias al ᶠ juez y salieron de allí como buenos amigos.

CONVERSACIÓN

1. ¿ Dónde vivían los dos amigos ? 2. ¿ Por qué decidieron separarse ? 3. ¿ A quién sometieron el caso ? 4. ¿ Quién iba a dividir los bienes en el plano ? 5. ¿ Quién iba a escoger la parte de su preferencia ?

VOCABULARIO

el **cambio** change	el **juez** judge	**sabio, -a** wise
descubrir to discover	**lejano, -a** distant,	**separarse** to separate
discutir to argue	far off	**sí** oneself; yes
honrado, -a honorable, honest	la **mina** mine	**someter** to submit

What English words and meanings do you recognize from the following ?

la **atención**, el **caso**, **común**, **continuar**, **decidir**, **dividir**, la **división**, el **interés**, la **libertad**, la **parte**, el **plano**, la **preferencia**, el **respeto**

[1] *at his pleasure.*

Modismos

(a) **hace algún tiempo** some time ago   (d) **ponerse de acuerdo** to come to
(b) **quererse** to like each other   an agreement
(c) **desde entonces** from then on   (e) **¡ ya lo creo !** yes, indeed ! of course !
                   (f) **dar las gracias a** to thank

LECCIÓN TREINTA Y DOS

A. Verbos en –*ir* que cambian la raíz: Presente de indicativo y mandatos. B. Pretérito

I. Ejercicio de pronunciación

za	ce	ci	zo	zu
ta-za	ce-ro	ci-ga-rro	a-bra-zo	a-zul
lan-za	ha-ce	lec-ción	zon-zo	zar-zue-la
ra-za	ce-ce-o	cir-co	zo-zo-bra	zu-lú
Za-mo-ra	Cer-van-tes	Ci-ce-rón	Zo-rri-lla	Zu-ma-ya

II. Lectura

En una tienda

Un día Rosa y Luis, su hermano, quisieron jugar a la tienda de comestibles. Rosa se vistió con la ropa de su madre y Luis prefirió no cambiar de traje.

— Buenos días, señor comerciante.

— Buenos días, señora. ¿ En qué puedo servirle ? Pida Vd. algo, por favor.

— ¿ Vende Vd. café ?

— Sí, señora. Todas mis parroquianas sirven este café a sus amigos y lo prefieren porque es bueno y barato. Sírvalo Vd. a sus amigos también. Si le digo señora que es muy bueno, créame que no miento.

— Bien, quiero dos metros; no, prefiero tres.

— Repita Vd. su orden, no la oí muy bien.

— Tres metros de café.

— ¿ Qué oigo ? ¡ Tres metros de café ! Señora, no vendemos el café por metros.

— Pues bien, ¿ cómo lo vende Vd. ?

— Por kilos o por libras — contesta Luis y se sonríe.

— Bien, necesito dos libras de café y dos de vinagre. ¿ Por qué se sonríe Vd. ?

— Me sonrío, señora, porque Vd. pide dos libras de vinagre. El vinagre no lo vendemos por libras.

— ¿ Qué digo yo ? ¡ Libras ! Pues, ¿ cómo lo vende Vd., señor comerciante ?

— Por botellas, señora, — dice Luis que se ríe de su parroquiana.

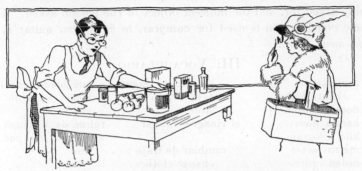

Señora, no vendemos el café por metros.

— Ríase Vd. de mí si quiere, pero yo deseo una botella de vinagre y dos botellas de huevos.

— Pero, perdone Vd., señora. Los huevos los vendemos por docenas.

— Pues, ¿ puede Vd. darme dos docenas de huevos y cuatro docenas de harina ?

— Señora, la harina la vendemos por kilos o libras — responde Luis.

— ¡ Ah, sí, es verdad ! ¿ Vende Vd. al fiado ?

— No, señora, vendemos barato, pero siempre preferimos vender al contado. Siento mucho no poder vender al fiado.

— Entonces me despido de Vd. por algunos minutos y vuelvo en seguida con el dinero.

Rosa pidió el dinero a su madre. Recibió tres duros y fué a pagar la cuenta. El comerciante y la parroquiana prefirieron hacer negocios al contado y no al fiado. Los dos se divirtieron mucho por media hora y luego se despidieron el uno de la otra.

MÁXIMA

Quien va despacio y con tiento,[1]
hace dos cosas a un tiempo.

Modismos con *pedir*

Pidió un favor a Juan.	*He asked John a favor.*
Pidió dinero a su padre.	*He asked his father for money.*
Le pidió un libro.	*He asked him for a book.*

Note that **pedir**, *to ask* (*for*), requires the direct object of the
thing asked for, and the indirect object of the person asked. The
same construction is used for **comprar**, *to buy from*, **quitar a**, *to
take away from*.

III. VOCABULARIO

el **comerciante** merchant, dealer
la **docena** dozen
la **harina** flour
el **kilo** kilogram
el **metro** meter
la **orden** order
la **parroquiana** customer
la **tienda** store; — de
comestibles grocery store; **jugar
a la —**, to play store
el **vinagre** vinegar

cambiar de traje to change clothes
hacer negocios to do business
servir to serve; **¿ en qué puedo servirla?**
what can I do for you?
reírse de to laugh at
vender to sell (**por** by the)

por favor please
al contado for cash
al fiado on credit

IV. GRAMÁTICA

Radical Changes in *–ir* Verbs

A. Present Indicative and Imperative

		(e = ie)	(e = i)	(o = ue)
INFINITIVE		sentir	pedir	dormir
		to regret	*to ask for*	*to sleep*
PRES. IND.	yo	*siento*	*pido*	*duermo*
	Vd.	*siente*	*pide*	*duerme*
	tú	*sientes*	*pides*	*duermes*
	él, ella	*siente*	*pide*	*duerme*
	Vds. (ellos, –as)	*sienten*	*piden*	*duermen*
But:	nosotros	sentimos	pedimos	dormimos
	vosotros	sentís	pedís	dormís

[1] *care.*

IMPERATIVE	*sienta* Vd.	*pida* Vd.	*duerma* Vd.
	sintamos	*pidamos*	*durmamos*
	sientan Vds.	*pidan* Vds.	*duerman* Vds.

Note that some of the verbs of the third conjugation change the vowel before the infinitive ending, when stressed, from e to ie or i, and o to ue in the present indicative and in commands with the subjects Vd. and Vds.

B. Preterit

		(e = i)		(o = u)
INFINITIVE		sentir	pedir	dormir
PRETERIT IND.	Vd. (él, ella)	*sintió*	*pidió*	*durmió*
	Vds. (ellos, –as)	*sintieron*	*pidieron*	*durmieron*

Note that verbs undergoing the above changes in the present indicative and in commands, change e to i and o to u in the third person singular and plural of the preterit.

The following are the most common verbs subject to the changes as given in the model verbs:

divertirse (ie)	{ *to enjoy oneself,* *to have a good time*	**despedirse** (i)	*to take leave of*
mentir (ie)	*to lie, tell a lie*	**pedir** (i)	*to ask (for)*
preferir (ie)	*to prefer*	**reír(se)** (i) [1]	*to laugh*
sentir (ie)	*to regret, feel sorry*	**repetir** (i)	*to repeat*
sentirse (ie)	*to feel*	**servir** (i)	*to serve*
		sonreír(se) (i)	*to smile*
		vestirse (i)	*to dress*

dormir (ue)	*to sleep*
dormirse (ue)	*to fall asleep*
morir (ue)	*to die*

V. CONVERSACIÓN

1. ¿ Qué quisieron hacer Rosa y Luis? 2. ¿ Con qué ropa se vistió Rosa? 3. ¿ Quién era el comerciante? 4. ¿ Quién era la parroquiana? 5. ¿ Por qué prefieren el café de Luis? 6. ¿ Cómo se vende el café? ¿ el vinagre? ¿ la harina? 7. ¿ Cómo prefiere vender Luis? 8. ¿ Para qué se despidió Rosa? 9. ¿ A quién pidió el dinero? 10. ¿ Qué dinero recibió de su madre? 11. ¿ Cómo prefirieron hacer negocios?

---

[1] Reír: *pres. ind.* río, ríes, ríe, reímos, reís, ríen; *pret.* reí, rió, reímos, rieron.

VI. EJERCICIOS

A. Escriban (*a*) el presente de indicativo de:

1. *sentirse:* yo ——, ¿ no —— Vd. ? ellos ——, Felipe ——.
2. *pedir:* ellos ——, yo ——, ¿ no —— él ? ¿ quién —— ?
3. *volver:* ella ——, yo ——, Vd. ——, yo no ——, Vds. ——.
4. *dormir:* nosotros ——, ¿ no —— Vd. ? yo no ——.

(*b*) el pretérito de:

1. *reírse:* él ——, Vd. no ——, ellas ——, nosotros ——.
2. *vestirse:* ellos ——, él ——, nosotros ——, ¿ —— José ?
3. *dormirse:* Ana ——, Vds. ——, él ——, Clara y Ana ——.

(*c*) el imperativo de:

1. *divertirse:* —— Vd., no —— Vds., —— Vds., no —— Vd.
2. *acostarse:* —— Vds., —— Vd., no —— Vd., no —— Vds.
3. *repetir:* —— Vds., no —— nosotros, —— Vd., —— nosotros.
4. *entender:* —— Vd., no —— Vds., no —— Vd., —— Vds.
5. *dormirse:* no —— Vds., —— Vds., no —— Vd., —— Vd.

B. **Contesten a las siguientes preguntas con los sujetos yo, ella, ellos y nosotros:**

1. ¿ No pide Vd. café ? 2. ¿ Se divierten Vds. ? 3. ¿ Duerme Vd. bien ? 4. ¿ Prefieren Vds. comer mucho ? 5. ¿ Con quién juega Vd. ? 6. ¿ Se despiden Vds. de ellos ? 7. ¿ Cómo se siente Vd. ? 8. ¿ Piensa Vd. escribir a su padre ? 9. ¿ Pierde Vd. mucho ? 10. ¿ Se acuerda Vd. de esto ?

Contesten a estas preguntas en el pretérito.

C. Escriban en todos los tiempos simples (presente, pretérito, etc.):

MODELO: Vd. se ríe, se reía, se rió, se reirá.

1. Él ha dormido.
2. Ellos han reído.
3. Vds. han pedido.
4. ¿ Qué ha contado Vd. ?
5. Yo me he vestido.
6. Los hemos servido.
7. Vd. no ha mentido.
8. Él lo ha preferido.
9. He perdido esto.
10. Vds. han vuelto aquí.

D. Traduzcan al español las palabras entre paréntesis:

1. Luis —— una tienda (*has*). 2. Rosa —— comprar un kilo de azúcar (*wants*). 3. Nos —— que el azúcar es barato (*he says*).

4. Mañana —— ... la libra (*it-will-be-worth*). 5. Hoy —— a Rosa (*we have seen*). 6. Nosotros no les —— tanto (*shall-pay*). 7. Él —— comprar el azúcar en otra tienda (*will-be-able*). 8. ¿ —— cuánto vale una botella de vinagre (*Do-you-know*)? 9. Luis —— dulces (*used-to-sell*). 10. —— cuánto vale (*I don't know*). 11. Los dos no —— aquí (*do not fit*). 12. Ellos no —— hoy (*have-gone-out*).

E. TEST XXXII. *Write the Spanish translation of the words in English:*

1. ¿ Por qué —— Vd. (*are-smiling*)? 2. —— el dinero a su madre (*Let-us-ask-for*). 3. Ayer él me —— un favor (*asked*). 4. ¿ Cuántas horas —— (*did-they-sleep*)? 5. El año pasado ella —— (*died*). 6. Vds. —— mi casa (*prefer*). 7. —— todos los días (*I-enjoy-myself*). 8. —— Vd. esto a sus amigos (*Serve*). 9. No —— Vd. aquí (*fall-asleep*). 10. Ellos —— muy bien (*feel*).

F. Tema de composición:

EN UNA TIENDA, cinco frases originales.

G. Oral:

1. They do not sleep. 2. I do not understand you. 3. He slept eight hours. 4. Why did you lie? 5. When do you play? 6. What did you prefer? 7. She dressed immediately. 8. You will close the windows when it rains. 9. Let us serve coffee. 10. Do not lie now. 11. Return immediately. 12. I am not well today. 13. Let us sleep eight hours.

CUENTO XXXII

Discípulo de Albéniz

An apt pupil of Albéniz.

Isaac Albéniz fué un gran músico y compositor español del siglo pasado. Creó la escuela española de piano. Compuso varias óperas y piezas clásicas de valor inestimable. Entre sus óperas una de las más bellas es « Pepita Jiménez ».

Se dice que un día trabajaba en el gabinete de su casa cuando oyó un hombre en la calle que tocaba muy mal en un acordeón una de sus composiciones. Era una aria de la mencionada ópera. Indignado el artista al oír tan mal tocada su obra, bajó en seguida a la calle, llamó al músico y le dijo muy irritado:

— Esa pieza no la tocamos así. Préste me su acordeón; voy a enseñarle cómo la toco.

Y Albéniz se puso a [a] tocar la pieza como sólo el autor de una obra sabe tocarla,[b] mientras el hombre escuchaba con gran atención. Como era un discípulo diligente no iba a olvidar una lección tan bien enseñada por el famoso músico.

Pocos días después volvió a oír el compositor el acordeón, tocado por el mismo individuo, pero por cierto [c] de muy distinta manera. El músico de la calle no había olvidado ninguna de las correcciones hechas por el gran maestro de música.

Por curiosidad Albéniz se levantó, fué a la ventana y la abrió para escuchar mejor. En la calle estaba el mismo hombre, con una sonrisa en la cara. Albéniz, al mirar con más atención, notó que un mono lo acompañaba con un cartel que decía: « Discípulo de Albéniz ».

Conversación

1. ¿ Quién era Albéniz? 2. ¿ Qué compuso? 3. ¿ Qué oyó un día? 4. ¿ Por qué estaba indignado? 5. Después de pocos días, ¿ por qué tocaba mucho mejor el hombre del acordeón?

Vocabulario

el **acordeón** accordion
el **autor** author, composer
bello, –a beautiful
componer to compose
el **compositor** composer
el **discípulo** pupil

indignado, –a indignant
el **maestro de música** music master
el **mono** monkey
el **músico** musician; la **música** music

la **pieza** piece, selection
prestar to lend
tocar to play (an instrument)
el **valor** value

What English words and meanings do you recognize from the following?

el aria *f.*, el **artista, clásico, –a,** la **composición,** la **corrección,** el **creador,** la **curiosidad, famoso, –a, inestimable, notar,** la **ópera**

Modismos

(a) **ponerse a** + *inf.* = **empezar a** + *inf.* = **comenzar a** + *inf.* = **principiar a** + *inf.* to begin to

(b) **saber** + *inf.* to know how to + *verb*

(c) **por cierto** certainly

LECCIÓN TREINTA Y TRES

A. Uso del verbo reflexivo por la voz pasiva. B. Uso impersonal de *se*

I. Ejercicio de pronunciación

ga	gue [1]	gui	go	gu
pa-gan	gue-rra	gui-sa	go-rra	a-gu-do
gar-gan-ta	pa-gue	á-gui-la	a-mi-go	gus-to
col-gar	ma-la-gue-ña	guin-da	Go-gol	or-gu-llo
Má-la-ga	Gue-va-ra	A-gui-rre	Gon-zá-lez	an-gus-tias

II. Lectura

Aquí se habla español

Un español, recién llegado a Nueva York, pasa un hermoso día de mayo por la Quinta Avenida. En una de las muchas tiendas se ve un cartel con las palabras « Aquí se habla español ». Abre la puerta, entra y dice a uno de los dependientes:

— Buenos días, señor.

— Buenos días, caballero.

— ¿ Cómo está Vd. ?

— Muy bien, gracias.

— ¿ Y la familia ?

— ¿ La familia ? . . . Muy bien.

---

[1] The u is silent in the combination of **gui** and **gue** and the **g** is pronounced "hard."

— ¿ Qué se vende aquí ?

— Se pueden comprar sombreros, sobretodos, corbatas, cuellos y camisas y toda clase de ropa interior.

¿ Y cómo está la familia ?

— ¿ Y cómo andan los negocios ?

— Muy bien, señor, ... pero ...

— Y sus precios son bajos, ¿ no es verdad ?

— Oh, sí, son muy bajos.

— ¿ A qué hora se abre esta tienda ? ¿ Está abierta todo el día ? ¿ Y cuántas horas se trabaja ?

— Esta tienda se abre a la hora que se abren las otras; pero ¿ por qué tantas preguntas ?

— ¡ Oh, por nada ! Varias veces pasé por esta calle. Leí el cartel escrito en español, pero nunca tuve el tiempo de entrar. Esta mañana me levanté temprano y al pasar otra vez por la calle, he visto el cartel con las palabras « Aquí se habla español », y me he dicho: « Bueno, voy a entrar en esta tienda y hablar español un rato ».

Refrán

Poco a poco se va lejos.[1]   *Make haste slowly.*

III. Vocabulario

el **caballero** sir
el **cartel** placard, sign, poster
el **dependiente** clerk, employee
mayo m. May
los **negocios** business; ¿ cómo andan los

—? how is business?
la **ropa interior** underwear
el **sobretodo** overcoat
llegar to arrive, come; **recién llegado** recently arrived

bajo, –a low
tanto, –a so much; pl. so many
un rato a while

¿ **(no es) verdad** ? is it not so ?
por nada for no particular reason

[1] Literally, *Little by little one goes far.*

IV. GRAMÁTICA

A. The Passive Se

¿ Qué se vende en la tienda?	*What is sold in the store?*
Se ven muchas tiendas.	*Many stores are seen.*
Se pueden ver muchos trajes.⎫ Pueden verse muchos trajes.⎭	*Many suits can be seen.*

In Spanish the passive voice is used less than in English. Instead, the reflexive form is employed, especially when the agent (= doer) is not indicated. The verb is singular or plural according to the subject, which often follows the verb.

B. The Indefinite Passive Se

Aquí se habla español.	*Spanish is spoken here.*
¿ Cómo se entra?	*How do you (does one) enter?*
Se dice que hay muchos españoles en Nueva York.	*It is said that there are many Spaniards in New York.*

An indefinite or impersonal subject, expressed in English by *one, we, you, they, people*, is also expressed in Spanish by the reflexive form. Note that in this case the verb is always in the third person singular.

V. CONVERSACIÓN

1. ¿ Por dónde pasa el español? 2. ¿ Qué se ve en una tienda? 3. ¿ Qué dice el cartel? 4. ¿ Quién abre la puerta? 5. ¿ Qué dice al dependiente? 6. ¿ Qué se vende en la tienda? 7. ¿ Cómo andan los negocios? 8. ¿ Qué pregunta el dependiente al fin? 9. ¿ Por qué ha entrado el español en la tienda? 10. ¿ Qué ha visto al pasar por la calle?

EJERCICIO DE INVENCIÓN

Escriba Vd. los nombres de diez países donde se habla español.

VI. EJERCICIOS

A. Imiten el modelo:

MODELO: Se habla español.	¿ Se habla español?
No se habla español.	¿ No se habla español?

1. Se hablan dos idiomas. 2. Se ven muchas cosas. 3. Se hacen

muchos negocios. 4. Se venden corbatas. 5. Se aprende mucho. 6. Se puede comprar esta silla. 7. Se vende fruta. 8. Se pide dinero.

B. Pongan en el presente, pretérito, imperfecto y futuro la forma reflexiva:

1. (*Leer*) —— muchos libros españoles. 2. (*comprender*) ¿ Qué idiomas —— aquí ? 3. (*cerrar*) Esta tienda —— a las ocho. 4. (*comprar*) Aquí —— al contado. 5. (*vender*) En esta tienda todo —— al contado. 6. (*Necesitar*) —— dos dependientes. 7. (*ver*) En la calle —— tiendas de juguetes. 8. (*hallar*) En otras tiendas —— libros ingleses y españoles.

C. Usen en frases cortas:

1. se venderán	2. se dijo	3. se han visto	4. se pusieron
se empiezan	se ha oído	se dicen	se sabía
se repitieron	se cuenta	se vió	se pidió
se hablará	se hacían	se pagará	se ha hecho

D. Imiten el modelo:

MODELO: La puerta —— *abrir = Se abre* la puerta.
Debe abrirse la puerta.
Se debe abrir la puerta.

1. El cartel —— *ver.* 2. Varios artículos —— *perder.* 3. Los sombreros —— *vender* aquí. 4. Muchos negocios —— *hacer* en la Quinta Avenida. 5. En Nueva York —— *hablar* inglés y español. 6. —— *ver* muchas cosas en las calles de una ciudad. 7. Las tiendas —— *abrir* a las nueve. 8. ¿ Qué —— *pedir?* 9. No —— *vender* libros en esta tienda. 10. —— *preferir* pasar por esta puerta.

E. Usen los verbos siguientes en la forma reflexiva:

MODELO: Necesitar (dinero, hombres) =
Se necesita dinero.   Se necesitan hombres.

1. Vender (el azúcar, dulces).   2. Ver (las tiendas, la calle).
Abrir (la puerta, las tiendas).   Escribir (la carta, las palabras).
Comprar (carne, café y azúcar).

F. TEST **XXXIII.** *Write the Spanish translation of the words in English:*

1. —— hermosas tiendas en esa calle (*Were seen*). 2. ——

muchos artículos allí (*Will be sold*). 3. ¿ —— otro idioma en España (*Is spoken*)? 4. —— muchas personas por las calles (*Can be seen*). 5. Ayer —— dulces aquí (*were asked for*). 6. ¿ —— mucho dinero para ellos (*Was needed*)? 7. A menudo —— español (*was spoken*). 8. ¿ —— otros idiomas (*Are understood*)? 9. —— cosas raras de esa calle (*Are told*). 10. Las palabras —— muchas veces (*were repeated*).

G. Tema de composición:

AQUÍ SE HABLA ESPAÑOL, cinco frases originales.

H. Oral:

1. At what time is the meal begun? 2. What language is spoken? 3. Spanish was spoken here. 4. Many things were seen. 5. What will be done there? 6. Books must be bought. 7. What story was heard yesterday? 8. This house will be sold. 9. My room was preferred. 10. Those words were repeated. 11. The story is told. 12. Those doors will be closed.

CUENTO XXXIII

Ladrón sin saberlo

A story with a surprise ending.

Este incidente pasó [1] a fines del [a] siglo dieciocho, en la ciudad de Méjico.[2] Era la época colonial, que duró trescientos años. Vivía allí un general del ejército, hombre de mucho valor. En la ciudad había habido [3] muchos asaltos [4] nocturnos. Era peligroso salir a la calle por la noche. El general tenía que ir a visitar a uno de sus amigos una noche y antes de salir tomó su pistola.

---

[1] *happened.*

[2] Mexico City, capital of Mexico, has a population of more than a million and large colonies of Americans and Europeans. It lies in a great valley at an elevation of over 7000 feet above sea level and is surrounded by magnificent volcanic mountains. One of the world's most beautiful capitals, it resembles in many ways the great cities of continental Europe. Historically Mexico City was the first great metropolis of the New World. As it stands today the city is the product of the latter half of the nineteenth century. No other city has more inspiring scenery and such a perfect climate all the year round.

[3] *there had been.* [4] *holdups.*

No iba a dejarse robar [1] sin defenderse y ver si hasta podía capturar al ladrón.

Mientras andaba por una calle solitaria, iba muy preocupado con sus negocios del día. De repente dió con [b] una persona que venía en dirección contraria. Se acordó el general de los ladrones nocturnos y se tocó el bolsillo. Vió que no tenía el reloj. En seguida creyó que el hombre se lo había robado.[2] Sin perder tiempo sacó la pistola, apuntó [3] al ladrón y le dijo en voz muy alta:

— O me da Vd. ahora mismo el reloj o lo mato.

El otro sin decir palabra le dió el reloj. Entonces echó a correr y el general no pudo detenerlo ni entregarlo a la policía.

O me da Vd. ahora mismo el reloj o lo mato.

El general hizo su visita al amigo y regresó a su casa después de algunas horas. Al llegar entró en su cuarto y se fijó, con gran sorpresa, en [c] que había dejado el reloj en la mesa. Mucha vergüenza le dió [d] cuando vió que sin saberlo había hecho el papel de [e] ladrón. Fué sólo después de una semana que logró hallar [f] al hombre, le devolvió su reloj y le pidió perdón.

CONVERSACIÓN

1. ¿Qué época era? 2. ¿A dónde iba el general aquella noche?
3. ¿Con quién dió en la calle? 4. ¿Qué dijo el general al ladrón?
5. Al llegar a su casa, ¿qué vió en la mesa?

[1] *He was not going to allow himself to be robbed.*   [2] *had stolen it from him.*
[3] *aimed.*

VOCABULARIO

contrario, –a opposite, contrary

defenderse to defend oneself

detener(se) to stop, halt

el ejército army

entregar to hand over, deliver

la época epoch

matar to kill

el negocio business

nocturno, –a nocturnal, nightly

peligroso, –a dangerous

el reloj watch

el siglo century

tocar(se) to touch

What English words and meanings do you recognize from the following?

capturar, el incidente, el perdón, la policía, preocupado, –a, la pistola, visitar, la visita

MODISMOS

(a) **a fines (principios) de** at the end (beginning) of

(b) **dar con** to come upon

(c) **fijarse en** to notice

(d) **dar vergüenza a** to feel ashamed

(e) **hacer el papel** to play the role

(f) **lograr** + *inf.* to be successful in + *pres. part.*

LECCIÓN TREINTA Y CUATRO

A. Condicional: Formación. B. Tiempos de probabilidad

I. EJERCICIO DE PRONUNCIACIÓN

ja	ge (je)	gi (ji)	jo	ju
ja-món	gen-te	gi-ra	jo-ven	jun-ta
ca-ja	co-ger	e-le-gir	e-li-jo	ju-ro
ja-más	je-fe	hi-ji-ta	o-jo	ju-gar
Ja-mai-ca	mu-jer	Mé-ji-co	Jor-ge	Ju-lia

II. LECTURA

De la vida de un perro

(Una semana)

Domingo: Me gusta la casa nueva donde me han traído. Yo estaría bien, pero no me gusta el collar que me han puesto. Además, hay un gato que no es mi amigo. Por otro lado, la comida es buena.

Lunes: Serían las ocho cuando tuve un gran combate con el zorro. Este animal es un cobarde. Lo he mordido varias veces. Lo hallé sobre el diván y lo hice pedazos.

Martes: Lola me riñó. Me acusó de haber destruído al zorro. ¿ Quién podía saber que era sólo una piel ? Me puso en un cuarto donde había sólo sillas rotas. Desearía saber por qué me pusieron allí.

Miércoles: La señorita Lola es mala. Me dió una paliza porque ladraba. ¿ Por qué me puso en el cuarto con las sillas rotas ? ¡ Hasta me dió la paliza delante del gato ! No soy amigo de las palizas.

Jueves: Fué un buen día. Hallé el plato de leche del gato y me bebí toda la leche. Luego en la cocina robé un pedazo de carne; era muy rico. Nunca he sido más feliz. Ha sido un día muy feliz para mí. No me han reñido, ni he recibido palizas.

Viernes: La tía de Lola vino a visitarla. La tía de Lola es una señora anciana, no muy simpática. Tendría unos sesenta años. No sé por qué traía un pájaro en el sombrero. No me gustó, salté sobre él y lo mordí varias veces. No puedo soportar a los pájaros. ¿ Me darán un bizcocho ? Los bizcochos son muy ricos y me gustan mucho.

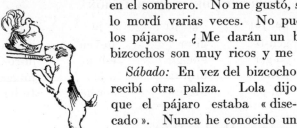

Sábado: En vez del bizcocho recibí otra paliza. Lola dijo que el pájaro estaba « disecado ». Nunca he conocido un pájaro de ese nombre. Y además, ¿ qué hace un pájaro en un sombrero ? Lola me prometió que yo sería siempre feliz en su casa, que me daría dulces y que sería siempre mi amiga. Mañana voy a prometer a Lola muchas cosas: no ladraré mucho; no morderé al zorro; seré amigo del gato; y aun de la tía de Lola. No robaré pedazos de carne; no beberé la leche del gato. Quiero ser amigo de todos para ser siempre feliz.

¡ EUREKA !

En la clase de historia.

— Arquímedes — lee Juan — salió del baño y exclamó: « ¡ Eureka ! ¡ Eureka ! »

Y la profesora pregunta a Juan:

— ¿ Qué quería decir con Eureka ?

Nadie contesta.

— Quería decir — añade la profesora — ¡ por fin lo hallé ! Pero, ¿ qué halló ?

Después de un silencio Perico contesta:

— ¡ El jabón !

III. VOCABULARIO

el **bizcocho** biscuit, cracker	el **pedazo** piece; **hacer —s** to tear to pieces	**morder** to bite
el **cobarde** coward	la **piel** fur	**soportar** to endure, suffer, stand
el **combate** fight, battle	el **zorro** fox	
el **diván** sofa		**disecado, –a** stuffed
el **lado** side; **por otro —,** on the other hand	**acusar** to accuse	**rico, –a** rich; delicious
	destruir to destroy	**además** besides, moreover
el **pájaro** bird	**ladrar** to bark	
la **paliza** beating		

LOS DÍAS DE TRABAJO

Los días de labor son seis, son seis:
lunes uno, martes dos, miércoles tres;
los días de labor son seis, son seis:
jueves cuatro, viernes cinco, sábado seis.

IV. GRAMÁTICA

A. The Conditional: Formation

SUJETOS	I. visitar	II. beber	III. recibir
	I should[1] visit, etc.	*I should drink, etc.*	*I should receive, etc.*
yo	visitar ía	beber ía	recibir ía
Vd.	visitar ía	beber ía	recibir ía
tú	visitar ías	beber ías	recibir ías
él, ella	visitar ía	beber ía	recibir ía

[1] The word *should* does not always indicate a conditional. When *should* = *must* or *ought to*, the present, past, or conditional of **deber** must be used.

Sujetos	I. visitar	II. beber	III. recibir
nosotros, –as	visitar íamos	beber íamos	recibir íamos
Vds.	visitar ían	beber ían	recibir ían
vosotros, –as	visitar íais	beber íais	recibir íais
ellos, –as	visitar ían	beber ían	recibir ían

Learn these irregular forms of the conditional:

haber: habría, etc.	poner: pondría, etc.	venir: vendría, etc.
caber: cabría, etc.	salir: saldría, etc.	decir: diría, etc.
poder: podría, etc.	tener: tendría, etc.	hacer: haría, etc.
saber: sabría, etc.	valer: valdría, etc.	querer: querría, etc.

Note that the conditional, like the future, is formed with the infinitive used as a stem. The endings are: –ía, –ía, –ías, –ía, –íamos, –ían, –íais, –ían.[1] Observe the irregular conditional forms; notice that while the stem is irregular, the endings are always regular. An irregular future calls for an irregular conditional.

In general, there is no difference in the use of the conditional in English and Spanish.

B. Expressions of Probability

Lola estará en casa.	*Lola is probably at home.*
Lola estará contenta.	*Lola is probably happy.*
Las dos serán hermanas.	*The two are probably sisters.*
¿ Qué hora era?	*What time was it?*
Sería la una.	*It was probably one o'clock.*
Serían las dos y media.	*It was probably half past two.*

Observe that in Spanish the future is often used to express probability or wonder in the present, in which case it is expressed in English by such words as *probably, I wonder, I imagine.* To express probability in the past, the conditional is used.

V. Conversación

1. ¿ Qué le gusta al perro? 2. ¿ Cuándo tuvo un combate con el zorro? 3. ¿ Qué hizo el perro? 4. ¿ Dónde puso Lola al perro? ¿ Por qué? 5. ¿ Qué hizo Lola delante del gato? 6. ¿ Qué se bebió el perro? 7. ¿ Qué robó en la cocina? 8. ¿ Quién fué a visitar a Lola? 9. ¿ Cuántos años tendría? 10. ¿ Qué no

---

[1] Note that these are the endings of the imperfect indicative of the second and third conjugations.

puede soportar el perro? 11. ¿Por qué recibió otra paliza? 12. ¿Qué le prometió Lola? 13. ¿Qué prometió el perro?

VI. Ejercicios

A. Den el condicional del infinitivo en letra cursiva:

1. (*ir*) Se repitió que ellos —— conmigo. 2. (*gustar*) Dijo que le —— una casa buena. 3. (*Ser*) ¿—— un perro o un gato? 4. (*recibir*) Cuando se despidieron me dijeron que me ——. 5. (*venir*) Le prometí que yo no ——. 6. (*comprar*) Mi padre me contó que —— un perro. 7. (*tener*) Lola —— dieciséis años. 8. (*visitar*) Escribieron que nos —— mañana. 9. (*necesitar*) Para comprar un perro, se —— dinero. 10. (*hacer*) ¿Qué —— Vds. en esa casa grande sin un perro? 11. (*poder*) No se —— vivir sin perro. 12. (*vivir*) Con un perro yo —— feliz. 13. (*salir*) ¿Cuándo pensaba que ella ——? 14. (*ser*) Dijo que los perros —— siempre útiles.

B. Pongan los verbos siguientes (*a*) en el presente y pretérito:

1. *pensar:* yo ——, ellos ——, Vds. ——, ella ——.
2. *volver:* nosotros ——, Vd. ——, ellas ——, Vds. ——.
3. *sentir:* él ——, yo ——, Vds. ——, nosotros ——.
4. *dormir:* Vds. ——, yo ——, Vd. ——, ellos ——.
5. *pedir:* yo ——, Vds. ——, ella ——, nosotros ——.

(*b*) en el futuro y condicional:

6. *hablar:* Vd. ——, nosotros ——, yo ——, ellas ——.
7. *saber:* ella ——, Vds. ——, ellos ——, Vd. ——.
8. *decir:* nosotros ——, Vds. ——, él ——, yo ——.
9. *escribir:* Vds. ——, ellos ——, él ——, nosotros ——.
10. *aprender:* Vds. ——, ella ——, yo ——, ellos ——.

C. Pongan las oraciones en el futuro y el condicional:

1. ¿Quién ha venido conmigo? 2. ¿A qué hora se despidió Vd.? 3. No cerremos esa puerta. 4. ¿A qué juegan? 5. Se sintieron muy bien. 6. ¿Cuándo se vistieron Vds.? 7. Se hablaban dos idiomas. 8. No se pudieron comprar los artículos. 9. No me gusta la casa. 10. La comida era buena. 11. Me ha acusado. 12. Pida Vd. algo.

D. En las siguientes frases den el condicional y el futuro de probabilidad:

1. Él está bien. 2. Es la una. 3. Son las cinco. 4. Tiene diez

años. 5. Le daban un bizcocho. 6. ¿Quién ha recibido esto? 7. ¿Quién fué su amigo? 8. Ella está en su casa.

E. TEST XXXIV. *Write the Spanish translation of the words in English:*

1. ¿Qué —— para visitar a un amigo de ellas (*would-you-do*)? 2. Para visitarlo —— el tren (*I-should-take*). 3. ¿Qué periódicos dijo él —— en el tren (*would-be-sold*)? 4. Dijo que —— una caja de dulces para ella (*would-be-bought*). 5. Escribimos que les —— un perro (*we-should-give*). 6. Contestó que ella —— a verme mañana (*would-come*). 7. —— la una cuando llegamos (*It-was-probably*). 8. El perro —— blanco y negro (*is-probably*). 9. —— leer algo de la vida de un perro (*I-should-like*). 10. Lola y su hermana —— muy hermosas (*were-probably*).

F. Dictado:

El profesor dictará la anécdota *Eureka.*

G. Oral:

1. Read this story. 2. Did you read it? 3. They used to see it. 4. We have seen it. 5. When will you read it? 6. They thought: he was probably sick, it was probably three o'clock, he was probably sleeping, Rose was probably his friend. 7. They promised that: they would go, they would say, I should do, I should receive. 8. They said that: I would buy, you would find, we should wish, he would go. 9. He repeated that: they would say it, she would come, we should read. 10. It is probably: one o'clock, two o'clock, four o'clock, ten o'clock.

CUENTO XXXIV

El amigo del hombre

Another story about man's best friend, the dog.

Había un noble en la corte del rey Carlos Quinto,[1] llamado Juan de Tovar. Se paseaba un día por el bosque con su perro cuando fué asesinado y después enterrado al pie de un árbol. El perro se quedó varios días sobre la tumba de Tovar. Pero des-

---

[1] Charles V, king of Spain and emperor of Germany, was born at Ghent in 1500. Under the title of Charles I of Spain, he fell heir to the crowns of Aragon

pués, muerto de hambre, el pobre animal regresó a la ciudad y
fué a la casa de un íntimo amigo de su amo. Al entrar, empezó
a dar quejidos [1] de dolor. Parecía que quería explicar algo al
amigo de su dueño. Iba hasta la puerta y se volvía para hacer
lo mismo otra vez. Por fin llegó donde estaba el amigo de su
amo y le tiró del traje como para [2] decirle:

— ¡ Vamos! Venga [3] conmigo y verá lo que ha pasado.[4]

Por fin las extrañas acciones del perro llamaron la atención
del dueño de la casa. La llegada del animal sin Tovar, a quien
nunca dejaba, era rara. Por eso [a] decidió el señor seguir al
animal sin perder tiempo.

Lo llevó el perro al pie del árbol y allí aumentaron los quejidos [5]
del pobre animal. Se puso a sacar algo de la tierra. Hizo investigar
el sitio el caballero y encontraron el cuerpo de su pobre amigo.

Algún tiempo después el perro encontró al asesino. Su nombre
era Mijares. El perro le saltó al cuello y fué difícil quitarlo de
encima de Mijares. Cada vez que el perro lo encontraba se repetía
la misma escena. Muy raro parecía esto a todos, hasta que al
fin se acordaron de que Mijares y Tovar eran enemigos. Otros
detalles aumentaron las sospechas que ya todos sentían a causa
de [b] la conducta del perro.

Al cabo de algún tiempo informaron al rey. Éste reunió un
grupo de caballeros entre quienes estaba Mijares. Trajeron entonces el perro que, al ver al asesino de su amo, le saltó al cuello
con furia.

En esa época cuando no se tenían pruebas ciertas de un crimen,
se ordenaba una lucha entre el acusador y el acusado. Creían
que Dios siempre protegía al inocente. Por eso el rey ordenó
una lucha entre el caballero y el perro.

Dieron al caballero un grueso palo. Al perro le trajeron un
barril donde podía protegerse. Durante la lucha el perro se defendía muy bien de los golpes de Mijares. Trataba de atacar

and Castile with all their possessions in the New World, Sicily, and Naples. He
also inherited the Netherlands, and at the death of his grandfather Maximilian I
he was elected German emperor. As the first king of the House of Austria in
Spain, he was very unpopular with the Spaniards because of his ruthless method
of abolishing democratic institutions in the country. During his reign he engaged
in several wars with foreign powers, with the result that at his abdication in 1558,
Spain was involved in serious trouble.

[1] *to howl.*   [2] *as if.*   [3] *Come.*   [4] *what has happened.*   [5] *howls.*

Durante la lucha el perro se defendía muy bien.

al caballero, ya de un lado, ya ^c de otro.   De esta manera el perro
logró cansarlo y entonces saltó sobre él y lo cogió por el cuello.
El caballero al verse vencido [1] confesó su crimen.

CONVERSACIÓN

1. ¿ Quién fué asesinado?   2. ¿ A dónde se dirigió el perro?
3. ¿ A dónde llevó el perro al amigo de su amo?   4. ¿ Qué hallaron
al pie del árbol?   5. ¿ Quién era el asesino?

VOCABULARIO

el **acusado** accused; el
  acusador accuser
el **amo** master, owner
asesinar to assassinate;
  el **asesino** murderer
coger to take hold of
el **dolor** pain, grief

encima above; **de — de**
  from on top of
el **enemigo** enemy
enterrar to bury
extraño, –a strange
hasta as far as; **— que**
  until

la **llegada** arrival
quitar to take *or* drag
  away
la **sospecha** suspicion
tirar de to pull
volverse to turn around

What English words and meanings do you recognize from the
following?

atacar, el **barril**, **Carlos**, **confesar**, la **corte**, el **crimen**, el **detalle**, la **época**,
el **grupo**, **inocente**, **íntimo, –a**, **investigar**, **repetir**, la **tumba**

MODISMOS

(a) **por eso** that is why, for that
    reason

(b) **a causa de** on account of, be-
    cause of

(c) **ya . . . ya** now . . . then

----
[1] *conquered, overpowered.*

LECCIÓN TREINTA Y CINCO

A. Condiciones simples. B. Uso idiomático del presente (*hace . . . que*)

I. EJERCICIO DE PRONUNCIACIÓN

cua	cue	cui	cuo
cua-tro	cuen-to	cui-dar	cuo-ta
cuan-do	cuer-po	cui-ta	cuo-cien-te
cua-dro	cues-tión	cui-ja	cuo-ti-dia-no
E-cua-dor	Cuer-vo	Cui-cat-lán	cuod-li-be-to

II. LECTURA

Una escuela de Buenos Aires

Hace un año que el señor Alonso está en Buenos Aires. Le interesan las escuelas de los países de habla española. Cierto día visita una escuela de esa ciudad. A las siete y media de la mañana sale de su hotel. Si sale temprano, llegará a tiempo. Anda por las calles de la ciudad, que pronto se llenan de niños. Después de media hora llega a la escuela. Ve que si los niños llegan a tiempo jugarán un rato en el patio de recreo. Hace media hora que el señor Alonso está allí, cuando se oye el toque de una campana y los niños suben a las clases, según sus grados.

El señor Alonso sube a la oficina del señor López, el director. Hace tres años que el señor López es el director de esa escuela. Recibe al señor Alonso en su oficina. Más tarde el director conduce al señor Alonso por varias clases. Primero, si el señor Alonso quiere, visitarán una clase de español. Si todos están presentes habrá unos treinta alumnos en la clase. Hablarán de la lección del día. Un alumno escribirá el resumen de la lección en la pizarra. Después de esa clase, los dos pasarán a una clase de matemáticas, si el señor Alonso prefiere. Al fin deciden visitar la clase de historia. El director presenta el señor Alonso [1] a la profesora.

Los alumnos son inteligentes y todos contestan muy bien. El

[1] To avoid confusion the personal **a** before the objective is omitted when there is another **a** followed by the indirect noun object.

señor Alonso pregunta a la profesora: — ¿Cuánto tiempo hace que estudian la historia? A esa pregunta la profesora contesta: — Hace tres meses que estudian la historia de la Argentina. Si tiene tiempo la profesora escribirá unas fechas en la pizarra. Luego los alumnos hablarán de la importancia de esas fechas. En una clase de geografía, los alumnos aprenderán de memoria los límites de varios países de Sud América. Si no saben la lección tendrán que estudiarla otra vez. El señor Alonso visitará otras clases, si le gusta. No se sabe si volverá a visitar esa escuela. El año próximo el señor Alonso, si puede, visitará las escuelas de otros países en la América española.

DOS REFRANES EN ACCIÓN

Haz bien, y no mires a quien.
"Do good to all men."

Quien mal anda mal acaba.
"A man with a crooked career never ends well."

III. VOCABULARIO

el **director** principal
la **fecha** date
la **geografía** geography
el **grado** grade
la **historia** history
el **límite** boundary
las **matemáticas** mathematics
la **oficina** office

el **patio de recreo** playground
el **resumen** summary, résumé
el **toque** ringing, stroke

llenarse (de) become filled (with)
presentar to introduce, present

primero (at) first
más tarde later

antes de before (*referring to time*)
según according to

de memoria by heart
a tiempo on time

IV. GRAMÁTICA

A. Simple *Si*-Clauses

Si sale a las ocho, llegará temprano.	*If he leaves (will leave) at eight o'clock, he will arrive early.*
Si Buenos Aires es interesante, quiero ir allá.	*If Buenos Aires is interesting, I want to go there.*
Si Vd. ve al director, salúdele.	*If you see the principal, greet him.*
But: No sé si me escribirá.	*I don't know whether he will write me.*

Summary: **Si** + present indicative, conclusion: present or future.

Note that clauses beginning with **si**, meaning *if*, which refer to the present or future, must always take the present indicative in Spanish. This si-clause is always followed by the future. However, when the word **si** means *whether*, the same tense is used in Spanish as in English.

B. Idiomatic Present Indicative

Hace tres años que él es el director.	*He has been the principal (for) three years. (He still is the principal.)*
Hace un año que el señor Alonso está en Buenos Aires.	*Mr. Alonso has been in Buenos Aires one year. (He is still there.)*
¿ Cuánto tiempo hace que asiste a la escuela? *or* ¿ Desde cuándo asiste a la escuela?	*How long has he been attending school?*

Note that in Spanish the present, and not the present perfect, is used to denote an action or a state which began in the past and is still going on at the present time. The fixed expression introducing this usage is **hace . . . que**.

V. CONVERSACIÓN

1. ¿ Cuánto tiempo hace que el señor Alonso está en Buenos Aires? 2. ¿ Qué visita cierto día? 3. ¿ Cuándo sale de su hotel? 4. Si sale temprano, ¿ cuándo llegará? 5. ¿ A dónde llegan los niños? 6. ¿ Cuándo suben los niños a las clases? 7. ¿ Quién es el señor López? 8. ¿ A quién recibe en su oficina? 9. ¿ A dónde conduce al señor Alonso? 10. ¿ De qué hablan en la clase de

español? 11. ¿A qué otras clases pasan? 12. ¿Cómo contestan los alumnos? 13. ¿Qué escribe la profesora en la clase de historia? 14. ¿Qué aprenden los alumnos en la clase de geografía?

VI. Ejercicios

A. Completen las frases siguientes:

1. Hace un año que el señor Alonso —— aquí (*vivir*). 2. Si sale a las siete, —— a las ocho (*llegar*). 3. Si ellos —— ahora, llegarán temprano (*salir*). 4. Hace media hora que nosotros —— aquí (*estar*). 5. Si oyen la campana, los alumnos —— a las clases (*subir*). 6. ¿Hace cinco años que Vd. —— director (*ser*)? 7. Si nosotros queremos visitar las clases, —— con el director (*ir*). 8. ¿Cuánto tiempo hace que Vds. —— el español (*estudiar*)? 9. Si —— tiempo, visitaré la clase de español (*tener*). 10. Si me gusta, —— sentarme aquí (*poder*). 11. Me gustará la casa si —— pequeña y bonita (*ser*). 12. Si hago esto, me —— una paliza (*dcr*).

B. Traduzcan al español las siguientes formas verbales:

(*a*) 1. I am going to school. 2. What do you want? 3. I fall.

(*b*) 1. We always spoke. 2. I was going. 3. You were friends.

(*c*) 1. They did it. 2. I didn't know this. 3. We came yesterday.

(*d*) 1. Will you speak? 2. He will have time. 3. Shall I tell?

(*e*) 1. I should say this. 2. Would they go? 3. He would put it.

(*f*) 1. Let us run! 2. Copy it! 3. Don't look there!

(*g*) 1. I have seen it. 2. He has written. 3. She has said it.

C. Pongan en el singular o en el plural:

1. Si salimos a las ocho, llegaremos a las nueve. 2. Si Vd. anda por esta calle, verá la casa. 3. Hace una hora que lo espero con mi hermano. 4. Si se oye la campana, los alumnos subirán a las clases. 5. Si este alumno sube a la oficina, verá al director. 6. ¿Cuánto tiempo hace que Vd. no ve a aquel señor? 7. ¿Cuándo piensa Vd. visitar a su amigo? 8. Él se acuerda de su padre. 9. ¿De quién se despidió él? 10. Vd. le pidió a él un favor.

D. Test XXXV. *Write the Spanish translation of the words in English:*

1. Si tengo tiempo, la —— (*shall-visit*). 2. Hace un mes que —— cartas de él (*we-have-been-receiving*). 3. Si ellos nos acusan, —— de

la casa (*we-shall-leave*). 4. Si ellos tienen muchos amigos, —— muy felices (*will-be*). 5. Hace dos años que Vds. —— en esta ciudad (*have-been-living*). 6. Los alumnos hablarán de la ciudad, si el director —— (*wants*). 7. ¿ Cuánto tiempo hace que Vd. —— a la escuela (*attend*) ? 8. Si ellos no saben la lección del día, la —— otra vez (*will-study*). 9. Si Alberto anda por esta calle, —— la escuela (*will-see*). 10. Mi padre —— a ver al director, si tiene tiempo (*will-go*).

E. Tema de composición:

UNA ESCUELA DE BUENOS AIRES, cinco frases originales.

F. Oral:

1. I am visiting. 2. You arrived at eight. 3. They were going out. 4. When shall we see her ? 5. What would you do ? 6. How long (*a*) has he been here, (*b*) have we been visiting, (*c*) have you been studying history ? 7. If she goes, I shall go. 8. If you speak, we shall speak. 9. If I do this, they will do it. 10. If we have time, we shall call them. 11. I have been here half an hour. 12. They have been living in that house for a year.

CUENTO XXXV

El doctor Limonada

Mother Nature is a good doctor.

Don Luis era un joven pobre que estudiaba para médico. Pasó diez años en la misma escuela de medicina. Ya estaba avanzado en años. Trataba de aprender, pero era inútil aunque estudiaba mucho de día y de noche.[a] Si aprendía una cosa olvidaba otra. El resultado fué terrible. Del examen final salió muy mal.[b] Apenas sabía un poco más que cuando empezó a estudiar. Los profesores ya no lo consideraban como alumno. Lo trataban más bien [c] como a un antiguo amigo. Pero don Luis a pesar de [d] esto no perdía su ambición. Continuó resuelto a estudiar para médico.

Un día el director del colegio le dijo:

— Le haré a Vd. médico si me promete una cosa: solamente dar a sus enfermos limonada. De ese modo [e] nunca matará Vd. a nadie. Si Vd. me promete eso lo haré médico. Debe Vd. saber que la naturaleza sabe más que un mal médico. ¿ Promete Vd. ?

— Sí, señor — dijo don Luis encantado. — Le prometo a Vd. que mis enfermos recibirán solamente limonada y nada más.

Don Luis recetaba siempre limonada.

Entonces el director tomó el diploma, lo firmó y lo dió al alegre don Luis, con las siguientes palabras:

— Ahora puede Vd. estar contento; es médico.

Don Luis no podía creer que por fin era médico. Los largos años pasados entonces le parecieron unos días.

Con los años don Luis curó a muchos enfermos. Recetaba siempre limonada para todos. Y parece que el consejo del director era muy bueno. Todo el mundo creía que don Luis era un médico famoso. Con este simple remedio siempre tenía éxito.ᶠ Algunos decían que don Luis hacía a veces curas extraordinarias. La gente del pueblo tenía mucha fe en él. Casi todos sus enfermos se ponían buenos en seguida. En fin, don Luis ganó la admiración de todos.

CONVERSACIÓN

1. ¿ Quién era don Luis? 2. ¿ Cuántos años estudiaba para médico? 3. ¿ Qué tenía que dar a sus enfermos? 4. ¿ Qué creía todo el mundo? 5. ¿ Por qué ganó la admiración de todos?

VOCABULARIO

antiguo, –a old	encantado, –a delighted	la limonada lemonade
apenas hardly, scarcely	la fe faith	la naturaleza nature
avanzar to advance	firmar to sign	recetar to prescribe
el consejo advice	inútil useless	resuelto, –a determined
curar to cure; la cura cure	largo, –a long	el resultado result

What English words and meanings do you recognize from the following?

la **admiración**, la **ambición**, **considerar**, el **diploma**, el **director**, el **examen**, **famoso**, **–a**, la **limonada**, la **medicina**, **persistente**, el **remedio**

MODISMOS

(a) **de día** in the daytime; **de noche** at night

(b) **salir mal del examen** to fail the examination; **salir bien del examen** to pass the examination

(c) **más bien** rather

(d) **a pesar de** in spite of

(e) **de ese modo** = **de esa manera** = **así** in that way

(f) **tener éxito** to be successful

CONVERSACIÓN VIII
El campo

1. ¿ Qué representa el grabado en la página 319 ? — El grabado representa . . .

2. ¿ Qué es el número 1, 2, 3, 4, 5, 6, 7 ? — El número 1 es . . .

3. ¿ Es el 32 un . . . ? — No, señor, el 32 no es . . .; es . . .

4. ¿ Qué objetos ve Vd. en el grabado ? — Veo . . .

5. ¿ De qué color es el 17 ? — El 17 es . . .

6. ¿ Dónde está la casa ? — La casa está *cerca de, lejos de, delante de, detrás de, a la derecha, a la izquierda, entre* . . .

7. ¿ Qué vemos en el campo ? — Vemos árboles, jardines, etc., . . .

8. ¿ Para qué sirve un carro ? — Un carro sirve para transportar . . .

9. ¿ Cuándo va Vd. al campo ? — Voy al campo *el domingo, en el verano*, etc., . . .

10. ¿ Le gusta a Vd. el campo ? — Sí, señor, me gusta mucho, particularmente en . . .

11. ¿ Qué se cultivan en el jardín ? — Se cultivan . . .

12. ¿ Qué legumbres (*vegetables*) le gustan a Vd. ? — Me gustan . . .

13. ¿ Cuál es la fruta del peral ? ¿ del manzano ? ¿ del cerezo ? — La fruta del peral es *la pera, la manzana, la cereza.*

14. ¿ Dónde pasa Vd. el verano, en la ciudad o en el campo ? — Paso el verano en . . .

15. ¿ Por qué le gusta el campo ? — Me gusta el campo porque . . .

16. ¿ Tiene Vd. una casa en el campo ?   — Sí, tengo . . .

17. ¿ En qué mes sale Vd. para el campo ?   — Salgo . . .

18. Para ir al campo, ¿ que medio de transporte usa Vd. ?   —
Tomo *el tranvía, el tren, el ómnibus* . . .

TWO GREAT SPANIARDS

EL CID

Spain has contributed her full quota of great men to the world
of science, literature, and art. In their various fields of achievement, her sons and daughters have ranked high; but they are
too many even to be listed by name only. We shall present,
therefore, a few of those who have made the world richer or better
or more interesting because of their lives and struggles.

Like every other country, Spain has her full share of national
heroes and great warriors. Her adventurers and fighters are distinguished in the world of romance; the stories of their deeds
are many and vivid. Perhaps the greatest of them all is Rodrigo
Díaz of Vivar, called "The Cid." He won the name of Cid, which
means "Lord" in Arabic, because his exploits were of such great
magnitude.

There seem to be two distinct personalities in this hero. There
is, on one hand, the Cid of Spanish history. He was the man
of flesh and blood, the soldier of fortune whose main business
was to fight for or against the Christians, wherever gain attracted
him. Treaties were scraps of paper in his opinion; he outsmarted
his opponents, sacked churches, and engaged freely in the common
and ruthless kind of warfare which went on at the time. Ballads
galore have come down through the ages, chanting the praises of
the great filibuster of the eleventh century. Then there is the
Cid of literature who is the ideal hero of the Spaniards. He represents all that was honorable, chivalrous, heroic, and noble in his
time.

Burgos is forever famous because it was the home of the Cid.
Born here in 1040, even in his boyhood he was exceptional in
wisdom and strength. It is said that during the early part of his
career in the eleventh century, he made vows to fight the Moors,
the sworn enemies of his country. He served his monarch faith-

VIII. EL CAMPO

1. La pala.　　2. La carretilla.　　3. La guadaña.　　4. La horquilla.
5. El rastrillo.　6. El arado.　7. La azada.　8. El pozo.　9. Los caballos.
10. El prado.　11. Las vacas.　12. El campo labrado.　13. El huerto.
14. El camino.　15. La casa.　16. El garage.　17. Los árboles.　18. La
carreta.　19. El carro.　20. La cerca.　21. El jardín.　22. Las gallinas.
23. El estanque.　24. La patata.　25. La judía.　26. La remolacha.
27. La zanahoria.　28. La col.　29. El rábano.　30. El nabo.　31. El guisante.
32. La lechuga.　33. El tomate.

LA CATEDRAL DE BURGOS

The city of Burgos is located on the central plateau, nearly three thousand feet above the level of the sea. Its cathedral is one of the most famous Gothic churches of Spain.

fully in civil strife and border warfare. In the many battles with the Moors he had ample opportunity to distinguish himself and to show his personal bravery. An anecdote of his youth will serve to demonstrate that while he was a real soldier, he was also capable of experiencing deep emotion. His father, an old man at the time of this incident, was heartbroken because a neighbor had insulted him and he was too old and weak to defend his honor. The young warrior heard of it, put on his armor, met his father's enemy in mortal combat, and killed him. When the daughter of the slain enemy, doña Jimena, came to demand justice, the charms of don Rodrigo proved stronger than filial love and vindictive hatred. A further acquaintance with the young and dashing hero made her drop the charges against him. Out of this acquaintance grew a love which united them forever.

Don Rodrigo greatly valued his personal independence. On one occasion at court he refused to kiss the king's hand and rebuked his father for doing so. On the same day he boasted that he would conquer five Moorish kings in battle. He made good his boast in the battle against the kings of Seville and Granada.

After this prodigious feat, the Moors gave him the title "*El Cid Campeador*" which means "The Lord Conqueror." The unique character of the Cid, showing at times moderation and again harshness, his individualism, his haughtiness, his bursts of energy, his splendid heroism, all these qualities influenced Spanish character and genius. It was not long before he became the national hero of Spain and his fame spread beyond the Pyrenees, even in his own time.

The Cid spent many years in the service of the king, don Sancho. When the latter was treacherously assassinated at the siege of Zamora, El Cid, who was quite influential and who had a considerable following, refused to accept don Alfonso as the heir to the throne until he had cleared himself of taking any active part in the assassination of King Sancho, his brother. The Cid forced him to a triple oath, first by the cross on the door, then by the lock on the door, and finally by the Scriptures on the high altar. This so humiliated the

Hispanic Society

EL CID CAMPEADOR

This inspiring statue of the Cid is the work of a famous American sculptress, Anna Hyatt Huntington. It stands in a lovely setting before the buildings of the Hispanic Society in New York City.

new king that he swore vengeance against the Cid, and on an insignificant pretext exiled him from the Kingdom of Castile. His exile created a great stir among the people; many of his followers were ready to revolt, but the Cid imposed his will and advised that patience and forbearance should guide their actions. He left the court of don Alfonso and, accompanied by a small body of knights, went forth to seek adventure. He found it fighting for and against Moor and Christian. Later he laid siege to Valencia. In the year 1094 the city surrendered and the Cid made himself an independent war lord and sovereign. He extended his power to the adjoining territory and fought countless battles with the

Moors, so that the Moorish chieftains became afraid of his very name. The mere statement that the Cid was leading the opposing forces would make the Moors tremble with fear. It is said that just before his last battle against the Moors, the Cid died.

EL COFRE DEL CID

It is said that the Cid once borrowed a large sum of money and gave this coffer as security. The coffer was full of sand.

His wife thereupon dressed him in full regalia, placed him on his horse and, though dead, don Rodrigo led his forces against the enemy. With unbounded faith in the name and power of the Cid as their leader, his men won the battle because of the enemy's fear of the great fighter. His widow was successful in holding the city for an additional two years and then was forced to abandon it because of the superiority of the Moorish armies. She withdrew to Castile, taking the body of the Cid for burial in the monastery of San Pedro de Cardeña.

The Cid has won immortality. His career, enriched by legend and colored by romance, has been the favorite literary theme of Spain since the twelfth century when an anonymous poem, or a kind of historical novel, was written about him, called *El Cantar de Mio Cid*. This poem, which describes many of his daring deeds, is the most important monument of early Spanish literature and has been translated into every known language. In it his wife, doña Jimena, his terrible sword Tizona, which wreaked such dreadful havoc on his enemies, and Babieca, his horse, play an important part. His sword, shield, banner, drinking cup, and other relics are still held in great reverence by the populace. He was fierce and ruthless in his day, but time has softened the harshness and the poets have made him a chivalrous knight, brave and faithful to his lady, the very soul of honor.

CERVANTES

The most famous of all the Spanish men of letters, perhaps of all Spaniards, is Miguel de Cervantes, the author of the incomparable *Don Quijote*, a book which has made the whole world laugh. Cervantes lived when Spain was at the height of its power and glory. The Spaniards at the time were the masters not only of a large part of the Old World, but of the New World as well. Great things were happening and they called for men who could meet the challenge. Cervantes was one of these men.

Miguel de Cervantes Saavedra was a Castilian to the core, better prepared perhaps than any other writer to portray Castilian character. He led a life so full of romance, adventure, and misfortune that it is not at all strange that out of such rich experience there should develop the powerfully human, deeply penetrating, and humorous tale of the "lanky knight and his inimitable squire, Sancho Panza."

Cervantes was born in 1547, the son of a surgeon. The facts about his early life are scanty and enveloped in uncertainty, but it is known that while he attended the university, his poetic temperament rebelled against general studies and he spent most of his time writing poems, romances, and short stories. At the age of twenty-four he served as a soldier and fought

CERVANTES

Soldier, poet, and novelist, Cervantes is perhaps the greatest of all the Spaniards.

stoutly in the Battle of Lepanto, a decisive naval victory over the Turks in 1571. Although critically ill with fever, he insisted upon taking part in the battle. He went into the thickest of the fray, was wounded, and lost the use of his left hand for "the greater glory of God and his country."

All during his life as a soldier, Cervantes worked for his commission as a captain, seeking recognition for his military service and losses; but misfortune and fate dogged his steps so tenaciously that even after his merits warranted it, he was destined never to receive his long awaited honor as captain in the King's army. The life he led in pursuit of his goal reads like a tale of adventure. He eventually got his recommendation from a high official, but en route to Spain his ship was captured by pirates, he was sold into slavery and suffered five years of privations, famine, and cruelty at the hands of the Algerians who inflicted barbarous punishment on their slaves.

During his captivity, Cervantes never stopped plotting to free himself and other captives. He thought out every conceivable plan, but all came to naught through accident or treachery. After each of these attempts he courageously came forward and took the blame to protect his companions. While some were tortured and even killed, Cervantes escaped injury. Those who held him were ever hopeful of getting a generous reward because of the important documents they had found on his person. Finally he was fortunate enough to be ransomed and he returned to Madrid and to his destitute family. It was only too evident that the money they had collected for his ransom by the most desperate economies had affected their lives, for they were poorer than before.

He now found himself a member of a lost generation, just a shade too old to establish himself; but, always a hopeless optimist, he began once more his literary career as a playwright, and, although he was unsuccessful, he believed he was writing enduring plays. But this did not earn him a livelihood and he was forced into various other pursuits. He became a collector of revenues and the years he spent as such were sorry ones indeed. He was always in difficulties over his accounts, with the result that he eventually landed in a prison. It was here, at the age of fifty, that the idea came to him of ridiculing the large number of foolish and extravagant imitations of older tales of chivalry that were being written. Out of this idea he penned his masterpiece *Don Quijote*, the first part of which he published in 1605 after his release from prison. It was received with spontaneous acclaim by people all over the country. It brought fame but not fortune. The popularity of the story became so great that it produced a spurious sequel by an impostor, in which the imitator defiled Cervantes. Cervantes thereupon printed the second part of his story in 1615, and died shortly afterward.

Fate mocked him to the very last, for on April 23, 1616, he died accepting charity after a long and bitter struggle with poverty. On that same day, in England, Shakespeare closed his eyes peacefully in the lap of luxury in a fair home which he had built for his retirement.

The genius of Cervantes is appreciated all the more because

he was not the product of systematic university training but rather a self-educated man who had learned by a keen study of human nature.

Millions and millions of copies of *Don Quijote* have been read and enjoyed not only by the Spanish people but by readers all over the world, for the book has been translated into practically every language, including French, German, Russian, Italian, Danish, Norwegian, Japanese, and many others too numerous to mention. Next to the Bible, this is said to be the most widely read book in the world. It has found affectionate readers in people of all ages and classes, not only for its originality, but also because it touches life from every point of view, because it keeps a fine balance between comedy and tragedy, and because its practical wisdom has never been surpassed. The two characters that absorb the reader's attention are Don Quijote, the lofty, high-minded knight, uninterested in all earthly things, and San-

Int. Tel. & Tel. Corp.

DON QUIJOTE Y SANCHO PANZA

These are the two most famous characters in Spanish literature.

cho Panza, his podgy, simple, shrewd, and self-seeking squire. Don Quijote and Sancho Panza have become as immortal as Hamlet or Faust.

The most important single contribution to world literature was made by Spain when Cervantes wrote his immortal *Don Quijote de la Mancha*, and as time passed, this book acquired a place of distinction second to none in the field of universal literature.

LECCIÓN TREINTA Y SEIS

A. Números cardinales. B. Uso especial de números cardinales

I. Ejercicio de pronunciación

gua	güe	güi	guo
len-gua	ver-güen-za	ar-güir	a-ve-ri-guo
a-gua	güel-fo	güim-ba	an-ti-guo
guan-te	güe-mul	güi-ro	a-guo-so
Gua-te-ma-la	an-ti-güe-dad	Güi-nes	con-ti-guo

II. Lectura

Las tiendas de la ciudad

Juan y Carlos son primos. Juan, un muchacho de dieciséis años que vive en el campo, visitó a su primo Carlos en la ciudad. Llegó el primero de agosto a las siete de la mañana. Juan iba a quedarse en la ciudad quince o veinte días.

Un día, mientras andaban por las calles, vieron tranvías eléctricos, automóviles y coches. Los automóviles interesaron mucho a Juan porque había pocos en el campo. También oyeron los gritos de los vendedores de periódicos. Carlos dijo a Juan muchas cosas interesantes sobre la ciudad. Por la mañana del cuarto día de su visita salieron a hacer varias compras para la madre de Carlos. Fueron los dos muchachos a una panadería a las dos de la tarde para comprar pan. Luego entraron en la carnicería y compraron un pollo y dos libras de carne de vaca. Cuando pasaron cerca de un puesto de frutas, compraron manzanas y peras.

Por la tarde los dos primos fueron a una sastrería de la calle de Alfonso Doce, donde vieron bonitos trajes. Se vendían trajes a cincuenta, sesenta y setenta pesetas cada uno. En otra tienda compraron camisas, cuellos y corbatas. Cerca de allí vieron una zapatería; entraron y salieron poco después con un par de zapatos. Juan quiso comprar dulces y Carlos lo condujo a una confitería. Entraron allí, pagaron cinco pesetas por una caja de dulces y la trajeron a casa. Juan dió la caja de dulces a su tía Carmen.

Por la noche fueron a un teatro de la Quinta avenida, donde pasaron tres o cuatro horas. Salieron a las once y regresaron a casa, leyeron el capítulo veinte de una novela interesante y luego se acostaron a las diez.

¿CÓMO LLEGAR?

Felipe y Carlos quieren ir al parque para oír la banda[1] que toca en el centro.[2] El parque tiene cuatro entradas,[3] pero solamente un camino conduce[4] hasta el centro. ¿Cuál es?

LAS TIENDAS DE LA CIUDAD

1. El panadero[5] hace y vende el pan en la panadería.
2. El sastre[6] hace y vende los trajes en la sastrería.
3. El confitero[7] vende dulces en la confitería.
4. El carnicero[8] vende carne en la carnicería.
5. El zapatero hace y compone[9] zapatos en la zapatería.
6. El sombrerero[10] vende sombreros y gorras en la sombrerería.
7. El frutero[11] vende frutas en un puesto de frutas.
8. El farmacéutico[12] vende drogas en la farmacia.
9. La modista[13] hace y vende vestidos para señoras.
10. El librero[14] vende libros en la librería.

[1] *band.* [2] *center.* [3] *entrances.* [4] *leads.* [5] *baker* [6] *tailor.* [7] *confectioner.* [8] *butcher.* [9] *mends.* [10] *hatter.* [11] *fruitdealer.* [12] *druggist.* [13] *dressmaker.* [14] *bookseller.*

III. Vocabulario

el **automóvil** automobile

la **carne** meat; — de vaca beef

la **carnicería** butcher shop

el **coche** coach, carriage

la **compra** purchase; hacer —s to shop

la **mañana**: por la —, in the morning

la **noche**: por la —, in the evening, at night

el **pan** bread

la **panadería** bakery

el **pollo** chicken

el **puesto** stand; — de frutas fruit stand

la **sastrería** tailor's shop

la **tarde**: por la —, in the afternoon

el **teatro** theater

el **tranvía** streetcar; — eléctrico trolley car

el **vendedor** vender; — de periódicos newsboy

la **zapatería** shoe store

acostarse to retire, go to bed

IV. Gramática

A. Cardinal Numbers

0	cero	17	diez y siete, diecisiete
1	un(o), una	18	diez y ocho, dieciocho
2	dos	19	diez y nueve, diecinueve
3	tres	20	veinte
4	cuatro	21	veintiún(o), –una, veinte y
5	cinco		un(o), una
6	seis	22	veintidós, veinte y dos
7	siete	30	treinta
8	ocho	31	treinta y un(o), una
9	nueve	32	treinta y dos
10	diez	40	cuarenta
11	once	50	cincuenta
12	doce	60	sesenta
13	trece	70	setenta
14	catorce	80	ochenta
15	quince	90	noventa
16	diez y seis, dieciséis	100	cien(to)

(a) **un año** **veintiún periódicos**
one year *twenty-one newspapers*

Note that **uno** becomes **un** before a masculine noun.

(b) **cien libros** **cien casas**
one hundred books *one hundred houses*

Ciento becomes **cien** immediately before nouns of either gender.

(c)   diez y seis hombres   *or*   **dieciséis hombres**
          veinte y tres trajes   *or*   **veintitrés trajes**
          veinte y cinco pesetas   *or*   **veinticinco pesetas**

But: **treinta y tres cuentos**

Compound numbers from 16 to 29 may be written separately or as one word, in which case y changes to i.

B. Special Use of Cardinal Numbers

(a)   **Luis Catorce**   **Alfonso Trece**
          Louis XIV   *Alfonso XIII*

          Página quince   **Capítulo doce**
          Page fifteen   *Chapter twelve*

          La calle veinte al oeste   **La avenida dieciocho al este**
          West Twentieth Street   *Eighteenth Avenue, East*

To refer to the order of sovereigns, pages and chapters, streets and avenues, the cardinal number is used in Spanish when the number is higher than 10.

(b)   **el primero de junio**   **el dos de mayo**
          June first   *May second*

          el catorce de julio   **el doce de octubre**
          July fourteenth   *October twelfth*

To refer to dates in Spanish, the cardinal number and not the ordinal is used, except for the first.

V. CONVERSACIÓN

1. ¿Quiénes son primos? 2. ¿Cuántos años tiene Juan? 3. ¿Dónde vive? 4. ¿A quién visitó? 5. ¿Cuánto tiempo iba a quedarse Juan? 6. ¿Qué vieron los dos primos por las calles? 7. ¿Qué dijo Carlos a Juan? 8. ¿Para qué salieron? 9. ¿Qué compraron en una panadería? 10. ¿Dónde compraron el pollo y la carne de vaca? 11. ¿Qué compraron en un puesto de frutas? 12. ¿Qué vieron en la sastrería? 13. ¿Dónde compraron una caja de dulces? 14. ¿A dónde fueron por la noche? 15. ¿Qué leyeron aquella noche? 16. ¿A qué hora se acostaron? 17. ¿Se divirtieron mucho durante el día?

VI. Ejercicios

A. Escriban con letras los números de las frases siguientes:

1. Juan tiene 16 años y su hermano tendrá 10 años más.   2. Iba a quedarse con su primo 15 o 20 días.   3. En las tiendas se venden trajes de 50, 70 y 90 pesetas cada uno.   4. Se compraron 5 cajas de dulces y las pagaron 25 pesetas.   5. Leyeron una revista de 75 páginas. 6. Vivían en esa calle, número 97.   7. Si el teatro es pequeño solamente habrá unos 100 asientos.   8. En la página 89 se encuentran 32 frases y cada frase tiene de 12 a 14 palabras.   9. En la página 72 hay solamente 85 palabras.   10. La madre de Luis tiene 35 años y su padre 15 años más.

B. Escriban con letras los siguientes números:

30 cajas pequeñas	76 muchachos aplicados
42 casas hermosas	99 noches largas
57 teatros grandes	21 trajes bonitos
71 tranvías eléctricos	65 camisas blancas

C. Lean los números siguientes:

(*a*) 2, 4, 6, 8, 10, 12, 14, 16, 18, 20;
    23, 26, 29, 32, 35, 38, 41, 44, 47;
    50, 55, 60, 65, 70, 75, 85, 95, 100.

(*b*) 3, 13, 30, 4, 14, 40, 5, 15, 50, 7, 17, 70, 8, 18, 80, 9, 19, 90.

(*c*) Carlos XIV, XVIII, XII; Luis XIV, XV, XVI; Alfonso XI, XII, XIII.

(*d*) Página XX; capítulo XXXII; avenida XIX; calle XXXV.

(*e*) El 2, el 10, el 12, el 23 de octubre; el 11 de noviembre; el 4 de marzo, el 28 de junio; el 1 de mayo.

D. Test XXXVI. *Write the Spanish translation of the numbers in English:*

1. Hay —— hombres en este cuarto (*ninety-one*).   2. Hace —— minutos que esperamos a nuestros amigos (*forty-five*).   3. Si llegan aquí —— de junio, saldrán en tres días (*the first*).   4. Su padre tenía —— años cuando murió (*sixty*).   5. —— fué rey de España (*Alfonso XIII*).   6. ¿A qué hora salió su madre? Salió a —— (*eleven o'clock*).   7. Leí —— capítulo de esa novela (*the fifteenth*). 8. —— de enero es una fiesta en muchos países de habla española

(*The first*). 9. Si salgo de mi casa el ——, volveré temprano (*July 20th*). 10. En este estante hay —— libros (*one hundred*).

E. Dictado:

El profesor dictará el primer párrafo de la Lectura.

F. Oral:

1. I have been here 40 minutes. 2. If he doesn't come in 10 minutes, I shall leave. 3. When he arrived, we were reading. 4. There are: 100 days, 80 houses, 85 schools, 30 pears, 91 girls. 5. The first of February we saw: 10 interesting streets, 18 streetcars, nearly 100 automobiles. 6. I have been reading the twentieth chapter of this book for 40 minutes. 7. Isabel I was Queen of Spain. 8. Louis XIV was a famous king of France. 9. Twelfth Avenue is not an important street in this city.

CUENTO XXXVI

El cuento de los lobos

The career of a liar begins with just one lie.

Luis era un embustero.[1] A veces *a* contaba cosas fantásticas y extraordinarias. Una vez contó que había visto volar una vaca; otra vez, que había oído cantar un burro; otra, que había visto un gato tocar la trompeta. Un día de fiesta iba con su padre por el camino a un pueblo cerca de Madrid donde el chico nunca había estado. Andaban muy contentos el padre y el hijo. Contaba el padre unas cosas y el hijo otras, cuando el hijo dijo:

— ¡ Una vez yo vi lobos ! ¡ Vi tantos lobos ! . . .

— ¿ Cuántos viste, cuántos ? — preguntó el padre. — ¿ Viste cuatro ?

— ¡ Tres ! ¡ Cuatro ! ¡ Más !

— ¿ Ocho ?

— ¡ Más !

— ¿ Doce ?

— ¡ Más !

— ¿ Veinte ?

— ¡ Más ! ¡ Más !

[1] *liar, fibber.*

— Vamos,[b] ¿ treinta viste ?

— Muchos más. ¡ Había muchos lobos ! . . . ¡ Cuántos lobos había ! . . .

— ¿ Había cincuenta ?

— ¡ Más de cien lobos !

— Muchos lobos me parecen.

Se acabó esta conversación y continuaron su camino. Hablaron de otras cosas hasta que se cansaron. Después de caminar media hora en silencio, cuando caía la noche,[1] comenzaron a oír un rumor continuo y monótono que se oía cada vez más.[c] Esto obligó al muchacho a acercarse a su padre y a preguntarle:

— ¿ Qué ruido es ése ?

— No es nada; es el agua de un río por encima del cual[2] pasaremos dentro de un cuarto de hora.

— ¿ Hay puente ?[3]

— Sí. ¡ Ya lo creo !

— ¿ Está seguro el puente ?

— Sí, sólo se hunde cuando pasan las personas que dicen mentiras.

Guardó silencio[d] el chico, pero por poco rato, sólo por unos minutos; cuando creyó que había pasado el cuarto de hora, no pudo resistir más y dijo a su padre:

— Padre, ¿ sabe usted que me parece que había menos de cien lobos ?

— Ya me parecía a mí que eran muchos; pues bien, ¿ había menos de cien lobos ?

— Muchos había, padre; pero . . . menos de ciento.

— ¿ Cuántos había, algunos noventa ?

— Aún menos de noventa.

— ¿ Cuántos, ochenta ?

— Menos, menos, padre.

— ¿ Sesenta ?

— No, señor, no; no había tantos.

— Pero ya sé yo que es muy difícil ver juntos a tantos lobos, porque aunque es verdad que no se muerden unos a otros, algunas veces tienen sus riñas.[4] Algunos cincuenta, había a lo más,[e] ¿ eh ?

— No, padre, quite lobos.

---

[1] *it was getting dark.*   [2] *over which.*   [3] *bridge.*   [4] *fights, quarrels.*

— ¿ No había tantos ?

— No.

— ¿ Había cuarenta y cinco ?

— Quite lobos, quite, padre.

— Pero hombre, ¿ cómo miraste ?   ¿ Con cristales de aumento ? [1]

— Me parecía que había más; pero de veras *f* no había tantos.

— Pues bien, ¿ había cuarenta ?

— No, cuarenta, no.

Y así los lobos desaparecían, muy despacio para la prisa que tenía el chico de satisfacer a su conciencia.   Al llegar a unos cincuenta pasos del puente, todavía decía el padre:

Ya no se hundirá el puente.

— Vamos, ¿ había cinco lobos ?

— No, padre, no había más que *g* cuatro.

— Pues bien, eran cuatro y vamos adelante.

— No, que aún no sé si eran tres.

— Pero, hombre, ¿ viste dos lobos o no viste más que uno ?

— Uno solo.

— ¡ Hombre ! De más de ciento que habías visto, por fin sólo había uno. Vamos a continuar, chico, que ya no se hundirá el puente.

— No, no, padre, aún puede hundirse.

— ¿ Por qué ?

— Porque no sé si lo que ví era lobo o el tronco de un árbol.

[1] *magnifying glasses.*

Are the following statements based on this story true or false?

1. —— Luis siempre decía la verdad.
2. —— Un día Luis y su padre fueron a un pueblo.
3. —— El pueblo no estaba cerca de Madrid.
4. —— El padre y el hijo hablaban de varias cosas.
5. —— Una vez Luis había visto cien lobos.
6. —— Cuando caía la noche oyeron un rumor continuo.
7. —— No iban a pasar el puente.
8. —— El puente no estaba seguro para los embusteros.
9. —— Luis pasó el puente porque siempre decía la verdad.
10. —— El padre no podía pasar el puente porque estaba enfermo.
11. —— El padre de Luis siempre decía mentiras.
12. —— Luis había visto el tronco de un árbol.
13. —— Un padre y dos hijos fueron a Madrid.
14. —— El hijo se llamaba Carlos.
15. —— Se hundió el puente cuando pasaron.
16. —— Un día el padre oyó cantar un burro.
17. —— Una vaca no puede volar.
18. —— Una vez Luis vió un gato tocar la trompeta.

VOCABULARIO

acercarse to go near, approach
adelante ahead, onward
aún yet, still
cansarse to get tired
cantar to sing
dentro de within

el **día de fiesta** holiday
la **prisa** hurry, haste
quitar to take away, subtract
el **río** river
el **rumor** noise

satisfacer (a) to satisfy
seguro, –a safe
tanto, –a so much; **tantos, –as** so many
la **vez** time; **una —**, once
volar to fly

What English words and meanings do you recognize from the following?

continuo, –a, la **conciencia**, **fantástico**, –a, **monótono**, –a, **resistir**, el **silencio**, la **trompeta**, el **tronco**

MODISMOS

(a) **a veces** = **algunas veces** = **unas veces** sometimes
(b) **¡ vamos !** come on !
(c) **cada vez más** more and more
(d) **guardar silencio** to keep quiet

(e) **a lo más** = **por lo más** = **lo más** at the most
(f) **de veras** = **en verdad** really
(g) **no . . . más que** = **solamente** = **sólo** only

LECCIÓN TREINTA Y SIETE

A. Números cardinales. B. Números ordinales

I. Ejercicio de pronunciación

ha-*bl*ar	pa-*dr*e	re-*gl*a	le-*pr*a
a-*br*en	a-*fl*i-gir	ha-*ll*ar	de-*tr*ás
te-*cl*a	náu-*fr*a-go	a-*pl*o-mo	*ex*-a-men

II. Lectura

Cómo pasaba el tiempo en Madrid

Cuando yo vivía en Madrid, residía en la calle de San Bernardo, número trescientos cuarenta y cinco. Madrid era en aquel tiempo una ciudad de un millón de habitantes. El dos de octubre de mil novecientos treinta y dos, me inscribí en un colegio de aquella ciudad. Era un colegio grande. El número de alumnos que había en el colegio era entre quinientos y setecientos. Mi hermano asistía a otro colegio de la ciudad. En ese colegio había novecientos o mil alumnos. Naturalmente siempre hablábamos español. Si hablábamos inglés nuestros compañeros no nos comprendían. A menudo llegábamos al colegio a las ocho. A las nueve principiaban las clases. En las varias clases aprendíamos aritmética, geografía y un poco de gramática. Nuestros profesores nos enseñaban a hablar, a leer y a escribir.

A las diez teníamos media hora de recreo en el patio. Allí corríamos y gritábamos. En el patio siempre había de trescientos a quinientos alumnos.

A las doce comíamos. Mi hermano y yo comíamos en un restaurante de la calle Mayor, número cuatrocientos sesenta y cinco. Cuando íbamos al restaurante pasábamos el monumento del Dos de Mayo. El dos de mayo de mil ochocientos ocho fué el día en que principió la heroica defensa de los españoles en Madrid contra los franceses, en la Guerra de la Independencia de España, que duró de mil ochocientos ocho a mil ochocientos catorce.

Por la tarde nos paseábamos por el parque de Madrid, llamado « El Retiro ». Algunos días visitábamos la Puerta del Sol, la plaza principal de la capital. Un día fuimos a la Biblioteca Nacional, que tiene unos seiscientos mil libros. Otro día visitamos el Museo del Prado, hermosa galería de pinturas de Madrid, que fué construído en mil setecientos ochenta y cinco. Es un museo nacional que tiene dos mil cuatrocientos dieciséis cuadros.

Cenábamos entre ocho y nueve de la noche. A menudo comíamos cocido, el plato nacional de España. Después de la comida íbamos al cine San Carlos en la calle del Príncipe, número ciento cincuenta y siete.

III. Vocabulario

la **aritmética** arithmetic

el **cocido** (*Spanish*) stew

el **colegio** (*private*) school

el **cuadro** picture

la **guerra** war

la **pintura** painting

el **plato** dish

el **recreo** recreation

cenar to sup, have supper

construír to construct

inscribirse to register

mayor main

naturalmente naturally

a menudo often, frequently

IV. Gramática

A. Cardinal Numbers

100	cien(to)	800	ochocientos, –as
101	ciento un(o), una	900	*novecientos, –as*
135	ciento treinta y cinco	1000	mil
200	doscientos, –as	1100	mil cien(to)
300	trescientos, –as	2000	dos mil
500	*quinientos, –as*	1.000,000	un millón (de)
600	seiscientos, –as	2.000,000	dos millones (de)
700	*setecientos, –as*	1.000,000,000,000	un billón (de)

(*a*)   ciento treinta clases   *130 classes*
        mil alumnos pequeños   *1000 small pupils*
But: cien compañeros   *100 companions*

Note that with **ciento** and **mil** the indefinite article is not used.

(*b*)   **mil** cuatrocientos noventa y dos   *fourteen hundred ninety-two*
        tres **mil** cincuenta y siete   *three thousand fifty-seven*
        tres **mil** cuatrocientos veinticinco   *three thousand four hundred twenty-five*

Above a thousand, counting is done in thousands and hundreds.

(*c*)   **un millón** de habitantes   *one million inhabitants*
        veinticinco **millones** de personas   *twenty-five million persons*

Millón requires **de** before a noun.

(d) trescientos muchachos   *300 boys*
    doscientas treinta muchachas   *230 girls*
    quinientos mil duros   *$500,000*

The multiples of **ciento** agree in gender and number with the following noun, even when another numeral follows.

(e) ciento tres hombres   *103 men*
    trescientas quince clases   *315 classes*
    cuatrocientos nueve asientos   *409 seats*

The conjunction **y** is omitted in a series of numbers of one hundred or multiples of one hundred, if the last number is up to and including 15.

(f) ochenta y tres años   *83 years*
    ciento cincuenta y seis coches   *156 coaches*
    mil trescientos cuarenta y dos   *1342*

In a series of compound numbers the conjunction **y** is found between the last two numbers, if the last is less than ten.

B. Ordinal Numbers

1st	primer (primero)		6th	sexto
2nd	segundo		7th	séptimo
3rd	tercer (tercero)		8th	octavo
4th	cuarto		9th	nono (noveno)
5th	quinto		10th	décimo

(a) las primeras tiendas   la segunda calle
    the first stores   *the second street*

Note that the ordinal numbers refer to the order in which things are mentioned, and that they agree with the nouns they modify in gender and number.

(b) **Carlos Quinto**   **Felipe Segundo**
    Charles V   *Philip II*

    Capítulo tercero   **Página octava**
    Chapter three   *Page eight*

    La Quinta avenida   **La Sexta calle**
    Fifth Avenue   *Sixth Street*

The ordinal numbers are used to refer to the order of sovereigns, pages and chapters, streets and avenues, up to and including the tenth.

(c) el primer teatro   el tercer muchacho
     the first theater   *the third boy*

     la primera tienda   la tercera hermana
     the first store   *the third sister*

Primer–o and **tercer–o** drop the final **o** before a masculine singular noun.

(d) el primero de abril de mil quinientos veintidós   *April 1, 1522*
     el dos de mayo de mil ochocientos ocho   *May 2, 1808*
     el cuatro de julio de mil setecientos setenta y   *July 4, 1776*
     seis

     ¿ A cuántos estamos hoy?   *What is today's date?*
     Estamos a primero de julio.   *It is the first of July.*
     Estamos a diez de mayo.   *It is the tenth of May.*

Note again that in dates, except for **primero**, the cardinal numbers are always used.

V. Conversación

1. ¿ Qué ciudad era Madrid en aquel tiempo?   2. ¿ Cuántos alumnos había en el colegio?   3. ¿ A qué hora llegaban los muchachos al colegio?   4. ¿ A qué hora principiaban las clases? 5. ¿ Qué se aprendía en las clases?   6. ¿ Qué enseñaban los profesores?   7. ¿ Cuándo tenían los alumnos media hora de recreo? 8. ¿ Cuántos alumnos había en el patio?   9. ¿ En qué fecha empezó la Guerra de la Independencia contra Francia?   10. ¿ Cuántos años duró la guerra?   11. ¿ Cuál es la plaza principal de Madrid?   12. ¿ Qué es el Museo del Prado?   13. ¿ A qué hora cenaban los dos muchachos?   14. ¿ Qué comían a menudo?

VI. Ejercicios

A. Escriban con letras los siguientes números:

115 monumentos	100 días	1.000,000 duros
281 años	1000 amigos	25.000,000 españoles
800 hombres	900 casas	189,000 pinturas
555 coches	600 alumnos	2000 libros

B. Escriban con letras los números de las frases siguientes:

1. Yo vivía en la calle de San Juan, número 345.   2. Se dice que Madrid tiene más de 1.000,000 de habitantes.   3. El 12 de octubre de 1492 es una fecha importante en la historia de España.   4. Llegá-

bamos al colegio entre las 8 y las 9 de la mañana en el año de 1932.
5. En ese colegio se veían de 700 a 900 alumnos. 6. Se cuenta que
en nuestro colegio había 125 profesores. 7. Comíamos en un restaurante que estaba en la calle de San Francisco, número 147. 8. El
2 de mayo de 1808 fué cuando principió la Guerra de la Independencia
contra Francia. 9. En El Retiro se ven de 1000 a 1500 niños que
juegan en ese parque. 10. Si hoy es el 12 de agosto, ¿ qué fecha será
mañana? 11. Mi padre se despidió de sus amigos el 2 de marzo de
1918. 12. Llegó de España el 1 de junio de 1920.

C. Escriban con letras las fechas siguientes:

1. el 15 de marzo, 1812.　　　5. el 1 de enero, 1784.
2. el 4 de julio, 1776.　　　6. el 12 de febrero, 1555.
3. el 6 de diciembre, 1885.　　7. el 10 de abril, 1212.
4. el 18 de noviembre, 1918.　8. el 25 de diciembre, 1900.

D. Lean y luego escriban en español:

(*a*) Felipe I, II, III, IV; Carlos I, IV, V; Luis VI, IX, X; Na-
poleón I, III; Isabel I.

(*b*) Capítulo I, III, V, VII; año II, IV, VI, IX; página I, III, V,
VII, X.

(*c*) Avenida I, III, VII, IX; calle II, IV, V, X.

E. Test XXXVII. *Write the Spanish translation of the words
in English:*

1. En ese colegio habrá más de —— clases (*one-hundred-twenty-
five*). 2. En el año —— yo salí para España (*nineteen-hundred-
twenty-seven*). 3. Algunos países de la América española tienen más
de —— habitantes (*one million*). 4. En el teatro de la —— avenida había más de mil personas (*Fifth*). 5. —— hombres trabajaban
en esa calle (*One-hundred-and-three*). 6. En Madrid se encuentran
más de —— casas (*fifteen-hundred*). 7. Napoleon I principió la
guerra contra España el dos de mayo de —— (*eighteen-hundred-and-
eight*). 8. Se venden libros en una tienda de la calle setenta y cinco,
número —— (*one-hundred-and-ten*). 9. No me acuerdo de lo que pasó
el 13 de julio de —— (*seventeen-hundred-eighty-nine*). 10. Nuestra
familia hará el —— viaje a España este verano (*fourth*).

F. Tema de composición:

Cómo pasaba el tiempo en Madrid, cinco frases originales.

G. Oral:

1. I shall read the first chapter, the fifth page, the third sentence, the tenth book. 2. Who was Charles V, Philip II, Henry IV, Alfonso IX? 3. They live on Sixth Street, Fifth Avenue, Tenth Street, Seventh Avenue. 4. Here are three books; the first has 526 pages, the second 492 pages, and the third 700 pages. 5. I have seen him on Prince Street, number 2257. 6. We used to go to school on West Fifty-first Street. 7. Will you see me on East 187th Street? 8. Read 100 pages of this book. 9. Today is not: February 12, July 30, March 1, December 11, June 18, January 6, August 1. 10. In our school there were: 115 classes, 100 teachers, 200 men, 1500 pupils. 11. In this city we saw: 420 automobiles, 1300 houses, 102 stores, 912 streets, 782 men, 899 women.

Cuento XXXVII

¡ Abajo los garbanzos !

Revolt against the modest chick-pea, a common ingredient of many Spanish dishes.

Éramos ciento siete alumnos internos [1] en el colegio. Sí, ciento siete, y habíamos decidido una vez para siempre [a] no comer más garbanzos.[2] Estábamos hartos de [b] tantos garbanzos.

Decidimos los ciento siete arrojar los garbanzos al suelo [3] la próxima vez. Si nos servían garbanzos, íbamos a gritar « ¡Abajo los garbanzos ! » Y entonces los tiraríamos al suelo.

Fuimos al comedor y preguntamos al criado si había garbanzos. Sí, por cierto, había garbanzos una vez más. Nuestras miradas se cruzaron. ¡ Otra vez garbanzos ! Pues, bien, ya veremos.[4]

Por fin llegan los garbanzos. Los dejamos llegar. Nos sirven a todos. Cuando los platos están llenos se oye un gran grito en el comedor: « ¡Abajo los garbanzos ! » Y de pronto comienzan a volar éstos por todas partes.

Salimos llenos de entusiasmo. Cantábamos la « Marsellesa [5] de los garbanzos ».

El director estaba furioso y nos dijo:

---

[1] *boarding.*   [2] *chick-pea.*   [3] *over the floor.*   [4] *we'll see about that.*   [5] *The Marseillaise* was the song of the revolutionists of the South on their march from Marseilles to Paris in the French Revolution (1789–1795).

— Muchachos, ¿ por qué esta rebelión ?

— Porque no queremos comer más garbanzos — contestamos todos juntos. — « ¡ Abajo los garbanzos ! »

Entre los ciento siete alumnos escogieron unos cuantos.[c] Éstos iban a ser castigados y expulsados [1] del colegio. El primero fuí yo. Al día siguiente hice mi baúl con dignidad y salí. ¿ Me echaban fuera del colegio ? Muy bien. Pero iba a tener la satisfacción de no comer más garbanzos.

Llegué a mi casa a las nueve de la noche cuando mis padres estaban en la mesa.

— ¿ Qué hay ? [d] ¿ Por qué llegas a estas horas ? ¿ Qué haces aquí ? ¿ Qué ha pasado en el colegio ? ¿ Pero has comido ? ¿ No ? Pues siéntate y come [2] y después hablaremos del asunto.

Esto lo dijo mi padre sin darme tiempo para contestar.

Como tenía gran apetito me senté a comer. Y ¿ saben Vds. el plato que nuestra vieja criada había preparado esa noche ? ¡ Vds.

« ¡ Abajo los garbanzos ! »

nunca lo adivinarán ! ¡ Garbanzos ! Cuando los ví llegar a la mesa tenía ganas de [e] gritar : « ¡ Garbanzos, garbanzos, siempre garbanzos ! ¡ Estoy harto de comer garbanzos ! Quiero morir para no volver a ver garbanzos ! »

Me sirvieron los garbanzos y me los comí. Y tengo que confesar con vergüenza una cosa : ¡ Hallé los garbanzos muy ricos !

CONVERSACIÓN

1. ¿ Cuántos alumnos había en el colegio ? 2. ¿ Qué decidieron hacer los alumnos ? 3. ¿ Qué gritaron todos los muchachos ? 4. ¿ A dónde fué uno de los alumnos ? 5. ¿ Qué tuvo que comer otra vez ?

[1] *expelled.*   [2] *sit down and eat.*

Vocabulario

abajo down (with)	**arrojar** to throw, fling	la **dignidad** dignity
adivinar to guess	el **asunto** affair, matter	la **mirada** glance
ahogar to choke	**castigar** to punish	la **vergüenza** shame
allá there	**comerse** to eat up	

What English words and meanings do you recognize from the following ?

el **apetito, comenzar, confesar, decidir, expulsar,** el **plato,** la **rebelión**

Modismos

(a) **una vez para siempre** once and for all

(b) **estar harto de** to be sick of

(c) **unos cuantos = algunos = unos** some

(d) **¿ qué hay?** what is the matter ?

(e) **tener ganas de** to want to, be desirous of

LECCIÓN TREINTA Y OCHO

A. Colocación de los adjetivos. B. Adjetivos que preceden o siguen

I. Ejercicio de pronunciación

n = m	nv = mb	n = m	n = m
conmigo	envidia	un verso	tan bien
inmenso	convertir	un brazo	San Pedro
inmortal	tranvía	un pollo	San Vicente
inmediato	convenir	un bosque	San Blas

II. Lectura

El médico sabio

El señor Pérez se sentía enfermo. El pobre hombre comía poco, estaba pálido y no trabajaba bien. Se veía más delgado cada día. Sufría tanto que, al fin, fué a ver a cierto médico. Era un médico joven de poca experiencia.

— Señor doctor — le dijo — estoy muy enfermo. Creo que voy a morir pronto.

El médico lo examinó y dijo a su pobre paciente:

— Es un caso interesante. Mire Vd., yo soy uno de los pocos médicos que curan a sus pacientes sin recetas. Veo que su enfermedad necesita ejercicio, mucho ejercicio. Vd. debe hacer ejercicio. El ejercicio será una cura segura. Debe estar dos o tres horas al

Lo que Vd. necesita es hacer ejercicio.

aire libre, respirar aire puro y fresco y dar largos paseos. Cuando yo no me sentía bien, a menudo iba a visitar a un viejo amigo mío que vivía lejos de mi casa. Me paseaba por todas las calles largas y cortas de la ciudad, solamente para hacer ejercicio.

— Pero, señor doctor . . .

— Sé perfectamente lo que va a decir Vd., querido amigo. No tiene tiempo para hacer ejercicio. Pero Vd. tiene que hallar el tiempo para hacerlo porque su salud es una cosa muy importante para Vd. Si no lo hace, estará Vd. muerto en tres semanas.

— Sí, sí, pero yo soy . . .

— ¿ Cree Vd. que se puede vivir sin hacer ejercicio al aire libre ? ¡ Imposible, hombre ! Ande de cinco a ocho kilómetros todos los días. Los paseos largos son la mejor cosa para la salud. Mala cosa es no dar paseos y peor cosa es no hacer ejercicio.

— Yo comprendo, señor doctor, comprendo perfectamente, pero . . .

— Bueno, no hay otro remedio: largos paseos, aire puro y fresco y mucho ejercicio. Y ahora, la consulta vale cinco pesetas.

— ¡ Escuche Vd., mi joven amigo ! — exclamó el furioso pa-

ciente. — Me dice que debo dar muchos paseos, largos paseos,
¿ eh? Pues, mi pobre tonto, soy cartero y tengo que andar todo
el día de arriba abajo por casi todas las calles de la ciudad.

EPIGRAMA

De mil enfermos y más
que en año y medio asistí
ninguno de ellos, jamás,[1]
podrá quejarse [2] de mí.
Así habló el doctor Edmundo,
y en verdad que [3] no ha mentido,[4]
pues los mil y más se han ido
a quejarse al otro mundo.[5]

III. VOCABULARIO

el **cartero** letter carrier, postman

la **enfermedad** sickness, illness

el **kilómetro** kilometer

el **paciente** patient

el **paseo** walk; **dar un —**, to take a walk

la **peseta** peseta (*about* 20 *cents*)

la **receta** prescription

el **remedio** remedy

curar to cure

examinar to examine

morir to die

sufrir to suffer

delgado, –a thin

importante important

imposible impossible

largo, –a long

sabio, –a wise

de arriba abajo up and down

lejos de far from

lo que what (*that which*)

IV. GRAMÁTICA

A. Position of Adjectives

(*a*) los paseos largos   *long walks*
aire puro y fresco   *pure and fresh air*
un hombre enfermo   *a sick man*

(*b*) la hermosa muchacha   *the beautiful girl*
la blanca nieve   *the white snow*
el pálido niño   *the pale child*

Note that (*a*) we have learned that in Spanish the adjective
usually follows the noun which it modifies, because that is the
position which emphasizes the quality described by the adjective.
(*b*) An adjective which precedes expresses an inherent quality of

---

[1] *never.*   [2] *complain.*   [3] *in truth.*   [4] *lied.*   [5] *world.*

the noun. There are some common adjectives which are apt to precede because they are short; they are **bueno, malo, grande, joven, viejo, mejor, peor, mayor, menor,** and a few others.

However, note that the position of the adjective is very often violated by force of style, when the writer is guided by effect of sound rather than by rule of grammar.

B. Adjectives which Precede or Follow

el pobre paciente	*the unfortunate patient*
el paciente pobre	*the poor patient* (not rich)
mi cara amiga	*my dear friend*
una receta cara	*an expensive prescription*
cierto médico	*a certain doctor*
una cura cierta	*a reliable cure*
el mismo día	*the same day*
el médico mismo	*the doctor himself*

Note that some adjectives take on a different meaning, according to whether they are placed before or after the noun they modify.

V. CONVERSACIÓN

1. ¿ Quién estaba enfermo ? 2. ¿ Cuánto comía ? 3. ¿ A dónde fué al fin ? 4. ¿ Quién era el médico ? 5. ¿ Qué dijo el médico al paciente ? 6. ¿ Qué necesitaba la enfermedad del señor Pérez ? 7. ¿ Cuántas horas debía pasar al aire libre ? 8. ¿ Qué debía hacer ? 9. ¿ Cuántas pesetas valía la consulta ? 10. ¿ Qué era el señor Pérez ? 11. ¿ Qué hacía todo el día ?

VI. EJERCICIOS

A. Pongan el adjetivo en su debida forma y lugar:[1]

1. (*pobre*) Hace una semana que la mujer no come bien. 2. (*pobre*) Los pacientes no pagaron las quinientas pesetas. 3. (*joven*) El médico era diligente. 4. (*caro*) La receta era buena. 5. (*mismo*) Él fué a verle aquel día en la calle ciento setenta y dos. 6. (*cierto*) Los ejercicios serían una cura. 7. (*largo*) Si Vds. dan paseos, tendrán buena salud. 8. (*fresco*) Se dice que el aire es bueno para la salud. 9. (*mismo*) El

---

[1] *proper form and place.*

médico fué a la casa de Pérez en la Quinta avenida. 10. (*pálido*) Los pacientes no se sentían bien.

B. Copien el modelo:

    MODELO: *rojo:* la corbata = la corbata roja, etc.

1. *largo:*   el paseo, la noche, los años, las calles
2. *viejo:*   el museo, los habitantes, las calles, la plaza
3. *enfermo:* la mujer, el hombre, los niños, las muchachas
4. *pálido:*   la cara, el joven, los enfermos, las señoras
5. *mejor:*   el libro, la casa, las revistas, los ejercicios
6. *hermoso:* la niña, el parque, los cuadros, las españolas
7. *blanco:*   la nieve, el libro, los trajes, las corbatas
8. *peor:*   el muchacho, los días, las camisas, la novela
9. *joven:*   el médico, los pacientes, la alumna, las damas
10. *español:* el restaurante, las pinturas, los amigos, la ciudad

C. Traduzcan al español las siguientes formas verbales:

(*a*) 1. Can you do this? 2. I say to this man. 3. I am putting the book here.

(*b*) 1. He often wrote. 2. We used to see him. 3. You (*pl.*) used to go.

(*c*) 1. Who put it there? 2. He fell. 3. Why didn't you want it?

(*d*) 1. We shall not put it there. 2. Will you (*pl.*) go out? 3. They will be able to go there.

(*e*) 1. They would do this. 2. You would say it. 3. What would this be worth?

(*f*) 1. Sit down. 2. Write this letter. 3. Do not eat much.

(*g*) 1. They have covered the book. 2. Where has he lived? 3. I have not spoken.

D. Traduzcan la palabra en inglés y pónganla en su debida forma y lugar:

1. Los (*poor*) hombres se veían más delgados cada día. 2. (*A certain*) médico curaba todas las enfermedades. 3. El ejercicio es una (*reliable*) cura. 4. Los (*long*) paseos eran buenos en ese caso. 5. Siempre visitará a su (*old*) amigo. 6. Es una (*bad*) cosa no dar paseos. 7. Respiremos siempre (*pure and fresh*) aire. 8. En el invierno cae (*the white*) nieve. 9. Los (*intelligent*) pacientes no prestaban atención al (*young*) médico. 10. El médico tenía (*blue*) ojos y

(*black*) pelo.   11. Vivía en una (*small and old*) casa en la calle cuarenta y dos al este.   12. Ha escrito en (*white*) papel con (*black*) tinta.

E. TEST XXXVIII. *Write the Spanish translation of the words in English:*

1. El señor Pérez era —— (*a sick man*).   2. —— no pudo pagar la consulta de diez pesetas (*The poor patient*).   3. —— fué a ver al médico (*A certain day*).   4. Respiremos siempre —— (*fresh and pure air*).   5. —— no serán la cura de todos (*Long walks*).   6. Debían andar por —— de la ciudad (*long and short streets*).   7. —— visitó al médico aquel día (*The patient himself*).   8. El médico no habla —— (*the Spanish language*).   9. —— verá a su amiga enferma el primero de mayo (*The good woman*).   10. Rosa dijo que —— tenía una cara bonita, ojos negros y manos pequeñas (*the beautiful lady*).

F. Tema de composición:

Escriban una composición basada en los grabados siguientes: FELIPE ES GOLOSO

1. Come demasiado.[1]   2. Tiene dolor de estómago.[2]   3. La criada corre al buzón.[3]   4. Receta: Aceite de ricino.[4]

G. Oral:

1. Do you see that beautiful child, this old lady, that young man, those poor men?   2. He did not go to see my old friend, the Spanish doctor, his intelligent brother, the white house.   3. Have you seen the sick man, that pale child, the white snow, those rich men?   4. We shall breathe pure and fresh air, take long walks, visit your young friends.   5. He said that he would see a certain doctor.

[1] *He overeats.*   [2] *He has a stomach-ache.*   [3] *The maid runs to the letter box.*
[4] *Prescription: Castor oil.*

Cuento XXXVIII

La barba

How trouble begins.

Hace como unos cincuenta años que la barba era muy corriente en España. Todo el mundo la llevaba. Viejos y jóvenes la usaban, pues daba cierto aire de dignidad y distinción a las personas que la llevaban.

¿ Dónde pone Vd. la barba cuando está acostado ?

Uno de los señores de ese tiempo la siguió usando[1] cuando cambió la moda. Pasó el tiempo y su barba naturalmente creció hasta llegar a ser [a] muy larga, digna de un patriarca. El anciano vivía muy contento y feliz. Ya había vivido unos cincuenta años con su barba y no le molestaba para nada.[2] Trabajaba todo el día y siempre cantaba canciones populares. Dormía muy bien toda la noche.[b] En fin, aquel señor vivía del todo [c] feliz sin ninguna preocupación en su alma buena y limpia.

Por mala suerte,[d] un día llegó a su casa un hombre de cara desagradable, de ojos negros y de mirada dura. Era un hombre muy feo, hasta se parecía a [e] Satanás. Habló un rato con el anciano y después le hizo esta pregunta:

— ¡ Vamos a ver ! ¿ Dónde pone Vd. la barba cuando está acostado y duerme ? ¿ La pone por encima [f] o por debajo de [g] la sábana ?[3]

El pobre viejo se puso pálido y guardó silencio sin saber qué contestar. Por fin, después de pensar mucho rato, contestó:

— Pues hombre, no lo sé.

Desde ese día el anciano no pudo vivir ya en calma. Hasta entonces [h] no se había preocupado de su barba. Pero desde en-

---

[1] *continued wearing (using) it.*   [2] *it didn't trouble him at all.*   [3] *sheet.*

toncesⁱ una lucha terrible llenó su espíritu. No sabía el pobre hombre dónde poner la barba cuando se acostaba. Su larga y hermosa barba blanca le causaba angustias. Ya la ponía por debajo de la sábana, ya la ponía por encima de la sábana. Pero, nunca estaba contento. Perdía así sus buenas horas de sueño. Él que[1] había dormido tranquilo sin ninguna preocupación durante los últimos cincuenta años que llevaba barba, ahora no podía dormir por causa de ella. De día y de noche el pobre anciano pensaba siempre en la pregunta que le hizo ese hombre muy feo de cara desagradable. Sus ojos negros le penetraban hasta el corazón y le hicieron perder el gusto de vivir. Por fin decidió cortarse la barba para poder vivir otra vez con la calma con que vivía antes.

CONVERSACIÓN

1. ¿Qué moda había hace unos cincuenta años? 2. ¿Cuántos años llevaba barba el anciano? 3. ¿Quién fué a verle un día? 4. ¿Qué pregunta le hizo? 5. ¿Por qué no podía dormir más en calma?

VOCABULARIO

el **alma** f. soul
la **angustia** anguish, torture
la **barba** beard
la **canción** song
corriente common, general

cortarse to cut off
crecer to grow
desagradable unpleasant, disagreeable
duro, -a hard
feo, -a ugly
limpio, -a clean, pure

la **lucha** struggle
la **moda** style, fashion
la **preocupación** worry
preocupar to worry
Satanás m. Satan, the devil
el **sueño** sleep

What English words and meanings do you recognize from the following?

cierto, -a, la **dignidad**, la **distinción**, el **espíritu**, **molestar**, el **patriarca**, **usar**

MODISMOS

(a) **llegar a ser** to become
(b) **toda la noche** all night
(c) **del todo** completely
(d) **por mala suerte** unfortunately
(e) **parecerse a** to look like
(f) **por encima de** over
(g) **por debajo de** under
(h) **hasta entonces** until then
(i) **desde entonces** from then on

[1] *He (The one) who.*

LECCIÓN TREINTA Y NUEVE

A. Uso del imperfecto con el pretérito. **B.** El imperfecto, el
pretérito y el presente perfecto comparados

I. EJERCICIO DE PRONUNCIACIÓN

ac-ce-der	abs-tra-er	pers-pec-ti-va	ex-pli-car
ac-ci-den-te	cons-truc-ción	trans-cri-bir	ex-tra-ño
lec-ción	ins-crip-ción	lec-cio-nes	ex-ce-der
a-gri-cul-tu-ra	obs-tru-ír	al-re-de-dor	cons-tan-te

II. LECTURA

La ciudad

En el colegio me dieron ayer como tema de composición, « La
ciudad ». Este tema es muy interesante. Como quise escribir
una buena composición, hice algunas preguntas a papá que leía
el periódico. Y mi padre me habló de Valparaíso, el puerto importante de Chile, donde pasó tres años. Cuando él vivía allí, se
paseaba por las calles de aquella importante ciudad. Veía muchos
buques que llevaban mercancías y pasajeros a todas las partes
del mundo. El puerto está situado en el Pacífico y para llegar a
Nueva York y a Europa los buques tienen que pasar por el Canal
de Panamá.

Todos los domingos visitaba los edificios públicos de Valparaíso.
Durante la semana visitaba las escuelas elementales y superiores.
Cuando no trabajaba leía varios libros en las bibliotecas públicas,
de donde sacaba libros de cuentos, novelas y revistas. Mientras
me hablaba de Valparaíso, tomó un libro y me enseñó grabados
de iglesias y museos.

Para ir de una parte de la ciudad a otra, había coches, trenes,
tranvías y automóviles. También dijo que telefonaba a los amigos
que vivían lejos de su casa. Mi padre me hablaba todavía de la
ciudad, cuando mi hermana entró para decirnos que la comida
estaba lista. Durante la comida el tema de la conversación fué
también Valparaíso, una grande y bonita ciudad de Chile. Es
una hermosa ciudad moderna y un centro comercial para todo el
país.

III. Vocabulario

el **buque** ship
el **domingo** Sunday;
    todos los —s
    every Sunday
la **mercancía** merchandise

el **pasajero** passenger
el **puerto** port

telefonar to telephone

elemental elementary
listo, –a ready
situado, –a situated, located
superior high; secondary

IV. Gramática

A. Imperfect and Preterit: Past Action within Another

Mientras hablaba, tomó un libro.
Hablábamos de la ciudad cuando Vd. entró.
Vd. escribía cuando salieron.

While he was speaking, he took a book.
We were speaking of the city when you entered.
You were writing when they left.

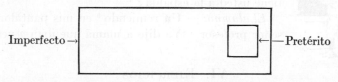

Imperfecto →   ← Pretérito

Note that the imperfect is used to describe what was going on when something else happened, while the preterit expresses what happened at that time.

B. Imperfect, Preterit, and Present Perfect Compared

(*a*) **No quería hablarme de Valparaíso.**
No quiso hablarme de Valparaíso.

He did not wish to speak (all along) *to me of Valparaiso.*
He did not wish to speak (at a certain time) *to me of Valparaiso.*

The imperfect emphasizes the duration of an action, the preterit emphasizes the act or event itself. The preterit is like a snapshot, while the imperfect may be compared to a moving-picture film in action at a past time.

(*b*) **No he olvidado que mi padre quiere hablarme de Madrid.**
Este año he estudiado el español; el año pasado estudié el francés.

I haven't forgotten that my father wishes to speak to me of Madrid.
This year I have studied Spanish; last year I studied French.

When the past action takes place at a time that in some way is related to the present, or in a period of time that is not yet completed,[1] the present perfect, and not the preterit, is used in Spanish.

V. Conversación

1. ¿ Qué tema le dieron en el colegio ? 2. ¿ Por qué preguntó él a su padre ? 3. ¿ De qué habló su padre ? 4. ¿ Qué veía el padre ? 5. ¿ Qué llevaban los buques ? 6. ¿ Dónde está situado Valparaíso ? 7. ¿ Qué visitaba su padre todos los domingos ? 8. ¿ Qué libros sacaba de las bibliotecas públicas ? 9. ¿ Qué le enseñó su padre ? 10. ¿ Para qué entró su hermana ?

Los puntos cardinales [2]

El maestro: — Tiene usted al frente [3] el Norte, el Este a la derecha, el Oeste a la izquierda. ¿ Qué tiene usted a la espalda ? [4]

El alumno: — Un remiendo [5] en mis pantalones, señor profesor. Ya dije a mamá que iban a verlo.

VI. Ejercicios

A. Pongan los infinitivos en el imperfecto o pretérito:

1. Mientras yo *estar* en mi cuarto con Vd., *entrar* Pedro. 2. Cuando él *vivir* allí, me *ver* todos los días. 3. Su padre *saber* mucho de la ciudad, cuando *estar* allí. 4. Cuando nosotros no *trabajar* con ellos, *leer* muchos libros. 5. Mientras yo *decir* eso, *levantarse* y *tomar* un libro con grabados. 6. Él *aprender* mucho de Chile mientras *estar* allí conmigo. 7. Cuando yo *vivir* en esa ciudad, *asistir* a los teatros. 8. Mientras Luis le *escribir* una carta, *llegar* Pedro. 9. ¿ Con quién *hablar* Vd. cuando *entrar* su padre ? 10. Cuando nosotros *vivir* allí, *pasearse* todos los días. 11. Yo le *dar* el libro mientras él *hablar*. 12. Mi padre *visitar* los museos conmigo cuando *tener* tiempo.

B. Escriban:

(*a*) *el presente de:* Hoy no *salir* de casa.
(*b*) *el imperfecto de:* Siempre *leer* las revistas que *comprar* o *recibir*.
(*c*) *el pretérito de:* ¿ Ayer no *levantarse* temprano ?

---

[1] Usually found in connection with **esta mañana, hoy, este mes**, etc.
[2] *points of the compass.* [3] *to the front.* [4] *behind you.* [5] *patch.*

(d) *el futuro de:* Mañana le *escribir* a él.

(e) *el perfecto de:* Hoy *haber* visto a Luis.

(f) *el imperativo de:* Sentarse, comer y beber.

C. Escriban el presente, el pretérito, el imperfecto, el futuro y el condicional de:

MODELO: Él ha escrito = Él escribe, escribió, escribía, escribirá, escribiría.

1. Vd. ha dado	2. hemos oído	3. hemos podido verle
ellos han llegado	Vds. han traído	Luis ha estado
yo he querido	he leído mucho	¿ lo ha puesto Vd. allí ?
Vds. han dicho	¿ qué se ha visto ?	¿ no ha caído ?
no he venido	ellas han hecho	les ha hablado.

D. TEST XXXIX. *Write the Spanish translation of the words in English:*

1. —— los periódicos cuando Ana —— la carta de Vd. (*We-were-reading . . . received*). 2. Mientras ella —— por la calle la —— (*was-taking-a-walk . . . we-saw*). 3. ¿ A dónde —— Vd. cuando la —— en la Quinta avenida con ella (*were-you-going . . . I-saw*) ? 4. Vds. siempre —— a sus amigos mientras —— en el campo (*used-to-see . . . they-lived*). 5. Aquel día yo no —— a mis amigos porque —— enfermos (*visited . . . they-were*). 6. ¿ —— cuando —— con mi hermano (*Were-you-taking-breakfast . . . I-entered*) ? 7. Ayer muchos automóviles —— por la calle mientras —— sin Vds. (*passed . . . I-took-a-walk*). 8. Mientras —— en Valparaíso, —— las revistas de allí (*they-lived . . . they-read*). 9. Nosotros —— por la calle cuando la —— (*were-passing . . . I-saw*). 10. Cuando mi padre —— joven, —— para Chile (*was . . . he-left*).

E. Dictado:

Mi pueblo está cerca de una ciudad grande. Hay una estación de ferrocarril en el pueblo. Hay también unos edificios públicos. Hay muchas casas particulares. Los edificios importantes son la iglesia, un hospital y la escuela.

F. Oral:

1. I say. 2. She used to say. 3. What did you say? 4. What was seen? 5. They said they would see us. 6. Let us visit that

city.   7. I was reading when he entered.   8. You were running when
she saw you.   9. Were you there when he spoke to me ?   10. When
we went out she was speaking to him.   11. When I saw you, he was
helping me.   12. I was going out when he entered.

Cuento XXXIX

El banquero amable

Bankers are human!

Un mendigo [1] encontró un paquete en la calle.   Lo abrió y
vió con sorpresa que contenía un gran número de acciones.[2]   Éstas

¿ Desea Vd. aceptar diez mil pesetas ?

llevaban [3] el nombre de un gran banquero de la ciudad.   A pesar
de ser pobre el mendigo fué inmediatamente a entregar el paquete
a su dueño.   El banquero lo felicitó [4] por ser tan honrado y le
preguntó:

— ¿ Cómo se llama Vd. ?

— Me llamo Juan Pérez, señor — contestó el pobre.

— Vamos a ver,[a] señor Pérez, ¿ qué puedo darle de premio ?
¿ Desea Vd. aceptar diez mil pesetas ?

— Claro que sí [b]; me parece muy justo el premio.

El banquero contó diez mil pesetas y las entregó al mendigo
y éste se marchó encantado.   Para el mendigo esa cantidad era
una fortuna considerable.   Se sentía muy feliz porque podría comer

---

[1] *beggar.*   [2] *shares of stock.*   [3] *bore.*   [4] *congratulated.*

bien y comprarse ropa nueva. Una mañana, algunos días después, leyó el mendigo en el periódico que una de las acciones que había dado al banquero le había producido diez millones de pesetas. Fué otra vez a la casa del banquero y le dijo:

— Acabo de leer lo que ha ganado Vd. con una de las acciones que le devolví. Eso le fué posible sólo porque yo le devolví esas acciones. Por consiguiente, creo que debo participar de su buena fortuna; he venido para ver lo que Vd. quiere darme.

— Con mucho gusto, amigo Pérez — dijo el banquero. — Está bien. Vd. tiene razón. Sin las acciones que Vd. me devolvió, no podría cobrar los diez millones de pesetas. ¿ Le gustaría *c* una renta [1] por toda la vida de diez mil pesetas anuales ?

— Le diré con toda sinceridad, señor — dijo el nuevo rico. — En vez de una renta, prefiero más bien aceptar ahora mismo veinte mil pesetas.

— Pero, hombre, ¿ por qué ? — preguntó el banquero sorprendido.

— Es porque Vd. tiene mucha suerte. Por ejemplo,*d* Vd. pierde sus acciones, yo las hallo y se las devuelvo a Vd. Después gana diez millones con ellas. Si yo acepto esa renta estoy seguro que va Vd. a tener la suerte de enterrarme [2] la semana que viene.*e* Conque,*f* con su permiso, voy a aceptar las veinte mil pesetas.

Conversación

1. ¿ Qué encontró el mendigo ?   2. ¿ A quién devolvió el dinero ?   3. ¿ Cuánto dinero recibió de premio ?   4. ¿ Por qué fué a casa del banquero por segunda vez ?   5. ¿ Por qué no aceptó el mendigo la renta ?

Vocabulario

el **banquero** banker	**participar** (**de**) to share,	**producir** to earn, pro-
la **cantidad** quantity	participate in	duce
cobrar to collect	el **permiso** permission	la **sinceridad** sincer-
entregar to hand over	el **premio** reward; **de —**,	ity
	as a reward	la **suerte** luck

What English words and meanings do you recognize from the following ?

aceptar, la **fortuna**, el **millón**, el **número**, la **peseta**, **posible**

[1] *income.*   [2] *of burying me.*

MODISMOS

(*a*) **vamos a ver** = **a ver** let's see

(*b*) **claro que sí** = **por supuesto** of course, yes indeed

(*c*) **¿ le gustaría ?** would you like ?

(*d*) **por ejemplo** for example

(*e*) **la semana que viene** = **la semana próxima** next week

(*f*) **conque** so then

LECCIÓN CUARENTA

A. Pronombres complementos : claridad y énfasis

B. Pronombres complementos con nombres

I. Ejercicio de pronunciación

Trabalengua [1]

Guerra tiene una parra y Parra tiene una perra.
La perra de Parra sube a la parra de Guerra.
Guerra coge una porra y pega a la perra de Parra,
y la perra de Parra baja de la parra de Guerra.

II. Lectura

En la calle

Cierto día el señor Guerra quiso visitar al señor Gómez, pero no tenía su dirección. El año pasado el señor Gómez le envió a él su dirección, pero el señor Guerra la perdió. Felizmente recordó que vivía en la calle del Príncipe. En esa calle había muchas casas, pero esperaba encontrar pronto la del señor Gómez.

— La cosa será fácil — pensó. — Le preguntaré al policía.

Después de andar un poco por la calle del Príncipe, le dijo al policía :

— Perdone, ¿ puede Vd. explicarme a mí cómo puedo llegar a la casa del señor Gómez ?

— ¿ Gómez ? . . . ¿ Gómez ? . . . No sé si puedo darle a Vd. los informes que me pide a mí. ¿ El señor Gómez ? . . . Es gordo y de barba negra, ¿ verdad ?

— Al contrario — le contestó al policía — es flaco y no tiene barba.

[1] *Tongue-twister.*

— ¡Ah! ¿Sin barba?... Espere Vd. ¡Ya sé! ¿El doctor Gómez?

— No me hable Vd. a mí de un doctor, porque es abogado.

— ¿Abogado? ¿Y dice Vd. que se llama...?

— Gómez... Gómez...

— ¿Y es abogado? ¿Está Vd. seguro?

— Sí, sí, abogado.

— ¿No se llama González?

— No, señor. Le dije a Vd. que se llama Gómez... ¡Juan Gómezzz...!

— ¿Por qué se irrita Vd.? ¿No sabe que hay muchos que olvidan los apellidos? Conque, ¿busca Vd. al señor González?

— Escúcheme Vd., por Dios... ¡¡Gómez!! Ya le dije a Vd. que se llama Gómez... Gómez... Gómez...

— Eso es... Médico, ¿no es verdad?

— ¡¡Abogado!!

— ¿Y vive en la calle del Príncipe?

— Sí, eso es.

— Pues, siento decirle a Vd. que a ese hombre no lo conozco.

IV. Vocabulario

la dirección address	irritarse to become excited	seguro, –a sure
el policía policeman		
	recordar to remember	felizmente fortunately
conozco I know, I am acquainted with	flaco, –a thin	creo que sí I think so
enviar to send	gordo, –a fat, stout	ya sé now I know

V. Gramática

A. Personal Object Pronouns: Clearness and Emphasis

(Direct Object)

Lo visité a él.	*I visited him.*	(Clearness)
Nos preguntaron a nosotros.	*They asked us.*	(Emphasis)

(Indirect Object)

Le hablé a él, no a Vd.	*I spoke to him, not to you.*	(Clearness)
Me dijo a mí, no a ellos.	*He told me, not them.*	(Emphasis)

Note that in the ordinary use of object pronouns, direct or indirect, the prepositional form of the personal pronoun is used

either for clearness or for emphasis.   The pronoun used after a
preposition is necessary, especially for clearness after **le**, *to you,
to him, to her, to it,* and after **les**, *to you, to them.*   This is a characteristic construction in Spanish.

B. The Object Pronoun with Nouns

(Direct Object)

A los hombres los llamaron.	*They called the men.*
Al policía lo vimos.	*We saw the policeman.*

Indirect Object

Les dicen a Gómez y a Pérez.	*They tell Gómez and Pérez.*
Les habla a los hombres.	*He speaks to the men.*

Note that when a direct or indirect object noun precedes the
verb, it is usually repeated in object pronoun form for the sake
of emphasis or clearness.

If an indirect object noun follows the verb, the indirect object
pronoun very often precedes it.   This special use of the pronoun
is not expressed in English.

VI. Conversación

1. ¿ A quién quiso visitar el señor Guerra ?   2. ¿ Qué le envió
el señor Gómez ?   3. ¿ Qué perdió el señor Guerra ?   4. ¿ Qué
recordó felizmente ?   5. ¿ Cuántas casas había en esa calle ?
6. ¿ Qué preguntó el señor Guerra al policía ?   7. ¿ Qué era el
señor Gómez ?   8. ¿ Cómo se llamaba el amigo del señor Guerra ?
9. ¿ Qué contestó el policía al señor Guerra ?   10. ¿ Por qué no
visitó el señor Guerra a su amigo ?

VII. Ejercicios

A. Traduzcan las palabras inglesas:

Modelo: *him* ha ayudado = lo ha ayudado a él

to me ha leído	*us* necesitaría	*us* enseñaba
to him leeré	*to her* hable Vd.	*to you* escribiría
him llevaron	*you* admiran	*to them* prometió
to them hablábamos	*her* he visto	*me* comprenderá
them desean comprar	*her* conteste Vd.	*to you* escribí

B. Den los pronombres complementos en todas las personas, sin cambiar el verbo:

1. Me habló a mí. 2. Me escribirán a mí. 3. Me saluda a mí. 4. Me han visto a mí. 5. Me gustaba a mí. 6. Me buscaría a mí.

C. Escriban seis oraciones como los dos modelos:

MODELO: A ese hombre no lo vimos.
No le escribo al hombre.

D. Pongan las frases siguientes en el presente, imperfecto, pretérito, futuro, condicional y el presente perfecto:

1. A los pobres hombres, yo los *ayudar.* 2. A este policía, él no lo *entender.* 3. Vd. le *decir* esto a Felipe. 4. Ellos le *vender* flores a la señora. 5. Vds. les *dar* unas novelas a las muchachas. 6. Nosotros le *querer* enviar a Juan nuestra dirección.

E. Traduzcan los pronombres complementos al español y pónganlos en su debida forma y lugar:

1. Nos miró a nosotros (*you, her, them, me*).
2. Lo buscaban a él (*me, you, him, us*).
3. La creerán a ella (*us, me, them, him*).
4. Le escribió la carta a Vd. (*us, you* pl., *her, me*).
5. A mí me gusta hablar de su padre (*him, them, you, us*).
6. ¿ Cuántas novelas les darán a ellos (*me, us, you, her*) ?
7. ¿ Qué les han dicho a Vds. (*us, them, him, me*) ?
8. No le lea a él el periódico (*me, her, us, them*).

F. TEST XL. *Write the Spanish translation of the words in English, using the double pronoun forms for either clearness or emphasis:*

1. No —— veremos —— (*her*). 2. —— dijo esto —— (*to him*). 3. —— escribieron —— la carta (*to you*). 4. ¿ Cuántos libros —— dió —— (*to us*)? 5. Nuestros amigos —— llamaban —— (*us*). 6. No podrán explicar —— la lección —— (*to me*). 7. Hable —— —— de Felipe (*to them*). 8. —— he visitado —— (*them*). 9. Siempre —— ayudo —— (*you*). 10. No —— veamos —— ahora (*her*).

G. Tema de composición:

EN LA CALLE, cinco frases originales.

H. Oral:

1. She has greeted her (us, them, you).   2. They believed us (you, them, me).   3. They used to give me (them, us, you).   4. You will write to her (to me, to us, to them).   5. I like to read; they like to walk; we like books; you do not like this paper.   6. He said that he would give me (us, them, you, him) a letter.   7. I do not understand the man (my father, him, them, those boys).   8. I sent these flowers to the lady (to him, to them, to you).

Cuento XL

Leyenda del Titicaca

Origin of the highest lake in the world.

El lago Titicaca, situado entre el Perú y Bolivia, a una altura de nueve mil pies sobre el nivel del mar,[1] es teatro de muchas leyendas de los Incas.   Fué allí que, según la leyenda, nació el vasto imperio de los Incas, quienes gobernaron la mayor [2] parte de la América del Sur.   Entre las leyendas que hay sobre este lago, la siguiente trata de su origen.

En la parte más profunda del océano Pacífico, en tiempos mitológicos, había un magnífico palacio adornado de perlas, diamantes y otras piedras preciosas.   Estaba rodeado de [3] jardines donde nacían perfumadas flores de todos los colores y ricas frutas. En el palacio vivía la hermosa diosa Icaca, hija de Neptuno, dios de las aguas.   Algunas veces la diosa dejaba su palacio submarino, subía a las rocas de una isla, y sentada allí miraba las aguas, mientras tocaba su lira y cantaba en armoniosa voz melodías extrañas y misteriosas.   Los peces subían a la superficie [4] de las aguas para escuchar esa divina música.

Un día, durante una de esas visitas, hubo una tempestad.   Vió Icaca que una barca, juguete de las aguas y del viento, luchaba contra la furia de los dos elementos.   A lo lejos,[a] un hermoso joven, más bello que Narciso,[5] trataba de salvar la vida,[b] pero

---

[1] *sea level.*   [2] *greater.*   [3] *surrounded by.*   [4] *surface.*

[5] Narcissus, a beautiful youth of Greek mythology, who fell in love with his reflection in a fountain and thought all the while that it was the image of the presiding nymph of the place.   He pined away till he jumped into the fountain where he died.   When the nymphs came for his body to pay it funeral honors, they found only a flower, which they called by his name.

en vano. La buena Icaca se tiró al agua para salvarlo. Poco después volvió a la isla con el hermoso joven, que se llamaba Tito. Éste, encantado por la belleza de Icaca, se enamoró de ella a primera vista. Le ofreció su corazón que aceptó Icaca, pues ella también lo quería.[c]

Por orden de Icaca se construyó en la isla una hermosa casa donde debía vivir el joven Tito, amante de la diosa. Desde entonces [d] Icaca estaba siempre a su lado. Así vivieron felices algunos años. Pero, la diosa Diana,[1] celosa de la felicidad de los jóvenes, llevó una noche al dios Neptuno a ver a los dos que

El terrible dios de las aguas se puso furioso.

tanto se querían. El terrible dios de las aguas se puso furioso cuando vió a su hija con un hombre mortal. Arrojó a ambos por el espacio, ayudado por Eolo, dios de los vientos. Los amantes volaron sobre las aguas del Pacífico, sobre la cordillera de los Andes y cayeron por la América del Sur, en el valle de Illampú. Tito, que era mortal, murió con la fuerza del viento, pero Icaca que era diosa, no perdió la vida. Llena de dolor, al ver muerto a su amante, hizo en su corazón la tumba de Tito. La joven convirtió a Tito en una colina y tanto lloró que se derritió [2] en un extenso lago de lágrimas. Así es que hasta hoy día los dos amantes siguen viviendo juntos.

Los nombres unidos de los dos, Tito e Icaca, forman el de Titi-

---

[1] Diana is the goddess of the moon and hunting and the protectress of women.
[2] *she melted.*

caca, nombre que hasta hoy tiene el lago y la isla donde está situada la colina.

CONVERSACIÓN

1. ¿ De qué trata esta leyenda ? 2. ¿ Dónde vivía la diosa Icaca ?
3. ¿ A dónde subía ? 4. ¿ A quién salvó ? 5. ¿ Cuál es el origen del nombre Titicaca ?

VOCABULARIO

la **altura** height
el, la **amante** lover
la **belleza** beauty
bello, –a beautiful, handsome
celoso, –a jealous
la **colina** hill

el **dios** god; la **diosa** goddess
encantar to charm
la **fuerza** force
la **isla** island
la **lira** lyre

muerto, –a dead
nacer to be born
el **pez** fish
salvar to save
unir to unite
la **vista** sight

What English words and meanings do you recognize from the following ?

adornar, armonioso, –a, el **diamante, divino,** –a, el **elemento, extenso,** –a, el **imperio, magnífico,** –a, la **melodía, misterioso,** –a, **mitológico,** –a, el **océano,** el **origen,** la **parte, perfumado,** –a, la **perla, precioso,** –a, la **roca, submarino,** –a, **vasto,** –a

MODISMOS

(a) **a lo lejos** in the distance
(b) **salvar la vida** to save one's life

(c) **querer a** to love
(d) **desde entonces** from then on

REPASO DE GRAMÁTICA IV

A. Verbos que cambian la raíz			
1A & 2A CONJ. (e = ie o = ue)	PRES. IND.	PRETÉRITO	IMPERATIVO
I. pensar	*pie*nso, piensas, pensamos		*pie*nse Vd.
contar	*cue*nto, cuentas, contamos		*cue*nte Vd.
II. perder	*pie*rdo, pierdes, perdemos		*pie*rda Vd.
volver	*vue*lvo, vuelves, volvemos		*vue*lva Vd.
3A CONJUGACIÓN (e = ie, i o = ue, u)			
sentir	*sie*nto, sientes, sentimos	*si*ntió	*sie*nta Vd.
pedir	*pi*do, pides, pedimos	*pi*dió	*pi*da Vd.
dormir	*due*rmo, duermes, dormimos	*du*rmió	*due*rma Vd.

B. Condicional

SUJETOS	I. hablar	II. aprender	III. vivir
yo	hablar ía	aprender ía	vivir ía
tú	hablar ías	aprender ías	vivir ías
él, ella, Vd.	hablar ía	aprender ía	vivir ía
nosotros	hablar íamos	aprender íamos	vivir íamos
vosotros	hablar íais	aprender íais	vivir íais
ellos, ellas, Vds.	hablar ían	aprender ían	vivir ían

caber: cabría, cabrías, cabría, cabríamos, cabríais, cabrían
decir: diría, dirías, diría, diríamos, diríais, dirían
haber: habría, habrías, habría, habríamos, habríais, habrían
hacer: haría, harías, haría, haríamos, haríais, harían
poder: podría, podrías, podría, podríamos, podríais, podrían
poner: pondría, pondrías, pondría, pondríamos, pondríais, pondrían
querer: querría, querrías, querría, querríamos, querríais, querrían
saber: sabría, sabrías, sabría, sabríamos, sabríais, sabrían
salir: saldría, saldrías, saldría, saldríamos, saldríais, saldrían
tener: tendría, tendrías, tendría, tendríamos, tendríais, tendrían
valer: valdría, valdrías, valdría, valdríamos, valdríais, valdrían
venir: vendría, vendrías, vendría, vendríamos, vendríais, vendrían

C. Los números

CARDINALES

1	uno (una)	19	diecinueve (diez y nueve)
2	dos	20	veinte
3	tres	21	veintiuno (veinte y uno)
4	cuatro	22	veintidós (veinte y dos)
5	cinco	23	veintitrés (veinte y tres)
6	seis	24	veinticuatro (veinte y cuatro)
7	siete	25	veinticinco (veinte y cinco)
8	ocho	26	veintiséis (veinte y seis)
9	nueve	27	veintisiete (veinte y siete)
10	diez	28	veintiocho (veinte y ocho)
11	once	29	veintinueve
12	doce		(veinte y nueve)
13	trece	30	treinta
14	catorce	31	treinta y uno
15	quince	32	treinta y dos
16	dieciséis (diez y seis)	40	cuarenta
17	diecisiete (diez y siete)	50	cincuenta
18	dieciocho (diez y ocho)	60	sesenta

70	setenta	800	ochocientos, –as
80	ochenta	900	novecientos, –as
90	noventa	1,000	mil
100	cien (ciento)	2,000	dos mil
200	doscientos, –as	10,000	diez mil
300	trescientos, –as	50,000	cincuenta mil
400	cuatrocientos, –as	100,000	cien mil
500	quinientos, –as	200,000	doscientos mil
600	seiscientos, –as	1.000,000	un millón
700	setecientos, –as	2.000,000	dos millones

Ordinales

1st	primer (primero)	11th	undécimo
2nd	segundo	12th	duodécimo
3rd	tercer (tercero)	13th	décimo tercio
4th	cuarto	14th	décimo cuarto
5th	quinto	15th	décimo quinto
6th	sexto	16th	décimo sexto
7th	séptimo	17th	décimo séptimo
8th	octavo	18th	décimo octavo
9th	nono (noveno)	19th	décimo nono
10th	décimo	20th	vigésimo

Uso de los números

Ordinales

Calles:	En la calle tercera, en la Quinta avenida	(Ordinals used up to and including *ten*, cardinals used thereafter.)
Monarcas:	Carlos Quinto, Felipe Segundo, Alfonso Trece	"
Capítulos:	Capítulo segundo, Capítulo veinte	"
Páginas:	página tercera, página once	"

Cardinales

Ciento:	cien hombres, cien mujeres	(Ciento is shortened to cien before nouns of either gender.)
Ciento:	doscientos libros, quinientas revistas	(Multiples of ciento agree with the noun following.)
Mil:	mil libros, cien mil libros	(Invariable)

Serie:	mil trescientos setenta y dos	(In numbers above a thousand, counting is done by thousands and hundreds.)
Millón:	un millón de habitantes	(Un before millón is followed by de.)
Fechas:	el primero de abril el once de junio el veinticinco de mayo	(Cardinals are used, except for *the first*.)

IV. Ejercicios de repaso
(Achievement Test No. 4)

A. 1. ¿ Quién —— la puerta (*is closing*)? 2. Yo no —— a ese señor (*understand*). 3. —— Vd. a su casa (*Return*). 4. ¿ A qué hora —— (*do they wake up*)? 5. Él no —— nuestro nombre (*remember*). 6. —— a las ocho de la mañana (*Get up*). 7. Vds. siempre —— mucho dinero (*lose*). 8. —— Vd. esa caja de dulces (*Show us*). 9. No —— la novela de ese autor (*I find*). 10. No —— Vds. cerca de mi hermano (*sit down*).

B. 1. Mi padre —— el año pasado (*died*). 2. Yo no —— mucho allí (*enjoy myself*). 3. ¿ Cómo —— Vds. esta mañana (*do you feel*)? 4. ¿ Cuántas horas —— Vd. el otro día (*did . . . sleep*)? 5. No —— dinero a nuestro padre (*let us ask for*). 6. —— Vd. este café a sus amigos (*Serve*). 7. Ellos —— leer un periódico (*prefer*). 8. ¿ Qué favor me —— (*did he ask for*)? 9. No —— Vds. en su casa (*fall asleep*). 10. ¿ Cuándo —— de mi padre (*did they take leave of*)?

C. 1. ¿ Qué —— en la Quinta avenida (*has been seen*)? 2. Allí —— muchos artículos (*will be bought*). 3. —— dinero para comprar esas cosas (*One needs*). 4. En Buenos Aires —— muchos españoles (*are found*). 5. ¿ Qué idiomas —— en esta ciudad (*are understood*)? 6. Aquí —— español (*is spoken*). 7. Ayer —— las mismas palabras (*were repeated*). 8. —— muchos hombres por las calles de esta ciudad (*Can be seen*). 9. ¿ Cuántos automóviles —— mañana (*will be sold*)? 10. Muchas cosas raras —— de ese hombre (*were told*).

D. 1. ¿ Qué —— para comprar esa casa (*would-he-do*)? 2. ¿ —— Vds. el tren para ir a visitarlos (*Would . . . take*)? 3. ¿ Qué libros dijo ella que —— (*she-would-read*)? 4. ¿ —— Vds. una caja de dulces para su madre (*Would ... buy*)? 5. Nos escribieron que le —— un perro (*would-give*). 6. Me contestaron que —— esa carta (*I-would-receive*). 7. —— las dos cuando salieron para su casa (*It was probably*). 8. ¿ De qué color —— el perro (*is probably*)? 9. —— visitar a mi amiga esta tarde (*I should like*). 10. Sus hermanas —— muy bonitas (*are probably*).

E. 1. La ——, si tenemos tiempo (*we-shall-visit*). 2. Hace un año que —— cartas de él (*I-have-been-receiving*). 3. Todos hablarán de ese asunto, si él lo —— (*prefers*). 4. Hace dos años que Vd. —— el español (*have-been-studying*). 5. ¿ Cuándo —— su padre a verle, si tiene tiempo (*will-go*)? 6. ¿ Cuánto tiempo hace que Vd. —— los periódicos españoles (*have-been-reading*)? 7. ¿ Qué —— si no tienen dinero (*will-they-do*)? 8. Si —— esto, no me hablarán (*I-do*). 9. Si Vds. salen a las ocho, —— temprano (*you-will-arrive*). 10. Si le gusta el libro, él lo —— (*will-buy-it*).

F. 1. En esta tienda grande hay —— hombres (*forty-two*). 2. —— fué un famoso rey de España (*Philip the Second*). 3. Había —— libros en el estante (*one-hundred*). 4. Hace —— minutos que esperamos a nuestro amigo (*forty-five*). 5. Leamos el capítulo —— de esa novela (*third*). 6. Mi tío murió cuando tenía —— años (*seventy*). 7. Si Vd. sale a las —— de la mañana, volverá pronto (*eleven*). 8. Dijo que iba a trabajar —— de agosto de este año (*the first*). 9. —— fué también rey de España (*Alfonso the Thirteenth*). 10. Su abuelo dijo que tendría —— años de edad (*eighty-two*).

G. 1. Este año han entrado más de —— alumnos en esa escuela (*two thousand*). 2. Salieron para España en —— (*nineteen hundred and twenty-nine*). 3. Madrid tiene más de —— de habitantes (*one million*). 4. Para hacer un viaje, nuestro familia necesitará —— duros (*one thousand*). 5. ¿ Qué pasó el 4 de julio de —— (*seventeen hundred seventy-six*)? 6. Se vendían periódicos españoles en la calle del Príncipe, número —— (*five hundred twelve*). 7. Se dijo que en esa tienda trabajarían más de —— hombres (*one-hundred*). 8. Veamos esa escuela donde hay —— profesores (*one hundred and twenty-five*). 9. En ese teatro se veían —— hombres (*seven hundred*). 10. En el año —— principió la Guerra de la Independencia (*eighteen hundred eight*).

H. 1. Respiremos siempre —— (*pure air*). 2. El —— no tenía dinero (*poor man*). 3. —— creía que podía curar a todos los enfermos (*A certain doctor*). 4. —— tiene ojos azules y pelo rubio (*The pretty girl*). 5. —— le ha dado la receta (*The doctor himself*). 6. Pasaron por —— de la ciudad (*the wide and long streets*). 7. ¿ Por qué no habla Vd. de —— (*the Spanish language*) ? 8. Visite Vd. a sus —— (*old friends*). 9. Nos dijo que iría a ver a su —— (*unfortunate friend*). 10. Lo visitará —— día (*a certain*).

I. 1. Mi padre —— el periódico cuando mi hermano —— (*was reading . . . left*). 2. Mientras —— por la ventana, —— a nuestro amigo (*we were looking . . . we saw*). 3. ¿ A dónde —— cuando la —— (*were you going . . . we met*) ? 4. Mientras —— en el campo, —— a mis amigos (*I lived . . . I saw*). 5. Aquel día no —— a la pobre mujer porque —— enferma (*they visited . . . she was*). 6. Vd. —— cuando toda la familia —— a la mesa (*entered . . . was*). 7. Vds. —— muchos automóviles cuando —— por el parque (*saw . . . you were walking*). 8. Cuando Vd. —— en Valparaíso, nos —— todos los días (*lived . . . you used to see*). 9. Nosotros —— por la calle cuando él —— (*were passing . . . saw us*). 10. Cuando mi padre —— allí, Vds. lo —— (*was living . . . visited*).

J.[1] 1. Él no —— verá —— (*us*). 2. —— dijeron esto —— (*To me*). 3. —— leyeron la carta —— (*To you*). 4. ¿ Cuántos paquetes —— enviaron —— (*to her*) ? 5. Juan —— llamaba —— todos los días (*us*). 6. Ellos —— explican la palabra difícil —— (*to you*). 7. Hable —— Vd. —— de Rosa (*to them*). 8. —— he visitado —— (*him*). 9. A menudo —— ayudo —— (*you*). 10. No —— llamemos —— hoy (*her*).

CONVERSACIÓN IX

La casa

1. ¿ Qué representa el grabado en la página 369 ? — El grabado representa . . .

2. ¿ Cuántas casas hay ? — Hay dos casas: una en la parte superior de la página, otra en la parte baja.

3. ¿ Es el número 1, 2, 3, 4, 5 de la casa . . . ? — Sí, señor, el número . . . es . . .

---

[1] Use the double pronoun forms for either clearness or emphasis.

4. ¿ Cuántas partes de la casa ve Vd. ? — Veo . . .
5. ¿ De qué color puede ser una casa ?   — Una casa puede ser
    blanca, azul, amarilla, roja, verde, etc.
6. ¿ De qué puede ser una casa ?   — Una casa puede ser de
    piedra, ladrillo, o *madera.*
7. ¿ Qué clase de casas usan en España ? — Los españoles usan
    generalmente . . . de piedra.
8. ¿ Está su casa cerca o lejos de la escuela ? — Mi casa está . . .
9. ¿ En qué calle está su casa ? — Mi casa está en (*la avenida*) . . .
10. ¿ Cuál es el número de su casa ? — El número de mi casa
    es . . .
11. ¿ En qué piso vive Vd. ? — Vivo en el piso bajo.
12. ¿ Quién vive con Vd. ? — Mi padre, mi madre . . . conmigo.
13. ¿ Desde cuándo vive Vd. en su casa ? — Hace tres años que
    vivo . . .
14. ¿ Es su casa grande o pequeña ? — No es grande ni pequeña.
15. ¿ Cuántas piezas tiene su casa ? — Mi casa tiene . . .
16. ¿ Le gusta a Vd. su casa ? — Sí, señor, me gusta mucho.
17. ¿ Tiene Vd. un jardín delante o detrás de su casa ? — No
    tengo . . .
18. ¿ Cuáles son las partes principales de una casa ? — Las partes
    principales de una casa son . . .
19. ¿ Qué muebles vemos en cada pieza ? — Vemos . . .

THE PEOPLE AT PLAY

Silhouettes of Sports and Pastimes

Spain and Spanish America have always been famed for their
colorful sports and enjoyable pastimes. The bullfight, the festival,
the dance, these and other recreations are known the world over
for the delightful diversion they offer the inhabitants of those
countries. But although these old pastimes still retain much of
their popularity, American and English sports, such as soccer
football or tennis, have won a high place in the estimation of
the Spaniards and the Spanish-speaking people of the New World.
Modern youths in these countries are learning to participate just
as enthusiastically in all outdoor activities as English-speaking
boys and girls have done for generations.

IX. LA CASA

A. 1. El techo. 2. La chimenea. 3. La pared. 4. La puerta. 5. La ventana. 6. El sótano. 7. El césped. 8. El árbol. 9. Las flores. 10. La acera. 11. La calle.

B. 1. La azotea. 2. La pared. 3. La vereda. 4. La puerta. 5. El zaguán. 6. El patio. 7. La ventana. 8. El balcón. 9. La tienda.

THE DANCE

The dance has long been a favorite recreation in Spain, and it is perhaps the most attractive diversion in the country. Practically every region has its own characteristic style, but the premier region for dances and dancers is Andalusia. The most popular Andalusian dances are the *fandango* and the *sevillana*. The *jota* is typical of the Aragonese region, but it is danced also in Navarre, Catalonia, and Valencia. All these dances appear more striking because of the traditional regional costumes worn by the dancers; but, on the whole, what makes Spanish dancing so attractive is the peculiar dash and verve which dancers put into it. Moreover, it is accompanied by music especially adapted to the rhythm. This music is usually supplied by a guitar, accompanied by the clapping of hands and the singing of *coplas* by a sort of chorus which surrounds the dancer. The female dancer is usually dressed in a picturesque multi-colored costume which emphasizes her beauty and charm, and the male dancer is no less attractively garbed, in a manner calculated to bring out his grace and poise. These dances express physically all the emotion and spirit of the Spanish people which are to be found in the music of their great composers, Albéniz, Granados, de Falla, and others.

BAILARINA SEVILLANA

"With a whirl of her body and an accompanying burst of music, the dance ends and the crowd joyously cries: 'Olé! Olé!'"

As an imaginary traveler you may wish to view a typical Spanish dance in Seville. Sit quietly at a dimly lighted table in a quaint café and watch. Soon the lights grow dimmer, and a spotlight is thrown on an attractive *señorita* emerging from a side door.

Dressed in the full traditional costume, she stands still with her castanets held high. The music increases in tempo. Rhythmically she swings her body to the strains of the tune, her castanets and heels clicking staccato harmony. Gradually the tempo increases. The smooth turns and graceful movements of the dancer become faster and faster with the throbbing beat. With a whirl of her body and an accompanying burst of music, the dance ends and the crowd joyously cries: "Olé! Olé!"

Out of the Spaniard's deep feeling for music and rhythm have come the many beautiful dances of the Iberian Peninsula: the *sevillana*, the *jota*, the *bolero*, the *flamenco*, and others. The Argentines developed the modern *tango*, the Cubans the *rumba*, and the Mexicans the *zapateo*. But we must not forget that in the larger cities people of the upper classes cannot resist the temptation of a catchy jazz tune when played by a snappy swing orchestra, and a good American jazz band will attract as many admirers as the latest film imported from Hollywood. From March to September the ballrooms are crowded. Graceful *señoritas* and their partners sway to the tunes of popular music.

THE BULLFIGHT

If the dance is held in high esteem, the bullfight is the sport that attracts the greatest number of enthusiasts. The bullfights or *corridas de toros* are staged on Sundays and holidays from the end of March till October. On these days the favorite meeting place for many Spaniards is the bull ring. The bullfight still attracts them by reason of its picturesque character and the enthusiasm it arouses. It is as much the national craze of the Spaniards as baseball is of the Americans.

Every important city has its own bull ring or *plaza de toros*, circular in form, with a seating capacity ranging from a few thousand to thirty thousand. The tiers of seats about the bull ring are divided into two sections, *sol* and *sombra*. The *sol* seats are the bleachers, exposed to sun and rain. The *sombra* seats are covered and, therefore, protected from the weather. It is needless to say that the seats in the sun cost only about one half as much as those in the *sombra*.

The *matador* or bullfighter is considered a national hero, and he is generously rewarded by his admirers for his professional skill. His material reward is also great. The average *matador* is paid about $1000 a performance and some very good ones have made as much as a million dollars in a year. Bienvenida totaled $105,000 in a year, while Belmonte and Gaona have netted millions.

On the days of the bullfight, the arenas are crowded to overflowing and the happy people are treated to the magnificent pageant that they adore. The bullfight alone is by no means the whole show. The gorgeous and exciting panorama that goes with it contributes largely to the performance. The great crowds, the band playing martial music, the afternoon sun streaming over the edge of the arena, these are just as much a part of the *corrida* as the bull and the *matador*. One sees here men in the traditional high-crowned sombrero, short jacket, tight trousers and black or red waistband; there, groups of *señoritas* bewitching in their artistically draped cream-colored mantillas and combs, their jet-black hair often topped with a flaming carnation or rose, beautifully embroidered fringed silk shawls or *mantones* over their shoulders, the ensemble suggesting a human bouquet. These are all dear to the heart of the Spaniard.

Before the fight begins there is an open procession of all the bullfighters or *toreros*. Brilliantly garbed, their capes thrown over the left shoulder, the *coletas* (the braid of hair which is the professional mark of the *torero*) hanging down their backs, they march around the ring to the stirring music of a military band. Then the first bull is let into the ring. The performance is dramatic and thrilling; at no time is the spectator's interest allowed to lag. First come the *capeadores*, who with bright red capes, artful steps and passes, try to excite and tire the bull. The *picadores*, mounted on horseback, try to further arouse the bull by teasing it with a long spiked pole. The *banderilleros* goad him to an even greater rage by sticking brightly colored darts into his shoulders. This occurs in the first two rounds of the fight. Finally *capeadores*, *banderilleros*, and *picadores* retire and the *matador* or *espada* comes forward with his sword and tiny cape. In this, the final period, the *matador* puts the bull out of his misery. The bull can only be killed by the *espada* from the front within a few inches of the horns. Face to face with death a hundred times a minute, the *matador* pivots and whirls from the path of the bull with a

FACHADA DE LA PLAZA DE TOROS, MADRID

The Madrid bull ring is a splendid structure, built in the Moorish style
of architecture, with a beautiful façade and an impressive entrance arch.

LA PLAZA DE TOROS, MADRID

Interior view of the bull ring. It has a seating capacity of
about 15,000 spectators.

LA CUADRILLA

The bullfighters just before marching into the bull ring. In the center are two *picadores* on horseback, to whom the *espada* is giving final instructions. A little to the right are two *capeadores*. At the extreme right is the entrance to the bull ring, and in front, an *alguacil* is mounted ready to lead the parade.

dexterity that must not fail for, one unguarded movement, one false step, and he will pay with his life. At the end of the fight, as the *matador* delivers the last stroke quickly and skillfully, he is rewarded with the applause and cheers of the spectators, while a pair of mules carry off the dead bull. The bullfight is a thrilling spectacle requiring cool courage on the part of the performer, but it is accompanied by features which do not appeal to sensitive persons, both in and out of Spain, who deplore the cruel treatment received by the bulls and the horses in order to provide excitement and pleasure for the spectators.

THE FAIR

Many *fiestas* and celebrations, religious or popular, are held in Spain and Spanish America. At all times of the year one may witness some form of feasting and enjoy parades, fireworks, and dances. The most typical feast celebrated in Spain, as well as in all the Spanish-speaking countries, is the fair, whose origin is lost, so much has it become a part of the life of the people. The eagerly awaited fair or *feria* is generally held after Holy Week,

LA FERIA. INTERIOR DE UNA CASETA

Dancing with guitar and castanets accompaniment in one of the
typical *casetas* rented during the Seville Fair.

a happy contrast to the solemn week of prayer which ends at
Easter. The principal and the most famous of all Spanish fairs
is the one celebrated in Seville. It is really a cattle market, but
the thousands who attend are little concerned with that particular phase.

The Seville Fair lasts four days. During this period the entire
city is given over to gaiety, mirth, and rejoicing. All forms of
feasting are in evidence. The streets are packed with people of
all classes, mingling together, dressed in the brilliant colors of the
picturesque regional costumes of Seville. The slow-moving crowds
eagerly stare into the *casetas* (small bungalows rented for the
festival) to see the dancing or to listen to the singing of peasant
songs. Characteristic dances are performed, accompanied by the
strumming of guitars and clicking castanets, although today modern dances are also popular. There are rows of booths, brightly
decorated with paper streamers and bunting, where cooling drinks,
cooked food, candy, cakes, doughnuts, and fruit are sold to satisfy
the constant stream of people.

The din is deafening. The happy throngs move in endless streams, seeking a good time at the shooting galleries, the Ferris wheels, the merry-go-rounds, the swings, the side shows, the circuses, or the bullfights, which are staged on the most lavish scale. The fair is a gigantic playground, with unrestricted enjoyment and plenty of merrymaking. But the feasting takes on its liveliest appearance in the evening, when dances begin early and continue till midnight or later, at which time one is exhausted physically and returns home with a deflated pocketbook, a little wiser, perhaps, as to the future choice of quantity and quality of food.

JAI ALAI

Another popular pastime of universal appeal is the Basque ball game known as *jai alai*, which is one of the fastest and most thrilling sports in the world. One can only understand the enthusiasm for this game after seeing a match, for it has all the features that attract the lover of sports, as well as the additional inducement of betting. It is played in a *frontón*, on a cement court, usually with three players on a side; but there may be an extra player on either side to give a handicap, or just four players, two to a side. The game is a sort of handball, except that the players wear a long, crescent-like wicker arm, strapped to the wrist, to catch the ball and to hurl it against the far wall of the court. The object of the game is to get the ball to bound back over the goal line at the other end of the court and to throw the ball against the wall with such force as to make it as difficult as possible for the opponent to catch it. It is really fascinating to watch the agility and speed that are required of the players as the little ball is hurled back and forth with lightning speed and ceaseless frenzy. The game of *pelota* or *jai alai* truly lives up to its reputation of being the fastest game in the world.

This game was developed in the Basque country, and it is generally thought to be of Basque origin. A recent theory attempts to place its beginning with the Aztec Indians, who played a game like it, called "*tlaihiyotentle*," the forerunner of the game that we know as handball. It was brought to Cuba from Spain, and Florida's proximity carried it to the United States. For years *pelota* was the popular game of the Spanish people, and it was

PARTIDO DE PELOTA

A game of *pelota* or *jai alai* played in a Basque *frontón* before
a typical Basque group of spectators.

played with a fervor and vim seldom seen in any other game.
Of late, however, it has been replaced in part by the many American sports such as soccer football and tennis.

SPORTS

The tendency to feature sport activities in the newspapers,
magazines, and movies has made the Spaniards and Spanish
Americans sport-minded, with the result that they engage enthusiastically in all outdoor games known to the Americans. Since
the beginning of the twentieth century, a new array of sports has
become popular in Spain. In the larger cities the most powerful
rival to the bullfight is soccer football. Today young Spaniards
of all classes are very much interested in this game, and its growing
popularity is making it another national pastime in the play life
of Spain and Spanish America.

Tennis and motoring have come into favor with the upper
classes. Many Spanish men and women are especially attracted
to tennis because it affords them long hours in the open air and
sunshine. Horse racing and polo are popular with the nobility

and those who have traveled widely. Boxing has its followers in Spain, as elsewhere.

While cockfighting remains popular, both in Spain and in the New World, those who conduct it and who attend are usually people of the lower classes. It is, of course, a highly exciting form of amusement. The cockpit is crowded with fanatic followers of the game, each of whom pays from twenty to fifty cents for admission into the ring, even though seats are rarely provided. Only the well-to-do can afford the additional luxury of renting an old box, a chair, or a seat on a bench. An important feature of a cockfight is the heavy gambling engaged in by enthusiasts who come from all over the region. Money, plenty of it, is passed from hand to hand.

LOTTERY

The Spaniards' love of excitement has led them to participate yearly in innumerable lotteries. Lottery tickets are sold everywhere. In addition to the regular ticket offices, men, women, and children sell them on the streets, in the cafés, and wherever prospective customers can be found. The hawkers cry out in Spanish, "Who wants money?" and they always find someone willing to take a chance. Every vender claims to have the lucky number. The average Spaniard hopes that fortune will favor him some day.

There are three drawings every month in the great national lottery of Spain, with prizes that range from 30,000 pesetas to 15,000,000 pesetas. Each ticket is divided into tenths and the person may buy a tenth part or *décimo* or the whole ticket. The main drawing of the year comes just before Christmas, and this is a period of great excitement for the whole nation. Everyone hopes that he will be the lucky winner of the *premio gordo*, or the grand prize, and tension is high until Christmas Eve when the numbers are drawn from the wheel and the results made known.

The lottery provides the nation with considerable revenue, as it has always been in the hands of the government. The last drawing of the year on Christmas usually amounts to about $8,000,000. Of this, three million remain in the National Treasury while the rest is distributed by fate to the lucky ones.

The Theater

One phase of recreation that the Spaniard enjoys immensely is the theater. The Spanish theater is a national product, and its history a glorious one. Right through the ages, Spaniards have been great theatergoers, with the result that the audiences are as appreciative as they are critical. The bills generally offer either one play two or three hours long, or three short ones each of which lasts about an hour. The theaters give two daily performances, one in the early evening, at about 6:30 or 7 o'clock, and the other at about 9:30 or 10. The theaters where short plays are presented are called *teatros por horas*. In these theaters light one-act plays, called *género chico*, are given. The theatergoer may buy as many tickets for each of the short plays as his time or money permits. *Zarzuelas* are also popular. These are usually one-act plays in which music is often mixed with dialogue and a generous amount of dancing. The subject is comic and the actors are allowed great freedom in adding their own lines.

The Spaniards and Spanish Americans are also very fond of the movies and are enthusiastic about the American films, although French and national products do appear occasionally. In Spain, especially, open-air cinemas are quite in vogue. In many of the movie houses there is no entrance fee, but one is expected to pay the price of a drink, and thus the audiences enjoy the latest films while seated comfortably around small tables having refreshments. In Madrid at times the children in the parks are treated to free performances which they always enjoy immensely.

Carnival

Carnival is, perhaps, the *fiesta* celebrated with greatest enthusiasm in Spain and Spanish America. It means at least three days of parades, dancing, and general gaiety. The streets are impassible because of the masquerades, pageants, floats, and processions. Crowds swarm up and down dressed in a great variety of costumes. In the late afternoon and evening general feasting and merrymaking strike the characteristic note. One may see strolling by a peasant, a Chinaman, a clown, the Devil, and every conceivable type, duly garbed. Many of the maskers travel in bands known as *comparsas*, who dance and amuse the public, and even give performances on street corners. In the evening there are masked balls, public and private; the air is filled with confetti and streamers; the music of many bands is heard; noises and shouts assail one's ears.

At times the wild manifestation of Carnival resolves itself into a determined battle between the younger male and female elements of the city. Today in the countries of Spanish speech the Carnival is less rough-and-tumble than a century ago when in the water battles both sides got soaked to the skin, and many a dandy ruined his new suit and lost his temper.

Thus the Spaniard and Spanish American are fully aware of what is going on in the world of sports. The addition of sporting activities to their life has not spoiled their native love for pastimes typically Spanish. At heart the Spanish-speaking people are a simple folk, and their amusements are usually of a mild nature. For many there are two never-failing sources of recreation, both delightful in their simplicity and homeliness: strolling down the promenades and sitting in an outdoor café. Often these are the only recreations indulged in. During the day the innumerable open-air restaurants along the thoroughfares are moderately busy. The people of Spanish speech consider it a special privilege to be able to sit on the terrace of an open-air café and enjoy a small cup of black coffee or a cool drink. In the process of doing so they are usually engaged in informal conversation with friends on almost any conceivable subject. And no argument can be so serious that it will not leave them time enough to enjoy and appreciate the stream of humanity which passes before their eyes.

DIVISIÓN DEL TIEMPO — ESTACIONES DEL AÑO — FIESTAS

Joaquín Sorolla

ANDALUCÍA — EL ENCIERRO

Under the sunlit sky of southern Spain two oxen lead a herd of bulls across the sweeping plain. Note the "cowboys" with their long wooden poles.

LECCIÓN CUARENTA Y UNA

A. Apócope de ciertos adjetivos: *Bueno, malo, primero*, etc.
B. *Grande* y *santo*

I. EJERCICIO DE PRONUNCIACIÓN

1. Se abre la puerta.[1]

2. Se prepara un programa.

3. No se ve nada por la ventana.

4. Suben otros alumnos a la clase.

5. Aquí se venden libros muy interesantes.

II. LECTURA

La división del tiempo

— Carlos, ¿ cuáles son los días de la semana ?

— Los días son el domingo, lunes, martes, miércoles, jueves, viernes y sábado.[2]

— ¿ Cuál es el primer día de la semana ?

— El primer día es el domingo, que es un buen día para todos porque es un día de descanso.

— ¿ Cuál es el tercer día ?

---

[1] In a simple declarative sentence, the voice begins in a low pitch and continues as far as the first stressed syllable, then rises to a medium high pitch, and when the last stressed syllable is reached the voice falls.

[2] See Introduction, Lesson 6.

— El martes, que es día de trabajo.

— ¿ Cuántas semanas tiene el año ?

— Tiene 52 semanas o 365 días, con 366 en el año bisiesto.

— ¿ Qué quiere decir año bisiesto ?

— Año bisiesto es el año en que el mes de febrero tiene 29 días.

— ¿ Y cuántos meses tiene el año ?

— Tiene doce que son: enero, febrero, marzo, abril, mayo, junio, julio, agosto, septiembre, octubre, noviembre y diciembre.

— ¿ Cuándo cae el día de Año Nuevo ?

— Cae el primer día del año o el primero de enero.

— ¿ Cuál es la gran fiesta nacional de España ?

— La fiesta nacional de España es el 2 de mayo.

— Dígame una fiesta de santo que se celebra en España.

— La fiesta de San Juan, que se celebra el 24 de junio.

— ¿ Cuál es la fiesta más alegre del año en España y la América española ?

— La fiesta más alegre es el Carnaval.

— ¿ Cuándo se celebra la Navidad ?

— La Navidad se celebra el 25 de diciembre.

— ¿ Cuántos días tiene el mes de febrero ?

— Tiene 28 o 29 días.

— ¿ Qué meses tienen 30 días ?

— No sé.

— Bueno, aprenda esta poesía y Vd. siempre lo sabrá:

> Treinta días tiene noviembre
> Con abril, junio y septiembre;
> De veintiocho sólo hay uno
> Y los demás de treinta y uno.

Siete días — una semana

LOS DÍAS DE FIESTA EN ESPAÑA

En *enero:* Año Nuevo y los Reyes.

En *febrero:* Carnaval, generalmente.

En *abril:* la Semana Santa y Pascua.

En *mayo:* la Fiesta nacional.

En *junio:* el Corpus y San Juan.

En *julio:* Santiago, patrón de España.

En *septiembre:* la Virgen de Covadonga.

En *octubre:* la Virgen del Pilar.

En *noviembre:* Todos los Santos.

En *diciembre:* Navidad.

III. VOCABULARIO

el **año bisiesto** leap year

el **Carnaval** carnival

el **Corpus** Corpus Christi

los **demás** the rest, other(s)

el **descanso** rest

la **división** division

la **fiesta** holiday

la **Navidad** Christmas

la **Pascua** Easter

el **patrón** patron saint

la **poesía** poem, verse

los **Reyes** Epiphany, Twelfth Night

el **tiempo** time

Todos los Santos All Saints' Day

la **Virgen** Virgin

celebrarse to be celebrated

dígame tell me

IV. GRAMÁTICA

Shortened Form of Adjectives: A. *Bueno, malo, primero,* etc.

un buen año	*a good year*	un año bueno
un mal hombre	*a bad man*	un hombre malo
el primer día	*the first day*	el día primero
ningún hombre	*no man*	hombre ninguno

The adjectives **bueno,** *good;* **malo,** *bad;* **uno,** *a, an;* **alguno,** *some;* **ninguno,** *no, none, not . . . any;* **primero,** *first;* **tercero,** *third,* drop the final **o** when they stand immediately before a masculine singular noun. Note that **alguno** and **ninguno** become **algún** and **ningún.**

B. *Grande* and *Santo*

(a) un gran hombre
   a great man

un libro grande
   a big book

una gran fiesta
   a great holiday

una casa grande
   a large house

(b) **San Juan**	**Santo Domingo**	**Santa María**
St. John	*St. Dominick*	*St. Mary*
San José	**Santo Tomás**	**Santa Marta**
St. Joseph	*St. Thomas*	*St. Martha*

(a) **Grande** becomes **gran** when standing before a masculine or feminine singular noun. When it precedes the noun it means *great;* when it follows, the full form is used and **grande** generally means *large.*

(b) **Santo,** *saint,* becomes **San** before masculine names of saints except those beginning with **Do** and **To.** The feminine form is never shortened.

V. CONVERSACIÓN

1. ¿Cuáles son los días de la semana? 2. ¿Cuál es el primer día? 3. ¿Es martes o lunes el tercer día? 4. ¿Cuántas semanas tiene el año? 5. ¿Cuáles son los meses del año? 6. ¿Qué fiesta es el primer día de enero? 7. ¿Cuál es la gran fiesta nacional de España? 8. ¿Cuándo se celebra la fiesta de San Juan? 9. ¿Cuál es la fiesta más alegre del año? 10. ¿Cuándo se celebra la Navidad? 11. ¿Cuántos días tienen noviembre y junio? 12. ¿Qué mes tiene veinte y ocho días? 13. ¿Cuándo tiene veinte y nueve días?

REFRANES

La necesidad es una gran maestra.   *Experience is a good teacher.*
Al buen entendedor basta con pocas palabras.   *A word to the wise is sufficient.*

VI. EJERCICIOS

A. Completen los adjetivos:

1. una gra— fiesta	2. S— María	3. un bue— teatro
el prim— lunes	S— Juan	el ma— muchacho
el gra— año	S— Clara	el prim— cuento
4. un gra— nombre	5. S— Tomás	6. ning— mes
el terc— examen	S— Domingo	la terc— semana
un bue— amigo	S— Felipe	alg— dinero

B. Completen las oraciones:

1. (*bueno*) Mayo es un —— mes del año. 2. (*malo*) Marzo es un —— mes. 3. (*primero*) ¿Cuál es el —— mes del año? 4. (*primero*) ¿Es lunes el —— día de la semana? 5. (*tercero*) Marzo es el ——

mes del año. 6. (*alguno*) Juan vendrá —— día. 7. (*Santo*) Se celebraba la fiesta de —— Juan. 8. (*bueno*) Pablo, compre Vd. un —— libro y una —— revista para mí. 9. (*alguno*) Mañana tendremos —— dinero para Vd. 10. (*grande*) La —— fiesta nacional de España cae el dos de mayo. 11. (*ciento*) Le doy —— libros para su biblioteca. 12. (*grande*) Wáshington era un —— general. 13. (*ninguno*) No cabe en —— cuarto de la casa. 14. (*ciento*) Había —— hombres en el teatro; mañana habrá —— cincuenta.

C. Usen la forma apropiada del adjetivo en cursiva:

1. (*primero*) Mañana será el —— mes; el —— día; la —— semana; la —— fiesta del año. 2. (*uno*) No compre Vd. —— revista; —— libro; —— caja de dulces; —— periódico; —— corbatas en esa tienda. 3. (*bueno*) Hemos tenido un —— libro; un —— padre; una —— madre; —— amigos; —— trajes; un maestro ——; una casa ——; —— salud; una —— caja de dulces. 4. (*Santo*) Mañana se celebrará la fiesta de —— Felipe; —— María; —— Tomás; —— Elena; —— Juan; —— Domingo; —— Rosa; —— Isabel; —— Clara; —— Luis; —— Alberto; —— José. 5. (*alguno*) Iremos al teatro con Vds. —— día; —— noche; —— semana; —— días; —— veces.

6. (*tercero*) Leeremos el —— libro; el libro ——; la —— poesía; la —— revista; el —— periódico. 7. (*malo*) Luis tiene —— compañeros; un —— amigo; un hermano ——; un —— cuarto; un —— gato; un —— libro. 8. (*grande*) Viva Vd. cerca de ellos en una —— ciudad; una ciudad ——; una —— casa; un —— país; un piso ——. 9. (*Ninguno*) —— hombre; —— muchacho; —— abogado; —— alumna; —— médico; —— español irá al teatro mañana.

D. TEST XLI. *Write the Spanish translation of the words in English:*

1. Boston es una —— ciudad (*great*). 2. Hace un mes que deseo comprar una —— gramática (*good*). 3. Marzo no es siempre un —— mes (*bad*). 4. —— hombre ha recibido la carta (*No*). 5. Nos visitará —— día (*some*). 6. Luis era el —— muchacho de la clase (*first*). 7. Un —— libro es un —— amigo (*good*). 8. ¿ Desde cuándo necesitamos —— libros para nuestra escuela (*hundred*)? 9. Éste es el —— día del mes (*third*). 10. La fiesta de —— Nicolás se celebra el seis de diciembre (*Saint*).

E. Dictado:

1. Los días de la semana son: ——, ——, ——, ——, etc.
2. Los meses del año son: ——, ——, ——, ——, ——, etc.
3. Las estaciones del año son: ——, ——, ——, ——.

F. Oral:

1. January is the first month of the year and not the third. 2. Philip was a bad boy. 3. St. John's feast used to be celebrated in many places. 4. When will you buy that good book for your sister? 5. Madrid is a great city and the capital of Spain. 6. Let us buy these good (of) silk ties. 7. We have seen him some day this week. 8. No man will read this bad book.

Cuento XLI

Carnaval

A gay picture of Spanish-speaking countries.

El Carnaval es una fiesta muy alegre y popular. La gente que toma parte en esta fiesta olvida por completo su tristeza. Todo el mundo piensa solamente en *ᵃ* divertirse.

La fiesta del Carnaval se celebra durante los tres días que preceden a la Cuaresma,[1] que dura cuarenta días.

El Carnaval se celebra en toda España. Es una magnífica fiesta que ricos y pobres esperan con entusiasmo todo el año. En España y en los países hispanoamericanos se dan durante esos días grandes bailes de sociedad [2] en los centros de recreo y bailes públicos para la gente en las plazas. Hay concursos de trajes [3] entre los niños, con premios para los más bonitos o los más originales. Así es que desde la infancia se aprende a conocer y a gozar de *ᵇ* los días de Carnaval. También hay premios para los coches mejor adornados; su conjunto es algo digno de verse. Generalmente de los coches se tiran serpentinas,[4] confetti, juguetes y ramos de flores a las personas y éstas, a su vez,[5] también responden de la misma manera.

Las personas que han visitado a Madrid y que conocen el alegre carácter español saben qué es el Carnaval en la capital de España.

---

[1] *Lent.*   [2] *formal dances.*   [3] *costume contests.*   [4] *streamers.*   [5] *the latter in turn.*

En esos días la ciudad es todo ruido, música y alegría. Las calles están llenas de gente vestida de [c] mil maneras distintas. Se ve una japonesa de brazo con [1] Mefistófeles; [2] Pierrot [3] ha olvidado a Colombina [4] para pasearse con Margarita; [5] Fausto [6] tiene como compañera a una gitana; una india pasa con un monje; en fin, se ven muchos contrastes de toda clase. También hay lo que llaman comparsas,[7] que son bandas de máscaras [8] de diez o más personas, todas vestidas de la misma manera, como por ejemplo, una comparsa de estudiantes, o de moros, o de chinos.

Un baile de Carnaval es un espectáculo extraordinario.

Durante la fiesta del Carnaval algunas mujeres llevan bellos mantones,[9] peinetas de concha y las exquisitas mantillas [10] blancas y negras, quizás herencia[11] de una abuela. Todo es color, ruido y música. Anda la gente con los ojos brillantes de entusiasmo y

---

[1] *arm in arm with.*   [2] *Mephistopheles*, legendary personification of the Devil in literature and grand opera.   [3] well-known French character on the stage and in masquerade, dressed in long, loose, white clothes.   [4] *Columbine*, Harlequin's sweetheart, much sought after by Pierrot.   In Italian and French pantomime she represents the typical flirt.   [5] *Margaret*, heroine and Faust's sweetheart in Goethe's *Faust* and Gounod's opera of the same name.   [6] *Faust*, subject of literary and operatic themes in which the German scholar and magician sells his soul to Mephistopheles in return for his youth, so that he may make himself acceptable to Margaret.   [7] *masquerades, companies.*   [8] *masks, disguises.*   [9] large silken shawls heavily embroidered, the most picturesque article of apparel worn by the women of Spain.   [10] large shell combs worn with the mantilla, a light lace veil or scarf, used by the middle-class Spanish women on festive occasions.   [11] *heirloom.*

de alegría.　Las bandas de música se oyen por todas partes.　Nadie
se queda en casa.　Todo el mundo sale a tomar parte activa en
las festividades.

Un baile de Carnaval es un espectáculo extraordinario.　Cada
dama trata de escoger algo muy bonito y distinto para ese baile
y el resultado es un conjunto pintoresco e interesante.　Ahí pueden
verse trajes [1] de todas las épocas, con los detalles más insigni-
ficantes.　En fin, el Carnaval es una fiesta muy bien recibida
cuando llega y agradablemente recordada por todos después que
pasa.

CONVERSACIÓN

1. ¿ Qué fiesta es el Carnaval ?　2. ¿ Dónde se celebra ?　3. ¿ Qué
bailes hay ?　4. ¿ Cómo se llaman las bandas de máscaras ?　5. ¿ Qué
llevan algunas mujeres ?

VOCABULARIO

la **alegría** joy	**digno, –a** worthy	**pintoresco, –a** picturesque
el **baile** ball, dance;	**durar** to last	la **plaza** square
bailar to dance	el **fiel** faithful,	**preceder (a)** to precede
el **conjunto** group,	follower	**quizás** perhaps
ensemble	la **gitana** gipsy	el **ramo** bunch, bouquet
el **chino** Chinaman	el **monje** monk	el **recuerdo** memory

What English words and meanings do you recognize from the
following ?

activo, –a, la **banda**, **brillante**, el **carácter**, el **Carnaval**, **celebrar**, el **contraste**,
el **entusiasmo**, el **espectáculo**, **exquisito, –a**, la **festividad**, la **infancia**, **insignificante**, el **japonés**, la **japonesa**, la **tropa**

MODISMOS

(a) **pensar en** to think of　　　　(b) **gozar de** to enjoy
(c) **vestido, –a de** dressed in

---

[1] *costumes.*

LECCIÓN CUARENTA Y DOS

A. Pronombres demostrativos. B. Formas neutras

I. Ejercicio de pronunciación

1. El anciano/que vive aquí cerca/está sentado ante una mesa.[1]

2. Mi pobre padre/que está enfermo/ira á la orilla del mar.

3. Estudiamos el español/porque tenemos que aprenderlo.

II. Lectura

Diario de Felipe

(*El mes de febrero*)

Febrero 6

Pasé de grado con buenas notas. Estudié mucho y presté atención en todas las clases. Eso gustó mucho a mis padres. Mis amigas Carmen Iglesias y Elena Guerra pasaron al sexto grado. Roberto Martínez prometió a su padre estudiar mucho este año. Si lo hace podrá pasar las vacaciones en el campo con su abuela. Ésa será una manera muy agradable de pasar el verano.

Febrero 15

Asistí a la fiesta en casa de Rosa. La fiesta del año pasado y ésta me gustaron mucho. Comimos demasiados dulces. Emilia Vázquez bailó y cantó muy bien. Los niños regresaron a su casa a las once de la noche. Éstos cantaron por las calles al regresar a su casa. Eso no gustó mucho a las familias que vivían en esas calles. Con aquello todos se divirtieron mucho.

Emilia cantó muy bien.

[1] In a declarative sentence of two or more clauses, the voice begins in a low pitch, continues in a medium pitch, and ends in a high pitch; the second clause begins in a low voice, continues in a medium voice, and falls with the last accented syllable.

Febrero 20

Roberto, Felipe y yo escuchamos cuentos por radio. Los cuentos fueron muy bonitos. Nos gustó mucho el cuento de « El Perro Blanco ». Éste fué un cuento interesante sobre la vida de un perro.

Febrero 21

Envié unos sellos de España y mi retrato a mi amigo Juan Davis de Nueva York. De esos sellos tengo muchos, pero de éstos, no. No contestó a mi última carta. No sé por qué hizo eso.

Febrero 23

Cumplí doce años. En casa bailamos y cantamos hasta las once. Recibí muchos regalos de mis amigos: éste de aquí de María, ése de ahí de Carmen y aquél de allí de Roberto y otros muchos. Éstos son regalos útiles y aquéllos son bonitos. Comí demasiados dulces y me enfermé al día siguiente. Con eso sufrí unos días, pero me gustaron mucho los dulces.

Febrero 28

Estuve ausente de las clases toda la semana porque estaba enfermo. Escribí cartas a mis amigos y varios de éstos me visitaron. Hablamos de las fiestas que iban a dar nuestros amigos en el mes de marzo. Hablamos también de nuestras vacaciones del verano próximo. Las pasaremos en el campo en casa de la abuela de Roberto. Nos gusta pasar las vacaciones allí porque siempre nos divertimos mucho. Vivimos al aire libre y hacemos toda clase de ejercicios físicos. Nos levantamos temprano y damos largos paseos. Cuando hace calor leemos un libro a la sombra de un árbol. Cuando no hace demasiado calor corremos y saltamos. La abuela de Roberto es una anciana muy simpática y prepara muy buena comida. Eso va a ser muy agradable para todos.

III. Vocabulario

el **campo** country, field
el **diario** diary
la **fiesta** party, festival
el **grado** grade; **pasar de —**, to be promoted

el **regalo** present, gift
el **retrato** picture, photograph
el **sello** stamp
las **vacaciones** vacation

cumplir . . . años to complete . . . years
enfermarse to fall sick
enviar to send
demasiado, –a too much, *pl.* too many

CHISTE

— ¿ Qué gran suceso [1] ocurrió en 1914 ?

— Nací [2] yo.

IV. GRAMÁTICA

A. Demonstrative Pronouns: Use

	SINGULAR				PLURAL	
	Masc.	*Fem.*			*Masc.*	*Fem.*
this:	éste	ésta	*(near the speaker)*	*these:*	éstos	éstas
that:	ése	ésa	*(near person addressed)*	*those:*	ésos	ésas
that:	aquél	aquélla	*(away from both)*	*those:*	aquéllos	aquéllas

estos libros y aquéllos	*these books and those*
esta revista y aquélla	*this magazine and that (one)*
estas novelas y ésas	*these novels and those*
este regalo y ése	*this gift and that (one)*

Note that the demonstrative pronouns differ from the demonstrative adjectives in that they have a written accent on the stressed vowel. The pronoun agrees in gender and number with the noun for which it stands. **Ése** refers to what is near the person addressed; **aquél** refers to that which is far from both the speaker and the person addressed.

B. Neuter Forms

Eso es.	*That's it (subject of conversation).*
No comprendo aquello.	*I do not understand that (idea).*
No hablo de eso.	*I am not speaking of that (statement).*
¿ De quién es esto?	*Whose is this (unnamed object)?*

Note that **esto**, *this*, **eso**, *that*, and **aquello**, *that*, even though pronouns, bear no accent. They refer, in an indefinite way, to an idea, statement, or a thing not mentioned by name

[1] *great event.*   [2] **nacer**, *to be born.*

V. Conversación

1. ¿ Quién escribió el diario ? 2. ¿ Quiénes pasaron al sexto grado ? 3. ¿ Qué prometió Roberto a su padre ? 4. ¿ A qué asistió Felipe ? 5. ¿ Qué hizo Emilia Vázquez ? 6. ¿ A qué hora regresaron a casa ? 7. ¿ Qué escucharon los amigos ? 8. ¿ Qué cuento les gustó mucho ? 9. ¿ Qué envió Felipe a su amigo ? 10. ¿ Qué recibió Felipe de sus amigos ? 11. ¿ De quiénes recibió los regalos ? 12. ¿ Por qué se enfermó ? 13. ¿ Por qué no asistió a las clases ? 14. ¿ De qué hablaron todos ? 15. ¿ Dónde pasarán las vacaciones el verano próximo ?

Ejercicio de invención

¿ Quién es Vd. ?

1. Me llamo —— ——.
2. Vivo en la ciudad de ——.
3. Vivo en la calle (avenida) ——, número ——.
4. Nací en el año ——.
5. Tengo —— años.
6. Hace —— meses que estudio el español.
7. Soy alumno (alumna) de la escuela ——.

VI. Ejercicios

A. Completen y escriban:

1. Est— libro y aqu— son novelas. 2. Est— novelas y es— son de mi padre. 3. Es— revistas y aqu— son españolas. 4. Yo les leeré est— cuentos; no les leo es—. 5. En est— mesa hay novelas, en es— hay libros de cuentos. 6. Para entrar en la biblioteca abrí est— puerta y no es—. 7. ¿ Qué libros necesitaría Vd., est—, es— o aqu—? 8. ¿ Qué revistas desea Vd., est—, es— o aqu—? 9. ¿ Qué es est—? 10. ¿ De quién es est—? 11. Habló de es—. 12. ¿ De quién es aqu—?

B. Pongan la forma adecuada [1] del adjetivo o pronombre demostrativo:

[1] *suitable.*

1. —— zapatos están aquí, —— están allí.   2. ¿ Cuál era mi
casa, —— o ——?   3. —— periódico está sobre la mesa, ——, sobre
la silla.   4. No recuerdo si leí —— revista o ——.   5. Desearé ——
novelas y no ——.   6. Yo leo —— revistas y no ——.   7. —— libro
es interesante, —— no.   8. ¿ Qué libros son ——?   9. No le hablemos
de —— hombres, ni de ——.   10. —— niños y —— son amigos.

C. Traduzcan las palabras entre paréntesis:

1. Desearía leer (*this*) primer libro y no (*that*).   2. (*This*) buen
muchacho bailó y (*that one*) cantó.   3. (*These*) dulces y (*those*) se
pueden comprar allí.   4. (*This*) no me gustaba mucho.   5. Nuestra
familia vivía en (*this*) tercera calle y no en (*that one*).   6. (*These*)
regalos y (*those*) son muy bonitos.   7. Algunos de (*these*) sellos y
(*those*) son de España.   8. ¿ Cuál es la novela de mi hermana, (*this
one*) o (*that near you*)?   9. (*Those*) cuentos son interesantes, (*these*)
no.   10. Él no debería comer (*this*).

D. Completen los adjectivos:

1. el prim— periódico	2. S— Juan	3. esa gra— fiesta
el gra— hombre	S— Rosa	aquel ma— niño
alg— perro	S— Tomás	el terc— cuento
un bue— amigo	S— Domingo	cie— días

E. Completen con un pronombre demostrativo neutro:

1. ¿ Qué es ——?   2. ¿ De qué color era ——?   3. —— es un
libro.   4. ¿ Cómo es ——?   5. —— será muy interesante.   6. ¿ De
quién fué ——?   7. No hablaba de ——.   8. Preparemos ——.
9. No hable Vd. de ——.   10. Vds. no comprenden ——.   11. ——
es muy difícil.   12. No desearé leer ——.

F. Test **XLII.** *Write the Spanish translation of the words in
English:*

1. No contesté a esta carta; contestaré a —— (*that one*).   2. En
este restaurante y en —— se come bien (*that*).   3. ¿ Leyó Vd. estas
novelas o —— (*those*)?   4. Subamos a estos tranvías y no a ——
(*those*).   5. Ella ha visto aquel teatro, pero no —— (*this one*).
6. ¿ Cómo se diría —— en inglés (*this*)?   7. No sé si ellos me enviarán aquellos libros o —— (*these*).   8. No hablábamos de —— ahora
(*that*).   9. Escribí aquellas palabras y no —— (*these*).   10. Vds.
recibieron un regalo de aquella señora y no de —— (*this one*).

G. Tema de composición:

DIARIO DE FELIPE, seis frases originales.

H. Oral:

1. This picture and that; this letter and that; those presents and these; these houses and those. 2. I do not like this. 3. He speaks of that. 4. What is this? 5. I received all these presents and those. 6. If he eats these apples and those he will be sick. 7. This newspaper and that used to be sold in Boston. 8. Would you speak of these newspapers and those? 9. Read these novels and those. 10. You have seen these stamps and those.

CUENTO XLII

Bécquer y el alcalde

He finally obeyed the law.

El célebre poeta español, autor de las famosas *Rimas*, Gustavo Adolfo Bécquer, viajaba una vez por la provincia de Asturias, en el norte de España. Cierto día entró en la posada [1] de una aldea para comer. Le gustó mucho la comida y al pagar su cuenta, el posadero [2] le preguntó:

— ¿ Ha quedado Vd. satisfecho, señor ?

— Perfectamente — dijo Bécquer — he comido mejor que nadie [3] en España.

— A excepción del *a* alcalde — contestó el posadero.

— ¿ Por qué el alcalde ? No hago excepción alguna — dijo Bécquer.

— Pues Vd. tiene que hacer la excepción para el alcalde — volvió a decir *b* el posadero.

El poeta se puso furioso. Insistió otra vez que no hacía excepción para nadie, ni siquiera *c* para el alcalde.

Al cabo *d* tomó tal importancia la discusión que el posadero también se puso furioso. Terminó por llevar a Bécquer ante [4] el alcalde.

— Señor Bécquer — le dijo el alcalde al poeta — debe Vd. saber que aquí hay una costumbre. Desde muchos y largos años se hace siempre una excepción para el alcalde. Por lo tanto *e*

---

[1] *inn.*   [2] *innkeeper.*   [3] *better than anybody.*   [4] *before.*

No conozco un hombre más tonto que ese posadero, a excepción
del señor alcalde.

para que Vd. no olvide [1] la lección, le pongo una multa [2] de cinco
pesetas. O si Vd. prefiere, le condeno a cinco horas de prisión.

El poeta tuvo que pagar la multa. Pero antes de salir dijo al
alcalde con cierta satisfacción:

— No conozco [3] en el mundo entero un hombre más tonto que
ese posadero, a excepción, por supuesto, del señor alcalde. Y
con estas palabras hizo una profunda reverencia al alcalde, y
dejó a éste y al posadero con la boca abierta.

CONVERSACIÓN

1. ¿ Quién viajaba por la provincia de Asturias ? 2. ¿ Cómo le
gustó la comida ? 3. ¿ A dónde llevó el posadero a Bécquer ? 4. ¿ A
quién puso la multa el alcalde ? 5. ¿ Quién era el hombre más tonto
del mundo ?

VOCABULARIO

el **alcalde** mayor	la **costumbre** custom	la **reverencia** bow
la **aldea** town	la **multa** fine	la **rima** short lyric
célebre celebrated, famous	**no ... nadie** not ...	poem
condenar to condemn	anybody	

What English words and meanings do you recognize from the
following ?

la **discusión**, la **excepción**, la **importancia**, el **norte**, el **poeta**, la **prisión**,
la **provincia**, **respetable**, la **satisfacción**

[1] *in order that you may not forget.*   [2] **poner una multa a,** *to fine.*   [3] *I do not know.*

Modismos

(a) **a excepción de** except

(b) **volver a decir** = **decir otra vez**
= **decir de nuevo** to say again

(c) **ni siquiera** not even

(d) **al cabo** = **al fin** = **por fin** = **finalmente** finally

(e) **por lo tanto** = **por eso** therefore

(f) **por supuesto** of course

LECCIÓN CUARENTA Y TRES

A. Comparativo de igualdad: adjetivos y adverbios. B. Nombres

I. Ejercicio de pronunciación

1. ¿ Cuándo irá Vd. a mi casa ? [1]

2. ¿ Le gusta el español hablado ?

3. ¿ Se marcharon a España el año pasado ?

4. ¿ Cuándo va Vd. a pagarme lo que me debe ?

II. Lectura

La princesa encantada

(Cuento de invierno)

Era una noche de invierno. Aquella noche no era tan fría como las otras, pero los niños estaban delante del fuego. Escuchaban con tanta atención como siempre el cuento del abuelo. El gato dormía cerca del fuego. Sentados a los pies del abuelo, oían el cuento de la princesa encantada. Era un cuento tan bonito como interesante. ¿ Quieren ustedes oírlo ?

« Había tres príncipes hermanos que viajaron por países lejanos en busca de una princesa encantada. Una hada la mantenía encantada en el fondo de un lago. El mayor no regresó en su vida. El segundo se enfermó y murió poco después. Pero el menor, que era tan hermoso como valiente, llegó un día al fondo del lago. Allí abajo vió castillos encantados y un bello palacio

---

[1] In questions the voice begins in a low pitch, rises to a medium pitch with the first accented syllable, and approaches a still higher pitch with the last accented syllable.

Vió un bello palacio.

donde estaba encerrada la pobre princesa. Se encontraron sus
ojos y se enamoraron. Al verlos tan bellos como el sol, el hada,
que era buena, los casó en seguida y vivieron felices por muchos
años. »

LA PRINCESA ENCANTADA

En la torre [1] hay una princesa encantada.
¿ Cómo llegará el príncipe a la torre para libertarla ? [2]

[1] *tower.*   [2] *free.*

Repaso: Cómo Isabel pasa la semana

1. El domingo va a la iglesia.
2. El lunes asiste a la escuela.
3. El martes toma una lección de música.
4. El miércoles va al teatro.
5. El jueves visita a sus amigos.
6. El viernes sale a paseo.
7. El sábado hace compras en las tiendas.

Pensamientos

Una buena acción vale tanto como una obra maestra.

A good deed is as good as a masterpiece.

Entre el éxito y el fracaso no hay más diferencia que entre hacer las cosas *bien* y hacerlas *casi bien.*

The only difference between success and failure is to do things well *and* almost well.

III. Vocabulario

la **busca** search
el **castillo** castle
el **fondo** the bottom
el **fuego** fire
el **hada** *f*.[1] fairy
el **mayor** the oldest
el **menor** the youngest

el **palacio** palace
la **princesa** princess

casar to marry
mantener to maintain, keep
regresar: no — en

su vida never to return

lejano, –a far-away, distant
valiente valiant, brave
abajo down; **allá —,** down there

IV. Gramática

A. Comparison of Equality: Adjectives and Adverbs

El príncipe es tan pobre como yo.
Clara no es tan bella como Marta.
Este cuento es tan largo como ése.
Habla tan bien como ella.

The prince is as poor as I.
Clara is not so beautiful as Martha.
This story is as long as that.
He speaks as well as she.

tan + *adj.* (or *adv.*) . . . como = *as* + *adj.* (or *adv.*) . . . *as*

In comparing an adjective or an adverb, *as . . . as* or *so . . . as* are expressed in Spanish by **tan** placed immediately before the adjective or adverb, and **como** immediately after it.

[1] For form of article, compare with **el agua.**

B. Nouns

No tengo tanto dinero como Vd.	*I have not so much money as you.*
Escucha con tanta atención como Vd.	*He listens with as much attention as you.*
Leemos tantos cuentos como él.	*We read as many stories as he.*
Había tantas muchachas como muchachos.	*There were as many girls as boys.*

tanto, –a, –os, –as . . . como = *as much (as many) . . . as*

In comparing nouns, *as much . . . as, as many . . . as* are expressed in Spanish by tanto, –a . . . como and tantos, –as . . . como.

V. Conversación

1. ¿ Qué noche era? 2. ¿ Dónde estaban los niños? 3. ¿ Cómo escuchaban? 4. ¿ Dónde dormía el gato? 5. ¿ Cómo se llama el cuento? 6. ¿ Qué eran los hermanos? 7. ¿ A quién buscaban? 8. ¿ A dónde fué el mayor? 9. ¿ Cuál de los hermanos murió? 10. ¿ Qué vió el príncipe menor? 11. ¿ Dónde vió a la princesa? 12. ¿ Quiénes se enamoraron? 13. ¿ Qué hizo el hada?

Examen

Preguntan a un niño en un examen:

— ¿ Cuántas estrellas [1] hay en el cielo? [2]

— Hay tantas estrellas como pelos tengo en la cabeza.

— ¿ Y cuántos pelos tiene Vd. en la cabeza?

— Tengo tantos pelos como estrellas hay en el cielo.

VI. Ejercicios

A. Traduzcan las palabras en inglés:

1. *as much* dinero *as* yo	2. *as* hermosa *as* María
as many amigos *as* Vd.	*so* larga *as* la calle
as many noches *as* días	*as* jóvenes *as* nosotros
as much fruta *as* pan	*as* aplicadas *as* ellas

B. Completen las siguientes oraciones con tan . . . como o tanto, –a . . . como:

1. Aquella noche era . . . fría . . . ésta. 2. El gato dormía . . . bien . . . el perro. 3. Estos niños son . . . bonitos . . . aquéllos. 4. Ningún

[1] *stars.* [2] *sky.*

cuento será . . . interesante . . . ése. 5. Viviría con ella . . . años . . .
su hermano. 6. Las hadas eran . . . bellas . . . el sol. 7. No hay
. . . mujeres . . . hombres. 8. En ningún país se compra . . . carne . . .
pan. 9. Él lee el español . . . mal . . . Vd. 10. Mi buen abuelo ha
leído conmigo . . . cuentos . . . Vd. 11. Trabajen Vds. con . . . gusto
. . . siempre. 12. Escuchemos con . . . atención . . . siempre. 13. El
hermano menor era . . . hermoso . . . el mayor. 14. El primer cuento
fué . . . largo . . . el tercero. 15. Esta casa vale . . . dinero . . . aquélla.

C. Imiten el modelo:

MODELO: (*hermoso*) Aquella noche era . . . ésta.
          Aquella noche era tan hermosa como ésta.

1. (*pobre*) Estos niños son . . . aquéllos. 2. (*bello*) ¿ No era la
princesa . . . el hada ? 3. (*atención*) ¿ Han escuchado Vds. con . . .
nosotros ? 4. (*diligente*) Nosotros no somos . . . Vds. 5. (*alto*) El
príncipe fué . . . sus hermanos. 6. (*dinero*) La princesa buena tenía
. . . el príncipe. 7. (*hermanos*) El príncipe tendrá . . . su primo.
8. ¿ (*horas*) Trabajaría él . . . mi hermano ? 9. (*cuentos*) ¿ Han leído
. . . María y Felipe ? 10. (*grande*) Este castillo no es . . . el otro.
11. (*cuentos*) Leamos . . . nuestros amigos. 12. (*amigos*) Aquel señor
no tenía . . . su hermano.

D. Imiten el modelo:

MODELO: El príncipe y su hermano son felices.
          El príncipe es tan feliz como su hermano.

1. El niño y su hermano eran bonitos. 2. Lola y Ana sabían
tantos cuentos. 3. Su abuelo y el mío son viejos. 4. Este cuarto y
aquél serán grandes. 5. Lola y la princesa eran bonitas. 6. Este
cuento y aquél serán interesantes. 7. Este niño y ése son buenos.
8. Isabel y Felipe son pobres.

E. TEST XLIII. *Write the Spanish translation of the words in
English:*

1. Mi hermana no es . . . la suya (*as beautiful as*). 2. Les leíamos
. . . Vds. (*as many stories as*). 3. Escriba Vd. . . . su hermano (*as
well as*). 4. ¿ Tendría . . . yo (*as many brothers as*) ? 5. He tenido
. . . un príncipe (*as much money as*). 6. Aquel día vieron a . . . hombres
(*as many women as*). 7. Ellas no serán . . . sus amigas (*as poor as*).
8. El castillo no es . . . aquella casa (*as large as*). 9. No tuvieron

... nosotros (*as much ambition as*). 10. Leamos ... ellos (*as many novels as*).

F. Tema de composición:

La PRINCESA ENCANTADA, seis frases originales.

G. Oral:

1. As large as. 2. Not so pretty as. 3. As small as. 4. As good as. 5. As many days as. 6. As well as. 7. As much money as. 8. As poor as. 9. Not so bad as. 10. As many animals as. 11. As many weeks as. 12. As young as. 13. It is seen that I am as tall as he. 14. Is this man as rich as that one? 15. She had one hundred friends. 16. One knows that we used to be as poor as they. 17. It is said that these houses are as large as those. 18. That is true. 19. Let us open as many doors as windows.

Cuento XLIII

El rey don Rodrigo

A king whose curiosity was his doom.

En España la leyenda del rey don Rodrigo [1] es muy popular. En esta leyenda se explica cómo este rey causó la ruina del país y la invasión de los moros.

En lo alto de [2] una montaña, cerca de la ciudad de Toledo,[3] había una casa misteriosa. Dice la leyenda que la casa había sido construída por Hércules.[4] Nadie debía entrar en aquella casa. Hasta entonces [a] todos los reyes de España habían cumplido [b] la orden. En la puerta de la casa había veinticinco candados [5] colocados, uno a uno,[c] por los monarcas españoles.

Llegó el reinado del rey don Rodrigo y cuando le dijeron que debía poner su candado en la casa de Hércules, se sonrió y contestó que pensaba entrar en ella para descubrir el misterio que encerraba.

---

[1] *Roderick*, last of the Gothic kings, who was overthrown by the Moorish chief Tarik in the battle of Guadalete in 711. [2] *On top of.* [3] Toledo is a city with a rich and historical past, often called the "Spanish Rome." It is situated on a rocky elevation, surrounded by the River Tagus, in the center of Spain, and south of Madrid. It has a pronounced Oriental atmosphere. Toledo steel blades were famous long before and after the Middle Ages. [4] Hercules, hero of ancient Greek mythology, who possessed superhuman physical strength. [5] *padlocks.*

Los caballeros [1] de su corte le aconsejaron no hacerlo, pero todo fué en vano. Le ofrecieron oro y piedras preciosas en cambio del tesoro que allí podía encontrar, si eso era lo que [2] buscaba. Ni oyó consejos, ni aceptó lo que le ofrecían. Por consiguiente,[d]

« El rey que abra este cofre verá maravillas antes de su muerte. »

don Rodrigo, firme en su propósito, realizó de todos modos [e] su deseo y entró en la casa.

Uno a uno rompió los candados que cerraban la puerta y entró, seguido de sus nobles llenos de temor. No encontraron allí tesoros. Solamente vieron una estatua grande de Hércules, en cuya mano había un viejo documento que decía:

« El curioso que moleste [3] el silencio de esta casa, verá la caída de la nación. »

También dice la leyenda que encontraron en otra habitación un cofre en que había escritas en letras griegas las siguientes palabras:

« El rey que abra [4] este cofre verá maravillas antes de su muerte.»

En el interior del cofre, entre dos planchas de cobre,[5] había una tela blanca. En la tela se veían figuras de árabes montados a caballo, con sus lanzas, sus banderas [6] y sus trajes flotantes. A la cabeza de estas figuras había un letrero [7] que decía:

« Cuando se encuentre este paño y se vean [8] sus figuras, los hombres que estas figuras representan vendrán igualmente armados a conquistar a España y llegarán a ser señores [9] de ella. »

Esta profecía se cumplió totalmente, pues don Rodrigo fué el último rey godo [10] de España y el país fué conquistado por los moros, quienes fueron dueños y señores [11] de ella por casi ocho siglos.

[1] knights.   [2] what (that which).   [3] who shall trouble.   [4] shall open.   [5] copper plates.   [6] flags.   [7] sign.   [8] one finds . . . and sees.   [9] masters.   [10] Gothic. The Gothic people were one of the many races who invaded Spain and ruled for over 300 years in the Peninsula.   [11] were lords and masters.

CONVERSACIÓN

1. ¿ Qué había en lo alto de la montaña ?   2. ¿ Qué pusieron todos los monarcas de España en la puerta ?   3. ¿ Qué pensó hacer el rey don Rodrigo ?   4. ¿ Qué vieron el rey y sus nobles en la casa ? 5. ¿ Por cuántos años fueron los moros dueños de España ?

VOCABULARIO

aconsejar to advise	la estatua statue	ofrecer to offer
la caída downfall	flotante flowing	el propósito plan, objective
el cambio exchange, change	griego, –a Greek	realizar to carry out
el cofre coffer, box	igualmente likewise	el reinado reign
colocar to place	la lanza lance	romper to break
cuyo, –a whose	la letra letter, character	el temor fear
encerrar to hold	la maravilla marvel	el tesoro treasure

What English words and meanings do you recognize from the following ?

el árabe, el documento, la figura, la invasión, el misterio, misterioso, –a, el moro, la nación, la profecía, la ruina

MODISMOS

(a) hasta entonces until then
(b) cumplir = cumplir con to fulfill
(c) uno a uno one by one

(d) por consiguiente = por lo tanto = por eso consequently, therefore

(e) de todos modos = de todas maneras at any rate, however

LECCIÓN CUARENTA Y CUATRO

A. Dos pronombres complementos del mismo verbo
B. Empleo de se en lugar de le o les

I. EJERCICIO DE PRONUNCIACIÓN

(a) Ha‿alabado.[1]   Quiere‿entrar.
    Va‿a‿hacer algo.   Habla‿antes que‿Enrique.

(b) Todo‿estaba‿hecho.   Digo‿esto.   Desea‿oír.
    Empezó‿a cantar.   Está‿en América.   Todo‿estaba‿allí.

[1] (a) When two like vowels of different words come together there is only one pronounced. (b) When unlike vowels come together and both are strong vowels they are pronounced together in one syllable.

II. Lectura

En vacaciones

Varios exploradores y yo fuimos a pasar las vacaciones en el campo. Cuando llegamos al campamento, el jefe nos dió el reglamento y nos lo explicó.

Allí pasábamos mucho tiempo al aire libre. Jugábamos a la pelota, al tenis, al escondite y a otros muchos juegos. Todas las mañanas nos levantábamos temprano y hacíamos toda clase de ejercicios físicos. Luego todos saltábamos en el lago donde

Los exploradores en el campo

nadábamos. Así nos bañábamos todas las mañanas antes del desayuno. Después del desayuno nosotros dábamos largos paseos por los bosques. Algunos corrían por los campos. Otros pescaban en el lago. Cuando hacía calor escribíamos cartas a nuestros padres o leíamos a la sombra de los árboles.

Algunos exploradores nos prestaban libros; los leíamos y se los devolvíamos. Uno de los exploradores quería el reglamento. Me dijo: — Préstemelo; lo necesito. Yo contesté que no podía dárselo porque se lo había prometido a otro.

También sacábamos fotografías y se las enviábamos a nuestros padres. A nuestros padres les gustaba verlas. No sólo jugábamos, sino que aprendíamos cosas útiles y debíamos explicárselas a otros exploradores. Se las explicábamos muchas veces. Todos los días preparábamos la comida al aire libre. Unos exploradores guisaban, barrían las tiendas y lavaban la ropa; otros ponían y levantaban la mesa.

La vida en el campo nos gustó tanto este verano que esperamos poder pasar allí las vacaciones otro año.

Mochila

Corbatín (sin chaqueta)

Insignias de mérito

Insignia de rango

Mochila

Distintivo numeral

Hacha de explorador

Cantimplora

Exploradores de Estados Unidos

Correa tirafictor

Biricú

Insignia de rango

Equipo de cocina

Soga

Gancho de cinturón para colgar artículos pequeños

Chaqueta de explorador

Medias de explorador

Botas de explorador

Espalda del saco

Polainas

EQUIPO DE EXPLORADOR

To the Student: Note the Spanish words for the following Boy Scout equipment — Haversack, neckerchief (without coat), badge of rank, merit badge, distinctive numeral, scout axe, canteen, lanyard belt, belt hook to carry articles, cooking kit, rope, scout coat, back of coat, leggings, scout stockings, scout shoes.

Los exploradores

Siempre adelante,[1] siempre adelante,
cumpliendo [2] alegres [3] nuestro deber,[4]
siempre avanzando,[5] nada hay distante,
que [6] es humillante [7] retroceder.[8]

III. Vocabulario

la **clase** kind
el **desayuno** breakfast
el **explorador** boy
   scout
la **fotografía** photo-
   graph
el **juego** game
el **reglamento** rules

el **tenis** tennis
la **tienda** tent

bañarse to bathe
barrer to sweep
esperar to hope
jugar: — **a la pelota**
   to play ball; — **al**

escondite to play
   hide and seek
nadar to swim
pescar to fish
poner (**levantar**) **la**
   mesa to set (clear)
   the table
prestar to lend, give

IV. Gramática

A. Two Object Pronouns

Me lo prestaba.	*He lent it to me.*
Vd. nos la prometió.	*You promised it to us.*
No podía dárnoslas.	*He could not give them to us.*
Me lo va a dar.	*He is going to give it to me.*
Préstemelo Vd.	*Lend it to me.*
But: **No me lo preste Vd.**	*Don't lend it to me.*

Note that when a verb has two object pronouns, a direct and an indirect, the indirect precedes the direct.[9]   Two object pronouns, like one, precede the inflected verb but are attached as one word to the infinitive and to the affirmative command.   In such cases the original stress of the infinitive or command is marked with a written accent.

Note, however, that in cases where the infinitive is preceded by the inflected verb, the object pronouns may be placed before it.

[1] *onward, forward.*   [2] *performing.*   [3] *joyfully, with joy.*   [4] *duty.*   [5] *advancing.*   [6] *for.*   [7] *humiliating, disgraceful.*   [8] *retreat.*
[9] For complete table, see *Repaso de Gramática V.* **Se** always precedes the second pronoun: **se me rindió,** *he gave himself up to me.*

B. *Se* used for *le* or *les*

Se los leíamos (a Vd., a él, a ella, a Vds., a ellos, a ellas).	*We used to read them to you* (sing.), *to him, to her, to you* (pl.), *to them* (m.), *to them* (f.).
No quiso dárselos (a Vd., a él, a ella, a Vds., a ellos, a ellas).	*He did not want to give them to you* (sing.), *to him, to her, to you* (pl.), *to them* (m.), *to them* (f.).

Note that if both pronouns are of the third person, **le** and **les**, the indirect forms, change to **se**. As **se** has several meanings, the forms between parentheses may be added for clearness or emphasis.

V. CONVERSACIÓN

1. ¿Dónde pasaron los exploradores las vacaciones? 2. ¿A qué jugaban? 3. ¿Por qué se levantaban temprano? 4. ¿Qué hacían en el lago? 5. ¿Qué hacían después del desayuno? 6. ¿Qué hacían cuando hacía calor? 7. ¿Qué quería el explorador? 8. ¿Qué cosas aprendían los exploradores? 9. ¿Qué preparaban al aire libre? 10. ¿Qué hacían unos exploradores? 11. ¿Qué hacían otros?

VI. EJERCICIOS

A. Den los pronombres complementos en todas las personas, sin cambiar el verbo:

1. Me las promete a mí.
2. Me los ha explicado.
3. Me lo preparaba.
4. ¿Desearía escribírmela?
5. Me las debía dar.
6. Me las trajo.
7. Podrá enviármelo.
8. No me lo pudo decir.

B. Sustituyan cada sustantivo en cursiva con un pronombre:

1. No me ha dado *un buen libro.* 2. No quiso prestarme *las revistas.* 3. ¿Quería Vd. prestarle *la revista?* 4. Le hemos prestado a ellas *las fotografías.* 5. ¿Puede Vd. darnos *esa revista?* 6. ¿Les enviará *la carta* mañana? 7. ¿No le ha leído Vd. *esos cuentos?* 8. ¿Podrían Vds. enviarnos *el libro?* 9. Voy a prestarle a Vd. *esas novelas.* 10. Iba a explicarnos *el reglamento.* 11. Nos enviaron *las cartas.* 12. ¿Me prestarán Vds. *sus libros?* 13. Le prometí *algún periódico.* 14. Les traeremos *las flores.* 15. Escríbanle a ella *las cartas.*

C. Imiten el modelo:

MODELO: (*a*) Vds. me prestan *las revistas.*
        (*b*) Vds. *me las* prestan.
        (*c*) Vds. van a prestár*melas* o Vds. *me las* van a prestar.
        (*d*) Présten*melas* Vds.
        (*e*) No *me las* presten Vds.

1. Vd. les lee *los cuentos.* 2. Vds. le escriben *la carta.* 3. Vds. nos prometen *esa revista.* 4. Vd. nos prepara *la comida.* 5. Vds. nos venden *ese libro.* 6. Vd. le presta *el dinero.*

D. Pongan los pronombres complementos en su debida forma y lugar:[1]

1. (*le lo*) Hace un mes que no puedo dar. 2. (*nos la*) ¿ Leerían ellos siempre? 3. (*me lo*) Alberto dió. 4. (*les los*) Vd. debía prestar. 5. (*nos los*) Lea Vd. 6. (*me la*) No venda Vd. 7. (*les la*) Escribiremos mañana. 8. (*nos los*) Los exploradores explicaron. 9. (*les los*) No he podido dar. 10. (*me las*) Rosa no pudo dar. 11. (*nos los*) Prometan Vds. enviar. 12. (*le la*) No prometíamos. 13. (*me la*) ¿ No prometieron Vds.? 14. (*me la*) Vds. prestan.

E. TEST XLIV. *Translate the object pronouns into Spanish and put them in the proper place with reference to the verb:*

1. Él trajo la semana pasada (*them to him*). 2. ¿ No leería Vd. (*them to me*)? 3. Ellos no han dado (*them to you*). 4. Voy a explicar (*it to them*). 5. ¿ Desde cuándo no quiere él prestar (*it to me*)? 6. Presten Vds. ahora (*it to her*). 7. Ella prometerá enviar (*it to you*). 8. Ellos explicaban todos los días (*them to us*). 9. Escriban Vds. (*them to me*). 10. Ella no quería enviar (*it to her*).

F. Conjuguen en todas las personas:

1. Yo tenía tantos amigos como Carlos.
2. Iba a comprarme un libro tan interesante como ése.
3. Mientras él me lo daba, entró mi hermano.
4. Prometí dárselo cuando yo vivía allí.

G. Tema de composición:

Escriban una composición basada en los grabados siguientes:

---

[1] *proper form and place.*

UN DÍA EN EL CAMPO

1. La casa de campo
2. Los dueños de la casa
3. La criada
4. El invitado
5. Hacia la estación

6. De la estación a la casa
7. La bienvenida
8. Un rato de fonógrafo

9. Las cuatro ... y a la cama
10. El dormitorio de los huéspedes
11. La cama
12. Un ratón

13. El despertador
14. Un desayuno frugal
15. Diez kilómetros

[1] country house.   [2] masters, owners.   [3] servant.   [4] guest.   [5] to the station.
[6] from station to house.   [7] welcome.   [8] a little phonograph music.   [9] four A.M., and to bed.   [10] guest room.   [11] bed.   [12] mouse.   [13] alarm clock.   [14] frugal breakfast.   [15] ten "miles."

16. El regreso   17. El pretexto   18. La huída
                                                  a la ciudad

[16] *return.*   [17] *pretext (for departure).*   [18] *flight to the city.*

H. Oral:

1. My magazine is here. 2. Lend it to me. 3. Don't lend it to me now. 4. I want to give it to you. 5. Would you lend it to us? 6. Shall I bring it to her? 7. He sent it to them. 8. She is reading it to us. 9. She was reading it to us. 10. You have not said it to us.

CUENTO XLIV

Una vez cada seis siglos

At times even liars are helped by the powers in Heaven.

Durante el dominio [1] de los moros en España, que duró casi ochocientos años, vivió allí un moro muy pobre, llamado Alí. Un día ya completamente desesperado, sin saber qué hacer, entró en una iglesia cristiana. Allí sintió de pronto la tentación [2] que le hizo robar las joyas de la Virgen. Si salía bien del [a] robo se mejoraría su condición; en cambio, si lo metían en la cárcel, no perdía nada. Cuando ya se creía seguro, fué sorprendido [3] en el robo y en seguida lo metieron en la cárcel. Lo llevaron ante el juez y éste, muy indignado por tal falta de respeto, además del robo, le dijo:

— ¿ Confiesa, mal hombre, que ha robado las joyas de la santa Virgen ?

— No hice eso, señor juez — dijo el moro con firmeza. — Solamente tomé sus joyas porque me las ofreció.

— ¿ Se las ofreció ? Ha profanado la iglesia, ha faltado a [b]

[1] *rule.*   [2] *temptation.*   [3] *he was caught.*

nuestra religión, ha sido ladrón y ahora miente. En verdad que merece un severo castigo — dijo el juez más furioso.

— No miento y no he hecho nada malo [c]; no podía rehusar las joyas, señor juez. Le voy a contar lo que me pasó: soy muy pobre, no tengo ni casa, ni comida.

« Toma de mis joyas las que quieras. »

No quería ir a mi propio templo otra vez porque ya he ido allá muchas veces y no he obtenido nada. Así resolví ir a la iglesia cristiana a ver si allí me iba mejor. He oído decir [d] muchas veces [e] que la Virgen era muy buena con todos y yo quería contarle mis penas. Así lo hice de rodillas [f]; le dije todo. Entonces la vi llorar con gran expresión de lástima y me dijo con dulce voz: « No te preocupes más, mi buen Alí, toma de mis joyas las que quieras.[1] Ellas te traerán suerte y bendiciones. Haz lo que quieras [2] con ellas. » ¿Podía rehusar tan amable oferta? [3]

El juez era muy devoto y creía en milagros. No dudó por un momento del cuento del moro. Pero sin embargo, no se atrevía a [g] resolver el caso sin consultarlo con las autoridades de la iglesia capaces de aclarar [4] tan difícil situación.

Mandó a consultar el asunto a Roma y después de mucho tiempo recibió respuesta. Parece que tuvieron que buscar en los viejos archivos y leer muchos libros. Por fin, las altas autoridades de la iglesia encontraron que seis siglos antes había pasado un caso similar en que la Virgen había hablado. Al saber esto el juez mandó a llamar a Alí y le dijo:

— Esta vez le perdono la falta y le doy las joyas. Creo que es verdad lo que ha dicho. Pero no vuelva [5] aquí a contarme el mismo cuento porque será castigado. No olvide que la Virgen no puede hablar, o no habla, sino una vez cada seiscientos años.

[1] *those you want.*   [2] *Do what you will.*   [3] *offer.*   [4] *to clear up.*   [5] *don't come back.*

CONVERSACIÓN

1. ¿ Cuándo vivía Alí ?   2. ¿ Qué había hecho ?   3. ¿ A dónde le llevaron ?   4. ¿ Quién dió las joyas a Alí ?   5. ¿ Quién le perdonó la falta ?

VOCABULARIO

además de in addition to	la firmeza firmness, emphasis	el milagro miracle
la bendición blessing	la joya jewel	la pena trouble, sorrow
capaz capable	la lástima pity, sympathy	rehusar to refuse
la cárcel prison	mejorar to improve; mejorarse to improve	resolver to solve
el castigo punishment; castigar to punish	mentir to lie	santo, –a holy
desesperado, –a desperate		sino except
la falta lack; offense		

What English words and meanings do you recognize from the following ?

los **archivos**, la **autoridad**, **consultar**, **cristiano**, –a, **devoto**, –a, la **expresión**, **profanar**, la **religión**, **resolver**, **severo**, –a, la **situación**, el **templo**, la **tentación**, la **Virgen**

MODISMOS

(a) **salir bien de** to be successful in
(b) **faltar a** to be disrespectful to
(c) **no hacer nada malo** to do no wrong
(d) **oír decir** to hear it said

(e) **muchas veces = a menudo = con frecuencia** often
(f) **de rodillas** on one's knees
(g) **atreverse a** + inf. to dare to + inf.

LECCIÓN CUARENTA Y CINCO

A. **Comparativo de los adjetivos.** B. **Formación y comparativo de los adverbios**

I. EJERCICIO DE PRONUNCIACIÓN [1]

con nosotros = co-no-so-tros   los americanos = lo-sa-me-ri-ca-nos
una semana = u-na-se-ma-na   con el enemigo = co-ne-le-ne-mi-go
en América, todos hablan así = e-na-mé-ri-ca-to-do-sha-bla-na-sí

---

[1] In pronouncing Spanish any consonant coming between two vowels is always carried over to the second vowel, even if the vowel belongs to the following word. The student must distinguish between orthographic or spelling syllabication, *see* page 7, and phonetic syllabication, which is the way Spanish-speaking people divide words into syllables when pronouncing.

II. LECTURA

La verbena y la romería

(Diálogo entre un español y un americano)

— Señor Pérez, como Vd. sabe más que yo sobre España, ¿ me hará el favor de explicarme la palabra « verbena »? Es una palabra que no comprendo muy bien.

— Con mucho gusto: es la fiesta que se celebra la víspera de un santo. Es siempre una fiesta muy alegre. Generalmente la gente va a la verbena para tomar parte en las diversiones al aire libre. Las personas se preparan días antes para asistir a ella.

La romería es una fiesta típica de España.

Hay bailes, rifas, cines y otras atracciones más o menos importantes. Por eso todo el mundo quiere asistir a la verbena para divertirse.

— Entonces la verbena es como la romería y se celebra más o menos de la misma manera.

— Con poca diferencia. La romería se celebra el día del patrón; es también como la verbena, una fiesta típica de España. En algunos países de la América española también se celebra esa fiesta. Los jóvenes van a las romerías más que los viejos. Naturalmente, gastan más dinero que los viejos, porque cuanto más tienen tanto más gastan. Las mujeres llevan vestidos más vistosos que los hombres. A veces llevan el vestido típico que casi siempre tiene cada región de España. Unos vestidos son más bonitos que otros.

Toda la gente va a la ermita del santo, a cierta distancia de la ciudad, donde oyen misa, y el cura les habla de los milagros del santo.

— ¿ Entonces es una fiesta más religiosa que la verbena ?

— Sí, pero después de la misa se celebra la rifa de varios objetos. Para algunos, en esas fiestas, la comida es más importante que la parte religiosa. A los españoles y a los hispanoamericanos les gusta la buena comida. Después de la comida hay canto y baile acompañado de la guitarra, instrumento nacional de España. Allí es donde se oye casi siempre música típica española. Bailan y cantan más de cuatro o cinco horas. Todo es alegría hasta las horas avanzadas de la noche cuando todos regresan a casa.

ADIVINANZA

Grande, muy grande,
mayor que la tierra,
arde [1] y no se quema,[2]
quema y no es candela.[3]

(El sol)

III. VOCABULARIO

la **atracción** attraction
el **canto** song
el **cura** priest
la **distancia** distance
la **diversión** game, diversion, pastime
la **ermita** shrine
la **guitarra** guitar
el **gusto** pleasure

el **instrumento** instrument
la **misa** mass
la **rifa** raffle
la **romería** pilgrimage; picnic
la **verbena** festival (*on eve of saint's day*)
la **víspera** eve

gastar to spend

acompañado, –a accompanied
avanzado, –a late; advanced,
religioso, –a religious
típico, –a typical
vistoso, –a showy

cuanto más . . . tanto más the more . . . the more

IV. GRAMÁTICA

A. The Comparative of Adjectives

Unos vestidos son más bonitos que otros.

Some dresses are prettier than others.

Esta fiesta es menos importante que aquélla.

This holiday is less important than that.

---

[1] *burns.*   [2] *burns up.*   [3] *candle.*

Bailan más de tres horas.	*They dance more than three hours.*
Había más de cien hombres.	*There were more than a hundred men.*

más bonito que, más bonita que, más bonitos que, más bonitas que

Learn the following irregular comparatives:

bueno, –a	mejor	*better*
malo, –a	peor	*worse*
grande	más grande (*size*), mayor (*usually age*)	*larger, older*
pequeño, –a	más pequeño (*size*), menor (*age*)	*smaller, younger*

Observe that to form the comparative of adjectives we place **más,** *more*, or **menos,** *less*, before them. *Than* is **que** after an adjective, and **de** before a numeral.[1]

B. Formation and Comparative of Adverbs

ADJECTIVE		ADVERB	COMPARATIVE
atento, –a	*attentive*	atenta**mente**	*más* atentamente
alegre	*happy*	alegre**mente**	*más* alegremente
útil	*useful*	útil**mente**	*más* útilmente
natural	*natural*	natural**mente**	*más* naturalmente

Learn the following irregular comparatives:

bien	*well*	mejor	*better*
mal	*badly, ill*	peor	*worse*
mucho	*much*	más	*more*
poco	*little*	menos	*less*

Many adverbs are formed by adding **–mente** (English **–ly**) to the feminine of the adjectives. To form the comparative of adverbs, place **más** or **menos** before them.

V. CONVERSACIÓN

1. ¿ Qué es la verbena ? 2. ¿ Cuándo se celebra la verbena ? 3. ¿ Qué atracciones hay en la verbena ? 4. ¿ Cuándo se celebra la romería ? 5. ¿ Quiénes gastan más dinero ? 6. ¿ Quiénes llevan vestidos vistosos ? 7. ¿ Dónde está la ermita ? 8. ¿ Qué se celebra después de la misa ? 9. ¿ Cuál es la parte más importante de la fiesta ? 10. ¿ Cuál es el instrumento nacional de España ? 11. ¿ Cuándo se baila ? 12. ¿ Cuándo se regresa a casa ?

[1] In negative sentences like **No tengo más que cinco,** no ... **más que** = *only.*

REFRANES

Más vale

saber que haber.	*Knowledge is better than riches.*
tarde que nunca.	*Better late than never.*
callar que mucho hablar.	*Silence is golden.*
un « toma » que dos « te daré ».	*One gift is worth two promises.*

ENTRE PADRE E HIJO

Padre. — Un niño se levantó temprano y halló una bolsa ¹ llena de oro.

Hijo. — Él que perdió el oro se levantó más temprano. Así es mejor levantarse tarde que temprano.

VI. EJERCICIOS

A. Imiten el modelo:

MODELO: Rosa —— bonita —— María.
Rosa es *más* bonita *que* María.
Rosa es *menos* bonita *que* María.

1. Esta fiesta —— importante —— ésa. 2. Se dice que la romería —— típica —— las otras fiestas. 3. El primer día —— importante —— ningún otro. 4. Los vestidos de ella —— malos —— otros. 5. Unas fiestas —— buenas —— otras. 6. Los jóvenes —— altos —— los viejos. 7. María —— buena —— Lola. 8. Esta iglesia —— grande —— aquélla. 9. Estas muchachas —— aplicadas —— aquéllas. 10. Nuestra iglesia —— pequeña —— la suya. 11. Esta noche —— fría —— aquélla. 12. Esos hombres —— fuertes —— aquéllos.

Comparen en el grado positivo algunas de estas oraciones.

B. Escriban diez oraciones originales con las palabras siguientes:

Lola es		pobre		mi		amigo.
Desearía ser	más	alto		su de Vd.		amiga.
Vds. eran	menos	feliz	que	nuestro		padre.
Será	tan	bonito	como	su . . . de él		madre.
Fueron		fuerte		su . . . de ellos		hermano.

¹ *purse.*

C. Completen las oraciones con un adverbio en el comparativo:

1. ¿ Desde cuándo gastan los jóvenes —— los viejos? 2. El cura nos ha hablado de Santo Tomás —— dos horas. 3. ¿ No valen estos vestidos —— ésos? 4. No gasten Vds. —— él. 5. ¿ No comprarían —— nosotros? 6. En la verbena de San Juan los jóvenes harán —— los viejos. 7. La misa ha durado (*lasted*) —— una hora. 8. Ese mal hombre habló —— diez minutos. 9. Estas muchachas sabían —— aquéllas. 10. Unas fiestas se celebran —— dos días. 11. Vd. bailó con ella —— cuatro horas. 12. Comamos —— ellos.

D. Escriban el adverbio de los siguientes adjetivos:

1. triste	2. inmenso	3. bueno	4. religiosa	5. típico
malo	terrible	infinito	adorable	natural
alegre	fácil	feliz	pobre	físico
bonito	perezoso	grande	atento	divino
largo	breve	interesante	importante	nuevo

E. TEST XLV. *Write the Spanish translation of the words in English:*

1. Esta iglesia es —— la ermita (*larger than*). 2. En la iglesia de Santa Clara había —— 150 sillas (*more than*). 3. La primera comida era —— la tercera (*better than*). 4. Este campo será —— el otro (*smaller than*). 5. Estas calles son —— aquéllas (*longer than*). 6. ¿ No es Vd. —— yo (*older than*)? 7. Yo gasté —— Vd. (*more money than*). 8. Felipe es —— yo (*worse than*). 9. No ha tenido —— dos perros (*less than*). 10. No corran Vds. —— los otros (*more than*).

F. Dictado:

El profesor dictará el último párrafo de la Lectura.

G. Oral:

1. Some holidays are celebrated more than others. 2. He is older than I. 3. She was taller than her sister. 4. We went to more than ten festivals. 5. The night will be colder than the day. 6. Would you buy less than he? 7. He has opened more than five windows. 8. Let us run less than our friends. 9. Which of these two holidays is more important? 10. Lola is poorer than her friend. 11. Did you spend more or less than your friends?

Cuento XLV

Un obispo modelo

A bishop whose life work was service to the poor.

Había una vez un obispo de Toledo que era muy caritativo.[1] Vivía para buscar a los pobres y ayudarlos. Los ayudaba tanto que nunca pensaba en sí mismo. Siempre que [2] tenía algo que otra persona necesitaba, con gusto se lo daba. De este modo llegó a tal punto su generosidad que ya no tenía camisas que ponerse. Todo lo había dado a los pobres, de modo que se quedó solamente con lo que le era absolutamente necesario. Sus amigos le llamaron la atención [a] de que estaba muy mal vestido y le aconsejaron comprarse ropa nueva. Pero el bueno y caritativo obispo siempre contestaba:

— Esperen Vds. un poco, mis buenos amigos. Uno de estos días voy a comprármela.

Su criada, que se dió cuenta de [b] que pasaba el tiempo y que no lo hacía, se preocupaba mucho. Todos los días le recordaba que tenía que comprarse ropa y todos los días el obispo le decía que lo haría pronto. Por fin la buena mujer se puso a pensar que era inútil decirle más. Tenía que buscar un medio original de hacerlo sin dejar saber nada al obispo. Un día dijo al buen hombre:

— Señor obispo, Vd. tiene que ayudarme en algo. Conozco a un anciano muy bueno y muy pobre. Anda tan mal vestido que es una lástima. Y en cuanto a [c] camisas ya no tiene ninguna. ¿ No podrá Vd. darme algún dinero para comprar al menos [d] la tela para una camisa ?

— ¡ Cómo no ! [e] — dijo en seguida el obispo. — Pero una sola camisa es muy poca cosa para un hombre. Voy a darle a Vd. dinero para comprar tela suficiente para media docena; tome, aquí tiene [f] el dinero.

Salió la buena mujer muy contenta para la tienda y compró una tela muy buena, puesto que el obispo le había dado bastante dinero para comprar de la mejor.

Así que estuvieron listas las camisas, se las enseñó al obispo. Éste las admiró mucho y estaba muy contento de que el pobre

---

[1] *charitable.*   [2] *Whenever.*

Así que estuvieron listas las camisas, se las enseñó al obispo.

viejo, a quien no conocía, iba a poder cambiarse [g] por fin de camisa. Pero su sorpresa fué grande cuando supo que, en su afán por hacer caridad a [h] todo el mundo, se había hecho una limosna [1] a sí mismo.

CONVERSACIÓN

1. ¿ Para qué vivía el obispo ? 2. Qué le aconsejaron sus amigos ? 3. ¿ Qué hizo la criada con el dinero que recibió ? 4. ¿ A quién enseñó las camisas ? 5. ¿ A quién había hecho caridad el obispo ?

VOCABULARIO

el **afán** anxiety
así que as soon as
la **generosidad** generosity

inútil useless
medio, –a half
el **obispo** bishop
pronto soon

puesto que since
recordar to remind, suggest
sí oneself

What English words and meanings do you recognize from the following ?

absolutamente, admirar, el modelo, necesario, –a, pronto, el punto

MODISMOS

(a) **llamar la atención a** to call one's attention to

(b) **darse cuenta de** to realize

(c) **en cuanto a** as for

(d) **al menos = por lo menos = lo menos** at least

(e) **¡ cómo no !** yes, indeed !

(f) **aquí tiene = aquí está** here is

(g) **cambiar de** or **cambiarse de** to change

(h) **hacer caridad a** to be charitable toward

[1] *had given alms.*

Conversación X

Prendas de vestir

1. ¿ Qué representa el grabado número 10 A ?   — El grabado número 10 . . .

2. ¿ Qué es el número 2, 3, 4, 5, 6, 7, 8 B ?   — El número . . . es . . .

3. ¿ Es el número 18 C el ojo ?   — No, señor, el número . . . es la mano; no es el ojo.

4. ¿ Cuántas orejas tiene una persona ? (labios, hombros, manos, dedos, pies, piernas, etc.)   — Una persona tiene . . .

5. ¿ De qué color pueden ser los ojos de una persona ?   — Los ojos pueden ser *negros, azules, verdes, grises, pardos.*

6. ¿ De qué color pueden ser los cabellos ?   — Los cabellos pueden ser *negros, rubios, grises, blancos.*

7. ¿ Qué contiene el pecho ?   — El pecho contiene . . .

8. ¿ Qué contiene el abdomen ?   — El abdomen contiene . . .

9. ¿ Qué partes tiene la pierna ? ¿ la cara ? ¿ el brazo ?   — La piérna . . .

10. ¿ Qué hace el hombre con los ojos ?   — El hombre ve con los ojos.

11. ¿ Qué hace el hombre con la nariz ?   — El hombre huele con la nariz.

12. ¿ Qué hacemos con la boca ?   — Con la boca . . .

13. ¿ Qué hace Vd. con la mano ?   — Con la mano hago muchas cosas: escribo, etc.

14. ¿ Para qué sirven las piernas ?   — Las piernas sirven para andar, etc.

15. ¿ Qué es el hombre que no ve ?   — El hombre que no ve es ciego. (El hombre que no habla es mudo. El hombre que no oye es sordo.)

16. ¿ Cuáles son las principales prendas de un traje ?   — Las principales prendas son . . .

17. ¿ De qué color es el traje que Vd. lleva ?   — Mi traje es *negro, azul, gris, pardo.*

18. ¿ De qué color es su sombrero ?   — Mi sombrero es . . .

19. ¿ Con qué respiramos ?   — Respiramos . . .

20. ¿ Cómo está Vd. ahora ?   — Estoy muy bien, gracias.

21. ¿ Quién está malo ?   — Mi hermano está . . .

X. PRENDAS DE VESTIR

A. 1. El sombrero. 2. El cuello. 3. La americana (el saco). 4. La manga.
5. El botón. 6. La corbata. 7. La camisa. 8. El chaleco. 9. El pañuelo.
10. El puño. 11. El bolsillo. 12. Los pantalones. 13. Los guantes. 14. El
botín. 15. El calcetín.

(*Continued on page 424*)

(*Continued from page 423*)

B. 1. El quitasol. 2. El sombrero. 3. La cinta. 4. La pluma. 5. El pendiente. 6. La gargantilla. 7. La manga. 8. La chaqueta. 9. La corbata. 10. El puño. 11. El guante. 12. El cinturón. 13. La blusa. 14. Las faldas. 15. La media. 16. La hebilla. 17. El zapato.

C. 1. La barbilla. 2. El ojo. 3. La frente. 4. La cabellera. 5. La sien. 6. La nariz. 7. La boca. 8. La oreja. 9. La cabeza. 10. El labio. 11. El cuello. 12. La mejilla. 13. La quijada. 14. El hombro. 15. El pecho (contiene los pulmones y el corazón). 16. El brazo. 17. El abdomen (contiene el estómago, el hígado, los riñones y los intestinos). 18. La mano. 19. La cadera. 20. Los dedos de la mano. 21. El muslo. 22. La rodilla. 23. La pierna. 24. El pie. 25. Los dedos del pie.

CORTÉS AND PIZARRO

TITANS OF CONQUEST

About four hundred fifty years ago Christopher Columbus, unerring in vision and undaunted in courage, piloted the *Santa Maria* over the broad expanse of the Atlantic and added the most brilliant chapter to history. Following the trail of Columbus a legion of men of iron, the Spanish *conquistadores*, came to the New World to discover, conquer, and settle the new lands beyond the Sea of Darkness.

The Spaniards were not only the first conquerors of the peoples of the Americas, but also the first settlers and civilizers. Only the blind can fail to see the evidence of the innumerable churches, universities, schools, and public buildings erected by the Spanish settlers. The first printing presses were brought to America by them. They were the first to educate the Indians in the doctrines of Christianity, the first to teach them civilized manners and ways, the first to introduce them to European civilization. Within half a century they had penetrated into an unknown world twice the size of Europe. Their sphere of action comprised the Spanish Main, an area which covered the Caribbean and its islands, three of which, Santo Domingo, Cuba, and Puerto Rico, served as bases for their expeditions, and the enormous territory which today stretches from the southern part of the United States, between the Atlantic and Pacific, down to the extreme end of the South American continent. By the end of the sixteenth century, before the English had founded their first settlement in America, they had

CONQUISTADORES Y EXPLORADORES

This illustration, reproduced from a sixteenth-century engraving, shows how the *conquistadores* transported their horses across rivers and lakes in their trips of exploration.

permanently established themselves in Florida and New Mexico and were absolute masters of the vast territory to the south, from northeast Kansas to Buenos Aires, from ocean to ocean. That vast land was entirely unexplored and uninhabited, except by wild Indian tribes. The magnificence and expanse of the rugged valleys, the raging torrents, the unending forests of tropical vegetation and fever-infested streams slowed up the progress of the *conquistadores*. But nature and the wily Indians gave the Spaniard a real challenge, and the more dangers he faced, the more determined he became to overcome all obstacles.

The *conquistadores* were one and all imbued with unbounded faith. There was no limit to their bravery and daring; as soldiers they were second to none, for they were ready at all times to face the hazards of battle with undaunted courage, and frequently their rewards, won after incredible hardships, turned out to be empty. They crossed virgin forests full of terrors; they were drenched by torrential rains and exhausted by fevers and fatigue; they often went for days without a drop of water to moisten their mouths, parched by the burning rays of the tropical sun; they penetrated dreary deserts infested with poisonous insects, dragged themselves over perilous mountain passes, with death lurking at every turn, until they finally effected the conquest of the continent with a rapidity that established a new record of remarkable exploits in the annals of history.

Two figures stand out from all the rest as the chief contributors to the Spanish acquisitions in America: Hernando Cortés and Francisco Pizarro.

Hernando Cortés (1485–1547) was an ambitious youth, whose thirst for adventure and indomitable courage gained for Spain, as he told King Charles V, *more provinces than his ancestors had left him cities.* He was born in the little town of Medellín, in the southwestern part of Spain, not far from Portugal. Educated at the University of Salamanca, his law career came to a sudden end because of his inner urge and longing to do big things. In the spring of 1504 he set sail for Santo Domingo, at the time called Hispaniola, to seek his fortune in the New World. The governor of Hispaniola was much impressed with Cortés, and wishing to associate him with the growing colony, offered to sell him land, but Cortés answered with true Castilian pride: "I did not come to the Indies to plow like a laborer. I

Apex Studios

HERNANDO CORTÉS

This illustration, after the painting by Usabal, shows the desperate character of Cortés when things went wrong.

came for adventure." In 1511 he played an important part in a revolt on the island. His qualities of leadership became so evident that he was made chief executive officer of an expedition organized to conquer Cuba.

In Cuba, as early as 1517, insistent rumors had been heard of a rich empire to the west, approximately located where Mexico is today, abounding in wealth and ruled by a great tribe of Indians known as the Aztecs. As in Hispaniola, Cortés' attractive personality and masterful ways had come to the notice of Velásquez, the governor. Cortés gained such favor with him that it fell to his lot to lead an exploring party for the conquest of Mexico. Velásquez prepared for Cortés a fleet of seven vessels with 700 men, 18 horses, and 10 cannon. On the eve of his departure, however, the governor changed his mind and wanted to put another officer at the head of the expedition. But the shrewd and clever Cortés got wind of this and left before the messengers could reach him. Just as Velásquez had feared, Cortés' men decided to stand by their brave young leader and to conquer the new country in their own right instead of letting the honor fall to the governor of Cuba.

Leading his fighting men, Cortés landed at the site of Vera Cruz, which city he founded. In order to close all avenues of escape and to discourage the partisans of Velásquez, Cortés sent one of his ships to Spain with messengers to present his cause at court. He scuttled the rest of the ships, thus making it emphatically clear to all that there would be no turning back, that the expedition must be successful. After careful preparation he advanced to Tenochtitlán, or what is today Mexico City, a distance of 250 miles. His journey into the interior was impeded by innumerable hardships and battles, but at first his victories were easily won. The natives had never seen a horse. The combination of man and horse, which they took for a strange new beast, caused them to flee in terror. Their panic was even greater when the Spaniards fired cannons and muskets which killed some of them. "They have the lightning and thunder in their hands," exclaimed the Indians, and the Spaniards had no difficulty in making advantageous terms with them. Cortés, outwardly frank and sincere, made friends with many of the natives and exchanged gifts with them. Thousands became allies and interpreters for

CORTÉS EN LA BATALLA DE OTUMBA

The Aztecs pursued the Spaniards and were beaten off in a fierce conflict on July 5, 1520.
Cortés with his Spaniards and native allies later re-entered Mexico City.

LOS EMBAJADORES DE MONTEZUMA

From a seventeenth-century engraving. In his efforts to placate the invaders, Montezuma sent an embassy to Cortés, bearing rich gifts.

the Spaniards. This appreciably increased his numbers, thus making a formidable army of attack to be directed against his objective.

From information received from the Indians, Cortés knew of the famous and powerful ruler of the Aztecs, Montezuma. The tales of his glorious city and riches excited Cortés and his followers. Upon their arrival in Mexico City the Spaniards were surprised to find, not a barbarous village, but a beautiful city of some 300,000 people, full of luxurious palaces which reminded them very much of Venice because it was built on several islands. The houses and bridges were a source of amazement to the Spaniards. They were cordially received by Montezuma and his chieftains, and there followed a short era of friendship between the Spaniards and the Aztecs. The people believed Cortés and his men to be gods. They remembered the legend of a fair-haired white god who had gone away, saying that some day he would return with other white gods to rule them in peace.

During their stay the Spaniards tried to instill in the Indians the doctrines of Christianity, but with little or no success. Cortés and his men could not countenance the cruel and barbarous religion of the natives that called for human sacrifices to the sungod. The breaking point came when in a fit of apostolic fervor the Spaniards cast the heathen idols from their temples. Deeply offended, the natives were easily roused to an explosion of in-

DESTRUCCIÓN DE LOS ÍDOLOS AZTECAS

From a seventeenth-century engraving. The overthrow of the Aztec Empire was preceded by the destruction of its gods.

dignation and anger which soon took the form of a determination to rid themselves of the intruders. When things were beginning to look dangerous, Cortés invited Montezuma to dine and imprisoned him. When the natives passed from indignation to warlike action, Cortés forced Montezuma to speak to them and to tell them to refrain from any violence. The Aztecs, thinking that their king had turned traitor, stoned him to death.

After the death of Montezuma the Spaniards' hold on the city became more and more precarious. Cortés, fearing violence, attempted to escape from the city on the memorable night of June 30, 1520. This move was one of the major episodes in the conquest of Mexico and is known as the *Noche Triste* or Tragic Night. The secret movements of the Spaniards were anticipated. The natives met Cortés and his troops and a terrible struggle followed in which 450 Spanish soldiers and 4000 Indians, who fought with them as allies, were slaughtered. The greater part of the costly treasure given them by Montezuma was sunk in the lake, never to be recovered.

In the meantime the situation had become even more dangerous because of the arrival of Narváez who had been sent by Velásquez with orders to arrest Cortés and to take official command. Cortés, with the speed of lightning, swooped down on Narváez and administered a crushing blow to his expedition, thereby gaining additional munitions, new followers, and fresh prestige.

By 1521 Cortés had practically made Mexico the principal European city of America. The gold and other riches that he secured there were sent to Spain. He had gained for his country a vast territory. He had stamped out the barbaric religion of the Aztec tribes and established a civilized system of government for the Indians.

Cortés' conquest may have been amazing, but that of Francisco Pizarro was incredible. His stupendous achievement of capturing a country defended by 50,000 warriors, with a meager force of 185 men and 27 horses, is one of the wonders of history.

Francisco Pizarro was born in the small town of Trujillo, in Estremadura. The illegitimate son of a soldier of fortune, as a youth he was neglected and despised by his kin, and therefore never had the opportunity of learning how to read and write. What he lacked in endowment, however, he more than made good by a burning ambition to succeed. It was an age of opportunity. There was wealth and adventure in the New World for the daring. Pizarro began as a swineherd. There was neither wealth nor adventure in that. The insistent reports of treasure beyond the seas created a yearning to seek his fortune in that land of fabulous gold. He decided to give up swineherding and to leave for the New World. There were no loving parents at the dock to wave him farewell and wish him luck. He left Spain with his cape and sword as his sole possessions.

On his arrival at the city of Panama, on the Isthmus of Panama, a fever-ridden settlement, he was greatly disillusioned at not finding the gold in the streets as had been reported by previous adventurers. He was forced to earn his livelihood by raising cattle outside the city in partnership with a certain Almagro. For ten years he worked at cattle-raising. While his fortune had increased considerably, he was far from rich or famous, but certainly was much better off than in the days of poverty in Spain.

About 1524, rumors were heard in Panama of a fabulously rich country to the south where gold was so plentiful that plates and vessels were made of this precious metal. This report awakened Pizarro's ambition and, with Almagro and two others, he formed a company for the purpose of exploring this mysterious land. But the prospect of tangible returns seemed so thin that the adventure only attracted the worst class of men. The exploring party spent a whole year facing death with all its terrors. One day Pizarro's men had become so desperate that they threatened to abandon the adventure and return to Panama. Pizarro called them together, drew a line in the sand with his sword, and said: "On this side lies toil, hunger, perhaps death, and the prospect of the riches of Peru; on that side lies Panama with its ease, pleasure, and poverty. Make your choice!" With these electrifying words he stepped over the line to the side of Peru, followed by thirteen stout souls.

Even a madman could have seen that this meagre force was no match for so gigantic an undertaking, and so they were forced to wait for reinforcements and supplies. The men who had abandoned the expedition returned to Panama. Pizarro and his followers, having no vessel in which to sail, took refuge on an island, where they spent seven months exposed to the tropical heat and poisonous insects, living on what they could find. The privations, the incessant difficulties, and the uncontrollable character of the adventurers produced discontent, uneasiness, and even revolt. One morning, when the hardships had reached the limit of endurance, a ship appeared with supplies and relief for the sufferers. With additional men, the small band now numbered 185 in all, the expedition embarked in two vessels and started south on the quest which was to make their names immortal. When they got as far as the Gulf of Guayaquil, they came upon friendly Indians who furnished them with fresh food and trinkets.

These heroic Spaniards saw all that they had imagined of this country, for there could be seen houses of stone, temples lined

Apex Studios

FRANCISCO PIZARRO

After the painting by Usabal. Pizarro draws a line on the sand and invites his men to choose between adventure with danger and ease with poverty.

with gold, and many objects of gold and silver which awakened in their hearts a lust for wealth. Even stranger than the precious metals were the fields, watered by canals, with growing crops of potatoes, Indian corn, and fine, fluffy white cotton, none of which grew in Europe. There were also well constructed roads, twenty to twenty-five feet wide, in some places paved with flagstones.

Like the Aztecs, the Incas, the Indians of Peru, thought horses were strange monsters and the guns thunderbolts. The strangers were white-skinned and wore beards and coats of armor. Their method of attack was wholly unfamiliar to the Indians. The use of firearms and the gigantic beasts which carried the Spaniards over the ground with lightning speed struck terror to their hearts.

After a period of eighteen months, Pizarro returned to Panama and later sailed for Spain to give an account to Charles V of the conquest of the newly discovered land. Thus this man, who had tended pigs in his youth, now stood before Charles V, the most powerful king of the time. With a truly distinguished bearing, which he had acquired from his many contacts with important people in the New World, he gave a graphic report of the land he wanted to conquer for Spain. The king appointed him governor of Peru and gave him the title of marquis.

Two years after his interview with Charles V, the conquest of Peru was an accomplished fact. When Pizarro arrived in Peru, the center of the Inca Empire, he found the country recovering from the throes of a savage civil war, waged by the rival sons of the emperor who had recently died. Atahualpa, one of the sons, had succeeded in vanquishing his brother Huascar, but his victory was short-lived. In the midst of his joy and celebration, a disturbing rumor was heard of the landing of a strange people in the Bay of Guayaquil, which at that time formed part of the Inca Empire. Pizarro was too shrewd to let so inviting an opportunity slip by. He made advances to the reigning Inca, Atahualpa, with proposals of peace. Pizarro invited him to meet him and awaited his coming with a force of 150 men in the city of Cajamarca. Upon his arrival Pizarro came forward with Father Valverde, who held a crucifix and a Bible in his hands. The priest explained that Atahualpa must submit to the rule of His Imperial Majesty Charles V, pay taxes to Spain, believe in Christ, and stop worshipping his god. When the Bible was handed to him, Atahualpa threw it to the ground and said: "I do not wish to be the vassal of any king nor will I worship your God, for mine lives in the sky and from there watches over all his sons." This incident was considered a grave insult to the Spaniards and the order was given to shoot down the Indians surrounding Atahualpa. They fled in panic, but the deadly aim of the Spaniards created havoc and confusion in the lines of the Indians. Many of them were killed and their ruler was taken prisoner.

Atahualpa made many pleas for his freedom, but always to no avail. However, one day, perceiving the value that the foreigners put upon gold, the Inca approached Pizarro. First he reached up and made a mark on the wall as high as he could reach. "I will fill this room with gold up to that mark in two months and the little room adjoining this one with silver, if you will free me," he said to Pizarro. Amazed, Pizarro told him to do as he promised. In order to fulfill his agreement the Inca communicated with his brother and in a few days great loads of gold and silver trinkets, vessels, vases, and ornaments began to pour in to Pizarro's headquarters.

About this time rumors reached Pizarro's ears that an army was being prepared against him to free Atahualpa, whereupon the Inca was instantly executed. With the Inca's death the Peruvian treasure house in all its splendor lay before Pizarro and his fellow adventurers.

As a good administrator he set himself to the task of developing his new conquest. He founded the city of Lima and connected the strategic points of the Empire by means of roads. As the Indians had blindly obeyed the Inca, their king, under the Spanish rule they willingly obeyed their new masters. They did the manual work of building roads and houses around Lima. From the conquest of that country by the Spaniards to the present day, they have patiently continued to work as laborers, suffering poverty and privation.

Pizarro's power, by virtue of the terror he inspired, was soon established, and he might have continued to maintain it had not Almagro, his bitter rival, stood in his way. This rivalry was the result of the division of the territorial spoils accorded by the Crown. Pizarro received the northern part of Peru while Almagro and his men got the poor lands of Chile, which were wholly

PIZARRO, ALMAGRO Y LUQUE

From an old engraving. The three figures seated at the table are
intended to represent Pizarro, Almagro, and Luque, the triumvirate
which negotiated originally the conquest of Peru.

devoid of gold and silver. During all the conquest of Peru,
Almagro was left in the background. He and his men developed
a stubborn opposition and almost opened revolt against Pizarro
who had been so fortunate in his choice of land and its wealth.
An attack and capture by Almagro of the city of Cuzco resulted
in open warfare between these two former companions in arms.

Before long Almagro was captured and sentenced to death by
Pizarro's brother, without a word of intercession from Pizarro
who might have saved his life. Almagro's execution made his
men all the more determined to avenge their ill luck. Two years
later, in 1541, while Pizarro was dining in his palace at Lima
with some guests, a band of Almagro's followers burst into the
hall and attacked him. Pizarro's last battle was one of the most
brilliant of his career. He faced eighteen assailants single-handed,
held them at bay almost an hour, and killed two of them before

his powerful body fell to the floor mortally wounded. Before dying, he dipped his finger in his own blood, made the sign of the cross on the floor, kissed it, and breathed his last.

LECCIÓN CUARENTA Y SEIS

A. Palabras negativas.   B. Negación fuerte

I. Ejercicio de pronunciación

Repaso

po-ne	ca-jón	con-tar	a-bue-lo	deu-da
lec-ción	per-dón	hu-mil-de	huer-ta	hoy
me-jor	o-lo-ro-so	es-tu-dia	hay	par-te
au-tor	ro-sa	puer-ta	cau-sa	cul-pa

II. Lectura

La Navidad

De todas las fiestas del año no hay ninguna como la Navidad. Todo el mundo celebra la Navidad en España. No hay ninguna fiesta más importante. La semana antes, nadie se queda en casa. Todos salen para comprar regalos. No se ve nunca tanta gente por las calles. Solamente los pobres no compran ni regalos ni dulces porque no tienen dinero. La fiesta principia la víspera de Navidad o Nochebuena. Por la tarde del día 24 los niños andan por las calles, cantando alegres villancicos.

A media noche los ricos y los pobres van a la iglesia para oír la misa del gallo. La misa del gallo se dice solamente la Nochebuena y es la única misa del año que se celebra a media noche. Después de la misa, regresan a casa y comen la tradicional cena de Nochebuena. Y mientras los parientes de la familia comen y charlan, los niños van a la sala para ver el Nacimiento.[1] En el centro está el establo con el Niño Jesús en el pesebre. A su lado

---

[1] **El Nacimiento** is a miniature representation of the Nativity of Christ at Bethlehem with clay or wooden figures in proportion. In Spain and Spanish-speaking countries, it is the typical decoration found in homes and in churches and takes the place of the Christmas tree.

están también la Virgen María y San José. Tampoco faltan en todas partes figuritas de aldeanos y pastores. A cierta distancia se ven los tres Reyes Magos, montados en camellos.

Los niños de España y de la América española no reciben regalos en Navidad, sino el día de Reyes, celebrado el 6 de enero. Dice la leyenda que fué el día de la visita de los Reyes Magos, cuando, guiados por una estrella, fueron a Belén con regalos para el Niño Jesús. Desde aquel día, los Reyes han traído regalos todos los años a los niños buenos. Claro está, los Reyes no dejan nunca nada a los niños malos. ¡Qué día más hermoso para los niños buenos! ¡Cuántos regalos reciben! ¡Qué contentos están!

En España y en los países de habla española se cambian regalos el día de Navidad entre las personas mayores. Estos regalos se llaman aguinaldos. En la cena de ese día cada país tiene

Van a la iglesia.

su plato especial y típico. Raramente se ven árboles de Navidad, porque su uso no es general en esos países. Si algunas familias de habla española tienen un árbol de Navidad, es para imitar la costumbre de otros países. Los españoles e hispanoamericanos usan el Nacimiento y no el árbol de Navidad.

Los Reyes Magos

III. Vocabulario

el **aguinaldo** Christmas present
el **aldeano** countryman, villager
el **camello** camel
el **establo** stable
la **estrella** star
la **figurita** statuette
la **misa del gallo** midnight Mass
el **Nacimiento** Birth of Christ (*clay figures representing the Nativity*)

el **Niño Jesús** Christ child
la **Nochebuena** Christmas eve
el **pariente** relative
el **pastor** shepherd
el **pesebre** manger, crib
los **Reyes Magos** the Wise Men of the East
el **villancico** Christmas carol

dejar to leave, let
faltar to be wanting (missing)

claro, –a clear
guiado, –a led, guided
montado, –a mounted
tradicional traditional

desde from, since
por in
sino but, except

Examen

— ¿ Puede Vd. nombrar cinco días de la semana, sin nombrar ni el lunes, ni el martes, ni el miércoles, ni el jueves, ni el viernes?
— Sí, señor; anteayer, ayer, hoy, mañana, pasado mañana.

IV. Gramática

A. Negative Words

Nadie está en casa. ⎫
No está nadie en casa. ⎭ *Nobody is at home.*

Nada tengo. ⎫ *I have nothing,* or
No tengo nada. ⎭ *I haven't anything.*

nadie *nobody, no one*
nada *nothing*
nunca *never*

ninguno, –a *no, none, not . . . any*
tampoco *neither, not . . . either*
jamás[1] *never*

ni . . . ni *neither . . . nor*

Note that these negative words may either precede or follow the verb; when they follow, **no** must be used before the verb. They may also be rendered in English by *not anyone, not anything, not ever,* etc.

B. Strong Negation

No compro ni frutas ni dulces.   *I buy neither fruit nor candy.*
No recibe nunca nada.   *He never receives anything.*
Vd. no dice nada a nadie.   *You say nothing to anybody.*

[1] Jamás in an affirmative question means *ever:* ¿ Lo ha visto Vd. jamás? *Have you ever seen him?*

Note that in Spanish a sentence may have two or more negative elements without making the meaning really affirmative.

V. Conversación

1. ¿ Quién celebra la Navidad ? 2. ¿ Cuándo principia la fiesta ? 3. ¿ Qué cantan los niños ? 4. ¿ Para qué va la gente a la iglesia ? 5. ¿ Cuándo se come la cena de Nochebuena ? 6. ¿ Qué hacen los niños ? 7. ¿ Quién está en el centro del Nacimiento ? 8. ¿ Qué se ve por todas partes ? 9. ¿ Cuándo reciben regalos los niños españoles ? 10. ¿ Cuándo se cambian aguinaldos ? 11. ¿ Qué son aguinaldos ? 12. ¿ Qué se dice del árbol de Navidad ?

No olvide nunca

El valor[1] del tiempo.
La perseverancia, causa del éxito.[2]
El cariño al[3] trabajo.
La fuerza de carácter.
La influencia del ejemplo.
La economía, base[4] de la riqueza.[5]
El cultivo[6] del talento.
La alegría[7] que conserva[8] la salud.

VI. Ejercicios

A. Conjuguen:

1. Nunca estoy triste el día de San Juan. 2. No recibí ningún regalo. 3. No quiero nada. 4. No cantaré tampoco. 5. No visitaba a nadie. 6. No he visto a nadie. 7. No compraría nunca nada. 8. No recibo nunca regalos. 9. Jamás ha hecho tal cosa. 10. No tengo ni dinero ni amigos.

B. Usen en cada oración la forma negativa entre paréntesis:

1. (*nada*) Se ve *algo* por las calles. 2. (*Nunca*) *Siempre* compren Vds. regalos sin él. 3. (*Nadie*) *Alguien* nos ha abierto la puerta. 4. (*ninguno*) Tendremos *algún* dinero para Vds. 5. (*tampoco*) Voy *también* a la iglesia. 6. (*nada*) Sé *algo* de la fiesta. 7. (*nunca, nada*)

---

[1] *value.* [2] *success.* [3] *love, fondness for.* [4] *foundation.* [5] *wealth.* [6] *development.* [7] *cheerfulness.* [8] *maintains.*

Se recibía *siempre algo*. 8. (*ninguno*) Oyeron a *algunos* amigos.
9. (*jamás*) Cantemos *siempre* canciones españolas. 10. (*ni ... ni*)
Los niños cantaban, bailaban y saltaban delante de nosotros.
11. (*nada*) Los niños han hecho *algo*. 12. (*nunca*) *Siempre* he visto
un Nacimiento mejor. 13. (*nunca*) Levántese Vd. *siempre* tarde.

C. Imiten el modelo:

MODELO: *nunca:* cantamos = nunca cantamos
no cantamos nunca

1. *nunca:* diríamos, me han visto, voy, anduve, comía, lo oigo,
se dijo, lo recibirá, compremos, ábralo Vd., cabría.
2. *nadie:* sabía, nos oyó, le dirá, daría, querrá, lo ha traído, ha
descansado, reciban Vds., se desayuna, iba, vió.
3. *nada:* le diré, recibí, supieron, valdría, quiero, tendrán, les
hicieron, compren Vds., han puesto, decía, sé, era.
4. *tampoco:* saldrían, vendremos, lo puse, comprendimos, ha salido,
cabré, comamos, compraba, vienen.
5. *jamás:* haremos eso, ha ido, prometieron, querían, cayó, estemos, hago, llámele Vd., ha quedado, vendría.

D. Cambien al plural:

1. Esta casa es más grande que aquélla. 2. Él me dará tanto
dinero como su hermano. 3. Este caballero era tan rico como el
otro. 4. ¿ Ha bailado Vd. tantas horas como ella?

Pongan estas frases en el comparativo.

E. Contesten negativamente (**nada, nadie, ninguno, tampoco,
jamás, ni ... ni**):

1. ¿ Entramos en esta iglesia? 2. ¿ Quién ha vuelto de la misa
del gallo? 3. ¿ Ha visto él a alguien a media noche? 4. ¿ Desde
cuándo reciben los niños algunos regalos? 5. ¿ Comieron Vds. algo
aquella noche? 6. ¿ Tendrá Vd. algún dinero para comprar regalos?
7. ¿ Desearía Felipe cantar o bailar? 8. ¿ Debería Vd. trabajar o
estudiar? 9. ¿ Hay algo sobre la mesa? 10. ¿ No le daba Vd.
siempre algo?

F. TEST XLVI. *Write the Spanish translation of the words in
English:*

1. Hace dos días que no vemos —— (*anybody*). 2. Ella ——

comerá —— (*not . . . anything*). 3. No vi —— a —— allí (*never . . . anybody*). 4. Yo no sabía —— que teníamos el Nacimiento (*either*). 5. —— tíos nos visitarían (*No*). 6. No hallo —— —— (*never . . . anything*). 7. Yo —— dije que quería ir allá (*never*). 8. ¿ Ha visto Vd. —— una iglesia más pequeña (*ever*)? 9. Él —— regresó a casa (*never*). 10. No compraron —— regalos —— libros (*neither . . . nor*).

G. Tema de composición:

La Navidad, seis frases originales.

H. Oral:

1. Nobody is there. 2. There was nothing. 3. We never saw him. 4. One will never sing. 5. Without him you would receive nothing. 6. She never used to dance. 7. I write to nobody. 8. I am not writing anything. 9. He never learned anything. 10. She did not have any money. 11. They will not have any money. 12. We should take nothing. 13. Do you sing anything? 14. Don't sing either. 15. Nobody has sung. 16. Have you ever seen that man?

Cuento XLVI

Cuento de Nochebuena

A good impulse must never be allowed to get cold.

A media noche del 24 de diciembre es cuando se celebra la misa del gallo. Aquella Nochebuena nevaba mucho. El aire estaba frío y húmedo. Las ramas de los árboles estaban cubiertas de hielo. A pesar de eso la condesa quiso asistir a la misa del gallo aquel año. Iba envuelta en un rico abrigo de pieles.[1] En el coche y después en la iglesia, su criada había envuelto sus pies pequeños en una manta [2] de lana.

Al terminar la misa la condesa tuvo que caminar desde la puerta de la iglesia hasta el coche. Y el mal tiempo que veía a través de [a] los cristales la hacía temblar de frío.

Cuando regresó, se acordó por un momento de los pobres que acababa de ver. Al llegar ellos a su casa no tendrían un buen fuego como ella, ni una buena cena. Volvió a pensar en ellos la condesa, sintió lástima y por eso dió esta orden a su criado:

---

[1] *fur coat.*   [2] *blanket.*

—Juan—le dijo—hace mucho frío. Tome una carretilla,[1] ahora mismo, llena de leña; vaya [2] con ella al barrio [3] de los pobres y deje un poco de leña en cada puerta. Quiero ver a esa pobre gente también con buen fuego esta noche.

Al decir esto, la condesa se dirigió al comedor, que estaba muy bien calentado.[4] Un alegre fuego se veía en la chimenea. Sobre el blanco mantel [5] que cubría la mesa, brillaban el cristal y la plata. Un rico pavo asado [6] invitaba con su agradable olor.

Después que la condesa comió un poco de pavo y bebió una copa de vino, ya no sentía frío. Al contrario, sentía un dulce calor

La condesa se dirigió al comedor.

invadir su cuerpo. No pensaba más en los pobres y sus deseos caritativos desaparecieron poco a poco. Hizo abrir la ventana. Luego llamó a su criado que estaba a la puerta listo para irse con la carretilla llena de leña y le dijo:

—Juan, me parece que ya no hace tanto frío. No lleve la leña a los pobres esta noche. El tiempo ha mejorado mucho. Ya veremos [b] si es necesario hacerlo mañana.

La condesa se fué a su cuarto, pues sentía sueño, mucho sueño. Su cómoda cama la esperaba. El colchón [7] era blando, las sábanas [8] de fina tela y la manta de pura lana. Reclinó su cabeza sobre suaves almohadas de plumas.[9] Todo, en fin, en su cama invitaba a un dulce sueño. Así se olvidó por completo de los pobres que antes quería ayudar. No recordó ya que sus cuartos estaban

---

[1] *small cart.*   [2] *go.*   [3] *section, quarter.*   [4] *heated.*   [5] *tablecloth.*   [6] *roast turkey.*   [7] *mattress.*   [8] *sheets.*   [9] *feather pillows.*

fríos, que sus camas no eran cómodas y que quizás no habían comido o comido muy poco. En cambio, mucho habría sorprendido a la condesa si alguien le hubiera dicho [1] en ese momento que tenía cruel corazón o que no sabía hacer la caridad.[2]

CONVERSACIÓN

1. ¿ A dónde fué la condesa? 2. ¿ Qué quería hacer la condesa aquella noche? 3. Al llegar a su casa, ¿ en quién pensó? 4. ¿ Qué debía hacer el criado? 5. ¿ Por qué no envió la leña a los pobres?

VOCABULARIO

blando, –a soft	envuelto, –a wrapped	la plata silver, silver-
brillar to shine	fino, –a fine	ware
el calor heat	el fuego fire	la rama branch
la condesa countess	el hielo ice	sorprender to surprise
la copa glass, goblet	húmedo, –a damp	suave soft
el cristal windowpane,	la leña firewood	el sueño sleep
glassware	el olor smell, odor	temblar to tremble

What English words and meanings do you recognize from the following?

el centro, el coche, la chimenea, invadir, invitar, reclinar, terminar

MODISMOS

(a) a través de through   (b) ya veremos we shall see

LECCIÓN CUARENTA Y SIETE

A. Tiempos compuestos. B. El pretérito perfecto después de ciertas conjunciones

I. EJERCICIO DE PRONUNCIACIÓN

Repaso

fla-co	en-fer-mo	don-de	me-di-da	cin-co
o-fre-ce	to-ma	al-dea	es-ta-do	ra-zón
per-fec-to	tin-ta	mun-do	a-bo-ga-do	so-los
fa-mi-lia	da-ma	ad-mir-ar	ha-cer	siem-pre

---

[1] *would have told her.*   [2] *to be charitable.*

II. Lectura

El general humilde

Era un día muy frío de invierno durante la guerra de la Independencia de Sud América. Un cabo daba órdenes a algunos soldados para colocar una viga que habían tratado de mover. La viga era muy pesada para los pobres hombres, y para animarlos el cabo gritaba:

— Vamos, muchachos, ya hemos hecho parte del trabajo. ¡ Otra vez! ¡ Fuerza!

Un oficial vestido de aldeano, que había parado su caballo,

Simón Bolívar

preguntó al jefe:

— ¿ Por qué no ayuda Vd. a sus hombres ?

— Señor, yo soy cabo — contestó éste con orgullo.

— ¡ Ah! ¡ Usted es cabo! — exclamó respetuosamente el oficial.

— ¡ Sí! — contestó el otro.

— Yo no sabía eso.

Y el hombre bajó de su caballo y ayudó a los soldados. Cuando los soldados hubieron colocado la viga en su lugar, dijo al cabo:

— Señor cabo, si hay otra tarea como ésta y necesita más hombres, llame a su general en jefe que vendrá a ayudar a sus soldados por segunda vez . . . ¿ Ha comprendido Vd. ?

El cabo había aprendido la lección. El oficial que había ayudado a los soldados era Simón Bolívar, el libertador de Venezuela, Colombia, Bolivia y el Perú. Este gran hombre nació en Caracas, capital de Venezuela, donde se conserva intacta su casa, lugar de mucho interés histórico.

Ejercicio de invención

(a) Cuente Vd. la anécdota de Simón Bolívar, oralmente y luego por escrito:

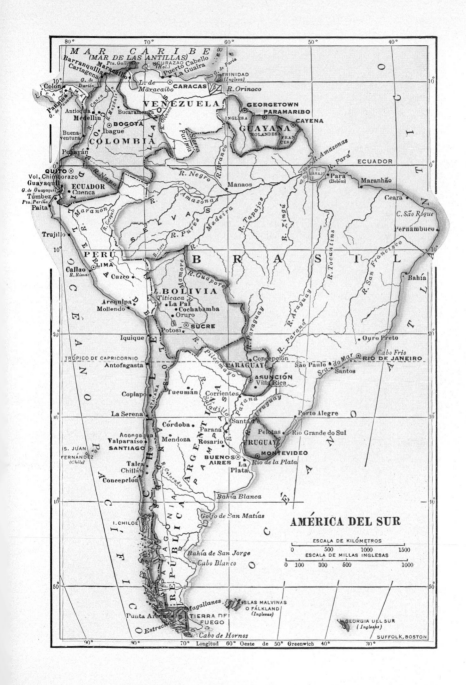

Los soldados, trabajar . . . el cabo, ayudar . . . pasar, el general
. . . ver, a los soldados . . . ayudar en el trabajo . . . por qué el cabo
no ayuda . . . el general, bajar de su caballo . . . ayudar a los soldados
. . . el cabo, aprender la lección.

(b) Vd. es el general Bolívar; cuente Vd. la anécdota.

III. Vocabulario

el **cabo** corporal	la **tarea** task	¡ **vamos** ! ¡ **fuerza** !
el **general** general; —	la **viga** beam, girder	come! push!
en **jefe** general-		
in-chief	**animar** to encour-	**humilde** modest,
el **libertador** liberator	age	humble
el **oficial** officer	**bajar** to get off, dis-	**pesado, –a** heavy
la **orden** order, com-	mount	
mand	**mover** to move	**respetuosamente** re-
el **orgullo** pride	**parar** to stop	spectfully
el **soldado** soldier		

IV. Gramática

A. Compound Tenses

Present Perfect:	he dado	*I have given*
(Perfecto)	hemos dado	*we have given*
Pluperfect Tense:	había dado	*I had given*
(Pluscuamperfecto)	habíamos dado	*we had given*
Preterit Perfect:	hube dado	*I had given*
(Pretérito perfecto)	hubimos dado	*we had given*
Future Perfect:	habré dado	*I shall have given*
(Futuro perfecto) [1]	habremos dado	*we shall have given*
Conditional Perfect:	habría dado	*I should have given*
(Condicional perf.)	habríamos dado	*we should have given*

The past participle added to the various tenses of the verb
haber forms the compound tenses. Note that the participle does
not change its form.

[1] In addition to the use of the future perfect, which is the same in English and
Spanish, this tense is also used idiomatically in Spanish to express probability
when the present perfect is used in English.

Él habrá hablado. *He has probably spoken.*
Habrán visto a Roberto. *They have probably seen Robert.*

In general the use of the compound tenses in Spanish and English is the same.

B. Preterit Perfect after Certain Conjunctions

Luego que hube dado las órdenes, llamé a los soldados.	*As soon as I had given orders, I called the soldiers.*
Cuando hubo hablado al soldado, bajó de su caballo.	*When he had spoken to the soldier, he dismounted from his horse.*
Apenas hubieron colocado la mesa cuando el general les habló.	*Hardly had they placed the table when the general spoke to them.*

The preterit perfect is rarely used, and only after such words as **cuando**, *when*, **luego que**, *as soon as*, **apenas**, *hardly*, *scarcely*, with the tense of the main clause always in the preterit. In spoken language the simple preterit is preferred even after such conjunctions.

V. CONVERSACIÓN

1. ¿ Qué día era ? 2. ¿ Quién daba órdenes ? 3. ¿ Qué trataban de hacer los soldados ? 4. ¿ Para qué gritaba el cabo ? 5. ¿ Cómo estaba vestido el oficial ? 6. ¿ Qué preguntó el oficial al cabo ? 7. ¿ Quién ayudó a los hombres ? 8. ¿ Quién era el oficial ? 9. ¿ Qué aprendió el cabo ? 10. ¿ Dónde nació Simón Bolívar ?

VI. EJERCICIOS

A. Conjuguen:

1. No he caído en ninguna calle. 2. Vd. se peinó ahí. 3. ¿ Qué había hecho ? 4. He comprado caballos. 5. No he visto al general. 6. No había dicho nada. 7. ¿ Qué habrá puesto aquí ? 8. No había recibido ningún dinero. 9. Cuando hube sabido esto, salí de allí. 10. Apenas hube llegado, cuando entró. 11. Yo nunca habría hecho eso.

B. Escriban el tiempo del verbo entre paréntesis y traduzcan las oraciones al inglés:

1. (Perf. *colocar*) Los soldados —— la viga en su lugar. 2. (Pluscuamperf. *decir*) ¿ Qué le —— a Vd. el general ? 3. (Fut. perf. *ver*) Vd. no —— a ese general. 4. (Pret. perf. *entrar*) Apenas —— el cabo, cuando vió al general. 5. (Pluscuamperf. *ayudar*) Nosotros

los ——. 6. (Cond. perf. *principiar*) Yo no —— el trabajo sin Vd.
7. (Perf. *hacer*) Vds. no —— ninguna parte del trabajo. 8. (Pluscuamperf. *ir*) ¿ No —— Vd. tampoco con el general? 9. (Cond.
perf. *volver*) Ellos no —— el primer día. 10. (Fut. perf. *poner*)
¿ Dónde —— Vds. la viga pesada? 11. (Pret. perf. *comer*) Luego
que yo ——, todos salimos. 12. (Perf. *hacer*) Nosotros no —— ni
esto ni aquello.

C. Cambien estas oraciones al (*a*) perfecto, (*b*) pluscuamperfecto, (*c*) futuro perfecto y (*d*) condicional perfecto:

1. El invierno es muy frío. 2. Yo no doy órdenes a nadie. 3. Vds.
harán parte del trabajo conmigo. 4. ¿ Qué le dijo Vd. a él? 5. Ellos
no preguntarían nada al jefe. 6. ¿ Por qué no nos ayudó el cabo?
7. No se sabía eso tampoco. 8. Nadie fué a ayudarlos. 9. No pusimos ninguna viga en su lugar. 10. El cabo llamará a su general.
11. Preguntemos al cabo.

D. Escriban estas oraciones en el grado positivo:

1. No me ha escrito nunca una carta más larga que ésta. 2. El
primer día había visto más soldados que oficiales. 3. Aquel soldado
había sido más perezoso que éste. 4. Nadie era más alto que el
cabo. 5. Nunca les había dado más órdenes que el cabo. 6. El cabo
era más joven que el general. 7. El general tenía menos soldados
que el cabo. 8. Esta anécdota es más interesante que ésa.

E. TEST XLVII. *Write the Spanish translation of the words in
English:*

1. ¿ En qué buen libro —— esta anécdota (*have-you-read*)? 2. ¿ La
—— el otro día (*had-they-written*)? 3. —— que la anécdota es interesante (*We-have-said*). 4. El general no —— órdenes al soldado (*has-
probably-given*). 5. Yo —— la lección del general sin Vd. (*would-
have-understood*). 6. Luego que —— el libro, lo leí (*I-had-bought*).
7. Los soldados no —— las órdenes del cabo (*had-heard*). 8. Apenas
lo ——, salieron para Madrid (*they-had-seen*). 9. ¿ Qué trabajo ——
aquel día (*would-you-have-done*)? 10. Los soldados —— al general
(*had-written*).

F. Dictado: FIESTAS DE INDEPENDENCIA

La fiesta de la independencia se celebra en Venezuela el 5 de julio;

en Colombia, el 20 de julio; en el Perú, el 28 de julio; en el Ecuador, el 10 de agosto; en Méjico, el 16 de septiembre; en las repúblicas centroamericanas, el 15 de septiembre; en el Paraguay, el 14 de mayo; en Cuba, el 20 de mayo; etc.

G. Oral:

1. I never come. 2. They used to come. 3. They have heard nothing. 4. What did they hear? 5. We have seen him. 6. He used to say. 7. Would they come? 8. You have never given it to us. 9. Has he done that? 10. Have you not asked me? 11. I shall have helped them.

CUENTO XLVII

Anécdota del Libertador

Bolívar's first consideration was his country.

Después de la Guerra de la Independencia contra España organizaba el general Bolívar el país que había libertado. Un día recibió una denuncia [1] contra uno de sus empleados. Le informaron que no usaba como debía los fondos públicos a su cargo. El Libertador lo mandó a llamar [a] en seguida y le pidió un estado de cuentas.[2] El empleado se lo presentó en todos sus detalles. Al parecer [b] todo estaba en perfecto orden. No obstante no era fácil engañar al gran Bolívar. Éste dijo al empleado:

— Esto parece que está muy bien. Pero yo prefiero sin embargo [c] seguir mis propios métodos. Según me dicen, Vd. posee hoy en día [d] un capital considerable.

— Sí, señor, es cierto [e] — contestó el empleado.

— Según recuerdo — continuó el Libertador — cuando Vd. fué nombrado al puesto que ocupa no tenía un centavo.

— También es verdad eso, mi general — dijo el acusado.

— Vd. ha recibido — siguió Bolívar — un sueldo de tanto. De eso se ha servido Vd. para vivir.

— Así es — contestó el empleado, ya un poco inquieto.

— Entonces, muy señor mío,[3] no me explico una cosa. ¿Cuál puede ser el origen de su actual y considerable fortuna? — preguntó Bolívar.

[1] *complaint.*   [2] *statement of accounts.*   [3] *my dear sir.*

¿ Cuál puede ser el origen de su actual fortuna?

El hombre no supo qué contestar; en realidad, había robado a la nación.

Bolívar procedió [1] inmediatamente. Hizo devolver al empleado ladrón la fortuna robada. Y la suma fué puesta en el tesoro público.

CONVERSACIÓN

1. ¿ Qué recibió Bolívar? 2. ¿ Cuánto tenía el empleado cuando fué nombrado al puesto? 3. ¿ Qué había hecho el hombre? 4. ¿ Qué hizo hacer al empleado ladrón? 5. ¿ Dónde se puso el dinero robado?

VOCABULARIO

actual present	los **fondos** funds	**nombrar** to name,
el **cargo** charge, care	**inquieto, –a** uneasy	appoint
contra against	**libertar** to free, liberate	el **sueldo** salary
el **detalle** detail	el **método** method	el **tesoro** treasury

What English words and meanings do you recognize from the following?

el **acusado**, la **anécdota**, el **empleado**, la **independencia**, **informar**, **presentar**, **público, –a**, la **suma**

MODISMOS

(a) **mandar a llamar** to send for

(b) **al parecer = por lo visto = es evidente** to all appearances, apparently, evidently

(c) **sin embargo = no obstante** nevertheless, however

(d) **hoy en día** at present

(e) **es cierto = es verdad** it is true

[1] *acted.*

LECCIÓN CUARENTA Y OCHO

A. El participo presente (gerundio).   **B.** Forma progresiva

I. Ejercicio de pronunciación
Repaso

des-de	e-na-no	ol-vi-da	ar-der	ca-rro
ras-go	pien-sa	pa-pel	tri-go	a-yu-do
na-da	jun-io	pa-ra	rui-do	mu-cho
car-ne	la-na	pa-rra	al-re-de-dor	le-che

II. Lectura
Escribiendo una carta

Deseando escribir una carta, ¿ qué hago ?

Sentándome al escritorio, me preparo a escribir.

No teniendo mi pluma fuente, tomo una pluma, un tintero y una hoja de papel.

Escribiendo mi dirección, cometo una falta y la tacho:

Calle 53, número 5, oeste,

o, Avenida Sucre, número 10.

Escribo la fecha: Nueva York, 7 de enero de 19—.

Principiando la carta, escribo:

Querido Felipe: (*a un amigo*)

Muy Sr. mío: [1]   (*a una casa comercial*)

Escribo la carta.

Siendo tarde, termino la carta con:

Su sincero amigo,

De Vd. atto. y s.s.[2]

[1] *Dear Sir.*   [2] **De Vd. atento y seguro servidor** = *Yours very truly.*

Al terminar [1] la carta la firmo.

Doblando la carta, la pongo en un sobre.

Escribo el nombre y la dirección:

```
                                              ┌──────┐
                                              │ Sello │
                                              └──────┘


                    Sr. D. Antonio López,
                       Calle Real, 56
                           Sevilla
                           ESPAÑA
```

Pego un sello en el sobre.

Luego, llevo la carta al buzón.

Echo la carta en el buzón.

Mi amigo recibe la carta.

La lee con cuidado.

Escribe una respuesta.

Me manda la carta en seguida.

Después de algunos días, el cartero me trae la respuesta.

Abro la puerta y recibo la carta del cartero.

Dándole las gracias, regreso a mi cuarto y leo la carta.

ADIVINANZA

Habla y no tiene boca,
anda y no tiene pies.

(La carta)

III. VOCABULARIO

el **buzón** letter box

la **casa comercial** business house

el **escritorio** writing desk

la **hoja** sheet (of paper)

el **número** number

la **pluma fuente** fountain pen

el **sobre** envelope

el **tintero** inkwell

doblar to fold

echar to throw; — **en el buzón** to mail

firmar to sign

pegar to stick

tachar to strike out

terminar to end, finish

sincero, –a sincere

---

[1] Spanish **al** + infinitive = English *on* or *upon* + present participle.

IV. Gramática

A. The Present Participle (Gerund)

1st Conjugation		2nd Conjugation	
tom-ando	*taking*	comet-iendo	*making*
dese-ando	*wishing*	comprend-iendo	*understanding*
termin-ando	*ending*	com-iendo	*eating*

3rd Conjugation	
escrib-iendo	*writing*
abr-iendo	*opening*
omit-iendo	*omitting*

Radical-changing Verbs in –ir

sentir: sintiendo	pedir: pidiendo
dormir: durmiendo	

Irregular Present Participles

decir:	diciendo	*saying*	caer:	cayendo	*falling*
venir:	viniendo	*coming*	ir:	yendo	*going*
ver:	viendo	*seeing*	oír:	oyendo	*hearing*
ser:	siendo	*being*	leer:	leyendo	*reading*
poder:	pudiendo	*being able*	traer:	trayendo	*bringing*

Note that the present participle is formed by adding –**ando** to the stem of verbs in –**ar**, and –**iendo** to that of verbs in –**er** and –**ir**.

In radical-changing verbs of the third conjugation, **e** changes to **i** and **o** to **u** in the syllable before the present participle ending. Learn the irregular participles and the cases in which –**iendo** becomes –**yendo**.[1]

B. The Progressive Tenses

Estoy acabando la carta.	*I am finishing the letter.*
Estaba escribiendo la dirección.	*He was writing the address.*
Rosa va explicando la carta.	*Rose is explaining the letter.*
Me estoy cayendo. Estoy cayéndome.	*I am falling down.*
Me lo está diciendo. Está diciéndomelo.	*He is saying it to me.*

The present participle added to the various tenses of the verb **estar** or **ir** forms the progressive tenses. The present participle does not change its form for agreement.

[1] See Lesson 20, **A** (*c*).

The reflexive and object pronouns may precede the conjugated verb or follow it and become attached to the present participle, in which case the original stress of the verb is indicated by a written accent.

V. Conversación

1. ¿ Qué usa Vd. para escribir una carta ? 2. ¿ Qué hace cuando comete una falta ? 3. ¿ Cuál es la fecha de hoy ? 4. ¿ Cómo principia Vd. la carta ? 5. ¿ Dónde pone Vd. la carta ? 6. ¿ Cuál es su dirección ? 7. ¿ Qué pega Vd. en el sobre ? 8. ¿ En dónde echa Vd. la carta ? 9. ¿ Quién le trae la respuesta ?

VI. Ejercicios

A. Conjuguen:

1. Estoy escribiéndola.
2. Lo estaba principiando.
3. Lo estaría leyendo.
4. No está durmiendo.
5. ¿ Qué estaba pidiendo ?
6. Me estoy sentando.

B. Reemplacen el infinitivo con el gerundio:

1. (*Estar*) —— en casa conmigo, él ha escrito la carta. 2. (*Deber*) —— trabajar el tercer día, no pude escribirle. 3. (*Regresar*) —— del teatro, no hallaron a ningún amigo. 4. (*Pasar*) —— por aquella calle, no echó nada en el buzón. 5. (*Levantarse*) —— del escritorio vi a mi amigo. 6. (*Saber*) —— que debía escribir la carta, la escribió. 7. (*leer*) Estábamos —— la respuesta cuando entró Felipe. 8. (*abrir*) ¿ Quién estará —— la puerta ? 9. (*firmar*) Vd. estaba —— la carta cuando salió. 10. (*poder*) No —— hacer nada, fueron a casa de José. 11. (*copiar*) Ella estaba —— la dirección cuando mi hermano abrió la puerta. 12. (*cantar . . . bailar*) ¿ Pasan Vds. la noche —— o —— ?

C. Escriban el infinitivo de los gerundios siguientes:

1. teniendo	2. oyendo	3. leyendo	4. viniendo
sintiendo	pudiendo	comiendo	asistiendo
cayendo	llamando	hablando	siendo
abriendo	diciendo	poniendo	trayendo
trabajando	sabiendo	pidiendo	viendo
escribiendo	haciendo	pegando	firmando

D. Escriban (*a*) el gerundio; (*b*) el participio pasivo de:

1. decir	2. dormir	3. oír	4. leer	5. ver
ir	escribir	pasar	poder	caer
poner	caber	regresar	hacer	pedir
andar	repetir	estar	traer	querer
lavarse	saber	venir	recibir	tomar

E. Sustituyan el verbo entre paréntesis con el gerundio:

1. (*Se sentaron*) a la mesa, escribieron. 2. (*Terminé*) la carta, la puse en el primer sobre. 3. (*Nos sentimos*) enfermos, no pudimos ver a nadie. 4. (*Leyó y escribió*), así pasa el día. 5. (*Me dió*) las gracias, tomó la carta. 6. (*Hablamos*) de María, llegamos a su casa. 7. (*Escribimos*) los ejercicios, no cometeremos ningunas faltas. 8. (*Pasamos*) por la calle de San José, vimos a Felipe con ella. 9. (*Terminaron*) las cartas, saldrán de casa después de nosotros. 10. (*Preferí*) ver a mi amigo, me levanté temprano. 11. (*Me habló*) dijo que echaría la carta en el buzón. 12. No (*tuve*) nada que hacer, fuí al teatro. 13. No (*pude*) nunca ir a su casa, le escribí. 14. (*Dijo*) eso, salió del cuarto.

F. Escriban los pronombres complementos en todas las personas:

1. Está diciéndo*melo*. 2. *Me lo* ha dicho. 3. *Me la* había escrito. 4. *Me* habrá leído tantos cuentos como Carlos. 5. *Me* ha traído más de dos cartas. 6. *Me* habrá escrito mejores cartas que ésas.

G. Test XLVIII. *Write the Spanish translation of the words in English, using the progressive tense:*

1. ¿ Qué —— (*are you opening*)? 2. ¿ Quién —— en la mesa (*was serving*)? 3. Nosotros —— dinero, cuando Vds. entraron (*were asking for*). 4. —— la carta en el sobre (*I am putting*). 5. Mi hermana —— la carta cuando los muchachos salieron (*was reading*). 6. Enrique —— la carta de ese señor (*is sending me*). 7. Ellos —— a mi amigo cuando se abrió la puerta (*were listening*). 8. Vd. —— por esa calle cuando yo lo vi (*were passing*). 9. Vds. —— a la mesa cuando llegó el cartero (*were sitting down*). 10. —— de su familia aquella mañana (*He was saying good-by*).

H. Tema de composición:

Escribiendo una carta, seis frases originales.

I. **Oral:**

1. What were you saying? 2. Why did you say that? 3. What was he bringing? 4. I was buying a present. 5. What did you buy yesterday? 6. Were you selling this house or that? 7. He has bought the house. 8. Who was running in the park near St. Thomas' Church? 9. Would you buy the same thing now? 10. What had he done there?

Cuento XLVIII

Todo lo creía

One who believed in miracles.

En una aldea de España vivía un campesino muy humilde y pobre. Estaba en la miseria más absoluta. No tenía qué comer la mayor parte de los días. Bus-

caba trabajo por todas partes y no lo encontraba. Su ropa estaba completamente rota,[1] en fin, su situación era muy mala. Cierto día resolvió escribir directamente a Dios pidiendo socorro.[2] En su sencillez [3] creía que la carta le llegaría. No quiso entregarla al cura de la aldea. Más bien,*a* le pareció mejor ponerla al correo.[4] Escribió la dirección así:

« A nuestro buen Dios en el cielo ».

Al recibir la carta en el correo, el director la envió a la oficina central. Todos los que la veían sentían cierto respeto y no sabían qué hacer con ella. El propio director gene- ral [5] la abrió. Al leer una petición

Le pareció mejor poner
la carta al correo.

tan sencilla se llenó de emoción. La suma pedida era muy mo- desta. El pobre aldeano se contentaba con *b* la suma de cincuenta pesetas. El director trajo la carta a la oficina del ministro para

---

[1] *torn, tattered.* [2] *help.* [3] *simplicity.* [4] *to mail it.* [5] *the general manager himself.*

enseñársela. Éste, a su vez,[c] la envió al presidente del consejo.[1]
El presidente muy conmovido también, sacó de su cartera un billete de veinticinco pesetas. Lo metió dentro de un sobre con el membrete [2] de su oficina y lo envió directamente al aldeano.

Dos días después llegaba por la misma ruta la respuesta del aldeano. En una segunda carta al buen Dios le hablaba en estas palabras:

« Gracias, Dios mío, por haber oído mi petición y concedérmela. Pero la próxima vez que me envíe [3] dinero, no lo mande por conducto del [d] presidente del consejo. Ese señor me ha quitado la mitad, pues no he recibido sino [e] veinticinco pesetas y no las cincuenta que pedí. »

CONVERSACIÓN

1. ¿ Dónde vivía el pobre aldeano?   2. ¿ A quién pidió socorro? 3. ¿ Cuánto le mandó el presidente del consejo?   4. ¿ A quién escribió el aldeano por segunda vez?   5. ¿ Qué dijo a Dios en su segunda carta?

VOCABULARIO

el **cielo** sky, heaven	**directamente** straightway,	la **miseria** poverty
conceder to grant,	immediately	la **mitad** half
concede	la **emoción** feeling, emotion	la **ruta** route, way
conmover to move,	**llenarse** to be filled	**sencillo,** –a simple
touch	el **ministro** minister	

What English words and meanings do you recognize from the following?

absoluto, –a, modesto, –a, la parte, la petición, la situación, resolver, el respeto

MODISMOS

(a) **más bien** rather

(b) **contentarse con** to be satisfied with

(c) **a su vez** in his turn

(d) **por conducto de** through

(e) **no . . . sino** = no . . . **más que** = **solamente** = **sólo** only; no more than

---

[1] *postmaster general.*   [2] *letterhead.*   [3] *that you send me.*

LECCIÓN CUARENTA Y NUEVE

A. Superlativo de los adjetivos. **B.** El superlativo absoluto

I. Ejercicio de pronunciación

Repaso

mu-cha-cho	lla-ve	doc-tor	dig-no	ten-go
chi-co	ca-ba-llo	ki-lo-gra-mo	hi-jo	co-sas
a-ño	ca-pa	a-gua	ges-to	len-gua
pa-ño	e-fec-to	sa-gra-do	gi-ta-no	ga-nas

II. Lectura

Las estaciones

La primavera: La primavera es la estación de las flores y la más agradable del año. La hierba cubre los campos y las flores perfuman los jardines. Los pájaros cantan sus canciones más bonitas en los árboles. La gente da paseos muy largos por los campos. Durante esta estación se celebra la Pascua Florida, la fiesta más importante de la primavera. Ese día las mujeres se ponen trajes y sombreros nuevos.

La estación de las flores.

Hace calor.

El verano: El verano es la estación de las vacaciones. El sol sale temprano y se pone tarde. Hay más tiempo para pasearse al aire libre. Para muchos el verano es la estación más bella del año. Los días son los más largos y las noches las más cortas. El sol brilla y hace calor. Cuando hace demasiado calor, la gente pasa unas semanas en el campo, a la orilla del mar o en las montañas. Es la época de las verbenas y de las romerías en España.   Todos asisten a estas fiestas muy populares y toman parte en las diversiones.

La estación de las cosechas.

El otoño: El otoño es la estación de las cosechas.   Las escuelas se abren y los alumnos entran de mala gana.   Para algunos es la estación más agradable del año.   Las frutas están maduras.   Los pájaros regresan al sur.   Es la época de las ferias.   No hace mucho calor ni mucho frío.   Hace un tiempo muy agradable.   La gente pasa mucho tiempo al aire libre y da largos paseos por los bosques.

El invierno: Para muchos el invierno es la estación más fría y más triste del año.   Los días son cortísimos (*o* muy cortos) y las noches larguísimas (*o* muy largas). Es la estación más fría del año porque es la época de la nieve y del hielo.   A menudo la nieve cubre los campos.   Los campos parecen muy bonitos cubiertos de nieve. Y entonces es cuando los niños patinan por los lagos.   El invierno es la estación de las fiestas más populares como la Nochebuena, la Navidad, el Año Nuevo y el Día de Reyes.

Hace frío.

REFRANES

Año nuevo, vida nueva.	*New year, new life.*
El tiempo es oro.	*Time is money.*
El tiempo perdido no se recupera jamás.	*Lost time can never be recovered.*

III. VOCABULARIO

la **cosecha** harvest
la **época** period, time
la **estación** season
la **feria** fair

la **gana** desire, inclination; **de mala**
—, unwillingly
la **hierba** grass

el **mar** sea
la **montaña** mountain
la **orilla** bank, shore
el **otoño** autumn

la **Pascua Florida**   **patinar** to skate   **salir** to rise
  Easter   **perfumar** to perfume
el **sur** South   **ponerse** to set (*of sun*)   **agradable** agreeable

IV. Gramática

A. Superlative of Adjectives

Estas flores son las más bonitas. — *These flowers are the prettiest.*

Son los días más cortos del verano. — *They are the shortest days in the summer.*

¿ Cuál es la estación más fría del año ? — *What is the coldest season of the year ?*

Es la fiesta menos importante de la primavera. — *It is the least important holiday in the spring.*

el más corto de, la más corta de, los más cortos de, las más cortas de

To form the superlative of the adjective, place the definite article before **más** or **menos**. After the superlative *in* is expressed by **de**. Note that the noun modified by the superlative is placed between the definite article and **más** or **menos**.[1]

This is the general rule for adjective comparison. The following adjectives have an irregular superlative:

Irregular Comparison

Positive		Comparative		Superlative	
bueno	*good*	**mejor**	*better*	**el mejor**	*the best*
mal	*bad*	**peor**	*worse*	**el peor**	*the worst*
grande	*large*	**mayor**	*larger*	**el mayor**	*the largest*
pequeño	*small*	**menor**	*smaller*	**el menor**	*the smallest*

B. The Absolute Superlative

La Navidad es una fiesta muy popular o popularísima. — *Christmas is a very (most) popular holiday.*

El invierno es una estación muy triste o tristísima. — *Winter is a very sad season.*

Los pájaros cantan canciones muy bellas o bellísimas. — *The birds sing very (most) beautiful songs.*

Los días son muy largos o larguísimos.[2] — *The days are very long.*

---

[1] When the possessive adjective is used, it replaces the definite article: **mi mejor amigo**, *my best friend.*

[2] Note the insertion of **u** to keep the original hard sound of **g**; compare with **rico — riquísimo.**

Observe that when the adjective is not compared, *very* or *most* is expressed by the suffix –ísimo. If the adjective ends in a consonant, the suffix is attached directly; if the adjective ends in a vowel, the vowel is dropped. The absolute superlative is also formed by placing **muy,** *very*, before the adjective.

V. CONVERSACIÓN

1. ¿ Cuál es la estación de las flores ? 2. ¿ Qué canciones cantan los pájaros ? 3. ¿ Qué se celebra durante la primavera ? 4. ¿ Cuál es la estación de las vacaciones ? 5. ¿ Qué hace la gente cuando hace demasiado calor ? 6. ¿ Qué época es el verano ? 7. ¿ Cuál es la estación de las cosechas ? 8. ¿ Qué frutas están maduras ? 9. ¿ Cuándo son cortos los días ? 10. ¿ Cuál es la época de la nieve ? 11. ¿ Qué cubre los campos en el invierno ? 12. ¿ Quiénes patinan por los lagos ?

VI. EJERCICIOS

A. Copien el modelo:

MODELO: tan corto como, más (menos) corto que, el más (menos) corto de, muy corto *o* cortísimo.

1. bonito	2. popular	3. rico	4. largo
bello	atento	religioso	alegre
triste	pobre	importante	breve

B. Completen con el superlativo del adjetivo:

MODELO: (*corto*) Febrero es el mes —— año.
Febrero es el mes *más corto del* año.

1. (*bello*) Las rosas son —— flores. 2. (*hermoso*) La primavera es —— estaciones. 3. (*bonito*) Para mí hoy es el día —— año. 4. (*importante*) ¿ Cuál es la fiesta —— primavera ? 5. (*frío*) El invierno es la estación —— año. 6. (*frío*) Enero es —— meses. 7. (*importante*) El invierno tiene las fiestas —— año. 8. (*corto*) Las noches de verano son —— año. 9. (*popular*) ¿ Celebran Vds. las fiestas —— año ? 10. (*típico*) ¿ Qué fiesta es —— España ? 11. (*corto*) ¿ Qué días son —— año ? 12. (*triste*) El otoño es —— estaciones.

C. Cambien del singular al plural:

1. Él ha visto la ciudad más hermosa del país. 2. Tome Vd. la fruta más rica de la estación. 3. Recibiré la revista más popular del

mes. 4. Ella había comprado la mejor casa de esta calle. 5. Me gustaría vender la casa menos hermosa.

D. Cambien a la forma superlativa en –ísimo:

1. Le doy esta flor muy hermosa. 2. La Navidad es una fiesta muy popular. 3. Estos árboles eran muy altos. 4. Entre Vd. conmigo en este jardín muy pequeño. 5. Nuestras vacaciones serán muy largas. 6. Les traigo libros muy interesantes. 7. Esta estación ha sido muy corta. 8. Me paseo por calles muy cortas. 9. Léanos Vd. novelas muy interesantes. 10. Me ha hablado de él un día muy triste. 11. Canten Vds. canciones muy bellas delante de mí. 12. El verano pasado aprendimos cosas muy útiles. 13. Su padre era muy pobre.

E. Escriban el comparativo y el superlativo de:

MODELO: Este jardín es *tan* hermoso *como* el otro.
Este jardín es *más* hermoso que *el* otro.
Este jardín es el *más* hermoso *de* la ciudad.

1. La primavera ha sido tan hermosa como el verano. 2. Este mes es tan corto como el otro. 3. Hace muchos años que esta fiesta es tan importante como aquélla. 4. Estas peras estarán tan maduras como las manzanas. 5. Esa estación era tan buena como la otra. 6. Les leí cartas tan interesantes como éstas. 7. No les gustaría flores tan bonitas como ésas.

F. TEST XLIX. *Write the Spanish translation of the words in English:*

1. Se dice que estos árboles eran —— jardín (*the tallest in*). 2. Las casas serán —— ciudad (*the best in*). 3. Esta anécdota no ha sido —— libro (*the easiest in*). 4. Habrá pasado las vacaciones en la casa —— campo (*the prettiest in*). 5. Se sabe que estas flores son —— los campos (*the worst in*). 6. Esta semana fué —— año (*the most important*). 7. Estas montañas son —— (*very high*). 8. Pasaremos por la calle —— la ciudad (*the longest in*). 9. El muchacho —— la casa pasó las vacaciones conmigo (*the poorest in*). 10. Felipe es —— (*very intelligent*).

G. Dictado: LAS ESTACIONES

1. Las cuatro estaciones del año son: la primavera, el verano, el otoño y el invierno. 2. En la primavera los días son largos. El

sol brilla y hace buen tiempo. 3. En el verano hace mucho calor. Los días son largos y no tenemos clases. 4. En el otoño se abren las escuelas. Los días son tan largos como en la primavera. 5. En el invierno el sol sale tarde. Los días son cortos y las noches son largas. También hace frío.

H. Oral:

1. The shortest month in the year is ... 2. The most popular magazines in the city were sold in that store. 3. This book will have very interesting stories. 4. John is the tallest boy in the family. 5. He heard the best music (**música**) in the city. 6. Lend me very short books. 7. Madrid is not the largest city in Spain. 8. Would you like the best book on the shelf? 9. He is the least rich of all. 10. John has been his best friend.

CUENTO XLIX

El premio

Honesty is the best policy.

El tío Gelasio era un aldeano muy honrado y muy pobre. Tenía cuatro hijos y algunas veces sufría muchos trabajos [1] para darles de comer.[a] Sus hijos comían no como niños sino como personas mayores.

Un día el tío Gelasio encontró en la calle una cartera [2] con cien duros en billetes de banco. Al verlos se alegró [3] su corazón. Los contó muchas veces e hizo grandes planes de cómo iba a gastar tanto dinero. El mundo le parecía alegre y lleno de promesas al verse con aquel dinero. Pero, de repente,[b] se acordó de [c] que el dinero no era suyo. La cartera tenía amo y de seguro [d] que aparecería.

Al día siguiente un rico comerciante del pueblo avisó a todos que había perdido su cartera. Don Santiago se llamaba el comerciante y ofrecía un premio de veinte duros.

Como el tío Gelasio era verdaderamente honrado, en vez de guardar la cartera en seguida fué a devolver el dinero que había encontrado. En cambio, don Santiago, que era un hombre sin

---

[1] *privations.* [2] *wallet.* [3] *rejoiced.*

escrúpulos y nada honrado, a fin de [e] no dar el premio que había prometido, se atrevió a decir al pobre tío Gelasio:

— En mi cartera había ciento treinta duros y Vd. me devuelve solamente cien. Quiere decir [f] que Vd. me ha robado treinta duros y le haré meter en la cárcel por [1] ladrón.

— Yo no soy ladrón, — dijo el tío Gelasio — yo traje todo el dinero que encontré.

Al fin, después de discutir mucho, fueron ambos a la presencia del juez. Éste era un hombre muy inteligente y justo; en todos sus casos siempre daba opiniones imparciales.

Declaro que el tío Gelasio puede quedarse con el dinero.

El tío Gelasio contó lo que había pasado. Don Santiago declaró que el tío Gelasio le había robado el dinero que faltaba.

El sabio juez se quedó pensando un momento y después dijo:

— ¡ A ver ! [g] Ninguno de los dos lados presenta pruebas. Creo, sin embargo, que la solución de esta disputa es fácil. El tío Gelasio parece estar diciendo la verdad. Don Santiago es una persona conocida, de mucho crédito y no podemos por lo tanto poner en duda su palabra. Diciendo ambos la verdad, está claro que la cartera encontrada por el tío Gelasio no puede ser la de don Santiago. Puesto que [h] la de don Santiago tenía ciento treinta duros y la que encontró el tío Gelasio tenía cien, declaro que el tío Gelasio puede quedarse con [i] la cartera y el dinero. Si se encuentra otra con ciento treinta duros será sin duda la de don

[1] as (a).

Santiago. Y entonces estoy seguro de que ese honrado comerciante cumplirá con su palabra, dando el premio de veinte monedas de oro que ofreció.

Todo el pueblo se dió cuenta de que el juez había comprendido la trampa que quería hacer [1] el comerciante. Su decisión fué muy alabada.

El tío Gelasio se marchó muy contento a su casa con el premio de su honradez y don Santiago se quedó furioso, sin poder decir nada.

CONVERSACIÓN

1. ¿ Qué encontró el tío Gelasio ?   2. ¿ Cuánto contenía la cartera ?
3. ¿ Quién la había perdido ?   4. ¿ A dónde fueron los dos ?   5. ¿ A quién dió la cartera el juez ?

VOCABULARIO

alabar to praise	la **duda** doubt	la **persona mayor** grown-up,
el **amo** owner	**guardar** to keep	adult
aparecer to appear	**honrado, –a** honest; la	el **premio** reward
el **billete de banco**	**honradez** honesty	la **prueba** proof
bill, bank note	la **opinión** decision	la **trampa** trap

What English words and meanings do you recognize from the following ?

el **crédito**, la **decisión**, la **disputa**, el **escrúpulo**, **imparcial**, **inteligente**, **justo**, **–a**, la **presencia**, **presentar**, la **promesa**, **sufrir**

MODISMOS

(*a*) **dar de comer a** to feed
(*b*) **de repente** all of a sudden
(*c*) **acordarse de** to remember
(*d*) **de seguro = seguramente** surely

(*e*) **a fin de** in order to
(*f*) **querer decir** to mean
(*g*) **¡ a ver !** = **vamos a ver** let's see
(*h*) **puesto que** inasmuch as
(*i*) **quedarse con** to keep

[1] **hacer la trampa,** *to lay* or *set the trap.*

LECCIÓN CINCUENTA

A. Imperativo familiar. B. Pronombres complementos y reflexivos con el imperativo afirmativo

I. EJERCICIO DE PRONUNCIACIÓN

Repaso

de-cir	co-mer-cio	di-rec-to	pu-ro	bai-lar
prin-ci-pal	ex-tra-ño	ho-gar	al-gu-nos	lo-bo
im-por-tan-te	ces-ta	her-mo-so	huér-fa-no	so-bre
vio-len-cia	con-cep-to	ho-ja	hue-so	in-vier-no

II. LECTURA

La disputa

La primavera, el verano, el otoño y el invierno tuvieron una vez una disputa. Las cuatro estaciones estaban de muy mal humor. Cada estación creía que era mejor que las demás.

— Escuchadme vosotras. Yo soy la mejor estación — dijo la primavera. — Mirad mi bonito traje verde, cubierto de hermosas flores; escuchad el canto de los pájaros en los árboles; mirad al sol que brilla entre las nubes. Notad cómo todo el mundo está contento cuando llego.

— Yo soy mejor — dijo el verano. — Durante mi estación llegan las vacaciones para los alumnos y todas las fiestas de verano. Maduran las frutas, el trigo y el maíz. En todas partes escuchamos el alegre canto de los labradores en el campo. Haced vosotras eso si podéis.

— Prestadme atención a mí ahora. No sé si soy la mejor de las estaciones, pero sé que traigo las uvas, las manzanas rojas y las hermosas peras — dijo el otoño. — Cuando yo llego, las hojas de los árboles tienen color de oro. Parecen todas pintadas por un gran artista. Decidme ahora si sois mejores.

Cuando el otoño acabó de hablar, añadió el viejo invierno:

— Alabaos vosotros si queréis. Poneos el mejor traje, producid las hermosas flores, el trigo y el maíz, las manzanas rojas y las hermosas peras; haced cantar a los pájaros. Yo no tengo nada de eso. Sólo tengo un traje blanco de nieve. Idos a ver en sus casas a los niños que leen cuentos bonitos durante las largas noches; y debéis saber que traigo la Navidad, el Año Nuevo y el Día de Reyes. Esas fiestas son más deseadas que todas las diversiones del año.

Entonces los niños que escuchaban la disputa aplaudieron y dijeron:

— Nos gustan mucho todas las estaciones. Tráenos tú, Primavera, el bonito traje verde, cubierto de hermosas flores con el canto de los pájaros y el sol que brilla. Y tú, Verano, ven con el trigo y el maíz y los días de vacaciones, la época de las verbenas y las romerías. Vuelve tú, Otoño, con las frutas maduras y las hojas color de oro. Pero tú, Invierno, haz como siempre. Llega con tus largas noches y con tus regalos del Día de Reyes. Las largas noches nos gustan mucho porque podemos leer cuentos interesantes.

III. Vocabulario

la **disputa** dispute	la **nube** cloud	**alabarse** to praise one-
el **labrador** farmer	el **trigo** wheat	self
el **maíz** corn	la **uva** grape	**madurar** to ripen

IV. Gramática

A. Familiar Affirmative: Commands

Regular Verbs

	habl–ar	com–er	viv–ir
Singular	habl–a tú	com–e tú	viv–e tú
Plural	habl–ad vosotros	com–ed vosotros	viv–id vosotros

Radical-changing Verbs

cont–ar	volv–er	dorm–ir	ped–ir
cuent–a tú	vuelv–e tú	duerm–e tú	pid–e tú
cont–ad vosotros	volv–ed vosotros	dorm–id vosotros	ped–id vosotros
pens–ar	perd–er	prefer–ir	re–ír
piens–a tú	pierd–e tú	prefier–e tú	rí–e tú
pens–ad vosotros	perd–ed vosotros	prefer–id vosotros	re–íd vosotros

Irregular in the Imperative Singular

decir:	di	hacer:	haz	ir:	ve
salir:	sal	venir:	ven	ser:	sé
poner:	pon	tener:	ten	valer:	val

Note that the true imperative forms only occur in the second person singular and plural. The first is used when **tú** is the subject; the second, when **vosotros** is the subject. These pronouns always follow the verb in the affirmative imperative. Also observe that the singular form is the same as third person singular of the present indicative; the plural form is always regular, except for **ir: id**, and that it is formed by changing the final –r of the infinitive to –d. Learn by heart the irregular forms of the imperative singular.

B. Object and Reflexive Pronouns with Affirmative Imperative

Créeme tú.	*Believe me.*
Cantadle vosotros la canción.	*Sing him the song.*
Escuchadnos vosotros.	*Listen to us.*
Traédselos a ellos.	*Bring them to them.*
Escuchaos los unos a los otros.	*Listen to one another.*
Sentaos cerca de nosotros.	*Sit down near us.*
Poneos los guantes.	*Put on your gloves.*
But: **Idos a Madrid.**	*Go to Madrid.*

Note that object pronouns or reflexive pronouns, direct or indirect, follow the affirmative imperative and are attached to the verb. A written accent is required sometimes in order to maintain the original stressed syllable.

Also note that when the reflexive pronoun **os** is added to the second plural of the imperative, the –d is dropped, except **idos**, *go away.*

V. CONVERSACIÓN

1. ¿ Qué tuvieron las cuatro estaciones ? 2. ¿ Qué creía cada estación ? 3. ¿ Qué se dice de la primavera ? 4. ¿ Cuándo llegan las vacaciones para los alumnos ? 5. ¿ En cuál de las estaciones maduran las frutas ? 6. ¿ Qué escuchamos en el campo ? 7. ¿ Qué frutas trae el otoño ? 8. ¿ De qué color son las hojas de los árboles ? 9. ¿ Qué hacen los niños durante las noches de invierno ?

VI. Ejercicios

A. Escriban las siguientes oraciones en el imperativo con los sujetos **Vd.**, **nosotros**, **tú** y **vosotros**:

MODELO: Hable Vd. bien, Hablemos bien, Habla bien, Hablad bien.

1. Escucharme bien.	5. Pasar por aquí.
2. Abrir la puerta.	6. Verla a menudo.
3. Salir de allí.	7. Alabarse mucho.
4. Sentarse aquí.	8. Cubrir la mesa.

B. Cambien las oraciones siguientes al imperativo:

1. Vosotros os ponéis los guantes. 2. Tú llegas a tiempo. 3. Vosotros me prestáis algún dinero. 4. Hablamos con cuidado. 5. Traes las hermosas frutas. 6. Vosotros cubrís esta mesa y no aquélla. 7. Volvemos pronto. 8. Tú copias su nombre y no el mío. 9. Vd. escribe algo sobre el primer día del año. 10. Vds. cantan una canción española. 11. Tú vuelves pronto. 12. Vosotros os alabáis siempre.

C. (*a*) Escriban el presente de indicativo de:

jugaban	sentirá	daré	yo hacía
dormí	pidieron	dijeron	oían
pude	querré	cerraba	salí

(*b*) el pretérito y el imperfecto:

tenemos	quiere	soy	podemos
trae	ponemos	hemos	caben
vienen	sabe	hacen	damos

(*c*) el futuro y el condicional de:

quepo	hacemos	sabemos	teníamos
dicen	puede	salieron	valimos
han	ponemos	quería	vienen

(*d*) el imperativo con el sujeto **tú** y **vosotros** de:

venir, ser, hacer, ir, tener, oír, poner.

(*e*) el gerundio de:

ir, poder, dormir, sentir, decir, venir, seguir, morir, hacer, romper, escribir, abrir, ver, poner, pedir, volver.

D. Pongan las frases siguientes en todos los tiempos simples del indicativo:

1. Ellos *sentirse* muy bien.   2. Yo *tener* tanto dinero como Vd. 3. Felipe *ser* más aplicado que su hermana.   4. Compró un libro y me lo *dar*.   5. No *ver* a nadie aquella primavera.   6. *Llegar* un hombre popularísimo.   7. *Despedirse* del hombre más rico de la ciudad.   8. Él *estar* cantando.   9. Ella *lavar* la ropa.   10. ¿ Qué *preferir* Vd., eso o aquello ?

E. Test L.   *Write the Spanish translation of the words in English:*

1. —— tú el libro que ves (*Bring me*).   2. —— vosotros de esa estación (*Speak to us*).   3. —— a este muchacho (*Let us help*). 4. —— vosotros las manos ahora (*Wash*).   5. —— tú esta revista (*Bring us*).   6. —— tú los árboles en el jardín (*Count*).   7. No —— Vds. a Isabel (*call*).   8. —— estos libros (*Let us buy*).   9. —— vosotros algo bueno (*Ask for*).   10. —— Vd. mucho (*Speak to me*).

F. Tema de composición:

La disputa, seis frases originales.

G. Oral:

1. Speak (**tú**) to me now.   2. When did he speak to you? 3. Always tell (**vosotros**) me the truth.   4. Will you always tell me the truth?   5. Return (**tú**) at five o'clock.   6. When do you return ? 7. Bring (**vosotros**) me the ripe fruit.   8. Would you bring them to your friends ?   9. Let us write this and not that.   10. I always used to write to him.   11. Take (**Vd.**) this book and open it.   12. What have you (**Vds.**) done now ?

Cuento L

Fundación de la ciudad de Méjico

The Aztecs and their importance in Mexico.

Según dice la leyenda, entre las siete principales tribus indias que vivían en Méjico, los dioses escogieron a la tribu azteca para formar con ella un gran imperio.   Marcaron el sitio dónde habían de [a] construír sus ciudades y cuál había de ser su capital.   Para encontrar el sitio señalado por los dioses, tenían los aztecas que viajar en dirección al sur hasta encontrar un águila [1] sobre una planta de cacto con una serpiente en el pico.[2]

Para buscar el sitio indicado por los dioses salieron emisarios mandados por los aztecas. Éstos caminaron muchos días hasta

llegar al lago Tezcuco donde vieron bajar del cielo un águila, coger del suelo una serpiente y posarse [3] sobre una planta que crecía en medio de [b] una gran piedra en el centro del lago. Capturó al águila uno de los valientes indios de la expedición y comprendiendo que era aquél el sitio que buscaban los aztecas, se establecieron allí y fundaron la grandiosa ciudad de Tenochtitlán, hoy día [c] la ciudad de Méjico.

Tuvieron que construír diques para contener las aguas, canales para secar [4] el terreno y edificar [5] las primeras casas sobre grandes postes enterrados en el fondo [d] del lago. Los trabajos y las privaciones fueron sufridas con gusto, puesto que era orden de los dioses que su ciudad debía construírse allí. Por eso el escudo [6] de Méjico tiene desde su principio un águila sobre un cacto con una serpiente en el pico.

Progresaron mucho los aztecas y cuando llegaron los primeros españoles a Méjico, encontraron mucho allí digno de admiración. Sus edificios eran grandes y de construcción excelente. Sus platos y objetos de cocina casi todos eran de plata y oro. Sus campos muy bien cultivados producían cosechas [7] abundantes. Considerando su difícil principio,[8] los aztecas habían hecho mucho progreso.

Esto dió, naturalmente, segura base [9] para la completa civilización mejicana y su continuo progreso. De modo que cuando llegó Hernán Cortés a explorar el interesante territorio mejicano, era la tribu azteca la más importante de Méjico.

[1] *eagle.* [2] *beak.* [3] *settle, land.* [4] *to dry, drain.* [5] *to build.* [6] *coat of arms.* [7] *harvests.* [8] *beginning.* [9] *firm foundation.*

Su célebre emperador, Moctezuma, vivía en un gran palacio, adornado con gusto[1] artístico de exquisitos objetos de oro y plata. Todo era majestad y grandeza en el poderoso imperio mejicano y su emperador poseía enormes riquezas.

Muchos de los objetos de esa época se conservan hoy día en los principales museos y edificios públicos del país.

CONVERSACIÓN

1. ¿ Cuál de las tribus escogieron los dioses para formar un gran imperio ? 2. ¿ Hacia qué dirección debían viajar ? 3. ¿ Qué vieron los emisarios ? 4. ¿ Dónde fundaron la ciudad ? 5. ¿ Cuál es el escudo de Méjico ?

VOCABULARIO

el azteca Aztec (Indian)
coger to pick
contener to hold back
el emisario messenger
el emperador emperor
establecerse to establish oneself, settle

fundar to found; **la fundación** founding
la grandeza greatness, grandeur
grandioso, –a grand, large
el imperio empire
poderoso, –a powerful, mighty

la riqueza riches, treasure, wealth
señalado, –a specified, designated
la serpiente snake
el terreno ground, soil, land

What English words and meanings do you recognize from the following ?

abundante, la admiración, el cacto, capturar, la civilización, conservar, la construcción, la dirección, el dique, excelente, la expedición, explorar, indicar, marcar, la majestad, el objeto, la planta, el poste, la privación, progresar, el territorio

MODISMOS

(a) **haber de** to be to
(b) **en medio de** in the middle of
(c) **hoy día** today, at the present time, nowadays
(d) **en el fondo** at the bottom

[1] *taste.*

Repaso de gramática V

A. Pronombres demostrativos

	SINGULAR		PLURAL	
Masc.	*Fem.*	*Neutro*	*Masc.*	*Fem.*
éste	ésta	esto	éstos	éstas
ése	ésa	eso	ésos	ésas
aquél	aquélla	aquello	aquéllos	aquéllas

B. Comparación de los adjetivos

IGUALDAD: (*a*) **tan . . . como** (adjetivo o adverbio)

(*b*) **tanto, –a, –os, –as . . . como** (nombre)

COMPARATIVO: (*a*) **más (menos) . . . que** (adjetivo o adverbio)

(*b*) **mayor (menor, mejor, peor) . . . que**

SUPERLATIVO: (*a*) **el más (menos) . . . de**

(*b*) **alto = altísimo; rico = riquísimo** (absoluto)

Formas irregulares

POSITIVO:	bueno	pequeño	malo	grande
COMPARATIVO:	mejor	menor	peor	mayor
SUPERLATIVO:	el mejor	el menor	el peor	el mayor

C. Negativos

1ª FORMA	2ª FORMA
Nada veo.	No veo nada.
Nunca canto.	No canto nunca.
Tampoco voy.	No voy tampoco.
Nadie viene.	No viene nadie.
Ninguno escribirá.	No escribirá ninguno.
Nada me gusta.	No me gusta nada.

D. Objetos complementos

me	lo	me	la		me	los	me	las
te	lo	te	la		te	los	te	las
se	lo	se	la		se	los	se	las
nos	lo	nos	la		nos	los	nos	las
os	lo	os	la		os	los	os	las
se	lo	se	la		se	los	se	las

VERBO SIMPLE: **Me lo da.**

INFINITIVO: **No quiere dármelo** o **No me lo quiere dar.**

GERUNDIO: **Me lo está dando** o **Está dándomelo.**

IMPERATIVO: **Léaselo.** But: **No se lo lea.**

E. Tiempos del verbo

TIEMPOS SIMPLES	TIEMPOS COMPUESTOS

PRESENTE:
  hablo, como, vivo
	PERFECTO:
	  he hablado, comido, vivido

IMPERFECTO:
  hablaba, comía, vivía
	PLUSCUAMPERFECTO:
	  había hablado, etc.

PRETÉRITO:
  hablé, comí, viví
	PRET. PERFECTO:
	  hube hablado, etc.

FUTURO:
  hablaré, comeré, viviré
	FUT. PERFECTO:
	  habré hablado, etc.

CONDICIONAL:
  hablaría, comería, viviría
	COND. PERFECTO:
	  habría hablado, etc.

Participios pasados irregulares

abrir:	abierto	hacer:	hecho
caer:	caído	leer:	leído
cubrir:	cubierto	morir:	muerto
decir:	dicho	poner:	puesto
escribir:	escrito	traer:	traído
ver:	visto	volver:	vuelto

F. Gerundios

1A CONJUGACIÓN	2A CONJUGACIÓN
habl– = hablando	aprend– = aprendiendo
tom– = tomando	comprend– = comprendiendo
estudi– = estudiando	respond– = respondiendo

3A CONJUGACIÓN

escrib– = escribiendo
viv– = viviendo
abr– = abriendo

Gerundios irregulares

caer:	cayendo	pedir:	pidiendo
decir:	diciendo	poder:	pudiendo
dormir:	durmiendo	sentir:	sintiendo
ir:	yendo	ser:	siendo
leer:	leyendo	traer:	trayendo
morir:	muriendo	venir:	viniendo
oír	oyendo	ver:	viendo

G. Imperativo familiar

Verbos regulares

		–ar	–er	–ir
SING.	(tú)	habl a	com e	viv e
PL.	(vosotros)	habl ad	com ed	viv id

Verbos que cambian la raíz

	SINGULAR	PLURAL
contar	cuent a	cont ad
volver	vuelv e	volv ed
dormir	duerm e	dorm id
pedir	pid e	ped id
pensar	piens a	pens ad
perder	pierd e	perd ed
preferir	prefier e	prefer id
reír	rí e	re íd

Imperativo irregular con el sujeto tú

decir:	di	hacer:	haz	ir:	ve
salir:	sal	venir:	ven	ser:	sé
poner:	pon	tener:	ten	valer:	val

V. EJERCICIOS DE REPASO

(Achievement Test No. 5)

A. 1. Madrid es una —— ciudad (*great*). 2. La fiesta de —— Juan se celebra en junio (*Saint*). 3. Su amigo ha sido un —— hombre (*bad*). 4. Nuestro tío murió el —— día del mes (*third*). 5. —— hombre quiere perder dinero (*No*). 6. Un libro no es siempre un —— amigo (*good*). 7. La semana pasada leí el —— libro en español (*first*). 8. Lo veremos —— día en la capital (*some*). 9. —— Tomás es un santo popular entre los españoles (*Saint*). 10. Se veían —— hombres en aquella calle (*one hundred*).

B. 1. Yo contesté a aquella carta y no a —— (*this one*). 2. ¿Cuáles de estas novelas leía Vd., éstas o —— (*those*)? 3. Hemos visto a ese hombre, pero no a —— (*this one*). 4. No sabe si ellos enviarán aquellos libros o —— (*these*). 5. Mi amigo escribió estas palabras y no —— (*those*). 6. ¿Dónde se come bien, en este restaurante o en —— (*that*)? 7. Suba Vd. a este tranvía y no a —— (*that*).

8. ¿ Cómo diría Vd. —— en inglés (*this*) ? 9. No me hable Vd. ahora de —— (*that*). 10. ¿ De quiénes recibieron Vds. el regalo, de aquella señora o de —— (*this one*) ?

C. 1. Mi prima es . . . la de Vd. (*as diligent as*). 2. Lean Vds. . . . su padre (*as well as*). 3. He tenido . . . mi amigo (*as much ambition as*). 4. Ellas serán . . . sus amigas (*as beautiful as*). 5. Esos hombres no tuvieron . . . nosotros (*as much money as*). 6. Escribamos . . . Vds. (*as many letters as*). 7. Esta casa es . . . aquélla (*as large as*). 8. Aquel día vieron a . . . muchachos (*as many girls as*). 9. Me gustaría tener . . . Vd. (*as many brothers as*). 10. Vendíamos todos los días . . . revistas (*as many books as*).

*D.*¹ 1. Yo no quería enviar (*it to her*). 2. Presten Vds. ahora (*them to us*). 3. Ellos explicaron ayer (*them to me*). 4. Ella prometerá enviar (*it to you*). 5. Demos (*it to them*). 6. ¿ Desde cuando no quiere Vd. traer (*it to me*) ? 7. ¿ Diría Vd. ahora (*them to him*) ? 8. Ellos no han dado (*them to you*). 9. El trajo la semana pasada (*them to them*). 10. Vendíamos todos los días (*it to them*).

E. 1. No coman Vds. —— los otros (*more than*). 2. Nunca he tenido —— cinco amigos (*less than*). 3. Este traje es —— aquél (*worse than*). 4. Vd. gastó —— ella (*more money than*). 5. Mi hermano es —— yo (*older than*). 6. Esta casa será —— esa otra (*smaller than*). 7. Estas corbatas son —— aquéllas (*longer than*). 8. Esta caja sería —— ésa (*larger than*). 9. Esta novela era —— aquélla (*worse than*). 10. Había —— cien tranvías eléctricos (*more than*).

F. 1. —— amigos nos dirían eso (*No*). 2. ¿ Ha visito Vd. —— un día más bonito (*ever*) ? 3. Él no sabía —— que tenían un automóvil (*either*). 4. —— compremos —— cuellos —— camisas (*No . . . either . . . or*). 5. Hace un año que no encontramos a —— (*anybody*). 6. Él —— regresó a esa misma ciudad (*never*). 7. ¿ —— reciben Vds. —— cartas de sus amigos españoles (*Not . . . any*) ? 8. Aquel día recibimos —— revistas interesantes (*some*). 9. Yo —— dije que quería ir a ese teatro (*never*). 10. Vd. —— hará —— (*never . . . anything*).

G. 1. Yo —— a mi padre (*had-written*). 2. Apenas lo ——, cuando él salió de allí (*we-had-seen*). 3. ¿ Qué caja de dulces ——

---

¹ Put the object pronouns in the proper place with reference to the verb.

(*would-you-have-bought*)? 4. ¿En qué novela —— este episodio
(*has-he-read*)? 5. ¿Qué tranvía —— Vds. aquél día (*had . . . taken*)?
6. Cuando ellos —— el libro, lo prestaron a sus amigos (*had-finished*).
7. ¿Qué carta —— hoy (*have-they-probably-written*)? 8. Vd. nos
—— que la anécdota era buena (*have-told*). 9. ¿Qué —— sin el
general (*would-I-have-done*)? 10. ¿Qué —— los soldados aquella
mañana (*had-heard*)?

H.[1] 1. —— cuando oyó la campana (*He was sitting down*).
2. Yo —— a mi amigo, cuando su padre entró (*was listening*). 3. Vd.
—— dinero a su padre (*were asking for*). 4. ¿Qué —— Vds. ahora
(*are . . . doing*)? 5. —— esta ventana grande (*I am opening*).
6. Nosotros —— por esa calle cuando lo vimos (*were walking*).
7. Ellos —— de sus amigos (*are saying good-by*). 8. Rosa —— todas mis cartas (*is sending me*). 9. ¿Quién —— en la cama (*was sleeping*)? 10. Nosotros —— un sombrero bonito en aquella tienda (*were
buying*).

I. 1. Se sabe que esta casa es —— la calle (*the worst in*). 2. Estos
árboles son —— (*very tall*). 3. —— la ciudad ahora vive en el
campo (*The poorest man in*). 4. Se dice que esas flores eran ——
jardín (*the prettiest in the*). 5. Esta anécdota ha sido —— libro (*the
easiest in the*). 6. Este día fué —— año (*the least important in the*).
7. Los teatros serían —— la ciudad (*the best in*). 8. Él habrá comprado una canción —— (*very popular*). 9. Rosa será la hija ——
la familia (*the most intelligent in*). 10. Vieron las montañas —— país
(*the most beautiful in the*).

J. 1. —— vosotros aquel libro (*Bring us*). 2. —— Vd. de esa
ciudad española (*Speak to me*). 3. No —— Vds. a esos niños (*call*).
4. —— tú las revistas en este estante (*Count*). 5. —— al director
del teatro (*Let us write*). 6. —— tú el paquete que está sobre
la mesa (*Bring her*). 7. —— vosotros las manos antes de comer
(*Wash*). 8. —— tú el dinero que te prestamos (*Ask for*). 9. ——
vosotros si queréis (*Praise yourselves*). 10. —— a nuestros amigos
(*Let us greet*).

---

[1] Use the progressive tense.

CONVERSACIÓN XI

Los animales

1. ¿ Qué representa el grabado en la página 479 ? — Representa toda clase de . . .
2. ¿ Es el número 1, 2, 3, 4, 5, un . . . ? Sí, señor, el número 1 es . . .
3. ¿ Es el número 17 un tigre ? — No, señor, el número 17 es . . .; no es . . .
4. ¿ Qué clases de animales hay ? — Hay . . . domésticos y salvajes.
5. ¿ Cuáles son algunos animales domésticos ? — Algunos animales domésticos son . . .
6. ¿ Qué animales ve Vd. en el grabado ? — Veo . . .
7. ¿ Qué animales son grandes ? ¿ pequeños ? — Los . . . son grandes; los . . . pequeños.
8. ¿ Qué animales son peligrosos (*dangerous*) ? — Los leones, . . .
9. ¿ Qué animales son especialmente útiles al hombre ? — El caballo, . . .
10. ¿ Cuál es el más grande de los animales en el grabado ? — El más grande de los animales es . . .
11. ¿ Cuál es el más pequeño ? — El más pequeño es . . .
12. ¿ Cuáles son algunos animales de cuatro pies ? — Los animales de cuatro pies son . . .
13. ¿ Qué animales son de dos pies ? — El gallo, . . .
14. ¿ Qué clase de animal es el lobo ? ¿ el burro ? ¿ la vaca ? ¿ el tigre ? — El lobo es . . .
15. ¿ Qué animales trabajan para el hombre ? — Los caballos, . . . trabajan para el hombre.
16. ¿ Qué animales comen carne ? ¿ hierba ? — Los . . . comen carne; los . . . comen hierba.
17. ¿ Qué animales le gustan ? — Me gustan . . .
18. ¿ Tiene Vd. un animal doméstico en casa ? — Sí, señor, tengo . . .
19. ¿ Prefiere Vd. un gato o un perro ? — Prefiero . . .
20. ¿ Cómo se llama su perro o su gato ? — Mi . . .
21. ¿ Qué animales son muy populares con el hombre ? — El perro . . .
22. ¿ Ha visto Vd. un animal peligroso ? — Sí, he visto . . .

23. ¿ Dónde lo ha visto Vd. ? — Lo he visto en . . .
24. ¿ Qué saca (*gets*) el hombre de los diferentes animales ? — El hombre saca . . .
25. ¿ Dónde podemos ver muchos animales juntos ? — En . . . podemos ver . . .
26. ¿ Cuál es el rey de los animales ? — El león . . .

MORE CONQUISTADORES

GRIM CLAIMANTS TO THE NEW WORLD

While Cortés and Pizarro were the outstanding adventurers in the Spanish Conquest of the sixteenth century, many other men played minor but important roles in the *conquistador* drama of the epoch. Among them was Vasco Núñez de Balboa (1475–1517). So many things are told of Balboa, that valiant and resourceful adventurer, that one cannot deny him a high place among the *conquistadores*. Born of a noble but impoverished family, he became one of the most romantic of the Spanish adventurers. At the early age of twenty-five he established himself as a planter in the island of Santo Domingo. His failure and his creditors forced him to flee in 1510, smuggled in a barrel aboard a ship bound for Darien on the Isthmus of Panama. Once well out to sea, his servant released him and Balboa persuaded the captain to let him work out his passage in labor.

In the new colony he rose eventually to the supreme command through an insurrection. The governorship of the territory had been given to Pedrarias Dávila as a result of his intrigues at the Spanish court. Balboa was a thorn in the flesh of Pedrarias, who was a cruel and vindictive old man. Aided by friendly Indians, Balboa engaged in several expeditions, the most important of which led to the discovery of the Pacific Ocean, which he called the South Sea. In September 1513, from a mountain top in the Isthmus of Panama, he saw for the first time the new sea and took possession of it in the name of Spain. Finally he married Dávila's daughter, but this did not settle his differences with the governor. His father-in-law, unforgiving, trumped up charges against the young and ambitious soldier of fortune and had him tried, condemned, and beheaded for high treason. This execu-

XI. LOS ANIMALES

1. El perro. 2. El gato. 3. El caballo, la yegua. 4. El burro. 5. La vaca. 6. El carnero, la oveja. 7. La cabra. 8. El puerco. 9. El conejo. 10. El gallo. 11. La gallina. 12. El pavo. 13. El ganso. 14. El pato. 15. La paloma. 16. El águila (*fem.*). 17. El elefante. 18. El león. 19. El tigre. 20. El oso. 21. El lobo. 22. El ciervo. 23. La zorra. 24. El mono. 25. La rata. 26. El ratón.

DESCUBRIMIENTO DEL MAR PACÍFICO

This illustration, reproduced from an old engraving, shows Vasco Núñez de Balboa taking possession of the Pacific Ocean for Spain by right of discovery.

tion ranks as one of the greatest judicial crimes of the New World. It deprived Spain of one of her most promising captains.

If Balboa was the most colorful, Ponce de León (1460–1521) was one of the bravest of the *conquistadores*. He conquered Puerto Rico, discovered Florida, and set out in quest of the Fountain of Perpetual Youth to renew his vigor and begin all over again. In 1508 he began the conquest of Puerto Rico, of which he was made governor. In 1512, when he had conquered the whole island, however, he was deprived of his post. Broken in health, but still full of zest, this gallant old soldier heard of the existence of a magic spring in one of the western islands, whose sparkling waters would restore to the drinker the vigor of youth. He set out in search of it, but he searched long, eagerly, and in vain. He came upon endless swamps full of poisonous insects, snakes, alligators, and fierce savages. Finally, on Easter Sunday he discovered a new land which he named Florida, the land of flowers, because in Spanish Easter Sunday is "Pascua Florida." In Spanish there are two *pascuas: Pascua de las flores* or *Pascua Florida*, "Easter," so called because it occurs in the spring when flowers are in bloom, and *Pascua de Navidad*, "Christmas."

Apex Studios

PONCE DE LEÓN

After the painting by Usabal. Ponce de León is shown as a wanderer in search of the Fountain of Youth, accompanied by *Becerrillo*, a famous dog that took an active part in the Conquest of Puerto Rico.

Ponce de León was wounded by an arrow and died soon after. His remains are buried in the cathedral of San Juan, Puerto Rico.

Cabeza de Vaca (1490–1557) was a Spanish explorer, the lieutenant of Pánfilo de Narváez, the man who set out to relieve Cortés of his command and to arrest him. Narváez was lost in the Gulf of Mexico, but Cabeza de Vaca, who was with him, managed to reach the mainland. At the head of an expedition he set out to cross the continent unarmed and without supplies, in one of the most remarkable journeys on record. He made his way along the northern part of Mexico, crossing the sand belt between the Nueces and the Rio Grande, and later went on to Chihuahua. But this expedition was doomed to utter destruction. Though Vaca's medical skill, his cures by prayer, and his friendly attitude made it possible for him to visit many tribes of Indians in comparative safety, he was finally captured by them and enslaved for six years. After eight years of starvation, misery, and hardship, in 1536 he returned to civilization in Mexico with three companions. His story of the vast American southwestern plains overflowing with riches attracted attention. It was in this region that the Spaniards saw for the first time the North American buffalo or bison. In his wanderings he gathered vague information about the Pueblo Indian villages of New Mexico. Later he went back to Spain and wrote an account of his adventures which was the first book written about America. His glowing description of the northern part of Mexico influenced his countrymen to explore that region.

Apex Studios

CABEZA DE VACA

After the painting by Usabal. The picture clearly shows the effect of continued suffering during one of the most extraordinary "tramps" in all history.

Francisco Vásquez de Coronado (1510–1554), the discoverer of the Grand Canyon, was another distinguished member of the famous band of Spanish explorers of the sixteenth century. He was the first white man to visit the vast territorial expanse of the

Southwest, more specifically, Arizona, New Mexico, and Kansas. Born of a noble family, he had the advantages of a college education, which, coupled with his charming personality, made this dashing soldier the trusted leader and the idol of his men. With about 250 Spaniards he set out to explore the Seven Cities of Cibola, discovered by Fray Marcos and described by Cabeza de Vaca. These cities, according to the fabulous stories then current, contained vast riches of gold, silver, and precious stones. After two years of fruitless wandering through the vast red plains of the Southwest, Coronado returned to Mexico a sadder and a wiser man. He had failed to find the fabulous cities. His failure was due to the fact that he was a city-bred man and not a frontiersman. However, as an explorer he stands second to none, for his travels carried him over more territory than any other explorer had traversed. The importance of his expedition lies in the fact that it gave the Spaniards their first real knowledge of and claim to the Southwest.

Hernando de Soto (1496–1542), unlike many of his companions, was a seasoned soldier, for he had served in Peru as a lieutenant in Pizarro's army. He had become wealthy to the point of lending money to Charles V, who conferred on him the governorship of Cuba and commissioned him to explore and conquer at his own expense the ill-defined territory comprising Florida. De Soto took the example of Pizarro and Cortés as a goal in his search for a new Peru, hoping to reap a rich reward in gold and vast wealth. In 1538 he set out with a company of 600 men in nine ships. He anchored first at Tampa Bay. Then he went as far north as the Carolinas, turned southward to Florida, and finally moved westward. Throughout his trip he encountered hostile Indians who were a constant menace to his men. He was forced to subdue them, for many times they led him astray into tractless forests in which many of his men perished. As they went deeper into the tropical forests, instead of gold they found swamps. The weather was hot, sultry, and moist. Their bodies were at the mercy of insects, poisonous snakes, and the deadly aim of the Indian arrows. Their coats of mail weighed them down so that they sank deep into the bogs. Their days and nights were spent in weariness and torture, but they marched on and on. This period of constant disappointment began to make itself felt in the men

Hernando de Soto descubre el Misisipí

After the romantic picture by Powell. Although De Soto is shown here in fine clothes, when he and his men reached the Mississippi they were a sorry-looking troupe.

and in De Soto himself.   The farther the Spaniards went the more
bitterly the Indians fought.   Worn out and discouraged, in the
spring of 1541 he reached the Mississippi River.   As he wandered
up and down its banks, he fell sick with malarial fever from which
he died shortly after.   In order that his body might not be pro-
faned by the Indians, it was enclosed in the hollow of a tree and
buried in the Mississippi.   After incredible hardships the few men
that were left of De Soto's band reached the Spanish settlements
on the Gulf of Mexico.

While these men limited their action to the section north of
the Isthmus of Panama, Jiménez de Quesada (1498–1579) set
himself the task of exploring the land of the Chibchas or what
is today the republic of Colombia.   He started on a long and
dangerous trip overland with 800 followers and 100 horses, to the
upper Magdalena Valley in Colombia.   Plagued by hunger, insects, and disease, three quarters of his men perished, but he
continued up the valley of the tropical river.   He scaled incredible
mountain passes and at last contemplated the green plains which
reminded him of his native Granada.   There he founded the city
of Bogotá in 1538 and began the conquest of the Chibchas who
had reached a high grade of civilization only slightly inferior to
that of the Aztecs and the Incas.   Internal dissension among the
Chibchas made it possible for Quesada to subdue them and thus
he secured vast quantities of gold, silver, emeralds, and other
precious stones and fine textiles.

While Quesada was exploring the northern section of the continent, Pedro de Valdivia (1500–1554) directed his band of adventurers to the south of Peru.   Like Pizarro, he was a persevering
native of Estremadura.   After the attempted conquest of Chile
by Almagro, Francisco Pizarro sent Valdivia with a force of 200
Spaniards and a large number of Peruvians to conquer and colonize
the territory of Chile.   The turbulent nature of his soldiers and
the stiff opposition from the Indians of this new country made
the conquest a thankless job.   However, Valdivia pushed his way
into the country and in 1541 he founded the city of Santiago,
the garden spot of Chile.   While the Spaniards always felt equal
to the tasks imposed by nature and the natives, in Chile they
met a tribe of Indians, the Araucanians, who were the most formidable foes they had thus far encountered in the New World.

At close quarters they wielded their spears and clubs with deadly effect. When the Spaniards were discouraged and on the point of leaving the country, the discovery of gold mines in the vicinity convinced them that their stay would reap them rich rewards.

Apex Studios

PEDRO DE VALDIVIA

After the painting by Usabal. Valdivia is shown fighting his last battle against the Araucanians.

After some years, this worthy son of Spain, the equal of Cortés or Pizarro, met his end at the head of a heroic little band of 200 Spaniards and a few friendly Indians facing an army of 10,000 natives who were led by the valiant Indian youth Lautaro. The battle was as memorable as it was dramatic. In Valdivia's company not a single man was left alive. As a warning to other Spaniards who might be ambitious enough to continue the conquest of this section, the Indians captured Valdivia and cruelly put him to death by pouring molten gold down his throat.

This account of the Spanish conquest gives a more truthful picture than the usual one in which the character of the *conquistadores* is belittled and vilified by charges of cruelty toward the Indians. While it is undeniable that they were cruel to the natives, this was not the rule. It was only because of persistent acts of treachery on the part of the Indians that the Spaniards were forced on occasions to use repressive methods which they deemed effective. True history records less cruelty practised by the Spaniards than by some of the early settlers in the North. The missionaries who accompanied the *conquistadores* saw to it that the Indians were treated fairly and humanely. When occasion warranted, the Indians had their champions, of whom the most outstanding was Fray Bartolomé de las Casas. It is a matter of record that a Christian spirit per-

vaded the whole campaign, for just and humane laws were en-
acted to protect the aboriginal populations and to bring them
into the Christian fold.

While about a dozen of the *conquistadores* are known to history, there were at least another hundred worthy of merit. These
stalwart men wrought deeds as great as those of the well-known
conquistadores. By an ill stroke of fortune they have never had
the chance to come to the front of the stage and take the bow
they so justly deserve. Perhaps when history is written in the
future with greater justice, some of them will be given their due
reward and their names will be rescued from the complete oblivion
into which an unkind fate has plunged them.

HASTA LUEGO

Un poco de todo

¿ Qué sabe Vd. de esto?

To the Teacher: — Many of these topics lend themselves to further investigation, map making, gathering of useful statistics, reading of special assignments, etc. Let the student report on as many of these "projects" as time will permit.

1. El español es el idioma oficial de diez y ocho naciones independientes del continente americano, y se habla también en Puerto Rico y en las Filipinas.

2. Los países de habla española ocupan un territorio más grande que toda Europa, incluso Rusia.

3. Las naciones de habla española tienen una población de más de cien millones de habitantes.

4. El orden de importancia de los países hispanoamericanos, en cuanto a extensión territorial, es: la Argentina, Méjico, Bolivia, Colombia, el Perú, Venezuela y Chile. El Uruguay es la más pequeña de las repúblicas sudamericanas.

5. En cuanto a población el orden es el siguiente: Méjico, la Argentina, Colombia, el Perú, Chile, Venezuela, Cuba y Bolivia.

6. La Argentina es más grande que toda la Europa occidental. Méjico es mayor que Alemania, Francia, España e Italia reunidas.

7. La Argentina, con su población cosmopolita, se parece más a los Estados Unidos que cualquier otro país sudamericano.

8. Buenos Aires, la ciudad más grande de Sud América, ocupa más terreno que las ciudades de París, Berlin, o Viena.

9. El Amazonas es el río más grande del mundo. La montaña más alta de América es el Aconcagua en Chile.

10. La cascada del Iguazú, entre la Argentina, el Brasil y el Paraguay, es más alta y más ancha que la del Niágara.

11. Los únicos países hispanoamericanos que no tienen costas son Bolivia y el Paraguay.

12. El país más minero de la América del Sur es Chile. La mayor parte del salitre o nitrato del mundo se produce también en Chile.

13. Colombia, a excepción de Rusia, produce la mayor cantidad de platino. Las minas de esmeraldas de Colombia son las mayores del mundo.

14. El principal productor de azúcar y de tabaco es Cuba. Los dos productos famosos del Paraguay son la yerba mate y el quebracho. Costa Rica ocupa el primer lugar en la producción de plátanos.

15. Los sombreros de paja fabricados en el Ecuador tienen el nombre de sombreros de Panamá.

16. La Universidad de San Marcos, en el Perú, fué fundada por el emperador Carlos V en 1551, y es la universidad más antigua del Nuevo Mundo.

17. In 1540 fué instalada en la ciudad de Méjico la primera prensa tipográfica del Nuevo Mundo. A fines del mismo siglo se instaló otra en Lima, Perú.

18. El emperador Carlos V intentó construír un canal a través del istmo de Panamá en el año 1534.

19. El primer ferrocarril fué construído en Cuba en 1837, solamente siete años después de la construcción del primer ferrocarril en los Estados Unidos.

EL CRISTO DE LOS ANDES

The Christ of the Andes is a gigantic bronze statue of Christ erected in 1904 on the boundary line between Argentina and Chile to commemorate the peaceful settlement of a war which might have taken many thousands of lives. A number of cannons were contributed by both countries to cast this symbol of everlasting peace between two friendly nations. Rising amidst the rugged grandeur of the Andes, it has become a constant entreaty for peace among men, more persuasive than any written pact.

TEMAS ESCRITOS

I

1. Philip speaks English. 2. Does Philip speak Spanish? 3. Yes, sir, Philip speaks Spanish. 4. What do you speak? 5. We speak English and Spanish. 6. You speak Spanish. 7. Anna and Philip speak English and Spanish. 8. Anna asks: "Do you speak English?" 9. What do you answer? 10. I answer: "Yes, I speak English." 11. Do they speak Spanish? 12. Yes, sir; they speak Spanish. 13. Anna and Philip, do you speak Spanish? 14. Yes, sir, we speak Spanish.

II

1. Are you studying a grammar? 2. What does the teacher ask? 3. He asks: "Is it a notebook or a pen?" 4. Thomas, what do you answer? 5. I answer: "It is a pen." 6. What do you wish, Albert and Anna? 7. We need a pencil. 8. What do they wish? 9. They wish to speak Spanish. 10. Philip and Thomas, do you need a grammar? 11. Yes, sir, we need a grammar. 12. They wish to study a language. 13. They study in order to speak Spanish.

III

1. I ask: "Is this the chair?" 2. Philip answers: "No, it is the table." 3. Do you want the pencil? 4. No, sir, I do not want any pencil. 5. I need the book. 6. You are taking the book. 7. I do not take the pen. 8. I do not need any pen. 9. He needs the notebook and the pencil. 10. The teacher takes the book. 11. He does not take the notebook. 12. We do not study the lesson in class.

IV

1. Are you learning English? 2. No, sir, I am learning Spanish. 3. What are they doing? 4. They always know the lesson. 5. They are also learning English. 6. Anna and Philip, what do you study?

7. We study Spanish; we do not study English. 8. When you do not study, do you understand the lesson? 9. We understand the lesson when we read and study at home. 10. They do not understand the lesson because they do not listen in class. 11. I always pay attention in class.

V

1. Today we are learning an easy lesson. 2. We are not learning a difficult lesson. 3. The teacher takes a green book. 4. He asks: "Do I take a red book or a green book?" 5. Isabel answers: "You take a green book." 6. Isabel is an American pupil. 7. Clara is a Spanish pupil. 8. In the class we study Spanish grammar. 9. In another class we study English grammar. 10. Spanish grammar is easy if we study. 11. English grammar is not difficult for a diligent pupil.

VI

1. The teacher takes the boy's grammar. 2. "Whose book do I take?" he asks. 3. I answer: "You take Philip's book." 4. Do you read Clara's book? 5. No, I read Philip's book. 6. Then I take a girl's pen. 7. "Whose pen do I take?" I ask. 8. You take Isabel's pen. 9. You don't take the boy's pen. 10. We study the lesson of the day. 11. Philip and Anna speak of (**de**) the day's exercise. 12. Today's lesson is easy; it is not difficult.

VII

1. I open the book. 2. Philip writes a sentence on the blackboard. 3. The other pupil writes the sentence on paper. 4. The teacher explains the sentence in English. 5. Louis and Anna, what are you writing? 6. We are writing the rule. 7. What are you writing, Thomas? 8. I am writing the exercise in the notebook. 9. I open the notebook and write the exercise. 10. Philip, when are you leaving for Spain? 11. I am leaving today. 12. I am bringing a book to (the) class.

VIII

1. Whom are you helping? 2. I am helping Thomas. 3. Thomas and Anna do not understand the teacher. 4. Do Louis and Clara ask the teacher? 5. No, sir, Louis and Clara do not ask him, because

they understand the rule. 6. The teacher speaks to Philip. 7. He does not speak to Martha. 8. We listen to the teacher in order to learn. 9. We ask the teacher: "Whom do you teach?" 10. He answers: "I teach Isabel and Philip." 11. I teach the boy and the girl; I teach him and her. 12. I teach the lesson of the day and teach it well.

IX

1. We write the difficult rules. 2. We write them in the note-books. 3. What rules are you studying? 4. We are studying the rules in the books. 5. In order to write the rules, what do you need? 6. We need pencils and pens. 7. We also need notebooks and books. 8. There are two large maps in the class. 9. There are also large doors and windows. 10. The teachers explain the exercises. 11. We write them in the notebooks. 12. The lessons are not difficult if we study at home.

X

1. The teacher is explaining a grammar lesson to the class. 2. What does he say to the class? 3. He wants to speak Spanish to the class, but some pupils do not understand him. 4. The pupils hear the words in Spanish but they cannot understand them. 5. The teacher goes to the blackboard and writes the rule there. 6. He wants to explain the lesson to the class. 7. Some boys ask questions. 8. The teacher answers immediately. 9. Now the teacher goes to the blackboard and writes the rule. 10. He will write the rule for tomorrow. 11. Why don't you come to the Spanish class in order to hear Spanish? 12. The lesson is always easy.

PRIMER TEMA DE REPASO

Achievement Test No. 1

1. Do you speak Spanish? 2. Yes, sir, we speak Spanish. 3. The teacher explains the lesson to the class. 4. We study Spanish in the class and at home. 5. What language are you studying? 6. We are studying Spanish; we do not study English. 7. In what language do you answer him? 8. We must reply in Spanish in order to learn Spanish. 9. Louis, do you need a pen? 10. No, sir, I need a pencil. 11. I wish to write a rule. 12. I wish to write a word in Spanish.

13. I write it on paper with a pen. 14. I do not write it on the board with chalk. 15. The teacher asks: "Is Louise a studious pupil?" 16. I answer him: "No, sir, she is not diligent." 17. She is not studying the lesson. 18. She is lazy and does not learn it well. 19. Albert, do you study the lesson and the exercises? 20. Yes, sir, I study them at home.

21. "Whose book is this?" the teacher asks Thomas. 22. "Is it the boy's or the girl's?" 23. I reply to the teacher: "It is Philip's; it is not Mary's." 24. Philip opens it and reads the rule. 25. Of what does the teacher speak? 26. She speaks of the day's lesson. 27. She reads from (en) the red book. 28. She reads a sentence from the lesson. 29. Does she explain the rules to the pupils? 30. She does explain them to the class.

31. The rules and exercises are difficult for (the) lazy pupils. 32. They are not difficult for diligent pupils. 33. When the pupils study at home, they know the lesson. 34. The teacher wants to help the boy and girl pupils. 35. We understand the rules because we understand the teacher. 36. We always pay attention to the teacher. 37. What do you do when you do not understand him? 38. When we do not understand the rules, we ask him. 39. Why does the teacher open the book? 40. He opens it to teach the lesson to the pupils.

41. Emilia, a pupil of the class, is Spanish. 42. The girl's father and mother are Spanish. 43. Thomas, another pupil, is English. 44. The boy's mother and father are English. 45. Isabel and Thomas live in New York. 46. They are not lazy pupils. 47. They study well, because they wish to travel (viajar) in Spain. 48. The teacher speaks to them, explains to them, asks them, and replies to them. 49. Boys and girls, don't you want to leave for Spain and live there? 50. For Isabel and Thomas the answer is not very difficult.

XI

1. My friend lives in Spain, but he is a Cuban. 2. Are you a Spaniard? 3. No, sir, I am an American. 4. Philip, my cousin, is English. 5. Charles, what do you wish to be? 6. I wish to be a doctor. 7. Albert and Thomas wish to be lawyers. 8. Are you brothers, Albert and Thomas? 9. No, sir, we are cousins. 10. What is your family name, Rose? 11. My surname is Gómez. 12. My

father is a Spaniard and my mother is English.   13. My brother and I are Americans.

XII

1. This garden is my father's; he is a doctor.   2. I do not grow these violets.   3. I grow those roses and carnations (near you). 4. We are taking these cherries and violets.   5. You are growing these pear trees.   6. Those carnations and roses (over there) are pretty.   7. Those tall trees there (near you) are apple trees.   8. That flower (over there) is beautiful.   9. That cherry tree (over there) bears many cherries.   10. He is reading under that tree.

XIII

1. My family lived in this house last year.   2. We lived on Prince Street.   3. One day my friend Charles visited me.   4. I waited at the station.   5. He greeted me.   6. We left for my house.   7. Charles lived in my house several days.   8. My room is large and light. 9. There are several large windows.   10. My friend saw the furniture in my room.   11. Several pieces of furniture are pretty.   12. He wrote many letters to his family and friends.

XIV

1. This year we live in a pretty house.   2. Last year we lived in a large apartment with (**de**) eight rooms.   3. How many rooms are there in your apartment?   4. There are four rooms in my apartment because my family is small.   5. Last year our apartment was large because my brother, his wife, and children lived with our family. 6. Last month my brother left for Spain.   7. In the other house we received our friends in the parlor.   8. We ate in the dining room. 9. My brothers and I worked in the study.   10. My sister played the piano in her room.

XV

1. Is your mother at home, John?   2. Yes, sir, my mother is in the dining room.   3. Our dining room is large and light.   4. The servant is in the kitchen.   5. I am in the dining room to help my mother.   6. Who cooked the meal today, my mother or the servant? 7. Our family is in the dining room.   8. Why are we there?   9. We

are there to eat, drink, and speak of many things. 10. On the table there are spoons, forks, knives, and napkins. 11. The meal is always good when my mother cooks. 12. When the servant cooks we do not eat much.

XVI

1. Last week Robert visited his friend. 2. The two boys went up to Mr. Molina's library. 3. They were in the library one or two hours. 4. In Mr. Molina's library there are many Spanish books. 5. Paul put several books on the desk. 6. The boys could not read many books there because they do not know Spanish. 7. They took several magazines from the shelf. 8. They saw many pretty pictures (**el grabado**) in the magazines. 9. Mr. Molina received these magazines from Spain last year. 10. When Robert returned home he spoke of Mr. Molina's library to his father.

XVII

1. Rose, are your brothers absent today? 2. No, sir, they are present. 3. I am present because I am not ill. 4. Are you tired, Rose? 5. Yes, sir, I am tired and sad. 6. My mother is seated near my bed. 7. All those windows are open. 8. These windows are closed. 9. Where is the doctor? 10. The doctor is also seated near the bed. 11. My mother and father are sad because I am ill. 12. When I am not well I do not attend classes.

XVIII

1. My brothers and sisters are in the children's room. 2. What magazine does she read? 3. She is reading hers. 4. I take and open mine. 5. These novels are not Philip's. 6. Those novels are my father's. 7. Those books (over there) are ours. 8. Whose newspapers are you reading? 9. We are reading Robert's. 10. I am reading his and he is reading mine. 11. They are reading theirs. 12. Mine, yours, theirs, and his are very interesting.

XIX

1. Our mother and father are well. 2. Our father's friend is good. 3. He is a famous doctor; he is always well. 4. He visits our family when we are sick. 5. We are good friends. 6. He is a Spaniard and

lives in the United States. 7. My friend Rose is a pretty girl. 8. She is not well; she does not attend classes. 9. There is my mother; she is always pale. 10. I am pale today because I am not well. 11. When I am well I am not pale.

XX

1. What did you do last night? 2. I wanted to go to the movies, but I could not. 3. When my grandfather heard that I was in my room, he called me. 4. I went to his room and spoke to him. 5. I asked him: "Why don't you work?" 6. He gave me the explanation. 7. He does not work because he is old. 8. As a young man he studied and learned many useful things. 9. As a man he worked, and worked a great deal. 10. As an old man it is necessary to rest. 11. In general, old men rest, read the newspapers, and smoke.

SEGUNDO TEMA DE REPASO

Achievement Test No. 2

1. Perico's grandfather, Mr. Molina, is a Spaniard. 2. The sons and daughters are Americans. 3. Perico is American and lives in New York with his grandfather. 4. He wishes to be a famous lawyer. 5. His brothers wish to be doctors. 6. Perico and I are cousins. 7. I grow these flowers for my mother. 8. Perico grows those roses. 9. That cherry tree does not bear much fruit. 10. These pear trees are small; they are not large.

11. Thomas, what kind (**clase**) of room have you? 12. Is your room large or small? 13. My room is large and light. 14. In my room there are many pretty pieces of furniture. 15. Last year my friend Charles visited me. 16. He spent two or three weeks in my house. 17. We live in a large apartment. 18. Last year we did not live here. 19. What did Charles do in Philip's room? 20. He wrote letters to his friends in Boston.

21. This is my brother's house. 22. Where is your house? 23. My house is on Bolívar Street. 24. Our family is at home now. 25. Albert is in the library. 26. My father is here in his study. 27. My mother and the servant are there in the dining room. 28. My grandfather and I are in the parlor. 29. I am near the table. 30. He is in front of the bookshelf.

31. Are these novels interesting? 32. Those books are not interesting. 33. I don't understand that (**eso**). 34. We went up to my father's room. 35. My father is reading several magazines. 36. Last year he was sick and could not work. 37. What did he do? 38. Did the doctor go to see him? 39. What did the doctor say to him? 40. His friends visited him and brought him several magazines.

41. Last night my father was not at home. 42. I spent the evening with my grandfather. 43. What did we do? 44. We spoke of several things. 45. He is sad because he wants to work, but he cannot. 46. My grandfather is not sick, but he is old. 47. I studied my lessons and read the newspapers. 48. My grandfather smoked his pipe. 49. My sister did not want to study her lessons because she played the piano. 50. My mother went to the movies.

XXI

1. I have a Spanish friend; he lives in my cousin's house. 2. My friend has black hair; his sister has blond hair. 3. He has a father and a mother; they teach them many things. 4. One day his father asked him: "John, how many eyes have you?" 5. John answered him: "I have two eyes." 6. We have eyes in order to see. 7. The human body has a head, a trunk, arms, and legs. 8. We have hands in order to work.

XXII

1. Thomas, where are your books? Have you them here? 2. Open your book and read the lesson on (**acerca de**) the five senses. 3. Let us learn some useful things. 4. Now take your notebooks and pens. 5. Write these two sentences in your notebooks. 6. Now answer (**a**) these questions. 7. Speak Spanish; do not speak English. 8. Let us always answer the teacher in Spanish. 9. Now pass to that window. 10. Open this window; open it now. 11. Let us always breathe pure air.

XXIII

1. Today we have done many things. 2. My father has spent the whole day at home. 3. He has written to several friends in Madrid. 4. He has also received some magazines from Spain. 5. My mother and I have visited the stores. 6. Our friends have bought several dresses at (*in the shop*) Herrera's. 7. In another store they

have bought a pretty coat. 8. We have been at home the whole afternoon. 9. We have cut two skirts and two blouses. 10. My mother has sewed a skirt and a blouse. 11. A friend of the family has visited my mother. 12. We have done many useful things to-day.

XXIV

1. Who lived with you in that small apartment? 2. My mother and father lived with me. 3. I am now in my room with them. 4. Isabel is seated near my bed. 5. My father and the doctor are near us. 6. The doctor always buys something for us. 7. He is the friend of the family and is kind to me. 8. My sister is reading a Spanish magazine. 9. The stories in it are always interesting. 10. Open the book and read a story with me.

XXV

1. My father and I shall leave for Spain next week. 2. We shall need many things. 3. Tomorrow we shall pack these trunks. 4. Our maid will open the trunks and help my father. 5. She will put into the trunks coats, vests, trousers, shirts, neckties, collars, and shoes. 6. Next month we shall be in Spain. 7. We shall live in one of the large cities of Spain. 8. I shall learn the Spanish language. 9. The Spaniards will not understand if I speak English to them. 10. We shall always speak Spanish.

XXVI

1. Men wear cotton or woolen clothing. 2. What do women wear? 3. Women wear light skirts and pretty blouses. 4. In summer people wear light clothing. 5. Men, women, and girls wear hats. 6. In the summer men wear straw hats. 7. Women usually buy many pretty hats. 8. Boys generally wear caps; some boys wear hats. 9. Boys always have many pockets in their suits.

XXVII

1. Of what were you speaking at home yesterday? 2. We spoke of several things. 3. We were also speaking about (de) the four ages of man. 4. Charles was saying that he liked his grandfather be-

cause he used to tell him many interesting stories. 5. While he spoke we listened. 6. When he lived in France, he used to speak French. 7. He had many friends in France and used to visit them often. 8. His conversation was always interesting and instructive. 9. His grandfather's friends spoke several languages. 10. They used to travel in many countries. 11. He used to receive packages and letters from his friends in Spain.

XXVIII

1. Thomas has told us that he is very strong. 2. We have asked him why he is strong. 3. He has read a book of exercises and practises them; he likes the exercises. 4. He has promised to teach us the exercises he practises. 5. His companions like to practise them with him. 6. They must not speak to him when he exercises. 7. Some of his friends like to watch him. 8. They wish to learn and practise them at home. 9. He explains to them that they must exercise in the open. 10. All the boys admire him and imitate him.

XXIX

1. My name is John Pérez and my brother's name is Philip Pérez. 2. We generally get up at six o'clock. 3. My two sisters get up late because they are lazy. 4. They do not take breakfast with us. 5. We must get up early in order to study. 6. We wash with soap and cold water. 7. My brother Robert does not always wish to wash his neck. 8. We dry ourselves with cotton towels. 9. We wash our teeth. 10. Afterwards we comb our hair and eat breakfast.

XXX

1. The lesson was going to be interesting that day. 2. The lesson was on the five senses. 3. All the pupils were attentive. 4. The teacher wanted to know if the pupils understood the lesson. 5. He used to pronounce certain sentences and used to take one word away. 6. He saw that the pupils wanted to answer. 7. The teacher was saying that the sphinx had a mouth but could not speak. 8. They liked the story a great deal. 9. They used to read it to their friends. 10. This story was popular among the students.

TERCER TEMA DE REPASO

Achievement Test No. 3

1. For today we have read an anecdote of the sphinx.   2. The teacher read the anecdote to the class.   3. All the pupils were attentive.   4. The teacher asked the boys and they answered him.   5. All the pupils answered (a) the teacher in Spanish.   6. They always answered him well.   7. The teacher always told us interesting things. 8. His name was . . .   9. The teacher talked to the class about the sphinx.   10. Let us read the story of the sphinx.

11. They are all attentive.   12. Don't talk now.   13. Write the anecdote on paper.   14. Read the anecdote.   15. Boys, pay attention. 16. The sphinx has two eyes and two ears.   17. It has the head of a woman and the body of a lion.   18. Can the sphinx talk ?   19. The picture of the sphinx is before you.   20. Let us see the picture of the sphinx.

21. The pupils are near the picture.   22. They are speaking of it. 23. It has eyes but it cannot see.   24. It has two ears and it cannot hear.   25. Robert wishes to be the sphinx.   26. The teacher asks him why he wants to be the sphinx.   27. He answers him.   28. He wants to be the sphinx in order not to wash his face and hands. 29. The sphinx does not get up early.   30. The sphinx does not work and does not attend school.

31. It does not comb its hair.   32. We have read the story of the sphinx in that book.   33. The teacher has explained the story to the boys.   34. They were attentive and have understood it.   35. We have written it on paper.   36. We have learned the difficult words. 37. After school the boys return home.   38. They will spend a few hours in the park.   39. Many pupils will be in the park.   40. They will run and jump with their friends.

41. At six o'clock they will return home.   42.   They will eat with their parents.   43. Some boys will help at home.   44. They will speak of the anecdote that (que) the teacher has read to them. 45. Boys must get up early in order to attend classes.   46. Girls must also study and work.   47. Boys and girls read magazines at home.   48. Some boys did not know what to read.   49. The teacher gave them some books in Spanish.   50. They read the books and liked them.

XXXI

1. Who is playing lawyer? 2. Rose and Albert begin to play. 3. Albert closes the door. 4. A few minutes later Rose knocks at the door and her brother says: "Come in." 5. Her brother shows her a chair. 6. She sits down and explains the affair (**el asunto**) to him. 7. She does not remember where she put the box of candy. 8. The lawyer does not understand the words of his sister. 9. She remembers that she had a box of candy. 10. Now she cannot find it. 11. Her brother says that the box will be in her room on the table.

XXXII

1. Rose and Louis wanted to play grocery store. 2. Rose dressed in her mother's clothing. 3. Her brother says to her: "Ask for something, please." 4. She asks for coffee to serve to her friends. 5. She prefers to buy coffee in this store because it is good and cheap. 6. She also asks for vinegar, flour, eggs, and sugar. 7. She prefers to buy for cash but has no money. 8. Louis is sorry not to be able to sell on credit. 9. After a few minutes Rose took leave of her brother to go home. 10. There she asked her father for money.

XXXIII

1. Many things are sold on Fifth Avenue. 2. Hats, suits, and shoes can be bought in many stores. 3. In this store are sold shirts, collars, and neckties. 4. Candy is sold in that store. 5. That other store will be opened tomorrow. 6. Books, magazines, and newspapers will be sold there. 7. Several things are sold in all stores. 8. Stores are opened at nine o'clock. 9. Clerks are always seen in the stores. 10. Several boys are needed in that store to carry packages to the customers. 11. Many signs are seen in stores. 12. One often sees the sign: "Spanish is spoken here."

XXXIV

1. Lola thought that she would buy a dog. 2. I wonder if she had the money to buy a dog. 3. Her aunt wrote that she would buy a large dog for Lola. 4. The dog was probably two months old. 5. Lola would like to know the name of the dog. 6. Lola promised her aunt

that she would not beat him.   7. She told her aunt that she would
be happy with the dog.   8. She promised that she would be his friend.
9. She said that she would give the dog a biscuit every day.   10. She
told her mother that the cat and dog would be friends.   11. Her
mother said that it would be difficult.

XXXV

1. Mr. Alonso has been living in Buenos Aires for a year.   2. He
visited several schools in that city.   3. This year he will visit many
schools if he can.   4. If he has time he will visit one school every week.
5. Today he has gotten up early to go there.   6. He has been wanting
to visit this school for a month.   7. If he arrives early he will see
the pupils in the playground.   8. The principal of the school is his
friend.   9. If he prefers, the principal will take him to the different
classes.   10. After several hours Mr. Alonso left the school and
returned home.

XXXVI

1. How old is John?   2. He is seventeen years old.   3. When did
he arrive?   4. He arrived the first of June and will stay here fifteen
or twenty days.   5. One day he passed through Twenty-third Street.
6. In that street he saw fifteen or twenty stores.   7. He likes candy
and when he saw a candy store he bought a box of candy for twenty
pesetas.   8. He went home.   9. What did he do at home?   10. He
read thirty or forty pages of a novel.   11. He left June fifteenth.

XXXVII

1. Where did you live in Madrid?   2. I lived on the street of
Philip IV, number 502.   3. As you know, Madrid is the capital of
Spain and has over (**más de**) a million inhabitants.   4. Many holidays are celebrated, but May 2 and October 12 are very important.
5. There are schools with 500, 700, 900, and some with 1000 pupils.
6. In some schools there are from 100 to 150 teachers.   7. "El Retiro"
is a large park where there are seen from 1500 to 2000 children.   8. The
Prado Museum, constructed in 1785, is one of the important museums
in the world.   9. There are from 2000 to 2500 pictures in that interesting museum.   10. I shall leave for America November 11,
1940.

XXXVIII

1. Mr. Molina was a poor man. 2. He did not work well and ate very little. 3. He was pale and sad. 4. A certain day he went to see a young doctor. 5. The doctor had a reliable cure for his sickness. 6. The doctor himself practised the cure. 7. The reliable cure was that Mr. Molina had to take long walks in the open. 8. The poor patient thought that it was not a good cure. 9. At last he told the doctor that he was a letter carrier and he walked through (**por**) the long and short streets of the city every day. 10. This was an interesting case for the doctor.

XXXIX

1. My father was talking to me when my mother entered the room. 2. He was speaking to us of a city in South America. 3. He lived and worked there many years. 4. While he was there he learned many interesting things about that city. 5. He was a clerk in a store three months while he was there. 6. He wanted to help me because I had to write a composition. 7. We used to listen while he spoke about South America. 8. While my father was there he visited my uncle. 9. He often used to go to the theater or to the movies.

XL

1. Mr. Gómez lived on Prince Street in Boston. 2. He liked friends. 3. He sent me his address. 4. I wanted to visit him but I could not remember his address. 5. I asked the policeman on the street. 6. He was not very intelligent and could not explain to me where Mr. Gómez lived. 7. He could not give me the information. 8. I repeated to the policeman that Mr. Gómez was stout and that he had a black beard. 9. The policeman thought he was a doctor. 10. I told him that he was a lawyer.

CUARTO TEMA DE REPASO

Achievement Test No. 4

1. A brother and sister are playing lawyer. 2. Albert shows his sister a chair and she sits down. 3. She remembers that a person

stole a box of candy. 4. She does not understand why the candy was stolen. 5. She does not find the thief. 6. Rose and Louis are not playing lawyer. 7. They are playing store. 8. Rose asks for many things. 9. She prefers to buy coffee in this store. 10. When she has money she prefers to buy for cash.

11. One day we were walking through Fifth Avenue. 12. We used to buy many things on that avenue. 13. Many things were sold there. 14. One could buy books, newspapers, magazines, and candy in one of the stores. 15. They spoke English and Spanish in that store. 16. Lola probably bought a dog. 17. I wonder what his name is. 18. I should like to have a dog too because I used to have one. 19. Would you beat a dog? 20. I answered that I would not beat a poor animal.

21. My uncle has been living in Buenos Aires for three years. 22. If he leaves Argentina he will go to the United States. 23. If he likes that country he will remain there. 24. He is interested in schools. 25. He has been a teacher of Spanish for ten years. 26. John lives in the first house on (de) this street. 27. There are many books in his house. 28. John has almost one hundred books in his room. 29. On the first shelf there are twenty or thirty magazines. 30. On the second shelf there are forty-five Spanish books and several others.

31. In 1934 I attended a school in Madrid. 32. In the school there were five hundred pupils. 33. The school was near the monument called "May Second." 34. It was May 2, 1808, when the War of Independence began. 35. I often used to go to the Prado Museum to see the pictures. 36. There are some (unos) 1500 pictures there. 37. Did you know that Mr. Molina was a poor man? 38. He was sick and went to the doctor. 39. The doctor wanted to help him but his cure was not good. 40. He gave the same cure to everybody.

41. I want to visit Mr. Gómez. 42. Mr. Gómez is a Spaniard. 43. He has blue eyes and a black beard. 44. He is a lawyer and his brother is a doctor. 45. I leave for his house at eight o'clock. 46. I do not know my friend's address. 47. I wanted to ask a policeman but he did not know his address. 48. I know that Mr. Gómez lives on Prince Street. 49. He has been living there for two months. 50. He used to live on another street, but I do not know where he lives now.

XLI

1. Philip, Clara, and Paul live in a large city. 2. Philip is a good boy and Clara is a good girl. 3. Philip's brother Paul is little and does not know the first day of the week. 4. Everybody knows that Sunday is the first day of the week and that the third day is Tuesday. 5. One day his brother asked him if he knew which was the third month of the year. 6. His brother told him that the first month was January and that the third month was March. 7. No boy wants to attend school (on) the first day of the year. 8. Philip's family lives in a large house. 9. It is the third house on Bolívar Street. 10. Bolívar was a great man but he was not a large man.

XLII

1. These boys and those attended Rose's party. 2. The date of the party was seen in this paper and that. 3. Emilia sang this song and not that. 4. Everybody ate a great deal. 5. Rose received many presents: this from Carmen, that from Lola, and those from the boys. 6. Among the gifts were many interesting books. 7. Rose likes to read good books. 8. Those are Spanish novels and these are English. 9. Rose liked these but she did not like the others. 10. After the party we walked home through this street and not that.

XLIII

1. My grandfather used to buy me as many storybooks as my father. 2. He used to read us the stories as well as our father. 3. He used to tell us as many stories as my mother. 4. The story of that night was not so long as the others. 5. The children were listening to him with the same attention as ever (**siempre**). 6. There were as many boys in the room as girls. 7. The boys were as tired as the girls but they wanted to hear the story. 8. The story was as interesting as it was short. 9. I heard as many stories as my brother from my grandfather. 10. I also read as many poems as my sister.

XLIV

1. I spent my vacation in a Boy Scout camp; there were one hundred boys. 2. We used to spend several hours in the open. 3. We used to do exercises that a scout explained to us every morning.

4. One day I took a long walk with my friend John. 5. He had a good book; I wanted it and said to him: "Lend it to me." 6. I said that I would return it to him after a month. 7. He found a very interesting story and read it to me. 8. When he saw his friends he used to read it to them. 9. He said that he was going to give it to me, but he gave it to his brother. 10. He said that he had it and that he would send it to me.

XLV

1. Some holidays are more important than others. 2. We always get up earlier than (on) other days in order to go to the country. 3. More than one hundred women and less than one hundred men attended that festival. 4. They rose earlier in order to go there. 5. We stayed there more than eight or ten hours. 6. The games were always more important than the meal. 7. The people sing and dance more than (on) other days. 8. They often danced more than three hours. 9. The girls danced better than the boys. 10. They also buy more things than we.

XLVI

1. There is no holiday more important than Christmas. 2. Nobody works and nobody is sad (on) that day. 3. The boys are never bad Christmas week. 4. Nothing is so pretty as the *nacimiento*. 5. There is no service (**función**) more important than the midnight Mass. 6. Nobody returns home before two o'clock. 7. The stores are never open on Christmas Day. 8. Everybody is in the streets; nobody stays at home. 9. Many poor people cannot buy anything for Christmas. 10. The children receive neither presents nor candy on Christmas Day. 11. For them no day is so important as the sixth of January. 12. We never see so many children with presents.

XLVII

1. Who has told you the story of the general and the soldiers? 2. Have you read this story in some book? 3. We have opened the book and seen the picture (**retrato**) of this general. 4. My brother told me that he had seen it in a magazine. 5. We have often seen the picture of Bolívar. 6. The day had been very cold. 7. The soldiers had done many things (on) that day. 8. The corporal had not seen the great general. 9. The corporal had given many orders

to the soldiers. 10. The general asked the soldiers: "What have you done today?" 11. They answered that they had worked many hours, but that the corporal had not helped them.

XLVIII

1. Opening the door, the servant gave me a letter. 2. I am reading the letter because it is from my good friend John. 3. We spent the afternoon talking about (**de**) my friend's letter. 4. Wishing to write an answer, I take pen and paper. 5. Not being able to find my pen, I wrote with my brother's. 6. While I was writing the letter, my sister was sewing and my father was working. 7. Having studied Spanish, I wrote the letter in that language. 8. Living in a country where English is spoken, it is difficult to write this letter in Spanish.

XLIX

1. What is the most beautiful season of the year? 2. Children say that summer is the most agreeable season of the year. 3. Boys and girls spend the longest days of the summer in the country. 4. They read the most interesting books during their vacation. 5. Some boys do not go to the country because they are very poor. 6. For the people in the country autumn is the best season of the year. 7. For boys it is the least agreeable season because schools open. 8. They are not the happiest boys in the world. 9. One of the most popular holidays is celebrated during this season. 10. The holidays are very popular; they are the most important days for boys. 11. Spring is the best season of the year. 12. The girls wear the prettiest hats in spring. 13. It is the season when pupils are the laziest. 14. The best pupils are never lazy.

L

1. The seasons once had a quarrel. 2. Spring began to speak to the others. 3. "Pay [1] attention to me because I am very beautiful." 4. "I am also the best season in the year." 5. Summer answered and said to Spring: "Look at the fields in the summer, and see the many beautiful things everywhere." 6. What does autumn bring? 7. Autumn brings delicious (**rico**) grapes, red apples, and beautiful pears. 8. Then Winter spoke and said to the other seasons:

[1] Use the familiar forms of commands.

9. "Praise yourselves if you wish, but my season is the best." 10. "Go to the children's houses and see how many read interesting stories during the long evenings."

QUINTO TEMA DE REPASO

Achievement Test No. 5

1. This is a good story about the four seasons of the year. 2. Have you heard this story about the four seasons? 3. I should read it to you but I haven't any book. 4. I will tell you the story now. 5. Each season believed that it was the best in the year. 6. Summer said that no other season had prettier flowers and more beautiful trees. 7. Summer added that it was the warmest season in the year. 8. The birds always sang their best songs in summer. 9. It also said that wheat and corn ripened during the summer. 10. During that season the children had their vacation.

11. In Spain St. John's Day is also celebrated during the summer. 12. I wonder if summer is the prettiest season in the year? 13. Autumn said that it was as beautiful as Summer. 14. During autumn there are grapes, apples, and pears. 15. These trees are as pretty in autumn as those in spring. 16. The flowers have as many pretty colors as those. 17. People say that autumn is as beautiful as the other seasons. 18. When Spring spoke the other seasons listened. 19. I wear prettier dresses than all the seasons. 20. My holidays are very important.

21. People dance and sing more now than in other seasons. 22. Everybody is happier in summer than in winter. 23. We spend more time in the open in summer than in winter. 24. Nobody is sad in spring; everybody is happy. 25. Have you ever seen a more beautiful season than this? 26. We have never seen a more beautiful season. 27. We had never heard prettier songs from the birds. 28. We were looking at these birds and those when you entered the garden. 29. My sister was cutting the prettiest roses. 30. When our friends came we gave the roses to them.

31. Winter is the coldest and least agreeable of the seasons. 32. January, the first month, is not a good month in the year. 33. No month in winter is colder than January. 34. The third month is as cold as the first. 35. We are never more comfortable at home than

in winter with a good book. 36. I wonder if my friends have a good house in the country. 37. We thought that they would spend a month in the city during the cold season. 38. Would you spend a month in the country in winter? 39. What would you do to spend the time? 40. We should skate on the lake every day.

41. Would you like to celebrate Christmas in the country or in the city? 42. We said that we would not spend the winter in the country. 43. Everybody would like to be at home for Christmas. 44. The boys receive as many presents as the girls. 45. The girls are as happy as the boys when they receive presents. 46. During the winter we lend books to our friends. 47. If they read the books they will want to return them to us. 48. We read more books in winter than in summer. 49. We spend the very long evenings in winter reading interesting books and magazines. 50. There is nothing more agreeable than to spend the evening with your (the) family.

REALIA FOR CLASS TALKS

To the Teacher: — This brief outline of informational material may be found useful in enriching the cultural content of the Spanish course. A weekly discussion based on the principal topics is suggested. In connection with the later lessons in this book, such discussion might well be incorporated in the daily recitation. Where time permits, the books listed for collateral reading, all in English, may be assigned for home reading and classroom reports.

I. Geography

1. *Location, Size, Climate:* Spain; the Spanish "regions"; latitude and climate compared with the United States; the Spanish-speaking republics; size compared with other countries or states; order of relative importance in size; outline maps.

2. *Population:* Approximate figures; comparison as above; order of relative importance of Spanish-American republics in population.

3. *Mountains, Rivers:* The important mountain ranges in Spain, los Montes Cantábricos, los Pirineos, la Sierra de Guadarrama, la Sierra Morena, la Sierra Nevada; other sierras; Andes, Aconcagua, Chimborazo, Cotopaxi. — The Ebro, Duero, Tajo, Guadiana, Guadalquivir; Magdalena, Orinoco, Amazon, Paraná, La Plata; comparison of length and navigableness with rivers in the United States; Panama Canal.

4. *Cities:* Madrid (Calle de Alcalá, Puerta del Sol, Buen Retiro, Museo del Prado, el Palacio Nacional; Escorial); Barcelona; Valencia (La Huerta), Burgos (El Cid), Cádiz, Córdoba (La Mezquita), Granada (Alhambra), Sevilla (La Giralda, El Alcázar), Toledo (La Catedral); political and historical importance of each. — Capitals and other important cities in Spanish America; comparison as to size and population.

5. *Villages:* Plaza Mayor or main square, the church surrounded by old buildings, narrow streets, houses of one story, barred windows, low doorways, balconies, patios, fountains in public squares, *aguador*, washing of clothes in streams, etc.

510

6. *Industries:* Only the chief pursuits, — vineyards, olive orchards, cork, mining, fisheries in Spain; mining, oil, twine in Mexico; nitrate in Chile; wheat and cattle in Argentina; sugar and tobacco in Cuba; banana raising in Central America, etc.

SPAIN: Carpenter, F. G., *New Geographical Reader: Europe* (American Book Co.); Chamberlain, J. F. and A. H., *The Continents and Their People: Europe* (Macmillan); Franck, Harry A., *Four Months Afoot in Spain* (Century); Giles, D., *The Road Through Spain* (Penn Publishing Co.); Madariaga, S. de, *Spain* (Scribner); Newman, E. M., *Spain and Morocco* (Funk and Wagnalls); Riggs, Arthur S., *The Spanish Pageant* (Bobbs-Merrill); Winslow, I. O., *Europe* (Heath).

SPANISH AMERICA: Bowman, I., *South America* (Rand McNally); Carpenter, F. G., *South America* (American Book Co.); Chamberlain, J. F. and A. H., *South America* (Macmillan); Winslow, I. O., *Our American Neighbors* (Heath).

11. HISTORY

I. 1. *Early History:* Celtiberians, Phoenicians, Greeks, Carthaginians (Saguntum); Romans (Numantia, Roman civilization, aqueduct of Segovia, bridge of Alcántara, Roman emperors and authors).

2. *Middle Ages:* Visigoths (character of rule); Arabic invasion (legend of Don Rodrigo, Count Don Julián); Moorish domination (influence on Spanish civilization, architecture, agriculture, industries); Reconquest (Pelayo at Covadonga, legend of Santiago de Compostela, battle of Clavijo, legend of the Catedral del Pilar, that of Monserrat, El Cid Campeador, the conquest of Valencia); Ferdinand and Isabella (fall of Granada, Santa Fe, Boabdil, el Gran Capitán, unification of Spain, Inquisition, expulsion of Jews).

3. *Modern Age:* Discoveries (Columbus); Explorers (Cortés in Mexico, Montezuma, Aztec and Maya civilizations, Pizarro in Peru, Inca civilization, Balboa).

4. *Spain in North America:* Ponce de León in Florida; De Soto and the Mississippi, Coronado and the Southwest; California; missionaries; the Spanish "heritage" (place-names, states, cities, mountains, rivers; plants, fruits, and animals introduced by Spaniards, sugar cane, orange, horse, etc.).

5. *Rise and Fall of Spain:* Charles V (his empire, the New World, Magellan; Loyola, Las Casas); Philip II (Lepanto, Cervantes, Invincible Armada); economic ruin, "disgrace" of manual labor and commerce, expulsion of Moriscos, emigration to America.

6. *Recent Centuries:* French invasion (Napoleon, el Dos de Mayo, Joseph Bonaparte, Bailén, Zaragoza, Wellington); Spanish-American independence; Carlist insurrections; Spanish-American War; Alfonso XIII and the Directorate; Spain in Morocco, Spanish Republic.

7. *Spanish Literature:* Romances; Poema del Cid; Don Quijote; Lope, Tirso, Calderón; Pérez Galdós, Pardo Bazán, Palacio Valdés, Blasco Ibáñez; Echegaray, Benavente, Quinteros.

8. *Spanish Art:* El Greco, Velázquez, Murillo; Goya; Sorolla, Zuloaga.

II. 1. *Spanish-American Independence:* Miranda in Venezuela; Bolívar el Libertador; Great Colombia; Sucre; San Martín in Argentina and Chile; battles of Maipú, Junín, and Ayacucho; Hidalgo in Mexico; Iturbide and the first Mexican empire; the Monroe Doctrine.

2. *General Topics:* Rosas and Sarmiento in Argentina; War of the Pacific; Tacna-Arica; El Cristo de los Andes; Panama Canal; the Mexican Wars; Santa Ana; Texas, New Mexico, and Upper California; Maximilian; Benito Juárez; the Mexican Constitution; Spanish-American War; Cuban independence; Puerto Rico; the ABC Powers; Pan-Americanism; relations between United States and Spanish America.

SPAIN: Chapman, C. E., *History of Spain* (Macmillan); Hale, E. E., *Story of Spain* (Putnam); Hume, M. A. S., *Modern Spain* (Putnam); — *The Spanish People* (Appleton); Irving, Washington, *Conquest of Granada* (Dutton); Lane-Poole, S., *The Moors in Spain* (Putnam); Moran, Catherine, *Spain, Its Story Briefly Told* (Stratford); Peers, E. Allison, *The Spanish Tragedy* (Oxford University Press); Sedgwick, H. D., *Short History of Spain* (Little, Brown).

SPANISH AMERICA: Akers, C. E., *History of South America* (Dutton); Irving, Washington, *Life of Columbus* (Putnam); James and Martin, *The Republics of Latin America* (Harper); Prescott, W., *Conquest of Mexico* (Dutton); — *Conquest of Peru* (Crowell); Robertson, W. S., *Rise of the Spanish-American Republics* (Appleton); — *History of the Latin American Nations* (Appleton); Sanchez, N. Van de Grift, *Stories of the Latin American States* (Crowell); Shepherd, W. R., *Latin America* (Holt); Sweet, W. W., *A History of Latin America* (Abingdon Press); Webster, H., *History of Latin America* (Heath).

SPAIN AND THE UNITED STATES: Bolton, H. E., *The Spanish Borderland* (Yale University Press); Hall, T., *California Trails* (Macmillan); Irving, Washington, *Spanish Voyages of Discovery;* Johnson, W. H., *Pioneer Span-*

iards in America (Little, Brown); Lummis, C. F., *The Spanish Pioneers* (McClurg); Peixotto, E. C., *Our Hispanic Southwest* (Scribner); Saunders and Chase, *The California Padres* (Houghton Mifflin); Winterburn, R. V., *The Spanish in the Southwest* (American Book Co.).

III. LIFE AND CUSTOMS

1. *Traits and Types:* Individualism, dignity, courtesy; patriotism, courage, pride of race, love of tradition; democracy, sociability; sense of humor. — Andaluz, gallego, baturro, valenciano, catalán; gitano; sereno, torero; gaucho, indiano; charro, china poblana, etc.

2. *Customs:* Family names; el día del santo; pelando la pava (la reja); tertulias; el tribunal de las aguas (Valencia); la noria.

3. *School Life:* Rigid programs, long rest between morning and afternoon session, *recreos*, vacation days, sports not featured, written and oral examinations, marks: sobresaliente, notable, aprobado, no admitido *or* suspendido (suspenso).

4. *Distinctive Dress:* Mantilla, peineta, boina; sarape, poncho, etc.

5. *Architecture:* Patio, balcón, zaguán, azotea; "mission" style.

6. *Holidays and Amusements:* Navidad (nacimientos, Reyes Magos, etc.); Semana Santa (Sevilla), pasos, seises; verbena de San Antonio (Madrid), romerías; día de San Isidro; el Dos de Mayo; Spanish-American national holidays; Oct. 12, el Día de la Raza; April 14, Pan-American Day. — Corrida de toros; pelota (jai-alai), frontón; carnaval; zarzuela, teatro por horas.

7. *National Dishes:* Cocido, puchero, arroz con pollo, gazpacho; turrón, mazapán; tortillas, tamales, chile con carne; (pulque, yerba mate).

SPAIN: Armstrong, C. W., *Life in Spain Today* (Blackwood and Sons, Ltd.); Bates, K. S., *Spanish Highways* (Macmillan); Bensusan, S. L., *Home Life in Spain* (Macmillan); Browne, E. A., *Spain* (Macmillan); Cooper, C. S., *Understanding Spain* (Stokes); Fitz-Gerald, J. D., *Rambles in Spain* (Crowell); Franck, H., *Four Months Afoot in Spain* (Century); Gordon, J. and C., *Donkey Trip Through Spain* (McBride); Higgin, L., *Spanish Life in Town and Country* (Putnam); Howells, W. D., *Familiar Spanish Travels* (Harper); McBride, R., *Spanish Towns and People* (McBride, Nast); McDonald and Dalrymple, *Josefa in Spain* (Little, Brown); Roulet, M. N., *The Spaniard at Home* (McClurg); Rugg and Schweppe, *Industries and Trades Which Bind Nations Together* (Lincoln School, New York City).

Spanish America: Babson, R. W., *Central American Journey* (World Book); Bingham, H., *Across South America* (Houghton Mifflin); Dangaix, W. J., *How Latin America Affects Our Daily Life; How We Affect Latin America's Daily Life* (Institute for Public Service); Enock, R. C., *Spanish America* (Scribner); Franck, H., *Tramping Through Mexico* (Century); — *Vagabonding Down the Andes* (Century); Kroebel, W. H., *The New Argentine* (Dodd, Mead); Law, F. H., *Our Class Visits South America* (Scribner); Mc-Donald and Dalrymple, *Manuel in Mexico* (Little, Brown); Starr, F., *In Indian Mexico* (Forbes); Trowbridge, E. D., *Mexico, Today and Tomorrow* (Macmillan); Warshaw, J., *The New Latin America* (Crowell).

IV. Literature in Translation

Consult Flores, *Spanish Literature in English Translation* (H. W. Wilson).

Cervantes, F., *Don Quixote* for young people (Dutton, Macmillan); Irving, Washington, *Tales of the Alhambra* (Crowell); Plummer, M., *Stories from the Cid;* Plunket, I. L., *Stories from Medieval Spain* (Macmillan); Wilson, C., *The Cid* (Lothrop, Lee and Shepard); Lockhart, *Spanish Ballads; Fairy Tales from Spain* (Dutton); Brooks, E. C., *Stories of South America* (Johnson).

MODISMOS PRINCIPALES USADOS EN EL LIBRO

1.	hay	there is, there are
2.	en casa	at home
3.	en la clase	in class
4.	toda clase de	every kind of
5.	todos los años (días)	every year (day)
6.	todo el mundo	everybody
7.	buenos días	good morning; good day
8.	varias veces	several times
9.	entrar en	to enter (into)
10.	al fin	at last
11.	es verdad	it is true
12.	usted tiene razón	you are right
13.	ir a paseo	to go for a walk
14.	de nada = no hay de qué	not at all = you are welcome
15.	por la mañana (tarde, noche)	in the morning (afternoon, evening)
16.	otra vez	again
17.	poco a poco	little by little
18.	hacer un viaje	to take a trip
19.	después de trabajar	after working
20.	tomar asiento	to take a seat
21.	¿ de qué color es ?	what is the color of ?
22.	al servirse	upon helping yourself
23.	prestar (poner) atención a	to pay attention to
24.	hace una semana que ocupo	I have been occupying for a week
25.	acabar de + *inf.*	to have just + *past part.*
26.	vuelve a preguntar	he asks again
27.	uno a uno	one by one
28.	todo el día	the whole day
29.	estar bien	to be (feel) well
30.	tiene hambre (sed)	he is hungry (thirsty)
31.	vamos a preguntar	let us ask
32.	hacer preguntas	to ask questions
33.	en fin	in short
34.	con frecuencia = muchas veces	frequently
35.	en cambio	on the other hand
36.	de nuevo = otra vez	again
37.	de veras	really
38.	por eso	that is why, for that reason

39.	haga el favor de + *inf*.	please + *imper*.
40.	así, así	fairly well
41.	guardar cama	to stay in bed
42.	¡ qué sabio !	what a scholar !
43.	llamar a la puerta	to knock at the door
44.	¿ qué hora es ?	what time is it ?
45.	es la una (la una y cinco; la una y cuarto; la una y media)	it is one (five after one; quarter after one; half past one)
46.	son las dos (tres, *etc*.)	it is two (three, *etc*.) o'clock
47.	son las tres menos cuarto	it is quarter to three
48.	son las cinco en punto	it is exactly five
49.	son las ocho de la mañana (noche)	it is 8 A.M. (P.M.)
50.	en ninguna parte	nowhere
51.	ya no puede resistir más	he cannot stand it any longer
52.	con mucho gusto	with great pleasure
53.	ahora mismo	right now
54.	¿ quién puede ser ?	who can it be ? I wonder who it is.
55.	estar a punto de	to be about to
56.	ir montado (a pie)	to ride (walk)
57.	me gusta el español	I like Spanish
58.	tratar de + *inf*.	to try to + *inf*.
59.	llegar a casa	to reach home
60.	¿ a cuántos estamos hoy ?	what day of the month is it today ?
61.	estamos a primero (a dos, *etc*.) de . . .	today is the first (the second, *etc*.) of . . .
62.	¿ cuál es la fecha de hoy ?	what is today's date ?
63.	hoy (mañana) es el primero, (el tres, *etc*.) de . . .	today (tomorrow) is the first (the third, *etc*.) of . . .
64.	¿ cómo está Vd. ? = ¿ qué tal sigue Vd. ?	how are you ?
65.	bien, gracias, ¿ y Vd. ?	well, thanks, and you ?
66.	por lo general	in general
67.	principiar a + *inf*.	to begin to + *inf*.
68.	le hace falta dinero	he needs money
69.	tener dolor de cabeza	to have a headache
70.	tengo quince años	I am fifteen (years old)
71.	tengo frío (calor)	I am cold (warm)
72.	tiene sueño	he is sleepy

73. tenemos razón — we are right
74. Vds. no tienen razón — you are wrong
75. tengo que hablar — I have to (must) speak
76. tengo mucho gusto en conocerlo — I am very glad to know you
77. hasta ahora — up to the present time
78. está bien — all right, very well
79. por lo visto — apparently
80. querer decir — to mean
81. dar la mano a — to shake hands with
82. a veces = algunas veces — sometimes
83. sano y salvo — safe and sound
84. al aire libre — in the open
85. en seguida — immediately
86. unos, –as cuantos, –as = unos, –as = algunos, –as — a few, some
87. a lo lejos — in the distance
88. muchos recuerdos — best regards
89. ser amable con — to be kind to
90. asistir a — to attend
91. entre tanto — in the meantime
92. lo siento muchísimo — I am very sorry
93. enamorarse de — to fall in love with
94. no tener más que — to have only
95. sírva(n)se repetir eso — please repeat that
96. cuánto siento lo que ha pasado — how sorry I am for what has happened
97. por supuesto — of course
98. de mal modo — roughly, discourteously
99. se baten en duelo — they fight a duel
100. hacer el baúl — to pack one's trunk
101. de este modo = de esta manera — in this way
102. estudiar para médico (abogado) — to study medicine (law)
103. al día siguiente — the next day
104. hacer caso a = poner (prestar) atención a — to pay attention to
105. mandar por un médico — to send for a doctor
106. dar los buenos días a — to wish a good morning to
107. volver a decir = decir otra vez = decir de nuevo — to say again

108.	¿ qué tiempo hace ?	how is the weather ?
109.	hace buen (mal) tiempo	it is good (bad) weather
110.	hace frío (calor)	it is cold (warm)
111.	hace mucho calor	it is very hot
112.	hace viento	it is windy
113.	hace fresco	it is cool
114.	hace sol (luna)	the sun (moon) is shining
115.	llueve	it rains
116.	nieva	it snows
117.	hace algún tiempo	some time ago
118.	jugar a la pelota	to play ball
119.	desde entonces	from then on
120.	¡ cómo no !	yes, indeed
121.	a su vez	in his turn
122.	haber de	to be to
123.	pensar en	to think of
124.	en cuanto a	as for, with regard to
125.	estar vestido de	to be dressed in
126.	¿ qué hay ?	what is the matter ?
127.	tener ganas de	to be desirous of
128.	vamos a ver	let's see
129.	hasta entonces	until then
130.	¡ ya lo creo !	yes, indeed
131.	por favor	please
132.	pidió un favor a Juan	he asked a favor of John
133.	le pidió un libro	he asked him for a book
134.	ponerse a + *inf.* = empezar a + *inf.* = comenzar a + *inf.* = principiar a + *inf.*	to begin to + *inf.*
135.	saber + *inf.*	to know how to + *inf.*
136.	por cierto	certainly
137.	¿ cómo andan los negocios ?	how is business ?
138.	a principios (fines) de	at the beginning (end) of
139.	dar con	to come upon
140.	fijarse en	to notice
141.	dar vergüenza a	to feel ashamed
142.	hacer el papel	to play the role
143.	lograr + *inf.*	to be successful in + *pres. part.*
144.	hacer pedazos	to tear (break) to pieces
145.	llenarse (de)	to become filled (with)
146.	de día (noche)	in the daytime (at night)

147.	de ese modo = de esa manera = así	in that way
148.	tener éxito	to be successful
149.	hacer compras	to shop
150.	cada vez más	more and more
151.	de veras = en verdad	really
152.	no ... más que = solamente = sólo	only
153.	estar harto de	to be sick of
154.	la semana que viene = la semana próxima	next week
155.	pasar de grado	to be promoted
156.	al cabo = al fin = por fin = finalmente	finally, at last
157.	al parecer = por lo visto = es evidente	to all appearances, evidently
158.	a excepción de	except
159.	por lo tanto = por eso	therefore
160.	cumplir (con)	to fulfill, finish
161.	no hacer nada malo	to do no wrong
162.	darse cuenta de	to realize
163.	llamar la atención a	to call one's attention to
164.	ni siquiera	not even
165.	cuanto más ... tanto más	the more ... the more
166.	por consiguiente = por lo tanto	consequently, therefore
167.	oír decir	to hear (it) said
168.	atreverse a + *inf.*	to dare to + *inf.*
169.	aquí tiene = aquí está	here is
170.	¡cómo no! = ¡ya lo creo!	yes, indeed!
171.	es cierto = es verdad = es así	it is true
172.	contentarse con = estar satisfecho con (de)	to be satisfied with
173.	quedarse con	to keep
174.	acordarse de	to remember
175.	de repente	all of a sudden
176.	hacer caridad a	to be charitable toward
177.	de seguro	surely
178.	dar de comer	to feed
179.	no ... sino = no ... más que = solamente = sólo	only

REFRANES Y MÁXIMAS

1. Quien busca, halla.
   He who seeks, finds.
2. La práctica hace al maestro.
   Practice makes perfect.
3. Saber es poder.
   Knowledge is power.
4. No hay tiempo como el presente
   There is no time like the present.
5. El apetito es el mejor cocinero.
   Hunger is the best sauce.
6. El trabajo es una mina de oro.
   Work is a gold mine.
7. El tiempo es oro.
   Time is money.
8. Mañana será otro día.
   Tomorrow is another day.
9. El hábito no hace al monje.
   Clothes do not make the man.
10. Quien temprano se levanta tiene una hora más de vida y en su trabajo adelanta.
    He who rises early has an additional hour of activity and progresses in his work.
11. Quien va despacio y con tiento hace dos cosas a un tiempo.
    He who goes slowly and with care does two things at the same time.
12. Poco a poco se va lejos.
    Make haste slowly.
13. Quien mal anda mal acaba.
    A man with a crooked career never ends well.
14. Haz bien, y no mires a quien.
    Do good to all men.
15. Más vale saber que haber.
    Knowledge is better than riches.
16. Más vale tarde que nunca.
    Better late than never.
17. Más vale callar que mucho hablar.
    Silence is golden.
18. Más vale un « toma » que dos « te daré ».
    One gift is worth two promises.
19. Año nuevo, vida nueva.
    New year, new life.
20. El tiempo perdido no se recupera jamás.
    Lost time can never be recovered.

ALGUNOS NOMBRES DE PILA [1]

Adán	Adam	Francisco	Francis
Adolfo	Adolphus	Guillermo	William
Alberto	Albert	Gustavo	Gustavus
Alejandro	Alexander	Ignacio	Ignatius
Alfonso	Alfonso	Inés	Inez, Agnes
Alfredo	Alfred	Inocencio	Innocence
Alicia	Alice	Isabel	Elizabeth, Isabella
Ana	Anna	Isidoro	Isidor
Andrés	Andrew	Jaime	James
Antonio	Anthony	Joaquín	Joachim
Arturo	Arthur	Jorge	George
Bartolomé	Bartholomew	José	Joseph
Beatriz	Beatrice	Josefa	Josephine
Berta	Bertha	Juan	John
Carlitos	Charlie	Juana	Jane
Carlos	Charles	Julia	Julia
Carlota	Charlotte	León	Leo
Carmen	Carmen	Lola	Lola
Carolina	Caroline	Luis	Louis
Clara	Clara	Luisa	Louise
Cristóbal	Christopher	Margarita	Margaret
Diego	James	María	Mary
Domingo	Dominic	Marta	Martha
Dorotea	Dorothy	Miguel	Michael
Edmundo	Edmund	Nicolás	Nicholas
Eduardo	Edward	Pablo	Paul
Elena	Helen	Pedro	Peter
Emilia	Emily	Perico	Pete
Emilio	Emil	Ricardo	Richard
Enrique	Henry	Roberto	Robert
Ernesto	Ernest	Rodrigo	Roderick
Esteban	Stephen	Rosa	Rose
Eugenio	Eugene	Salomón	Solomon
Federico	Frederick	Santiago	James
Felipe	Philip	Simón	Simon
Fernando	Ferdinand	Teresa	Theresa
Francisca	Frances	Vicente	Vincent

[1] *Proper Names of Persons*, including those mentioned in the book.

VERB APPENDIX

I. Regular Verbs

FIRST CONJUGATION

hablar *to speak*

PRESENT	habl	o	as	a	amos	áis	an
IMPERFECT	habl	aba	abas	aba	ábamos	abais	aban
PRETERIT	habl	é	aste	ó	amos	asteis	aron
FUTURE	hablar	é	ás	á	emos	éis	án
CONDITIONAL	hablar	ía	ías	ía	íamos	íais	ían
PRES. SUBJ.	habl	e	es	e	emos	éis	en
IMP. SUBJ. (1)	habl	ase	ases	ase	ásemos	aseis	asen
IMP. SUBJ. (2)	habl	ara	aras	ara	áramos	arais	aran
FUT. SUBJ.	habl	are	ares	are	áremos	areis	aren
IMPERATIVE	habl		a	e	emos	ad	en
PRES. PART.	habl ando				PAST PART. habl ado		

SECOND CONJUGATION

comer *to eat*

PRESENT	com	o	es	e	emos	éis	en
IMPERFECT	com	ía	ías	ía	íamos	íais	ían
PRETERIT	com	í	iste	ió	imos	isteis	ieron
FUTURE	comer	é	ás	á	emos	éis	án
CONDITIONAL	comer	ía	ías	ía	íamos	íais	ían
PRES. SUBJ.	com	a	as	a	amos	áis	an
IMP. SUBJ. (1)	com	iese	ieses	iese	iésemos	ieseis	iesen
IMP. SUBJ. (2)	com	iera	ieras	iera	iéramos	ierais	ieran
FUT. SUBJ.	com	iere	ieres	iere	iéremos	iereis	ieren
IMPERATIVE	com		e	a	amos	ed	an
PRES. PART.	com iendo				PAST PART. com ido		

THIRD CONJUGATION

vivir *to live*

PRESENT	viv	o	es	e	imos	ís	en
IMPERFECT	viv	ía	ías	ía	íamos	íais	ían
PRETERIT	viv	í	iste	ió	imos	isteis	ieron

FUTURE	vivir	é	ás	á	emos	éis	án
CONDITIONAL	vivir	ía	ías	ía	íamos	íais	ían
PRES. SUBJ.	viv	a	as	a	amos	áis	an
IMP. SUBJ. (1)	viv	iese	ieses	iese	iésemos	ieseis	iesen
IMP. SUBJ. (2)	viv	iera	ieras	iera	iéramos	ierais	ieran
FUT. SUBJ.	viv	iere	ieres	iere	iéremos	iereis	ieren
IMPERATIVE	viv		e	a	amos	id	an
PRES. PART.	viv iendo			PAST PART. viv ido			

II. Compound Tenses

INFINITIVE	I	II	III
PRES. PERFECT	haber hablado	haber comido	haber vivido

PARTICIPLE			
PRES. PERFECT	habiendo hablado	habiendo comido	habiendo vivido

INDICATIVE			
PRES. PERFECT	he hablado	he comido	he vivido
PLUPERFECT	había hablado	había comido	había vivido
PRET. PERFECT	hube hablado	hube comido	hube vivido
FUTURE PERFECT	habré hablado	habré comido	habré vivido
COND. PERFECT	habría hablado	habría comido	habría vivido

SUBJUNCTIVE			
PRES. PERFECT	haya hablado	haya comido	haya vivido
PLUPERFECT (1)	hubiese hablado	hubiese comido	hubiese vivido
PLUPERFECT (2)	hubiera hablado	hubiera comido	hubiera vivido
FUTURE PERFECT	hubiere hablado	hubiere comido	hubiere vivido

IRREGULAR PAST PARTICIPLES

abrir : abierto	freír : frito	prender : preso
caer : caído	hacer : hecho	resolver : resuelto
cubrir : cubierto	leer : leído	romper : roto
decir : dicho	morir : muerto	ver : visto
escribir : escrito	poner : puesto	volver : vuelto

III. Orthographic Changes

	a	e	i	o	u
Sound of k	ca	que	qui	co	cu
" " g	ga	gue	gui	go	gu
" " th	za	ce	ci	zo	zu
" " gw	gua	güe	güi	guo	
" " h	ja	ge, je	gi, ji	jo	ju

1. buscar *to seek, look for*

PRETERIT   *busqué*, buscaste, buscó, buscamos, buscasteis, buscaron
PRES. SUBJ.   *busque, busques, busque, busquemos, busquéis, busquen*

Like **buscar**:   acercarse, *to approach;* sacar, *to take out;* suplicar, *to beg;* tocar, *to touch, play*

2. pagar *to pay*

PRETERIT   *pagué*, pagaste, pagó, pagamos, pagasteis, pagaron
PRES. SUBJ.   *pague, pagues, pague, paguemos, paguéis, paguen*

Like **pagar**:   entregar, *to deliver;* llegar, *to arrive;* negar, *to deny;* rogar, *to beg*

3. cruzar *to cross*

PRETERIT   *crucé*, cruzaste, cruzó, cruzamos, cruzasteis, cruzaron
PRES. SUBJ.   *cruce, cruces, cruce, crucemos, crucéis, crucen*

Like **cruzar**:   almorzar, *to take lunch;* empezar, *to begin;* lanzar, *to throw*

4. averiguar *to find out*

PRETERIT   *averigüé*, averiguaste, averiguó, averiguamos, etc.
PRES. SUBJ.   *averigüe, averigües, averigüe, averigüemos, averigüéis, averigüen*

5. coger *to seize, take*

PRES. IND.   *cojo*, coges, coge, cogemos, cogéis, cogen
PRES. SUBJ.   *coja, cojas, coja, cojamos, cojáis, cojan*

Like **coger**:   escoger, *to choose;* proteger, *to protect;* recoger, *to pick up*

6. dirigir *to direct*

PRES. IND.   *dirijo*, diriges, dirige, dirigimos, dirigís, dirigen
PRES. SUBJ.   *dirija, dirijas, dirija, dirijamos, dirijáis, dirijan*

Like **dirigir**:   corregir, *to correct;* elegir, *to elect;* exigir, *to demand*

7. distinguir *to distinguish*

PRES. IND.   *distingo*, distingues, distingue, distinguimos, distinguís, distinguen
PRES. SUBJ.   *distinga, distingas, distinga, distingamos, distingáis, distingan*

Like **distinguir**:   seguir, *to follow*

8. delinquir *to transgress*

PRES. IND.   *delinco,* delinques, delinque, delinquimos, delinquís, delinquen

PRES. SUBJ.   *delinca, delincas, delinca, delincamos, delincáis, delincan*

9. crecer *to grow*

PRES. IND.   *crezco,* creces, crece, crecemos, crecéis, crecen

PRES. SUBJ.   *crezca, crezcas, crezca, crezcamos, crezcáis, crezcan*

Like **crecer:**   agradecer, *to thank;* merecer, *to deserve;* parecer, *to seem*

10. vencer *to conquer*

PRES. IND.   *venzo,* vences, vence, vencemos, vencéis, vencen

PRES. SUBJ.   *venza, venzas, venza, venzamos, venzáis, venzan*

11. traducir *to translate* [1]

PRES. IND.   *traduzco,* traduces, traduce, traducimos, traducís, traducen

PRES. SUBJ.   *traduzca, traduzcas, traduzca, traduzcamos, traduzcáis, traduzcan*

12. enviar *to send*

PRES. IND.   *envío, envías, envía,* enviamos, enviáis, *envían*

PRES. SUBJ.   *envíe, envíes, envíe,* enviemos, enviéis, *envíen*

IMPER.   *envía* tú, *envíe* Vd., *envíen* Vds.

Like **enviar:**   guiar, *to lead;* variar, *to vary*

The following verbs do not accent the vowel: **cambiar,** *to change;* **estudiar,** *to study;* **limpiar,** *to clean;* **principiar,** *to begin*

13. continuar *to continue*

PRES. IND.   *continúo, continúas, continúa,* continuamos, continuáis, *continúan*

PRES. SUBJ.   *continúe, continúes, continúe,* continuemos, continuéis, *continúen*

IMPER.   *continúa* tú, *continúe* Vd., *continúen* Vds.

14. leer *to read*

PARTICIPLES   *leyendo*   leído

PRETERIT   leí, leíste, *leyó,* leímos, leísteis, *leyeron*

IMP. SUBJ.   (1) *leyese, leyeses,* etc.; (2) *leyera, leyeras,* etc.

[1] See also *Irregular Verbs*, no. 18.

15. huír *to flee*

PARTICIPLES	*huyendo* huído
PRES. IND.	*huyo, huyes, huye,* huímos, huís, *huyen*
PRETERIT	huí, huíste, *huyó,* huímos, huísteis, *huyeron*
PRES. SUBJ.	*huya, huyas, huya, huyamos, huyáis, huyan*
IMP. SUBJ.	(1) *huyese, huyeses,* etc.; (2) *huyera, huyeras,* etc.
IMPER.	*huye* tú huíd vosotros

IV. Radical Changes

1. pensar *to think*

PRES. IND.	*pienso, piensas, piensa,* pensamos, penséis, *piensan*
PRES. SUBJ.	*piense, pienses, piense,* pensemos, penséis, *piensen*
IMPER.	*piensa* tú pensad vosotros

2. perder *to lose*

PRES. IND.	*pierdo, pierdes, pierde,* perdemos, perdéis, *pierden*
PRES. SUBJ.	*pierda, pierdas, pierda,* perdamos, perdáis, *pierdan*
IMPER.	*pierde* tú perded vosotros
Like **perder**:	defender, *to defend;* entender, *to understand*

3. contar *to count*

PRES. IND.	*cuento, cuentas, cuenta,* contamos, contáis, *cuentan*
PRES. SUBJ.	*cuente, cuentes, cuente,* contemos, contéis, *cuenten*
IMPER.	*cuenta* tú contad vosotros
Like **contar**:	acordarse, *to remember;* acostarse, *to lie down;* almorzar, *to lunch;* costar, *to cost;* encontrar, *to meet;* recordar, *to remember;* rogar, *to ask;* soñar, *to dream;* jugar, *to play*

4. volver *to return*

PRES. IND.	*vuelvo, vuelves, vuelve,* volvemos, volvéis, *vuelven*
PRES. SUBJ.	*vuelva, vuelvas, vuelva,* volvamos, volváis, *vuelvan*
IMPER.	*vuelve* tú volved vosotros
Like **volver**:	llover, *to rain;* morder, *to bite;* mover, *to move*

5. jugar *to play*

PRES. IND.	*juego, juegas, juega,* jugamos, jugáis, *juegan*
PRES. SUBJ.	*juegue, juegues, juegue,* juguemos, jugéis, *jueguen*
IMPER.	*juegua* tú jugad vosotros

6. sentir *to feel*

PARTICIPLES	*sintiendo* sentido
PRES. IND.	*siento, sientes, siente,* sentimos, sentís, *sienten*
PRETERIT	sentí, sentiste, *sintió,* sentimos, sentisteis, *sintieron*
PRES. SUBJ.	*sienta, sientas, sienta, sintamos, sintáis, sientan*
IMP. SUBJ.	(1) *sintiese, sintieses,* etc.; (2) *sintiera, sintieras,* etc.
IMPER.	*siente* tú sentid vosotros
Like sentir:	concernir, *to concern;* discernir, *to discern;* digerir, *to digest*

7. pedir *to ask*

PARTICIPLES	*pidiendo* pedido
PRES. IND.	*pido, pides, pide,* pedimos, pedís, *piden*
PRETERIT	pedí, pediste, *pidió,* pedimos, pedisteis, *pidieron*
PRES. SUBJ.	*pida, pidas, pida, pidamos, pidáis, pidan*
IMP. SUBJ.	(1) *pidiese, pidieses,* etc.; (2) *pidiera, pidieras,* etc.
IMPER.	*pide* tú pedid vosotros
Like pedir:	colegir, *to collect;* corregir, *to correct;* despedir, *to dismiss;* elegir, *to elect;* medir, *to measure;* repetir, *to repeat;* servir, *to serve;* vestir, *to dress*

8. dormir *to sleep*

PARTICIPLES	*durmiendo* dormido
PRES. IND.	*duermo, duermes, duerme,* dormimos, dormís, *duermen*
PRETERIT	dormí, dormiste, *durmió,* dormimos, dormisteis, *durmieron*
PRES. SUBJ.	*duerma, duermas, duerma, durmamos, durmáis, duerman*
IMP. SUBJ.	(1) *durmiese, durmieses,* etc.; (2) *durmiera, durmieras,* etc.
IMPER.	*duerme* tú dormid vosotros

9. reír *to laugh*

PARTICIPLES	*riendo* reído
PRES. IND.	*río, ríes, ríe,* reímos, reís, *ríen*
PRETERIT	reí, reíste, *rió,* reímos, reísteis, *rieron*
PRES. SUBJ.	*ría, rías, ría, riamos, riáis, rían*
IMP. SUBJ.	(1) *riese, rieses,* etc.; (2) *riera, rieras,* etc.
IMPER.	*ríe* tú reíd vosotros

V. Irregular Verbs

1. andar *to go*

PRETERIT	*anduve, anduviste, anduvo, anduvimos, anduvisteis, anduvieron*
IMP. SUBJ.	(1) *anduviese, anduvieses,* etc.; (2) *anduviera, anduvieras,* etc.

2. caber *to fit into*

PRESENT   *quepo,* cabes, cabe, cabemos, cabéis, caben
PRETERIT   *cupe, cupiste, cupo, cupimos, cupisteis, cupieron*
FUTURE   *cabré, cabrás,* etc.; COND. *cabría, cabrías,* etc.
PRES. SUBJ.   *quepa, quepas, quepa, quepamos, quepáis, quepan*
IMP. SUBJ.   (1) *cupiese, cupieses,* etc.; (2) *cupiera, cupieras,* etc.
IMPER.   cabe tú   cabed vosotros

3. caer *to fall*

PARTICIPLES   *cayendo*   *caído*
PRESENT   *caigo,* caes, cae, caemos, caéis, caen
PRETERIT   caí, caíste, *cayó,* caímos, caísteis, *cayeron*
PRES. SUBJ.   *caiga, caigas, caiga, caigamos, caigáis, caigan*
IMP. SUBJ.   (1) *cayese, cayeses,* etc.; (2) *cayera, cayeras,* etc.
IMPER.   cae tú   caed vosotros

4. dar *to give*

PRESENT   *doy,* das, da, damos, dais, dan
PRETERIT   *di, diste, dió, dimos, disteis, dieron*
PRES. SUBJ.   *dé,* des, *dé,* demos, deis, den
IMP. SUBJ.   (1) *diese, dieses,* etc.; (2) *diera, dieras,* etc.
IMPER.   da tú   dad vosotros

5. decir *to say, tell*

PARTICIPLES   *diciendo*   *dicho*
PRESENT   *digo, dices, dice,* decimos, decís, *dicen*
PRETERIT   *dije, dijiste, dijo, dijimos, dijisteis, dijeron*
FUTURE   *diré, dirás,* etc.; COND. *diría, dirías,* etc.
PRES. SUBJ.   *diga, digas, diga, digamos, digáis, digan*
IMP. SUBJ.   (1) *dijese, dijeses,* etc.; (2) *dijera, dijeras,* etc.
IMPER.   *di* tú   decid vosotros

6. estar *to be*

PRESENT   *estoy, estás, está,* estamos, estáis, *están*
PRETERIT   *estuve, estuviste, estuvo, estuvimos, estuvisteis, estuvieron*
PRES. SUBJ.   *esté, estés, esté,* estemos, estéis, *estén*
IMP. SUBJ.   (1) *estuviese, estuvieses,* etc.; (2) *estuviera, estuvieras,* etc.
IMPER.   *está* tú   estad vosotros

7. haber *to have*

PRESENT   *he, has, ha, hemos,* habéis, *han*
PRETERIT   *hube, hubiste, hubo, hubimos, hubisteis, hubieron*

FUTURE   *habré, habrás,* etc.; COND. *habría, habrías,* etc.
PRES. SUBJ.   *haya, hayas, haya, hayamos, hayáis, hayan*
IMP. SUBJ.   (1) *hubiese, hubieses,* etc.; (2) *hubiera, hubieras,* etc.
IMPER.   *he tú*   habed vosotros

8. hacer *to make, do*

PARTICIPLES   haciendo   *hecho*
PRESENT   *hago, haces, hace, hacemos, hacéis, hacen*
PRETERIT   *hice, hiciste, hizo, hicimos, hicisteis, hicieron*
FUTURE   *haré, harás,* etc.; COND. *haría, harías,* etc.
PRES. SUBJ.   *haga, hagas, haga, hagamos, hagáis, hagan*
IMP. SUBJ.   (1) *hiciese, hicieses,* etc.; (2) *hiciera, hicieras,* etc.
IMPER.   *haz tú*   haced vosotros

9. ir *to go*

PARTICIPLES   *yendo*   ido
PRESENT   *voy, vas, va, vamos, vais, van*
IMPERFECT   *iba, ibas, iba, íbamos, ibais, iban*
PRETERIT   *fuí, fuiste, fué, fuimos, fuisteis, fueron*
PRES. SUBJ.   *vaya, vayas, vaya, vayamos, vayáis, vayan*
IMP. SUBJ.   (1) *fuese, fueses,* etc.; (2) *fuera, fueras,* etc.
IMPER.   *ve tú*   id vosotros

10. oír *to hear*

PARTICIPLES   *oyendo*   oído
PRESENT   *oigo, oyes, oye, oímos, oís, oyen*
PRETERIT   *oí, oíste, oyó, oímos, oísteis, oyeron*
PRES. SUBJ.   *oiga, oigas, oiga, oigamos, oigáis, oigan*
IMP. SUBJ.   (1) *oyese, oyeses,* etc.; (2) *oyera, oyeras,* etc.
IMPER.   *oye tú*   oíd vosotros

11. poder *to be able*

PARTICIPLES   *pudiendo*   podido
PRESENT   *puedo, puedes, puede,* podemos, podéis, *pueden*
PRETERIT   *pude, pudiste, pudo, pudimos, pudisteis, pudieron*
FUTURE   *podré, podrás,* etc.; COND. *podría, podrías,* etc.
PRES. SUBJ.   *pueda, puedas, pueda,* podamos, podáis, *puedan*
IMP. SUBJ.   (1) *pudiese, pudieses,* etc.; (2) *pudiera, pudieras,* etc.

12. poner *to put*

PARTICIPLES   poniendo   *puesto*
PRESENT   *pongo,* pones, pone, ponemos, ponéis, ponen
PRETERIT   *puse, pusiste, puso, pusimos, pusisteis, pusieron*

Future   *pondré, pondrás,* etc.; Cond. *pondría, pondrías,* etc.
Pres. Subj. *ponga, pongas, ponga, pongamos, pongáis, pongan*
Imp. Subj.   (1) *pusiese, pusieses,* etc.; (2) *pusiera, pusieras,* etc.
Imper.   *pon* tú   *poned* vosotros

13. querer *to want*

Present   *quiero, quieres, quiere,* queremos, queréis, *quieren*
Preterit   *quise, quisiste, quiso, quisimos, quisisteis, quisieron*
Future   *querré, querrás,* etc.; Cond. *querría, querrías,* etc.
Pres. Subj. *quiera, quieras, quiera,* queramos, queráis, *quieran*
Imp. Subj.   (1) *quisiese, quisieses,* etc.; (2) *quisiera, quisieras,* etc.
Imper.   *quiere* tú   quered vosotros

14. saber *to know*

Present   *sé,* sabes, sabe, sabemos, sabéis, saben
Preterit   *supe, supiste, supo, supimos, supisteis, supieron*
Future   *sabré, sabrás,* etc.; Cond. *sabría, sabrías,* etc.
Pres. Subj. *sepa, sepas, sepa, sepamos, sepáis, sepan*
Imp. Subj.   (1) *supiese, supieses,* etc.; (2) *supiera, supieras,* etc.

15. salir *to go out*

Present   *salgo,* sales, sale, salimos, salís, salen
Future   *saldré, saldrás,* etc.; Cond. *saldría, saldrías,* etc.
Pres. Subj. *salga, salgas, salga, salgamos, salgáis, salgan*
Imper.   *sal* tú   salid vosotros

16. ser *to be*

Present   *soy, eres, es,* somos, sois, son
Imperf.   *era, eras, era, éramos, erais, eran*
Preterit   *fuí, fuiste, fué, fuimos, fuisteis, fueron*
Pres. Subj. *sea, seas, sea, seamos, seáis, sean*
Imp. Subj.   (1) *fuese, fueses,* etc.; (2) *fuera, fueras,* etc.
Imper.   *sé* tú   sed vosotros

17. tener *to have*

Present   *tengo, tienes, tiene,* tenemos, tenéis, *tienen*
Preterit   *tuve, tuviste, tuvo, tuvimos, tuvisteis, tuvieron*
Future   *tendré, tendrás,* etc.; Cond. *tendría, tendrías,* etc.
Pres. Subj. *tenga, tengas, tenga, tengamos, tengáis, tengan*
Imp. Subj.   (1) *tuviese, tuvieses,* etc.; (2) *tuviera, tuvieras,* etc.
Imper.   *ten* tu   tened vosotros

18. traducir *to translate*

PRESENT	*traduzco,* traduces, traduce, traducimos, traducís, traducen
PRETERIT	traduje, tradujiste, *tradujo,* tradujimos, tradujisteis, *tradujeron*
PRES. SUBJ.	*traduzca, traduzcas, traduzca, traduzcamos, traduzcáis, traduzcan*
IMP. SUBJ.	(1) *tradujese, tradujeses,* etc.; (2) *tradujera, tradujeras,* etc.

19. traer *to bring*

PARTICIPLES	*trayendo* *traído*
PRESENT	*traigo,* traes, trae, traemos, traéis, traen
PRETERIT	*traje, trajiste, trajo, trajimos, trajisteis, trajeron*
PRES. SUBJ.	*traiga, traigas, traiga, traigamos, traigáis, traigan*
IMP. SUBJ.	(1) *trajese, trajeses,* etc.; (2) *trajera, trajeras,* etc.
IMPER.	trae tú traed vosotros

20. valer *to be worth*

PRESENT	*valgo,* vales, vale, valemos, valéis, valen
FUTURE	*valdré, valdrás,* etc.; COND. *valdría, valdrías,* etc.
PRES. SUBJ.	*valga, valgas, valga, valgamos, valgáis, valgan*
IMPER.	*val*(*e*) tú valed vosotros

21. venir *to come*

PARTICIPLES	*viniendo* venido
PRESENT	*vengo, vienes, viene,* venimos, venís, *vienen*
PRETERIT	*vine, viniste, vino, vinimos, vinisteis, vinieron*
FUTURE	*vendré, vendrás,* etc.; COND. *vendría, vendrías,* etc.
PRES. SUBJ.	*venga, vengas, venga, vengamos, vengáis, vengan*
IMP. SUBJ.	(1) *viniese, vinieses,* etc.; (2) *viniera, vinieras,* etc.
IMPER.	*ven* tú venid vosotros

22. ver *to see*

PARTICIPLES	*viendo* visto
PRESENT	*veo,* ves, ve, vemos, veis, ven
IMPERF.	*veía, veías, veía, veíamos, veíais, veían*
PRETERIT	*vi,* viste, *vió,* vimos, visteis, *vieron*
PRES. SUBJ.	*vea, veas, vea, veamos, veáis, vean*
IMP. SUBJ.	(1) *viese, vieses,* etc.; (2) *viera, vieras,* etc.
IMPER.	ve tú ved vosotros

NOTE

1. From this Vocabulary there have been omitted, as a rule: (*a*) numerals and given names, which appear separately listed in the Appendix; (*b*) proper names that are explained in the text itself; (*c*) names of cities, countries, etc., having the same form in both languages, unless special comment is made on them; (*d*) words of identical spelling and meaning in both languages.

2. ABBREVIATIONS: — *adj.* adjective; *adv.* adverb; *conj.* conjunction; *demons.* demonstrative; *f.* feminine; *inf.* infinitive; *interrog.* interrogative; *m.* masculine; *n.* noun; *neg.* negative; *neut.* neuter; *pl.* plural; *p.p.* past participle; *pres. part.* present participle; *prep.* preposition; *pron.* pronoun; *rel.* relative; *v.* verb.

VOCABULARY

SPANISH–ENGLISH

A

a to, at; in, about; for, from; (*sign of the personal accusative*)
abajo down, below
abandonar to leave, abandon
abierto *p.p. of* **abrir**; *adj.* open, opened
el abogado lawyer
abril *m.* April
abrir to open
absolutamente absolutely
absoluto, –a absolute
el abuelo, la abuela grandfather; grandmother
abundante abundant
el abuso abuse
acá here
acabar to finish, end, conclude; — **de** + *inf.* have just + *p.p.*
la academia academy
la acción action; stock
aceptar to accept
acerca de about, concerning
acercarse a to go nearer, approach
aclamar to praise, acclaim
acompañar to accompany, go with; **acompañado, –a (de)** accompanied by
aconsejar to advise
acordarse (ue) (de) to remember
el acordeón accordion
acostarse (ue) to go to bed, retire
la actitud attitude, position
activo, –a active
el acto act
actual present, present-day; —**mente** at present
el acueducto aqueduct
el acusado accused, defendant
el acusador accuser
adecuado, –a suitable

adelantado, –a advanced
¡adelante! ahead! onward! come in! go on! forward!
además besides, moreover; then; — **de** besides
adiós good-by, farewell
la adivinanza riddle
el adjetivo adjective
admirable admirable
la admiración admiration
el admirador admirer
admirar to admire
adónde where, whither, whereto
adornar to decorate, adorn
el adverbio adverb
el adversario opponent
advertir (ie) to warn
el afán anxiety
afeitarse to shave oneself
afuera outside
agosto *m.* August
agradable agreeable, pleasant; kind
agradar to please
agradecido, –a grateful
el agua *f.* water
el aguinaldo Christmas present
ahí there
ahogar to drown; choke
ahora now; — **mismo** right now
el aire air; **al — libre** in the open (air)
al = a + el to the; — + *inf.* on . . . –ing
alabar to praise
el alcalde mayor
la alcoba bedroom
la aldea town
el aldeano countryman, peasant, farmer
alegrarse (de) to be glad of (to)
alegre happy

la **alegría** joy, gaiety, mirth
alemán, -ana *adj. & noun* German
Alemania *f.* Germany
la **alfombra** rug
algo something
el **algodón** cotton
alguien somebody, someone
alguno, -a (algún) some, any; *pl.* some, a few, several
el **alma** *f.* soul
almorzar (ue) to (take) lunch
el **almuerzo** lunch
alrededor de around, about
alto, -a high, tall
la **altura** height
alumbrar to light
el **alumno,** la **alumna** pupil
allí there, thither
amable (con) kind (to), amiable
el **amante,** la **amante** lover
amar to love
amarillo, -a yellow
la **ambición** ambition
ambos, -as both
América *f.* America; — **española** Spanish America
la **americana** sack coat, jacket
americano, -a American
el **amigo,** la **amiga** friend; — **de decir** fond of saying
la **amistad** friendship
el **amo** owner, master
amolar (ue) to grind; **la piedra de** —, grindstone
el **amor** love
el **anciano** old man
ancho, -a broad, wide
Andalucía Andalusia (*the southernmost region of Spain*)
el **andaluz** Andalusian
andar to walk, go; ¿ **cómo andan los negocios?** how is business?
los **Andes** the Andes Mountains
la **anécdota** anecdote
la **angustia** anguish, torture, distress
la **animación** life, animation
animado, -a animated, lively
el **animal** animal, beast
animar to animate, encourage; —**se** grow lively
anoche last night

la **ansiedad** anxiety
ante *prep.* before (*place*)
anteayer day before yesterday
anterior previous
antes de *prep.* before (*time*); *adv.* before; — **(de) que** *conj.* before
antiguo, -a old, ancient
anual annual
anuales annually
el **anunciante** advertiser
anunciar to announce, tell
añadir to add
el **año** year; el — **bisiesto** leap year; el **Año Nuevo** the New Year('s Day); el — **pasado** last year
el **aparato** apparatus; telephone
aparecer (zc) to appear
apartado, -a apart, separated
el **apellido** surname, family name
apenas hardly, scarcely
el **apetito** appetite
aplaudir to applaud
el **aplauso** applause
la **aplicación** application
aplicado, -a diligent, studious
el **apoyo** help, support
apreciar to appreciate
aprender (a) to learn; — **de memoria** learn by heart
apropiado, -a appropriate, proper
aprovecharse (de) to take advantage of
aquel, -la (*pl.* **aquellos, -as**) that; those
aquí here
árabe Arabic; el —, Arab
Aragón Aragon (*an old kingdom of northern Spain now subdivided into three provinces*)
aragonés, -esa Aragonese, of Aragon
el **árbol** tree
el **archivo** archive
el **aria** *f.* air, song, tune
la **aritmética** arithmetic
el **arma** *f.* arms, weapon; **el — de fuego** firearm
el **armario** closet, wardrobe, cupboard
arreglarse to fix
arrepentirse to repent
arriba upstairs, up above; **de —**

abajo up and down; from head to foot

arrojar to hurl, dart, fling; —**se** throw oneself

el **arte** art; las bellas —**s** fine arts

el **artículo** article

el **artista** artist

artístico, –a artistic

el **asaltante** attacker, assailant

asaltar to hold up, attack

el **asalto** holdup, assault

ascender (ie) to ascend, mount, climb

asegurar to insure, assure

así so, thus, like this; **así, así** fairly well; — **que** as soon as

el **asiento** seat

asistir a to attend, be present at

asombrar to surprise

el **aspecto** aspect

el **aspirante** candidate, aspirant

el **asunto** affair, matter

atacar to attack

el **ataque** attack

atar to tie

la **atención** attention; **con** —, attentively

atender (ie) to heed, pay attention to

atento, –a attentive; courteous

la **atracción** attraction, charm

atraer to attract

atreverse (a) to dare

aumentar to increase, augment

aun (aún) yet, still, even; — **cuando** even if, even when

aunque although, even if

ausente absent

el **automóvil** automobile

el **autor** author, composer

la **autoridad** authority

avanzado, –a advanced; late; onward

avanzar to advance, go ahead

la **avaricia** greed, avarice

la **avenida** avenue

la **aventura** adventure

avisar to inform, advise, announce

el **aviso** announcement

ayer yesterday

la **ayuda** help, aid

ayudar to help

el **azteca** Aztec

el **azúcar** sugar; sugar cane

azul blue

B

bailar to dance

el **baile** dance, ball

bajar to go down; — **de** get off, dismount

bajo, –a low; *prep.* under

el **banco** bank; bench

la **banda** band

el **banquero** banker

el **banquete** banquet

bañarse to bathe, take a bath

el **baño** bath; *see* **cuarto**

barato, –a cheap

la **barba** beard

bárbaro, –a barbarous; el —, barbarian

el **barbero** barber

Barcelona *a large commercial city in the northeast of Spain*

el **barco** boat

barrer to sweep

el **barril** barrel

basado, –a based, founded

bastante enough, not a little

el **baúl** trunk; **hacer el** —, to pack one's trunk

Belén Bethlehem; *see* **Nacimiento**

la **belleza** beauty

bello, –a beautiful; *see* **arte**

bendecir to bless

la **bendición** blessing

la **biblioteca** library

el **bien** (*pl.* **bienes**) property, land, estate; fortune, riches

bien *adv.* well

Bilbao *a flourishing commercial port in the north of Spain*

el **billete** ticket

bisiesto *see* **año**

el **bizcocho** biscuit, cracker

blanco, –a white

blando, –a soft

la **blusa** blouse, waist

el **bobo** fool, simpleton

la **boca** mouth

Bolívar Simon Bolivar

el **bolsillo** pocket

la **bondad** kindness
bonito, -a pretty, handsome; nice
el **bosque** woods, forest
la **botella** bottle
el **boticario** druggist, apothecary
el **Brasil** Brazil (*Portuguese-speaking republic of South America*)
el **brazo** arm
brillante brilliant
brillar to shine
la **broma** joke
bueno, -a (buen) good; —**os días** good morning; —**as tardes** good afternoon; **estar** —, to be well; *adv.* good! all right!
el **buque** ship
burlarse (de) to mock, make fun (of)
el **burro** donkey
la **busca** search; **en** — **de** in search of
el **buzón** letter box; *see* **echar**

C

el **caballero** gentleman, sir; knight
el **caballo** horse
caber to fit
la **cabeza** head
el **cabo** chief, commander; corporal; end; **al** —, finally; **al** — **de** at the end of, after
la **cabra** goat
cada each, every; — **vez más** more and more
caer to fall; **¿cuándo cae...?** on what day does ... fall?
el **café** coffee
caído *p.p. of* **caer**
la **caja** box
el **calcetín** sock
el **cálculo** calculation
caliente warm
la **calma** calm
el **calor** heat; **hacer** —, to be hot (*of weather*); **tener** —, be warm (*of persons*)
caluroso, -a warm
callarse to be silent, keep quiet
la **calle** street; **Calle Mayor** Main Street
la **cama** bed

el **camarero** waiter
cambiar to change
el **cambio** change, exchange
el **camello** camel
caminar to walk, stroll
el **camino** road, way
la **camisa** shirt
la **camisería** shirt store, haberdashery
el **camisero** haberdasher
la **camiseta** undershirt
el **campamento** camp
la **campana** gong, bell
el **campeón** champion, hero
el **campesino** farmer, countryman
el **campo** field; country
el **Canadá** Canada
la **canción** song
cansado, -a tired
cansarse to get tired
cantar to sing
la **cantidad** quantity
el **canto** song
la **caña:** — **de azúcar** sugar cane
la **capa** cape
capaz capable
capital leading, principal; **la** —, capital (*city*)
el **capitán** captain
el **capítulo** chapter
el **capricho** whim, caprice
capturar to capture
la **cara** face
el **carácter** character
¡**caramba**! Great Scott!
la **cárcel** prison
carecer (zc) to lack, be lacking (**de** in)
el **cargo** charge, care
la **caridad** act of charity; **hacer** — **a** to be charitable toward
el **caritativo, -a** charitable
el **carnaval** carnival
la **carne** meat; **la** — **de vaca** beef
la **carnicería** butcher shop
el **carro** vehicle, wagon
la **carta** letter
el **cartel** sign, poster
la **cartera** wallet, purse
el **cartero** letter carrier, postman
la **casa** house; **a** —, home; **¿cómo están en** —? how is your fam-

ily? — **comercial** business house; **en** —, at home

casar to marry; —**se con** marry, get married to

la **cascada** waterfall

casi almost

el **caso** case; **hacer** — **a** to pay attention to

castellano, –a Spanish, Castilian; **el** —, Spanish (*language*)

castigar to punish

el **castigo** punishment

Castilla Castile (*an old kingdom in central Spain*)

el **castillo** castle

Cataluña Catalonia (*the region of Spain, on the Mediterranean, in which the Catalan language is spoken*)

la **catedral** cathedral

católico, –a Catholic

la **causa** cause; **a** — **de** because of, on account of

causar to cause

celebrar to celebrate; —**se** be celebrated

célebre celebrated, famous

celoso, –a jealous

la **cena** supper

cenar to sup, have supper

el **centavo** cent, penny

el **centinela** guard, sentinel

el **centro** center, middle

Centro-América *f.* Central America

centroamericano, –a *adj. & noun* Central American

cepillar to brush

el **cepillo** brush; — **de ropa** clothes brush

cerca near-by; — **de** near; about

la **ceremonia** ceremony

la **cereza** cherry

el **cerezo** cherry tree

cerrar (ie) to close, shut

cesar to cease

el **ciego** blind man

el **cielo** sky, heaven

la **ciencia** science

científico, –a scientific

ciento (**cien**) a *or* one hundred; **por** —, per cent

cierto, –a sure; reliable, certain; — **día** one day; **por** —, certainly

el **cine** moving picture, "movie"

circular to walk about, circulate

la **ciudad** city; **por la** —, in the city

la **claridad** clarity, clearness

claro, –a clear, light; — **que sí** yes, indeed

la **clase** class(room); kind; **la** — **de español** Spanish class; **toda** — **de** every kind of

clásico, –a classical

el **clavel** carnation

el **cliente, la cliente** client

el **clima** climate

el **cobarde** coward

cobrar to collect

el **cocido** stew (*Spanish dish of boiled meat and vegetables*)

la **cocina** kitchen

el **coche** coach, carriage

el **cofre** coffer, box

coger (j) to catch, seize; pick

la **cola** tail

el **colegio** (private) school, college

la **colina** hill

colocar to place, arrange, put

la **colonia** colony

el **color** color; **¿ de qué** — **es?** what color is it? what is the color of?

el **combate** battle, combat

combatir to fight

combinar to combine

el **comedor** dining room

comenzar (ie) to begin, start

comer to eat; —**se** eat up; **dar de** —, feed

comercial commercial

el **comerciante** merchant, dealer

el **comercio** commerce, business

comestible: la tienda de —**s** grocery store

cometer to commit, do

la **comida** meal; **es la hora de la** —, it is dinnertime

como as, like; since; **¿ cómo?** how? what? **¿ cómo no?** yes, indeed

la **cómoda** bureau, dresser

cómodo, –a comfortable

el **compañero, la compañera** companion, friend

la **compañía** company

comparable comparable, like, similar

el **compartimiento** compartment

el **complemento** object

completamente completely

completar to complete

completo, –a complete; **por —,** completely

componer to make; mend; **—se** be composed

la **composición** composition

el **compositor** composer

la **compra** purchase; **hacer —s** to shop

comprar to buy

comprender to understand; comprise, consist of

común common

con with

conceder to grant, concede

la **conciencia** conscience

condenar to condemn

la **condesa** countess

conducir (**zc**) to lead, conduct

la **conducta** conduct

confesar (**ie**) to confess

la **confitería** confectionery; candy shop

el **confitero** confectioner, candy-man

conjugar to conjugate

la **conjunción** conjunction

el **conjunto** group, ensemble

conmigo with me

conmover (**ue**) to move; touch

conocer (**zc**) to be acquainted with, know; **conozco al señor Pérez** I know Mr. Perez

conocido, –a known

conque well, so then

la **conquista** conquest

el **conquistador** conqueror

conquistar to conquer

conseguir (**i**) to get, obtain

el **consejo** advice

consentir (**ie**) to consent (**en to**)

conservar to preserve, conserve

considerar to consider

consigo with himself

consiguiente: por —, consequently

la **construcción** construction

construír to construct, build

la **consulta** consultation

consultar to consult

contar (**ue**) to count, number; tell

contemplar to look, study, examine

contener to stop, repress

contentarse con to be satisfied with

contento, –a glad, pleased, content; **¡ qué —s están!** how glad they are!

la **contestación** answer

contestar to answer, reply

el **continente** continent

la **continuación** continuation

continuar to continue

continuo, –a continuous

contra against

contrario, –a opposite, contrary; **al —,** on the contrary

el **contraste** contrast

conveniente convenient

la **conversación** conversation, dialog

convertir (**ie**) to convert, change

la **convicción** conviction

la **copa** glass, goblet

copiar to copy

el **corazón** heart

la **corbata** necktie, tie

la **cordillera** range (*of mountains*)

Córdoba Cordova (*a city in the south of Spain*)

el **coro** chorus; **a —,** *or* **en —,** all together

el **coronel** colonel

la **corrección** correction

corregir (**i**) to correct; **—se** correct oneself

correr to run

corriente common, general

el **cortaplumas** (*pl.* **los cortaplumas**) penknife, pocketknife

cortar to cut, cut out

la **corte** court; capital (*i.e.* Madrid)

cortés courteous

la **cortesía** courtesy, politeness

la **cortina** curtain

corto, –a short

la **cosa** thing

la **cosecha** harvest

coser to sew

cosmopolita cosmopolitan

la **costa** coast
costar (ue) to cost
la **costumbre** custom
el **creador** creator
crecer (zc) to grow
el **crédito** credit
creer to think, believe; **creo que
sí** I think so; —**se** believe oneself, be believed
creído *p.p. of* **creer**
el **criado,** la **criada** servant; man-
servant; maid
el **crimen** crime
el **cristal** windowpane, glassware
Cristo Christ
crítico, -a critical
la **crueldad** cruelty
cruzar to cross
el **cuaderno** notebook
el **cuadro** picture
el **cual** (*pl.* **los cuales**) *rel. pron.* who;
which; ¿ **cuál, -es?** *interrog.
adj. & pron.* which? what?
which one?
cualquier(a) *pron.* whoever, anyone
cuando when; ¿ **cuándo?** when?
cuanto, -a as much; —**s, —as** as
many; **en —,** as soon as; **unos
—s** a few; ¿ **cuántos, -as?**
how many?
el **cuarto** room; quarter; **el — de
baño** bathroom
cubierto *p.p. of* **cubrir ;** *adj.* covered (**de** with)
cubrir to cover; —**se** put on one's
hat
la **cuchara** spoon
el **cuchillo** knife
el **cuello** collar; neck
la **cuenta** bill; **darse — de** to realize
el **cuento** story
el **cuerpo** body
la **cuestión** question
el **cuidado** care; service; **pierda Vd.
—,** don't worry
cuidar to take care of
cultivar to cultivate, raise
la **cultura** refinement, culture
el **cumpleaños** birthday
cumplir to complete; comply; —
quince años reach *or* have one's

fifteenth birthday; —**se** be ful-
filled
la **cura** cure
el **cura** (parish) priest
curar to cure
la **curiosidad** curiosity; **con —,** in-
quisitively, curiously
curioso, -a curious, peculiar,
strange
el **curso** course

Ch

el **chaleco** vest
la **chaqueta** coat, jacket
charlar to chat, chatter
el **chico** child, boy; **de —,** as a boy
la **chimenea** chimney, fireplace
el **chino** Chinaman
el **chiste** joke

D

la **dama** lady, woman
dar to give; bear (*fruit*); **— con**
come upon; **— los buenos días
a** wish someone good morning
de of, from, in, on, for, with, by,
than
debajo de under, beneath
deber to have to (ought, should,
am to), must; owe
débil weak
decidir(se) (a) to decide
decir to say, tell; order, command; **no puedo menos de —,**
I cannot help saying; **querer —,**
mean
la **decisión** decision
declarar to declare, affirm; —**se**
declare itself
el **dedo** finger
defender (ie) to defend; —**se** defend oneself
la **defensa** defense
dejar to leave, let, allow
del = de + el of the, from the
delante de in front of, before
delgado, -a thin
delicado, -a modest, refined; fine,
delicate
delicioso, -a delicious

demás (*preceded by* **el, lo, la, los, las**) the rest, the other(s); the balance

demasiado, -a too much, more than enough, too

democrático, -a democratic

dentro de within, inside of

el **dependiente** clerk, employee

depositar to deposit, put

derecho, -a right; **el —,** right, claim

desagradable unpleasant, disagreeable

desaparecer to disappear

desastroso, -a disastrous

desayunarse to take breakfast

el **desayuno** breakfast

descansar to rest

el **descanso** rest

desconocido, -a unknown; **el —,** stranger

el **descontento** discontent, dissatisfaction

describir to describe

descubierto, -a discovered

el **descubrimiento** discovery

descubrir to discover

el **descuento** discount

desde from, since; **— donde** whence; **— entonces** from then on

desear to desire, wish, want

el **deseo** desire; zest

la **desesperación** despair

desesperado, -a desperate

despacio *adv.* slowly

despedir (i) to discharge, expel; **—se (de)** take leave (of), say good-by (to)

despertar (ie) to awaken; **—se** wake up

después *adv.* afterwards, then; **— de** *prep.* after; **— que** *conj.* after; **un poco —,** a little later

el **destino** destination, objective; fate

destruír to destroy

el **detalle** detail, particular

detener(se) to stop

detrás de behind, back of

devolver (ue) to return (*a thing*); **—se** turn around

devorar to eat up, devour, consume

devoto, -a devout, religious

devuelto *p.p. of* **devolver**

el **día** day; **al — siguiente** the following day; **buenos —s** good morning; **de —,** in the daytime; **— de fiesta** holiday; **hoy —,** at present, today; **todo el —,** the whole day; **el Día de los Reyes** Twelfth Night (*Jan. 6*)

el **diálogo** dialog, conversation

el **diamante** diamond

el **diario** diary; newspaper; **diario, -a** daily

dibujar to draw, sketch

el **diccionario** dictionary

diciembre *m.* December

el **dictado** dictation

dictar to dictate

dicho *p.p. of* **decir**

el **diente** tooth

diferente different

difícil difficult, hard

la **dignidad** dignity

digno, -a worthy

la **diligencia** diligence, industry

diligente diligent

el **dinero** money

Dios *m.* God; **¡ por —!** Heavens!

la **diosa** goddess

el **diplomático** diplomat

el **dique** dyke

la **dirección** address; direction

directamente straightway, immediately

directo, -a direct

dirigir (j) to address; command; lead; **—se** speak to; go; address

la **disciplina** discipline

el **discípulo** pupil

la **discusión** discussion, argument

discutir to argue

disecado, -a stuffed

la **disposición** inclination, disposition; disposal

la **distinción** distinction

distinguir to distinguish; **—se** distinguish oneself; be distinguished

distinto, -a different, distinct
distraer to trouble, distract
divertirse (ie) to amuse oneself,
  enjoy oneself, have a good time
dividirse to be divided
divino, -a divine; beautiful
doblar to fold, crease
doblemente doubly
la docena dozen
el documento document
el dolor pain; — de cabeza headache
doméstico, -a domestic, tamed
el domingo Sunday
el dominio land, dominion; rule
don (doña) don, doña (Mr., Mrs.)
donde where
dormir (ue) to sleep; —se fall
  asleep
dramático, -a dramatic
la droga drug, medicine
la duda doubt; no cabe —, there is
  no doubt
dudar to doubt
dudoso, -a doubtful
el duelo duel; se baten en —, they
  fight a duel
el dueño, la dueña master; mistress;
  owner
el dulce candy; pl. sweets
la dulzura gentleness; consideration
durante during
durar to last
duro, -a hard; el —, dollar

E

e (= y) and
el eco echo
echar to throw, drop; — en el
  buzón mail
la edad age; ¿qué — tiene usted?
  how old are you?
el edificio building
el ejemplo example; por —, for example
el ejercicio exercise
el ejército army
eléctrico, -a electric, electrical
el elefante elephant
elegir (i) to choose
elemental elementary

la embajada embassy
embarcar to embark, go on ship-
  board
embargo: sin —, however, nevertheless
el emisario messenger
la emoción excitement, emotion
el emperador emperor
empezar (ie) to begin
el empleado employee; attendant
el empleo use; job
en on, in, into, at, of
enamorarse (de) to fall in love
  (with)
encantado, -a delighted, charmed,
  enchanted
encerrar (ie) to hold
encima on top of; — de on top
  of, over; por — de over
encontrar (ue) to meet, find; —se
  meet
el enemigo enemy
enero m. January
enfermarse to become ill, fall sick
la enfermedad sickness, illness
enfermo, -a sick, ill; noun m. &
  f. the sick one
engañar to deceive
enorme enormous
enseñar to show; teach
entender (ie) to understand
enteramente entirely
entero, -a entire, whole
enterrar (ie) to bury
entonces then; desde —, from
  then on
la entrada entrance
entrar to enter, come in; — en
  enter into or in
entre among, between; divided
  by (in mathematics); — tanto
  in the meantime
entregar to hand over, give up,
  deliver
el entusiasmo enthusiasm, dash
enviar (í) to send
la envidia envy
el envidioso envious (one)
envuelto, -a wrapped
el epigrama epigram, verse
la época epoch, period, (space of)
  time

el **equipaje** baggage
el **equipo** team; equipment
equivocarse to make a mistake
la **ermita** shrine
escaparse to escape; run
la **escena** stage; scene
escoger (j) to select, choose
esconder to hide
escribir to write
escrito *p.p. of* **escribir; lo —,** that which is written, the written material
el **escritor** writer, author
el **escritorio** desk
el **escrúpulo** doubt, scruple
escuchar to listen
la **escuela** school
ese, -a (*pl.* **esos, -as**) *demons. adj.* that, those
ése, -a (*pl.* **ésos, -as**) *demons. pron.* that (one), those
la **esfinge** sphinx
el **esfuerzo** effort, endeavor
la **esmeralda** emerald
eso *neut. demons. pron.* that, that thing; **por —,** for that reason, that's why
el **espacio** space; interval of time
la **espalda** back
España *f.* Spain
español, -ola *adj. & noun* Spanish; Spaniard; **el —,** the Spanish (*language*)
especial special
especialmente especially
el **espectáculo** spectacle, sight
el **espectador** spectator
el **espejo** mirror
esperar to wait for, await; hope
el **espíritu** spirit
el **esplendor** splendor
establecer (zc) to set up; **—se** establish oneself
el **establo** stable
la **estación** season; station
el **estado** state; statement; **los Estados Unidos** United States
el **estante** shelf; bookcase
estar to be; **— a punto de** be about to; **— bien** be (feel) well; **— harto de** be sick of; **¿ a cuántos estamos del mes?** what

day of the month is it? **¿ a cuántos estamos hoy?** what date is it today? **estamos a primero (a dos,** *etc.***) de ...** today is the first (the second) of ...
la **estatua** statue, monument
el **este** east
éste, -a *demons. pron.* this one; the latter
el **estilo** style
estimar to esteem, consider
esto *demons. pron.* this
el **estómago** stomach
estrecho, -a narrow
la **estrella** star
el **estudiante** student
estudiar to study; **— para abogado, médico** to study law, medicine
el **estudio** study
la **estufa** stove
el **estúpido** imbecile
Europa *f.* Europe
evidente evident
evitar to avoid
el **examen** examination; **salir bien del —,** to pass the examination; **salir mal del —,** fail the examination
examinar to examine
excelente excellent
la **excepción** exception; **a — de** with the exception of
exceptuar to make an exception
excitar to excite; **—se** become excited
exclamar to exclaim
la **excusa** excuse
la **éxito** success
la **explicación** explanation
explicar to explain
el **explorador** boy scout; explorer
explorar to explore
expresar to express, say
exquisito, -a exquisite
extranjero, -a strange, foreign; **el —,** stranger
extrañar(se) to be surprising (surprised)
extraño, -a peculiar, strange
extraordinario, -a extraordinary

extravagante eecentric, freakish, queer

Extremadura *region in the western part of Spain*

el extremo end, extreme

F

fabricarse to be made, be manufactured

fabuloso, –a legendary, imaginary

fácil easy

la falda skirt

la falta lack; guilt; mistake, error; le hace — dinero he needs money

faltar to be wanting, be missing, be lacking; — a be disrespectful to

la fama fame, reputation

la familia family

famoso, –a famous

la fantasía dream; fancy

fantástico, –a fantastic

el farmacéutico druggist

la farmacia drugstore

el favor favor; haga Vd. el —, please

favorito, –a favorite

la fe faith

febrero *m.* February

la fecha date, day; ¿ cuál es la — de hoy? what is today's date?

la felicidad happiness

feliz happy; —mente happily

feo, –a ugly

la feria fair

el ferrocarril railroad, railway

la festividad festivity

festivo, –a joking; festive

fiado: al —, on credit

la fiebre fever

el fiel (faithful) follower

el fieltro felt

la fiesta feast; el día de —, holiday

la figura figure

la figurita statuette

fijarse (en) to notice

la filosofía philosophy

el fin end; al — *or* por —, at last; a — de, in order to; a —es de at the end of; a — (de) que in order that; en —, in short

fino, –a fine

firmar to sign

firme firm, hard; —mente firmly

la firmeza firmness; emphasis

la física physics

físico, –a physical

flaco, –a thin

la flor flower

flotante floating

el fondo bottom; en el —, at heart

los fondos funds

la forma form

formar to form

la fortuna fortune, luck

francés, –esa *adj. & noun* French; Frenchman, French woman; el —, French (*language*)

Francia *f.* France

la franqueza frankness

la frase sentence

la frecuencia frequency; con —, frequently

frente (a) facing; before

fresco, –a fresh, cool; hacer —, to be cool

frío, –a cold; hacer —, to be cold (*of weather*); tener —, be cold (*of persons*)

la fruta fruit

el fuego fire; el arma de —, firearm

fuera (de) outside of

fuerte strong

la fuerza strength, might

fumar to smoke

la función use, function; entertainment, performance

la fundación foundation, founding

fundar to found; —se be erected

la furia anger, fury

furioso, –a furious; severe

el furor fury, rage

el futuro future

G

el gabinete study (*room*)

la galería gallery

Galicia *a region in the northwest of Spain*

la gallina chicken, hen

la gana desire, inclination; de mala

—, unwillingly, with reluctance;
tener —s de to be desirous of
ganar to gain, win, earn
gastar to spend
el gato, la gata cat; el gatito kitten
la generación generation
general general, prevalent;
—mente generally; *noun m.*
general; — en jefe general-in-
chief; por lo —, in general
la generosidad generosity
generoso, –a generous
la geografía geography
gigante gigantic
el gigante giant
la gimnasia gymnastics
el gitano, la gitana gypsy
la gloria glory
glorioso, –a glorious
el goloso glutton
el golpe blow
gordo, –a stout, fat
la gorra cap
gozar (de) to enjoy
el grabado picture, illustration; libro
de —s picture book
la gracia charm, grace; las —s
thanks; dar las —s (a) to thank
(someone); (muchas) —, thank
you (very much), thanks
el grado grade; pasar de —, to be
promoted
la gramática grammar
grande (gran) big, large; great
la grandeza grandeur, greatness
grandioso, –a grand, large, splendid, magnificent
grave grave, serious, critical
griego, –a Greek
gritar to shout, cry
el grito cry
grueso, –a thick; heavy
el grupo group
el guante glove
guardar to keep; — cama stay in
bed
la guerra war
el guerrero warrior, soldier
guiado, –a led, guided
guisar to cook
la guitarra guitar
gustar to please, like, be fond of;

me gusta I like; ¿ le gustaría?
would you like ?
el gusto pleasure; con mucho —,
with pleasure, gladly; tenemos
tanto — en hablar we are so
glad to speak

H

haber to have (*used only as an
auxiliary verb*); — de be to;
había there were; hay there is
(are); hay que one must
hábil able, skillful
la habitación apartment
el habitante inhabitant
habitar to live, dwell
el habla *f.* speech
hablar to speak, talk; ¿ dónde se
habla . . .? where is . . . spoken ?
hacer to do, make; hace algún
tiempo some time ago; hace
buen tiempo (calor, fresco, frío,
mal tiempo, viento) it is good
weather (warm, cool, cold, bad
weather, windy); hace mucho
calor it is very hot; hace mucho
tiempo que it is a long time
that; hace ocho días a week
ago; hace sol (luna) the sun
(moon) is shining; — el baúl
pack one's trunk; — caso a
pay attention to; — compras
shop; — daño cause loss *or*
damage; — negocios do business; — el papel play the role;
— una pregunta a ask a question of; — un viaje take a trip;
hágame el favor de please;
hágase lo mismo do the same;
¿ qué tiempo hace? how is the
weather ?
el hada *f.* fairy
hallar to find; —se be found
el hambre *f.* hunger; tener —, to be
hungry
la harina flour
hasta as far as, until, up to; even;
— ahora up to the present time;
— luego see you later; — que
until
hay *see* haber

la hazaña feat, achievement
hecho *p.p. of* hacer
el herido wounded
herir (ie) to wound
el hermanito, la hermanita little brother; little sister
el hermano, la hermana brother; sister
hermoso, –a beautiful, handsome
el héroe hero
heroico, –a heroic
el hielo ice
la hierba grass
el hijo, la hija boy, son; girl, daughter; *m. pl.* children
hispanoamericano, –a Spanish-American
la historia history
histórico, –a historical
la hoja sheet (*of paper*); leaf
hola hello
el hombre man; de —, as a man
el hombro shoulder
la honradez honesty
honrado, –a honorable, honest; honored
la hora hour; es la — de la comida it is dinnertime; ¿ qué — es? what time is it? ¿ a qué —? at what time? un cuarto de —, a quarter of an hour
hoy today; — día at present, today
el huevo egg
huír to flee, run
humano, –a human
húmedo, –a damp
humilde humble, modest
hundirse to sink

I

el idioma language
el idiota idiot
la iglesia church
igual similar, alike, equal, like; —mente equally, likewise
la ilusión illusion, dream
la imaginación imagination
imitar to imitate
la impaciencia impatience
impaciente impatient

la importancia importance
importante important
imposible impossible
la impresión impression
el inca Inca (*Peruvian Indian*)
el incidente incident
incluso, –a including
increíble incredible
la independencia independence
independiente independent
las Indias East Indies
el indicativo indicative
indiferente indifferent
la indignación anger, indignation
indignado, –a indignant
el indio Indian
indirecto, –a indirect
el individuo person, individual
la infancia infancy, childhood
infernal deafening; infernal
la información information
informar to inform
el informe information
el ingenio genius; insight
ingenioso, –a clever, ingenious
Inglaterra *f.* England
inglés, –esa *adj. & noun* English; Englishman; English woman; el —, English (*language*)
la ingratitud ingratitude
el ingrato ingrate, ungrateful one
la injusticia injustice
inmediatamente immediately
inmemorial ancient, immemorial
inmenso, –a immense
la inocencia innocence
inocente innocent
inquieto, –a uneasy
inscribirse to register, enroll
insignificante insignificant
insistir (en) to insist
la insolencia insolence
insolente insolent
insoportable unbearable, intolerable
la inspiración inspiration
instalar to install
instructivo, –a instructive
el instrumento instrument, tool
el insulto insult
intacto, –a intact
la inteligencia intelligence

inteligente intelligent
el interés interest
interesado, –a interested
interesante interesting
interesar to interest
íntimo, –a intimate
inútil useless
invadir to invade
la invención invention; ejercicio de
—, individual work, creative
project
el invierno winter
invitar to invite
ir to go, go to; — a paseo go
for a (walk) ride; — montado
ride, go for a ride; — por travel;
—se go off
la ironía irony
la irritación irritation
irritado, –a annoyed, vexed, irritated, angered
irritarse to become irritated
la isla island
el istmo isthmus
Italia f. Italy
italiano, –a adj. & noun Italian;
el —, Italian (language)
izquierdo, –a left

J

el jabón soap
jamás never; ever
japonés, –esa adj. & noun Japanese
el jardín garden
el jefe chief
Jesús Jesus
joven young; el —, young man,
youth; la —, young woman,
girl; los jóvenes young people
la joya jewel
el juego game; gambling
el jueves Thursday
el juez judge
jugar (ue) to play; — al abogado
(al escondite, a la pelota, a la
tienda) play lawyer (hide-and-
seek, ball, store)
el juguete toy
julio m. July
junio m. June

juntos, –as joined, together
la justicia justice
justo, –a just

K

el kilo kilogram ($2\frac{1}{5}$ lbs.)

L

el labio lip
el labrador farmer
el lado side; por otro —, on the
other hand
ladrar to bark, howl
el ladrillo brick
el ladrón thief
el lago lake
la lana wool
la lancha lifeboat, launch
la lanza lance
lanzar to throw, hurl, cast; shout;
— un suspiro heave a sigh;
—se launch itself, dash oneself
el lápiz pencil
la que rel. pron. f. that which
largo, –a long
la lástima pity, sympathy, compas-
sion; es —, it is a pity
lavar to wash; —se wash (oneself); —se la cara wash one's
face
leal loyal
la lección lesson; una — de gramática a grammar lesson
el lector reader
la lectura reading
la leche milk
leer to read
legendario, –a legendary
la legumbre vegetable
leído p.p. of leer
lejano, –a faraway, distant
lejos far; a lo —, in the distance;
desde —, from far away; — de
far from
la lengua language; tongue
la leña firewood
el león lion
la letra letter, character; handwrit-
ing; las —s literature
levantar to raise; — la mesa clear
the table; —se get up

la **leyenda** legend
la **libertad** liberty
el **libertador** liberator
libertar to liberate, free
la **libra** pound
librarse to free oneself
libre free
la **librería** bookstore
el **librero** bookseller
el **libro** book
el **límite** boundary
la **limonada** lemonade
limpiar(se) to clean
limpio, –a clean, pure
la **línea** line
la **lira** lyre
la **lista** list
listo, –a ready
el **lobo** wolf
loco, –a crazy; el **loco**, la **loca** madman; madwoman; lunatic
la **locución** expression; idiom; word
lograr + *inf.* to be successful in + *pres. part.*
Londres London
lo que *rel. pron. neut.* what, that which
la **lucha** struggle, battle
luchar to fight
luego then, for; **hasta** —, see you later; — **que** as soon as
el **lugar** place; town; **en** — **de** instead of, in place of
lujoso, –a luxurious
la **luna** moon
el **lunes** Monday
la **luz** light; **la** — **eléctrica** electric light

Ll

llamar to call; — **la atención a** call one's attention to; — **a la puerta** knock at the door; —**se** be called, be named; ¿ **cómo se llama Vd.** ? what is your name ?
el **llano** plain
la **llegada** arrival
llegar to arrive, come, reach; — **a** reach; — **a ser** get to be, become; **recién llegado** recently arrived

llenar to fill (in), fill up; —**se** (**de**) become filled (with)
lleno, –a full, filled
llevar to take; bear, carry, lift; wear; have; —**se** take along, carry off
llorar to weep
llover (**ue**) to rain; **está lloviendo** it is raining
la **lluvia** rain, shower

M

la **madera** wood
la **madre** mother
madurar to ripen, mature
maduro, –a mature, ripe
el **maestro**, la **maestra** master; mistress; teacher
magnífico, –a magnificent
el **maíz** corn, maize
la **majestad** majesty
mal badly, poorly; el —, evil
malo, –a (**mal**) bad; **hacer mal tiempo** to be bad weather
la **mamá** mamma, mother
mandar to send; *noun m.* command, order; — **a llamar** send for
la **manera** manner, way; **de** — **que** so that; **de todas** —**s** at any rate
la **manía** craze, mania
la **mano** hand; **dar la** — **a** to shake hands with
la **manta** blanket
el **mantel** tablecloth
mantener to maintain, keep, support
la **mantilla** mantilla (*a woman's head-dress*)
el **mantón** shawl; mantle
la **manzana** apple
el **manzano** apple tree
la **mañana** morning; *adv.* tomorrow; **de la** —, in the morning, A.M.; **pasado** —, day after tomorrow; **por la** —, in the morning; **todas las** —**s** every morning
el **mapa** map
el **mar** ocean, sea
la **maravilla** marvel, wonder
maravilloso, –a marvelous

la **marcha** walk

marchar to walk; —**se** go off, leave

el **margen** margin; the left

el **marido** husband

el **martes** Tuesday

marzo *m.* March

más more; plus; **a lo** —, at the most; — **bien** rather; **cada vez** —, more and more; **lo** —, at the most; **por lo** —, at the most; **ya no puede resistir** —, he cannot stand it any longer

la **máscara** mask

matar to kill

las **matemáticas** mathematics

la **máxima** maxim, proverb

mayo *m.* May

mayor older, grown-up; greater, greatest; **Calle Mayor** Main Street; **la** — **parte** the majority, most

la **media** stocking, hose

mediano, -a middle

la **medicina** medicine

el **médico** physician, doctor

la **medida** measure

medio, -a half; **en** — **de** in the midst of; **la** —**a noche** midnight

el **medio** way, means

Méjico *m.* Mexico

mejor better; best; **el** —, best

mejorarse to improve

la **memoria** memory; **de** —, by heart

mencionar to mention

menester: ser —, to be necessary

el **menor** youngest

menos less; fewer; minus; **a** — **que** unless

mentir (ie) to lie, tell a lie

la **mentira** lie

menudo: a —, often

el **mercado** market

la **mercancía** merchandise

la **merced** mercy

merecer (zc) to deserve

el **mes** month; **el** — **pasado** last month; **el** — **próximo** next month

la **mesa** table, desk

la **meseta** plateau

meter (en) to put in *or* on

el **método** method

el **metro** meter (*39.37 inches*)

el **miedo** fear

el **miembro** member; limb

mientras while; — **que** while, as long as

el **miércoles** Wednesday

el **milagro** miracle

milagroso, -a miraculous, marvelous

militar military; **el** —, soldier

el **millón** million

la **mina** mine

minero, -a mineral, mineral-bearing

el **ministro** minister

el **minuto** minute

la **mirada** glance, gaze, look

mirar to look (at); — **hacia** face; **mire Vd.** look here, see here; —**se** look at oneself

la **misa** Mass; **la** — **del gallo** midnight Mass

la **miseria** poverty

mismo, -a same, self; **ahora** —, right now; **lo** —, the same; **sí** —, himself, oneself

el **misterio** mystery

misterioso, -a mysterious

místico, -a mystic, weird

la **mitad** half

la **moda** fashion, mode

el **modelo** model, example

moderno, -a modern

la **modestia** modesty

modesto, -a modest

el **modismo** idiom

el **modo** mood, mode, manner, way; **de este** —, in this way; **de** — **que** so that; **de todos** —**s** at any rate

molestar to trouble, molest

el **momento** moment

la **moneda** coin

el **monje** monk

el **mono** monkey

el **monograma** monogram

monótono, -a monotonous

el **monstruo** monster

montado, -a mounted; **ir** —, to ride

la **montaña** mountain
montar to mount, get on
el **monte** mountain
el **monumento** monument
morder (ue) to bite
moreno, -a dark, swarthy
morir (ue) to die
moro, -a *adj. & noun* Moorish; Moor
la **mosca** fly
mostrar (ue) to show
mover (ue) to move
el **mozo** waiter
el **muchacho,** la **muchacha** boy; girl; child; *m. pl.* boys and girls, children
mucho, -a much, a great deal of; *pl.* many, a great many; *adv.* much, a great deal; hard; greatly
mudo, -a silent
el **mueble** piece of furniture; *pl.* furniture
la **muerte** death
muerto, -a dead; — **de hambre** half-dead of hunger; **el** —, corpse
la **mujer** wife; woman
la **multa** fine
el **mundo** world; **todo el** —, everybody
el **músculo** muscle
el **museo** museum
la **música** music
el **músico** musician
muy very

N

nacer (zc) to be born
el **Nacimiento** Birth of Christ (*represented by a group of clay figures*)
la **nación** nation, country
nacional national
nada nothing; **de** —, not at all, don't mention it; **ni** —, not anything; **por** —, for no particular reason
nadar to swim; **saber** —, know how to swim
nadie no one, nobody; (*with neg.*) not anyone, not anybody
la **nariz** nose

la **narración** story, narration
natal native
natural *adj. & noun* natural; native of; —**mente** naturally
la **naturaleza** nature
la **Navidad** Christmas
necesario, -a necessary
necesitar to need; have to
negar (ie) to deny; refuse
negativo, -a negative; —**mente** negatively
los **negocios** business; ¿ **cómo andan los** —? how is business? **hacer** —, to do business
negro, -a black
neutro, -a neuter
nevar (ie) to snow
ni nor, not; — ... —, neither ... nor; — **siquiera** not even
el **nieto,** la **nieta** grandson; granddaughter; *m. pl.* grandchildren
la **nieve** snow
ninguno, -a (**ningún**) no, not one, none
el **niño,** la **niña** small boy; small girl; child; *m. pl.* children; **el** — **Jesús** *or* **Dios** the Christchild
el **nitrato** nitrate
no no, not; **creo que** —, I don't think so
noble *adj. & noun* noble
la **nobleza** nobility
la **noche** night; **de la** —, in the night, P.M.; **esta** —, tonight; **a media** —, midnight; **por la** —, in the evening, at night; **todas las** —**s** every night
la **Nochebuena** Christmas Eve
nocturno, -a nightly, nocturnal
nombrar to name, be appointed
el **nombre** name; noun
el **nordeste** northeast
el **norte** north
Norte América *f.* North America
norteamericano, -a *adj. & noun* (North) American
nos us
la **nota** mark
notable remarkable, noteworthy
notar to note, notice; —**se** be noted

la **noticia** news
la **novela** novel
noviembre *m.* November
la **nube** cloud
nuestro, -a our
Nueva York New York
nuevo, -a new; **el Año Nuevo** New
  Year; **de —,** again
el **número** number
numeroso, -a numerous
nunca never; **not . . . ever**

O

o or
obedecer (zc) to obey
el **obispo** bishop
el **objeto** thing, object
obligar to force, oblige
la **obra** work; **la — maestra** masterpiece
la **obscuridad** darkness
obscuro, -a obscure, dark
obstante: no —, notwithstanding
obstruír to obstruct
obtener to obtain, get
la **ocasión** occasion
octubre *m.* October
la **ocupación** occupation
ocupado, -a busy
ocupar to occupy
ocurrir to occur, happen
el **oeste** west
ofensivo, -a offensive
la **oferta** offer
oficial *adj. & noun* official; officer
la **oficina** office
el **oficio** trade
ofrecer (zc) to offer, give
el **oído** (*inner*) ear; (*sense of*) hearing
oído *p.p. of* **oír**
oír to hear; **— decir** hear it said
el **ojo** eye
la **ola** wave
oler (hue) to smell
el **olfato** smell
el **olor** smell, odor
olvidar to forget; **—se de** forget
la **ópera** opera
la **opinión** opinion
la **oportunidad** opportunity

la **oración** sentence
el **orden** order; series; **la —,** command, order
ordenar to order
la **oreja** ear (*shell*)
organizar to organize
el **órgano** organ
el **orgullo** pride
la **orilla** shore, bank of a river; **la —
  del mar** seashore
el **oro** gold
el **otoño** autumn
otro, -a other, another; **—a vez**
  again

P

el **paciente** patient
el **padre** father; **los —s** parents
el **padrino** second (*in a duel*)
pagar to pay (for)
la **página** page
el **país** country, land
la **paja** straw
el **pájaro** bird
la **palabra** word
el **palacio** palace
pálido, -a pale
la **paliza** beating
el **palo** stick
el **pan** bread
la **panadería** bakery; baker's shop
el **panadero** baker
el **panecillo** roll (of bread)
el **pantalón** trousers
el **paño** cloth
el **pañuelo** handkerchief
el **papá** papa
el **papel** paper; **hacer el —,** to play
  the role
el **paquete** package
el **par** pair
para *prep.* to, for, in order to; **—
  que** *conj.* in order that; **¿ —
  qué?** why? for what?
el **paraguas** (*pl.* los **paraguas**) umbrella
el **paraíso** paradise
paralizado, -a paralyzed
parar to stop; stand; maintain
pardo, -a brown
parecer (zc) to appear, seem; **al**

— (= por lo visto = es evidente) apparently; —se a resemble

la **pared** wall

el **paréntesis** parenthesis

el **pariente** relative

el **parque** park

el **párrafo** paragraph

el **parroquiano,** la **parroquiana** customer

la **parte** part, place, side; **en ninguna** —, nowhere; **en todas** —s everywhere

participar to share, participate

el **participio** participle

particular particular, especial; private

pasado, –a past; **el año** —, last year

el **pasaje** passage

el **pasajero** passenger

pasar to pass, go; happen; spend (*time*); — **de grado** be promoted; **pasando la lista** roll call; **que Vd. lo pase bien** have a pleasant time, good-by

la **Pascua** (**Florida**) Easter

pasearse (**por**) to take a walk (through)

el **paseo** walk, promenade; **dar un** —, take a walk; **ir a** —, go for a walk (ride)

pasivo, –a passive

el **paso** passage, crossing; step

el **pasto** pasture

el **pastor** shepherd

pastoril pastoral (*dealing with shepherds*)

la **patata** potato

patinar to skate

el **patio** inner court, yard

el **patriarca** patriarch

patriótico, –a patriotic

el **patrón** patron, guardian saint

la **paz** peace

peces *see* **pez**

el **pecho** chest, breast

el **pedazo** piece, fragment, bit; **hacer** —s to tear to pieces

pedir (**i**) to ask (for); — **a gritos** shout for

pegar to hit, slap; stick

peinarse to comb, comb one's hair

pelear to fight

el **peligro** danger, peril

peligroso, –a dangerous

el **pelo** hair; **tiene el** — **negro** he has black hair

la **pelota** ball; **jugar a la** —, to play ball

la **pena** trouble

la **penitencia** penance

el **pensamiento** thought

pensar (**ie**) to think; — + *inf.* intend to + *inf.*; — **en** think of

peor worse, worst

pequeño, –a small, little

la **pera** pear

el **peral** pear tree

la **percha** hanger (*for clothing*)

perder (**ie**) to lose; ruin; **está perdida** is spoiled *or* ruined; **pierda Vd. cuidado** don't worry

la **pérdida** loss

el **perdón** pardon

perdonar to pardon

perezoso, –a lazy

perfecto, –a perfect; **perfectamente** perfectly

perfumar to perfume

el **periódico** newspaper

la **perla** pearl

el **permiso** permission

permitir to allow, permit

pero but

el **perrito** little dog

el **perro** dog

persistente persistent

la **persona** person

pertenecer (**zc**) to belong

pesado, –a heavy

pesar to weigh; **a** — **de** in spite of

la **pesca** fishing

el **pescado** fish (*when caught*)

pescar to fish

el **pesebre** manger, crib

la **peseta** peseta (*normally worth about 20 cents*)

el **peso** dollar (*Spanish-American*); weight

la **petición** request, petition

el **pez** (*pl.* **peces**) fish (*when alive*)

el **pico** beak

el **pie** foot; **de** —, standing

la **piedra** stone; **la — de amolar** grindstone
la **piel** skin; fur
la **pierna** leg
la **pieza** room (*of a house*); piece, selection; play
pintar to paint
el **pintor** painter
pintoresco, –a picturesque
la **pintura** painting
la **pipa** pipe
el **piso** story (*of a house*); floor, apartment
la **pistola** pistol
la **pizarra** (*slate*) blackboard
el **placer** joy, pleasure
el **plano** plan, layout
la **planta** plant
plantar to plant
la **plata** silver
el **plátano** banana tree
el **platino** platinum
el **plato** plate, dish
la **playa** shore, seashore
la **plaza** square
la **pluma** feather; pen; **— fuente** fountain pen
el **pluscuamperfecto** pluperfect
la **población** population; city
pobre poor; **el —,** poor person, beggar
poco, –a little; *pl.* few; **un — de** a little; **(un) — después** a little later; **— a —,** little by little
el **poder** power
poder (**ue**) can, to be able; **no puedo menos de decir** I cannot help saying; **¿ quién puede ser?** who can it be? **ya no puede más** he cannot stand it any longer
poderoso, –a powerful
la **poesía** poetry; poem
el **poeta** poet
la **policía** police; **el —,** policeman
político, –a political
el **pollo** chicken
la **pompa** pomp
poner to place, put; **— atención** pay attention; **—se** put on; set (*of sun*); **—se a** begin; **—se de acuerdo** come to an agreement

por for, through, by, because; in, on; times, multiplied by; **— conducto de** through; **— eso** therefore; **— lo general** in general; **— lo tanto** therefore; **— nada** for no reason; **— ... que** however; **— supuesto** of course, yes indeed
porque because
¿ por qué? why?
el **Portugal** Portugal
portugués, –esa *adj. & noun* Portuguese; **el —,** Portuguese (*language*)
poseer to possess
el **poste** post, pole
el **postre** dessert
practicar to practise; **— los ejercicios** exercise
práctico, –a practical
preceder (**a**) to precede
el **precio** price
precioso, –a precious
preciso, –a precise, exactly; necessary
la **preferencia** preference
preferible preferable
preferir (**ie**) to prefer
la **pregunta** question; *see* **hacer**
preguntar to ask (*a question*); **hacer preguntas** ask questions; **vamos a —,** let us ask
el **premio** reward, prize; **de —,** as a reward
la **prenda** (**de vestir**) article (*of clothing*), garment
la **prensa** press; **la — tipográfica** printing press
preocupar(se) to worry
preparar to prepare; **—se** prepare oneself
el **preparativo** preparation
preparatorio, –a preparatory
la **preposición** preposition
la **presencia** presence
presenciar to witness, be present at
presentar to present, introduce; **—se** appear, present oneself
presente *adj. & noun* present; **el —,** bystander; **todos los —s** all those present

el **presidente** president
prestar to lend, give; — **atención** pay attention
el **pretérito** preterit
el **pretexto** excuse, pretext
la **primavera** spring
primero, -a (primer) . first; estamos a primero del mes it is the first of the month; *adv.* at first
el **primo**, la **prima** cousin
la **princesa** princess
principal main, principal; —**mente** principally
el **príncipe** prince
principiar to begin, start
el **principio** beginning; al —, at the beginning; a —s in the beginning
la **prisa** hurry
la **prisión** prison
el **prisionero** prisoner
la **privación** privation
probar (ue) to try, attempt; test
el **problema** problem
proceder to prosecute, sue
la **producción** production
producir (zc) to produce; —**se** be produced
el **producto** product
productor, -ora producing, productive
profanar to profane
la **profecía** prophecy
el **profesor**, la **profesora** teacher, master
profundo, -a deep, profound
progresar to progress
progresivo, -a progressive
el **progreso** progress
prohibir to prohibit, forbid
la **promesa** promise
prometer to promise
prominente prominent
el **pronombre** pronoun
pronto soon
la **pronunciación** pronunciation
pronunciar to pronounce
la **propina** tip
proponer to propose
la **proposición** proposition
el **propósito** plan, objective
próspero, -a prosperous

proteger (j) to protect, guard, defend; —**se** protect oneself
próximo, -a next, closer, near
el **proyecto** plan; dream
la **prueba** attempt; trial, test
público, -a public
el **pueblo** town, village; nation; people
el **puente** bridge
la **puerta** door; gate; **Puerta del Sol** "Gate of the Sun" (*most important public square in Madrid*)
el **puerto** port
pues then, well; since, inasmuch as; — **bien** all right then
el **puesto** place; — **que** since
puesto *p.p.* of **poner**
la **punta** point, end; *see* **colocar**
el **punto** point; al —, immediately; — **cardinal** point of compass; **en** —, exactly; **estar a** — **de** to be about to
el **pupitre** desk
puro, -a pure

Q

que who, which, that; than; el, la, lo —, *rel. pron.* who, what; he who, that which; es —, the fact is
¿ **qué**? what? ¿ de — es? what is . . . made of? ¿ — **hay**? what is the matter? ¿ **para** —? ¿ por —? why? what for? ¡ qué . . . ! how . . . ! what a . . . ! ¡ — sé yo! how should I know!
el **quebracho** very hard wood
quedar to remain, be left; —**se** remain, stay, be; —**se con** keep
quejarse to complain
quemarse to burn up
querer (ie) to want, wish; love, like, be fond of; — **decir** mean; —**se** like each other; **lo que se quiere** what one wants
querido, -a dear
el **queso** cheese
quien, -es who, he who
¿ **quién, -es**? who? whom? ¿ de —? whose?
quienquiera whoever

la **química** chemistry
quitar to take away; subtract;
—**se** take off
quizá *or* **quizás** perhaps

R

la **rabia** anger, rage
la **radio** radio
la **raíz** root
la **rama** branch
el **ramo** bunch, bouquet
la **rapidez** rapidity
rápido, –**a** quick, rapid, fast
raro, –**a** rare; —**a vez** seldom,
rarely
un **rato** short time, moment, while
el **ratón** mouse
la **raya** dash
la **raza** race
la **razón** reason; **por esta** —, for this
reason; **tener** —, to be right
real royal; real, actual
realizar to materialize, realize
la **rebelión** rebellion
la **recepción** reception
la **receta** prescription
recetar to prescribe
recibir to receive
recién recently
reclinar to recline, rest
recoger (j) to take in; pick up
la **reconciliación** reconciliation
recordar (ue) to remember
recorrer to travel over, rove over,
tour
el **recreo** recess; play, recreation
el **rector** dean; president
el **recuerdo** memory; remembrance;
muchos —**s** best regards
reemplazar to replace
reflexionar to think, reflect
el **refrán** proverb
el **regalo** present
la **regla** ruler; rule
el **reglamento** rules, by-laws
regresar to return; **no** — **en su
vida** never to return
el **regreso** return
rehusar to refuse
la **reina** queen
el **reinado** reign

reinar to reign
el **reino** kingdom
reír (i) to laugh; —**se (de)** laugh
at
relativo, –**a** relative
la **religión** religion
religioso, –**a** religious; **el** —, priest
el **reloj** watch
remediar to remedy
el **remedio** remedy
la **renta** income; rent
reñir (i) to scold; quarrel
repartir to distribute; divide; **el**
—, division
el **repaso** review
repente: de —, suddenly
repetir (i) to repeat
representar to represent
el **reproche** reproach
la **república** republic
reservar to reserve
el **resfriado** cold
resistir to stand, resist; oppose;
ya no puede — **más** he cannot
stand it any longer
la **resolución** resolution
resolver (ue) to solve
respectivo, –**a** respective; own
respetable respectable
respetar to respect
el **respeto** respect
respetuosamente respectfully
respirar to breathe
responder to answer
la **respuesta** answer
el **restaurante** restaurant
resuelto, –**a** determined
el **resultado** result
resultar to succeed; be
el **resumen** summary, résumé
retirar to retire, withdraw; settle
down; —**se** withdraw oneself
el **retrato** picture, portrait, photograph
reunido, –**a** together
reunir to unite, call together;
—**se** unite, come together
la **reverencia** bow
revés: al —, backwards
la **revista** magazine
el **revólver** revolver
el **rey** king; **los Reyes** Epiphany,

Twelfth Night; **los Reyes Magos** three Wise Men of the East; **los Reyes Católicos** the Catholic Sovereigns

rico, -a *adj.* rich; delicious; **el** —, rich man

la **rifa** raffle, lottery

la **rima** short lyric poem

el **rincón** corner

el **río** river

la **riqueza** wealth, riches

robar to rob, steal, plunder

el **robo** robbery, theft

la **rodilla** knee; **de** —s on one's knees

rojo, -a red

la **romería** (religious) picnic; pilgrimage

romper to break

la **ropa** clothes, clothing; — **interior** underwear

la **rosa** rose

roto, -a *p.p. of* **romper**

rubio, -a blond

el **ruido** noise

el **rumor** noise

Rusia Russia

la **ruta** route, way

S

el **sábado** Saturday

saber to know; can; — + *inf.* know how to + *verb*

sabio, -a wise, clever

sacar to draw out, remove, take out, get out; pull; — **fotografías** take pictures

el **sacerdote** priest

el **saco** bag, sack

sacrificar to sacrifice; —**se** be sacrificed; sacrifice oneself

sacudir to shake

la **sala** parlor, living room

la **salida** departure, exit

salir to go out, leave, start; rise (*of sun*); — **bien del examen** pass the examination; — **de** leave, depart; — **mal del examen** fail the examination

el **salitre** saltpeter, nitrate

el **salón** hall, large room, salon

saltar to jump

la **salud** health

saludar to greet

salvaje savage, wild; ferocious

salvar to protect; —**se** save oneself; —**se la vida** save one's life

San Martín *one of the great liberators in the War of Independence in Spanish America*

sano, -a healthy, sound

santo, -a holy; **el** —, **la** —**a** saint; **el día de** —, saint's day (*festival of one's saint*); **Todos los Santos** All Saints' Day; **la Santa Biblia** Holy Bible

el **sastre** tailor

la **sastrería** tailor shop

Satanás *m.* Satan

la **satisfacción** satisfaction

satisfecho, -a satisfied

secarse to dry oneself

seco, -a dry

el **secretario** secretary

el **secreto** secret

la **sed** thirst; **tener** —, to be thirsty

la **seda** silk

seguida: en —, immediately, forthwith

según according to, accordingly

el **segundo** second

seguro, -a safe, sure; **de** — (= **seguramente**) surely

el **sello** stamp

la **semana** week; **la** — **que viene** (= **la** — **próxima**) next week; **la** — **pasada** last week; **Semana Santa** Holy Week

semejante similar, like

sencillo, -a simple

sentado, -a seated

sentarse (ie) to sit down

el **sentido** sense

sentimiento regret; feeling, sentiment

sentir (ie) to be sorry, feel sorry; —**se** feel; ¡ **cuánto siento lo que ha pasado!** how sorry I am for what has happened! **lo siento** I am sorry

la **señal** sign

señalado, -a specified, designated

las **señas** address

el **señor** sir, Mr.; el **Señor** the Lord
la **señora** lady, madam, ma'am
la **señorita** Miss, young lady
   separarse (de) to be separated
    (from)
   septiembre *m.* September
   ser to be
el **sereno** night watchman
la **serie** series
la **seriedad** seriousness
   serio, -a serious
la **serpiente** snake
el **servicio** service
   servidor, -ora present
la **servilleta** napkin
   servir (i) to serve; **al —se** upon
    helping yourself; **¿ en qué**
    puedo —la? what can I do for
    you? **sírvase repetir** please re-
    peat
   Sevilla Seville (*city in the south of*
    Spain)
   si if; whether
   sí yes, indeed; oneself; **creo que**
    —, I think so
   siempre always; **una vez para —,**
    once and for all
el **siglo** century; **Siglo de Oro**
    Golden Age (*of Spanish litera-*
    ture, 1535–1681)
   significar to mean, signify
   siguiente following, next
el **silencio** silence; **guardar —,** to
    keep quiet; **la lectura en —,**
    silent reading
la **silla** chair; saddle
el **sillón** armchair
   simpático, -a friendly, agreeable,
    pleasant, likeable
   sin *prep.* without; *conj.* **— que**
    without; **— embargo** however,
    nevertheless
la **sinceridad** sincerity
   sincero, -a sincere
   sino but; except; **— que** but
el **sitio** place; seat, location
la **situación** situation
   situado, -a situated, located
el **soberano** king
   sobre upon, on, about, over,
    above; **— todo** above all, es-
    pecially

el **sobre** envelope
el **sobretodo** overcoat
la **sobrina** niece
la **sociedad** society
el **socorro** help
el **sofá** sofa, couch
el **sol** sun; **hacer —,** it is sunny
   solamente only, merely
el **soldado** soldier
   solitario, -a lonely
   solo, -a single, only, one, alone
   sólo *adv.* only, solely; **no — sino**
    not only . . . but also
la **solución** solution; settlement
la **sombra** shadow; **a la —,** in the
    shade
la **sombrerería** hat store
el **sombrero** hat
   someter to submit
   sonar (ue) to ring, sound; **—se**
    blow one's nose
   sonreír(se) (í) to smile (de at)
la **sonrisa** smile
   soñar (ue) to dream (con of)
la **sopa** soup
   soportar to support; suffer, stand
   sorprender to surprise
la **sorpresa** surprise
la **sospecha** suspicion
   sospechar to suspect, conjecture
   sostener to hold
el **sótano** cellar, basement
   suave soft
   subir (a) to go up, ascend; get
    into; go
el **subjuntivo** subjunctive
el **sueldo** salary
el **suelo** floor; ground
el **sueño** sleep; **tener —,** to be sleepy
la **suerte** luck; **por mala —,** unfor-
    tunately
   suficiente enough, sufficient
   sufrir to suffer
   Suiza *f.* Switzerland
el **sujeto** subject
la **suma** sum; utmost
   sumar to add, give the sum of
   sumo, -a great, greatest
la **superficie** surface
   superior high, secondary, supe-
    rior; **la escuela —,** high school
el **sur** south

suspender to stop, suspend
el **sustantivo** noun

T

el **tabaco** tobacco
tachar to strike out, blot, scratch out
también also, too
tampoco neither, not ... either
tan as, so; — ... **como** as ... as
tanto, -a so much; *pl.* so many
tardar (en) to be late (in)
la **tarde** afternoon; **de la** —, in the afternoon, P.M.; **por la** , in the afternoon; *adj. or adv.* late; **más** —, later
la **tarea** task
la **tarjeta** card; — **postal** postal card
la **taza** cup
el **té** tea
teatral theatrical
el **teatro** theater
telefonar to telephone
el **teléfono** telephone
el **tema** theme; subject
temblar (ie) to tremble
temer to fear
el **temor** fear
la **tempestad** tempest, storm
temprano early
tener to have; — ... **años** be ... years old; **no** — **más que** have only; **¿ cuántos años tiene Vd.?** *or* **¿ qué edad tiene Vd.?** how old are you? **¿ qué tiene Vd.?** what is the matter with you? **tenemos tanto gusto en hablar** we are so glad to speak; **tenga Vd. la bondad (de)** please, have the kindness (to); **tengo calor (frío)** I am warm (cold); **tengo un dolor de cabeza** I have a headache; **tengo mucho gusto en conocerlo** I am very glad to make your acquaintance; **tengo que hablar** I must speak; **tiene los ojos cansados** his eyes are tired; **tiene sueño** he is sleepy; **Vd. tiene hambre (sed)** you are hungry (thirsty); **Vds. no tienen razón** you are wrong

el **tenis** tennis
la **tentación** temptation
tercero, -a (**tercer**) third
la **terminación** ending, termination
terminar to end; **para** —, in conclusion
el **terreno** ground, soil
el **territorio** territory
el **tesoro** treasure
el **tiempo** time; weather; **a** —, on time; **a un** —, at one time; **hace algún** —, some time ago; **hacer buen** —, to be good weather; **hacer mal** —, be bad weather; **¿ qué** — **hace?** how is the weather?
la **tienda** store; tent; **jugar a la** —, to play store; **la** — **de comestibles** grocery store
la **tierra** land, earth; country
el **tigre** tiger
la **tinta** ink
el **tintero** inkwell
el **tío**, la **tía** uncle; aunt
típico, -a typical
tirar to throw out, throw; — **de** pull; —**se** to throw oneself down, —**se a** a dive
el **título** degree
la **tiza** chalk
la **toalla** towel
tocar to touch; —**se** touch oneself; play (*an instrument*)
todavía yet, still
todo, -a all, whole, every; — **el día** the whole day; —**s los** every, each, all; —**s los días** every day; **en** —**as partes** everywhere; —**a clase de** every kind of
tomar to take; — **asiento** take a seat
el **tono** tone; color
tonto, -a stupid
el **toque** ringing; stroke
la **torre** tower
toser to cough
trabajar to work
el **trabajo** work
la **trabalengua** tongue twister
la **tradición** tradition
tradicional traditional

la **traducción** translation
traducir (zc) to translate
traer to bring
traído *p.p. of* **traer**
el **traje** suit (*of clothes*)
la **trampa** trap
tranquilo, -a quiet, calm, tranquil
la **transformación** change, transformation
el **transporte** transportation
el **tranvía** street car
tratar (de) to treat (of), deal (with), try to
través: a — de across
el **tren** train
la **tribu** tribe
el **trigo** wheat
triste sad
la **tristeza** sorrow
triunfalmente triumphantly
el **triunfo** triumph
la **trompeta** trumpet
el **tronco** trunk (*of a body; tree*)
la **tropa** troop
la **tumba** tomb
turbarse to be troubled
turco, -a Turkish
la **Turquía** Turkey

U

último, -a last
único, -a only, unique
unirse to be united, join
la **universidad** university, college
un(o), -a one; an, a; *pl.* some, any; **— a —,** one by one
usar to use
el **uso** use
útil useful
la **uva** grape

V

la **vaca** cow; *see* **carne**
las **vacaciones** vacation, holiday
el **vagón** coach
Valencia *a city and fertile region on the eastern coast of Spain*
valer to be worth; cost; **más vale ... que** it is better ... than
valiente *adj. & noun* valiant; brave (one)
el **valor** bravery, courage; value

el **valle** valley
¡ **vamos**! come! push! **vamos a preguntar** let us ask; **vamos a ver** let us see
vano: en —, in vain
varios, -as several, various
el **vaso** glass
vasto, -a large, vast
vecino, -a neighboring; **el —,** neighbor
vencer (z) to conquer, win
vencido, -a overpowered; *noun m. & f.* the vanquished loser
el **vendedor** salesman, storekeeper; **el — de periódicos** newsboy; **la —a** saleswoman, storekeeper
vender (por) to sell (by)
el **veneno** poison
venir to come
la **ventaja** advantage
la **ventana** window
la **ventanilla** window (*of a train*)
la **ventura** fortune
ver to see; ¡ **a —!** let us see! **vamos a —,** let us see
el **verano** summer
veras really; **de —,** really
la **verbena** festival (*on the eve of a saint's day*)
el **verbo** verb
la **verdad** truth; **ser —,** to be true; **¿ verdad?** *or* **¿ no es —?** is it not so? **—eramente** truly
verde green
la **vergüenza** shame; **dar —,** to feel ashamed
el **vestido** dress, suit, clothes; *pl.* clothes, clothing
vestir (i) to dress; **—se** dress oneself; *see* **prenda**
la **vez** (*pl.* **veces**) time; **de — en cuando** from time to time; **decir otra —,** to say again; **a su —,** in his turn; **tal —,** perhaps; **una — para siempre** once and for all; **una —,** once; **dos veces** twice; **varias veces** several times
viajar to travel
el **viaje** trip; **hacer un —,** to take a trip
el **viajero** traveler

la **victoria** victory
victorioso, –a victorious
la **vida** life; *see* **dar**
viejo, –a old; **el —,** old man;
  de —, as an old man
el **viento** wind; **hace —,** it is windy
el **viernes** Friday
la **viga** beam, girder
Vigo *a commercial port in the
  northwestern part of Spain*
el **villancico** Christmas carol
el **vinagre** vinegar
el **vino** wine
violento, –a violent
la **violeta** violet
el **violín** violin
el **violinista** violinist
la **Virgen** Virgin; **la — Inmaculada**
  Immaculate Virgin; **la — María**
  Virgin Mary; **— del Pilar** *one
  of the names of the Virgin Mary*
la **visita** visit
el **visitante** visitor
visitar to visit
la **víspera** eve; day before
la **vista** sight
  visto *p.p. of* **ver; por lo —,** apparently

vistoso, –a showy
vivir to live, reside
vivo, –a alive
el **vocabulario** vocabulary
volar (ue) to fly
volver (ue) to return, turn, go
  back; **— a decir** say again;
  — a preguntar ask again
la **voz** (*pl.* **voces**) voice
vuelto *p.p. of* **volver**

Y

y and
ya yet, already; **— no puede resistir más** he cannot stand it
  any longer; **— veremos** we
  shall see; **— ... —,** now ...
  then
la **yerba** mate (*South American tea*),
  beverage

Z

la **zapatería** shoe store
el **zapatero** shoemaker
el **zapato** shoe
el **zorro** fox

VOCABULARY

ENGLISH-SPANISH

A

able: be —, poder (ue)
about de, acerca de
absent ausente
address la dirección
admire admirar
after después de
afternoon la tarde
afterwards después, luego
age la edad
agreeable agradable
all todo, -a; — of todo, -a; todos los, todas las
also también
although aunque
always siempre
ambition la ambición
ambitious ambicioso, -a
American americano, -a
among entre
and y, e (*before* i- *or* hi-)
anecdote la anécdota
animal el animal
another otro, -a
answer *n.* la respuesta; *v.* contestar (a), responder (a)
any alguno, -a (algún); no . . . ninguno, -a; cualquier(a)
anybody, anyone alguien
anything algo, alguna cosa; **not** —, no . . . nada
apartment el piso
apple la manzana; —**tree** el manzano
approach acercarse (a)
arm el brazo
arrive llegar
as como, tan; — **many** —, tantos, -as . . . como; — **much** —, tanto, -a . . . como; — **soon** —, luego que
ask (*a question*) preguntar, hacer una pregunta; rogar (ue); — **for** pedir (i)

asleep: fall —, dormirse (ue)
attend asistir (a)
attention la atención
attentive atento,-a; —**ly** con atención
aunt la tía
author el autor
automobile el automóvil
autumn el otoño
avenue la avenida

B

bad malo, -a (mal)
be ser, estar
bear (= *carry*) llevar; (*fruit*) dar
beard la barba
beat pegar
beautiful hermoso, -a; bonito, -a
because porque
bed la cama
before (*place*) ante, delante de, en frente de; (*time*) antes de; *conj.* antes (de) que
beg rogar (ue)
begin empezar (ie) (a), principiar (a), comenzar (ie) (a)
believe creer
best (el) mejor
better mejor
between entre
big grande
bird el pájaro
biscuit el bizcocho
black negro, -a
blackboard la pizarra
blond rubio, -a
blouse la blusa
blue azul
body el cuerpo
book el libro; —**shelf** el estante
box la caja; **letter** —, el buzón
boy el muchacho; — **scout** el explorador

breakfast *n.* el desayuno; take —,
desayunarse
breathe respirar
bring traer, llevar; brought traído
brother el hermano; —s and sisters
los hermanos
but pero
buy comprar
by por, de

C

call llamar; — on visitar; be —ed
llamarse
can (= *be able*) poder (ue)
candy los dulces; — shop la confitería
cap la gorra
capital la capital
cardinal cardinal
carnation el clavel
case: in —, en caso de que
cash: for —, al contado
cat el gato
celebrate celebrar
celebrated célebre
certain: be —, estar seguro, -a; a —,
cierto, -a
chair la silla
chalk la tiza
chapter el capítulo
cheap barato, -a
cherry la cereza; — tree el cerezo
child el niño, la niña; children los
niños
church la iglesia
city la ciudad
class la clase
clerk el dependiente
close cerrar (ie); —d cerrado, -a
clothing la ropa
coat la chaqueta, (= *overcoat*) el sobretodo
coffee el café
cold frío, -a; I am —, tengo frío; it
is — (*of the weather*) hace frío
collar el cuello
comb *v.* peinarse
come venir; — into entrar en; — in
¡ adelante !
comfortable cómodo, -a
composition el tema, la composición
conduct llevar, conducir (zc)

constructed construído, -a
conversation la conversación
cook guisar
copy copiar
corn el maíz
corporal el cabo
cotton *n.* el algodón; *adj.* de algodón
count contar (ue)
country el país; (= *countryside*) el
campo
cousin el primo, la prima
cover cubrir; —ed cubierto, -a
credit: on —, al fiado
Cuban cubano, -a
cultivate (= *grow*) cultivar
cure *v.* curar
customer el parroquiano, la parroquiana
cut cortar

D

dance *n.* el baile; *v.* bailar
date la fecha
daughter la hija
day el día
desk el escritorio, la mesa
die morir (ue)
difficult difícil
diligent aplicado, -a, diligente
dining room el comedor
do hacer; done hecho
doctor el médico
dog el perro
dollar el duro (*Spain*), el peso (*Span.
Am.*)
door la puerta
doubt dudar
dress *n.* el vestido, la falda; *v.* —
oneself vestirse (i)
drink beber
druggist el boticario, el farmacéutico
dry oneself secarse
during durante

E

each cada (uno, -a)
ear el oído; (*shell*) la oreja
early temprano
easy fácil
eat comer
egg el huevo
eight ocho

either ... or o ... o

English inglés, -esa; (*language*) el inglés

enjoy gozar de; — oneself divertirse (ie)

enter (into) entrar (en)

evening la noche; last —, anoche

ever jamás

every todos los, todas las; (= *each*) cada (uno, -a); —body todo el mundo, todos; — day todos los días

exercise *n.* el ejercicio; *v.* take —, hacer *or* practicar ejercicios

explain explicar

explanation la explicación

eye el ojo

F

face la cara

fall caer; — asleep dormirse (ue); — sick enfermarse, caer enfermo

family la familia

famous famoso, -a, célebre

father el padre, el papá

feel sentirse

festival la fiesta

few: a —, pocos, -as, unos, -as, unos cuantos, unas cuantas

fifth quinto, -a

find hallar, encontrar (ue)

finish terminar; acabar (de)

first primer(o), -a

fit caber

flour la harina

flower la flor

fork el tenedor

France Francia *f.*

fresh fresco, -a

friend el amigo, la amiga

from de, desde

front: in — of delante de, en frente de

fruit la(s) fruta(s); — stand el puesto de frutas

furniture los muebles; article of —, el mueble

G

game el juego, el partido

garden el jardín

general el general

generally generalmente

get up levantarse

gift el regalo

girl la muchacha

give dar

glad: be —, alegrarse de

glove el guante

go ir(se), andar; — down bajar (a); — out salir; — up subir

gold el oro

good buen(o), -a

grammar la gramática

grandfather el abuelo

grandson el nieto

grape la uva

great gran(de); a — deal of mucho, -a

green verde

greet saludar

grocery store la tienda de comestibles

grow cultivar

guide guiar, conducir (zc)

H

hair el pelo, los cabellos

half: — a or a —, medio, -a; — past six las seis y media; — an hour (una) media hora

hand *n.* la mano; *v.* entregar

hard difícil

happy feliz

hat el sombrero

have tener, haber; (= *must*) — to tener que, necesitar

he él; — who quien, el que

head la cabeza; —ache el dolor de cabeza

hear oír, oír decir

help ayudar

her la

here aquí, acá

hero el héroe

high alto, -a

him lo (le)

history la historia

holiday la fiesta

home la casa; (= *homeward*) a casa; at —, en casa

hope esperar

hour la hora

house la casa

how? ¿cómo? — much (many)? ¿cuánto, -a (-os, -as)?

human humano, –a
hundred: a —, cien(to)
hunger hambre; be hungry tener
hambre

I

idea la idea
if si
ill enfermo, –a; be —, estar malo, –a,
estar enfermo, –a; fall —, enfermarse
imitate imitar
immediately en seguida, inmediatamente
important adj. importante; v. be —,
importar
information la información
instructive instructivo, –a
intelligent inteligente
interesting interesante
invite invitar
iron el hierro
it lo, la (not translated when it is the
subject)

J

January enero m.
jump saltar

K

kind (to) amable (con)
king el rey
kitchen la cocina
knife el cuchillo
knock llamar
know (a fact) saber; (a person) conocer (zc); — how saber

L

lady la señora, la mujer
lake el lago
language la lengua, el idioma
large gran(de)
last último, –a, pasado, –a; — evening or night anoche
late tarde
lawyer el abogado
lazy perezoso, –a

lead conducir (zc), llevar
learn aprender
least (el) menor; (el) menos
leave dejar; (= depart) salir (de)
(para), partir; take —, despedirse (i)
leg la pierna
legend la leyenda
lend prestar
less menor; menos
lesson la lección
letter la carta; — box el buzón; —
carrier el cartero
library la biblioteca
lie mentir (ie)
life la vida
light claro, –a; ligero, –a
like gustar; I —, me gusta, me
gustan; I should —, me gustaría,
quisiera
like (= as) como
lion el león
listen escuchar
little adj. pequeño, –a; a —, adv. un
poco de
live vivir
long largo, –a
look (at) mirar; — for buscar
lose perder (ie)
lunch n. el almuerzo; v. almorzar (ue)

M

magazine la revista
maid la criada
man el hombre
many muchos, –as; how —? ¿ cuántos, –as ? see as
map el mapa
March marzo m.
mark (rating) la nota
Mass la misa; midnight —, la misa
del gallo
matter el asunto; what is the —
with him? ¿ qué tiene él ?
meal la comida
meat la carne
meet encontrar (ue)
minute el minuto
mirror el espejo
Monday el lunes
money el dinero

month el mes
monument el monumento
more más
morning la mañana; in the —, por la mañana, (time mentioned) de la mañana
mother la madre; — country la madre patria
mouth la boca
moving pictures ("movies") el cine
museum el museo
must deber, tener que

N

name el nombre; family —, el apellido; v. be —d llamarse
napkin la servilleta
near cerca de
necessary: it is —, es menester (preciso)
neck el cuello
necktie la corbata
need necesitar
neither ni; — ... nor ni ... ni
never nunca, no ... jamás, no ... nunca
new nuevo, –a
newspaper el periódico
next próximo, –a, siguiente
night la noche; last —, anoche
nine nueve
no no, ninguno, –a (ningún)
nobody, no one nadie
not no
notebook el cuaderno
nothing nada
novel la novela
now ahora, ya
number el número

O

of de, acerca de
often a menudo
old viejo, –a, anciano, –a; to be ... —, tener ... años
older mayor
on en, sobre
one un(o), –a; —self se
open v. abrir; adj. in the —, al aire libre; —ed abierto, –a
or o, u (before o– or ho–)

order: in — to para; in — that conj. para que, a fin (de) que; n. (= command) la orden
other otro, –a
our nuestro, –a

P

package el paquete
page la página
painting la pintura
pale pálido, –a
paper el papel; (news)—, el periódico
parents los padres
park el parque
parlor la sala
party la fiesta, la reunión
pass pasar (de)
patient el paciente
pay pagar; — attention prestar (poner) atención
pear la pera; — tree el peral
pen la pluma
pencil el lápiz
people la gente
physical exercises los ejercicios físicos
picture el cuadro, el grabado
piece (of furniture) el mueble
place n. el lugar; v. poner, colocar
play jugar (ue); — ball (store) jugar a la pelota (a la tienda); (on a musical instrument) tocar
playground el patio de recreo
please (= be kind enough to) hágame Vd. el favor de, sírvase Vd. + inf.
pocket el bolsillo
poem la poesía, el poema
policeman el policía, el agente (de policía)
poor pobre
popular popular
practise practicar
praise alabar; — oneself alabarse
prefer preferir (ie)
prepare preparar
present adj. presente, actual; n. el regalo
pretty bonito, –a, lindo, –a
prince el príncipe
probably (to express probability use future or conditional)
promise prometer

pronounce pronunciar
pupil el alumno, la alumna
pure puro, –a
put poner, meter (en); — on ponerse; *p.p.* puesto

Q

quarrel la disputa
question la pregunta

R

rain llover (ue)
read leer
receive recibir
red rojo, –a
reliable cierto, –a
remember acordarse (ue) de, recordar (ue)
repeat repetir
reply contestar (a), responder (a)
retire acostarse (ue)
return volver (ue); regresar
rich rico, –a
riches la riqueza
right razón; to be —, tener razón
ripe maduro, –a
ripen madurar
rise levantarse
room la pieza, el cuarto
rose la rosa
rule la regla; la dominación
run correr

S

sad triste
said dicho
saint san(to), –a
same mismo, –a
say decir; *p.p.* dicho
school la escuela
scout: boy —, el explorador
season la estación
seat el asiento
seated sentado, –a
see ver
seen visto
sell vender
send enviar, mandar
sense el sentido
sentence la frase, la oración
servant el criado, la criada
serve servir (i)

seven siete
seventeen diecisiete
seventy setenta
several varios, –as
sew coser
shelf el estante
shine brillar; the sun is shining hace sol
shirt la camisa
shoe el zapato
short corto, –a, breve
show mostrar (ue), enseñar
sick enfermo, –a, malo, –a; to fall —, enfermarse
sickness la enfermedad
sign el cartel, el letrero
silk la seda
silver la plata
since desde
sing cantar
sir el señor, el caballero
sister la hermana
sit down sentarse (ie)
six seis
sixth sexto, –a
skate patinar
skirt la falda
sleep dormir; to be sleepy tener sueño
small pequeño, –a
smile (at) sonreír(se) (de)
smoke fumar
snow nevar (ie)
so así, tan
soap el jabón
soldier el soldado
some alguno, –a (algún); *pl.* algunos, –as, unos, –as
something algo, alguna cosa
sometimes a veces, algunas veces
son el hijo; — s and daughters los hijos
song la canción
soon pronto; as — as luego que
sorry: be —, sentir (ie)
South America Sud América *f.*; la América del Sur
Spain España *f.*
Spaniard español, –a
Spanish español, –a; (*language*) el español
speak hablar
spend gastar

sphinx la esfinge
spoon la cuchara
spring la primavera
stamp el sello
steal robar
stocking la media
store (= *shop*) la tienda
story el cuento, la historia; (*of a house*) el piso; **—book** libro de cuentos
stout gordo, –a
straw la paja
street la calle
streetcar el tranvía
strong fuerte
student el estudiante
studious aplicado, –a
study *n.* el gabinete; *v.* estudiar
sugar el azúcar
suit (*of clothes*) el traje, el vestido
summer el verano
sun el sol; **the — is shining** hace sol
Sunday el domingo
sure seguro, –a
surname el apellido

T

table mesa; **—cloth** el mantel
take tomar; **— leave** despedirse (i); **— breakfast** desayunarse; **— exercise** hacer *or* practicar ejercicios; **— off** quitarse
talk hablar
tall alto, –a
teach enseñar
teacher el maestro, la maestra, el profesor, la profesora
teeth los dientes
tell decir
ten diez
than que; de
that *rel.* que; *demons.* ese, –a, –o; aquel, aquella, aquello; **— of** el (la, los, las) de
the el, la, los, las
theater el teatro
them los, las
then luego, entonces
there allí, allá, ahí; **— is (are)** hay
these estos, estas; éstos, éstas

thief el ladrón
thing la cosa
think pensar (ie), creer; (= *intend*) **— of** pensar (ie) + *inf.*
third tercer(o), –a
this este, –a; esto
those esos, –as; aquellos, –as; ésos, –as, aquéllos, –as
three tres
through por, a través de
Thursday el jueves
ticket el billete
tie la corbata
time el tiempo; **—s veces; have a good —,** divertirse (ie)
tired cansado, –a
to a, hasta, para
today hoy
tomorrow mañana
tooth el diente
towel la toalla
toy el juguete
travel viajar
tree el árbol
trip el viaje; **to take a —,** hacer un viaje
trousers los pantalones
true cierto, –a; **it is —,** es verdad
trunk (*of a body*) el tronco; (*baggage*) el baúl
truth la verdad
Tuesday el martes
twelve doce
two dos

U

uncle el tío
under bajo, debajo de
understand comprender, entender (ie)
unfortunate pobre, desgraciado, –a
United States los Estados Unidos
upon en, sobre
use el uso
useful útil
usually usualmente, generalmente

V

vacation las vacaciones
various algunos, –as; varios, –as
vender el vendedor
very muy
vest el chaleco
vinegar el vinagre

violet la violeta
visit visitar

W

wait tardar(se), esperar
wake up despertarse (ie)
walk *n.* el paseo; *v.* andar, ir a pie, pasearse; take a —, dar un paseo
want querer (ie), desear
warm caliente; I am —, tengo calor; it is — (*of the weather*) hace calor
wash lavar, lavarse
watch *n.* el reloj; *v.* — (*over*) vigilar; (= *look at, observe*) mirar
water el agua *f.*
wear llevar, usar
weather el tiempo
well bien; not to be —, estar malo
what ¿ qué? (= *which*) ¿ cuál? (= *that which*) lo que
wheat el trigo
when cuando; —? ¿ cuándo? ¿ a qué hora?
where donde; —? ¿ dónde?
which que, el cual (la cual, el que, la que)
which? ¿ cuál, -es?
white blanco, -a
who? ¿ quién?
whole todo el, toda la

whom quien; —? ¿ (a) quién?
whose cuyo, -a; —? ¿ de quién?
why? ¿ por qué? ¿ para qué?
wide ancho, -a
window la ventana
windy: to be —, hacer viento
winter el invierno
wish desear, querer (ie)
with con; — me conmigo
without sin; sin que
woman la mujer
wonder (*use future or conditional*) preguntarse
wool la lana; woolen de lana
word la palabra
work *n.* el trabajo, la obra; *v.* trabajar
world el mundo
worse el peor
worth: be —, valer
write escribir
written escrito

Y

year el año
yellow amarillo
yes sí
yesterday ayer
young joven; —er menor

INDEX

a: personal **a**, 81; omission of personal **a** with **tener**, 193

achievement tests: Spanish, 98, 178, 269, 365, 474; English, 492, 496, 500, 503, 508

adivinanzas, 124, 416, 451; see also puzzles

adjectives: agreement with noun, 56, 88, 155; feminine gender, 56; plural, 87, 88, 89, 97; modifying several nouns, 88; position, 56, 344, 345; position of predicate adjective, 56 fn. 2; comparison of equality, 400; comparison of inequality, 416, 472; comparative, 416, 472; superlative, 459, 472; absolute superlative, 459; irregular comparison, 417, 459; meanings with **ser** and **estar**, 166; shortened form, 385; demonstrative, 117, 178; repetition of demonstrative adjectives, 117; possessive, 129, 178, 257

adverbs: formation, 417; comparison, 400, 417; negative, 472

'**age,**' 192, 240

al: with infinitive, 172 fn., 451 fn.

apocopation: of adjectives, 385

article, definite: forms, 46; plural of, 88, 96; contraction **al**, 81; contraction **del**, 70; **el** for **la**, 135 fn., 212 fn.; before titles, 109 fn. 2; used for possessive pronouns, 161; before hour of day, 18, 110; with superlatives, 459; with general nouns, 236; used for possessive adjectives, 129, 257; possessive adjective used for definite article, 459 fn. 1; with **tener** to express physical characteristics, 192; omission before noun in apposition, 165 fn. 2; omission before possessive pronouns, 161 fn.; omission with partitive noun, 236

article, indefinite: forms, 41, 88; plural of, 88, 96; omission before unmodified predicate noun, 111; use with modified predicate noun, 165 fn. 3

-car **verbs:** see Verb Tables, 524

-cer **verbs:** see Verb Tables, 525

-cir **verbs:** see Verb Tables, 525

'**classroom**': expressions, 9, 10

class talk, 510–514

colors, 16

commands: of regular verbs, 199, 267; with object pronouns, 268; with reflexive pronouns, 268; of radical-changing verbs, 286, 293, 362; position of pronoun objects, 200, 467; familiar affirmative, 466, 474; irregular familiar, 474; negative imperative, 200; **vamos a** + *inf.* = *let us* + *inf.,* 200 fn.

comparison: see **adjectives, adverbs,** and **nouns**

composition subjects: 112, 131, 151, 162, 175, 202, 214, 238, 265, 295, 301, 315, 339, 347, 359, 396, 403, 410, 441

compound tenses: of indicative, 445, 446, 473; see also each separately

con: **conmigo, contigo,** 212

conditional: regular, 305, 363; irregular, 306, 363; of probability, 306; conditional perfect, 445, 473

conditional sentences: simple conditions, 313

'**courtesy,**' 70, 155, 200, 242

cultural essays: 60, 102, 140, 182, 224, 272, 318, 368, 424, 478

'**dates,**' 149

'**days**': of the week, 22, 23; of the month, 25, 26, 149

de: + **el**, 70; use to denote possession, 70, 129; with demonstrative adjectives, 117; after superlative to denote *in*, 459; before a numeral in comparison, 417

demonstrative: see **adjectives** and **pronouns**

dictation exercises, 37, 47, 52, 72, 119, 125, 137, 157, 168, 207, 220, 244, 259, 287, 308, 331, 353, 388, 419, 447, 461